EL AMANTE DEMONIO

novela**VERGARA**

EL AMANTE DEMONIO

Juliet Dark

Traducción de Olivia Llopart

VERGARA

Barcelona • Madrid • Bogotá • Buenos Aires • Caracas • México D.F. • Miami • Montevideo • Santiago de Chile

Título original: *The Demon Lover*
Traducción: Olivia Llopart Gregori
1.ª edición: septiembre 2013

© 2012 by Carol Goodman
© Ediciones B, S. A., 2013
    para el sello Vergara
    Consell de Cent 425-427 - 08009 Barcelona (España)
    www.edicionesb.com

Printed in Spain
ISBN: 978-84-15420-62-0
Depósito legal: B. 16.472-2013

Impreso por Novagràfic, S.L.

Para L,
que tiene la llave
de mi corazón

El *visitante oscuro*

Dahlia LaMotte, manuscrito inédito

«Será mejor que cierre la puerta con llave, señorita.»

Mientras me preparaba para meterme en la cama, recordé las palabras del ama de llaves. Me pareció una advertencia extraña en una casa tan aislada como la Guarida del León, donde nuestros únicos vecinos eran el mar y el brezal. ¿Habrían tenido problemas con algún sirviente? ¿Quizá con aquel impertinente mozo de cuadras de mirada lasciva?

¿O acaso la señora Eaves estaba pensando en el señor? El arrogante y distante William Dougall que me había mirado desde su caballo con aires de superioridad; una mirada fría que, paradójicamente, encendió un fuego en mi interior que me recorrió de los pies a la cabeza. No, seguro que no. El gran William Dougall no se dignaría a reparar en una humilde institutriz como yo.

De todos modos, cerré la puerta con llave, aunque dejé abiertas las ventanas pues era una noche calurosa y la brisa del océano traía una deliciosa sensación de frescor. Me deslicé entre las sábanas, limpias y almidonadas con fragancia de lavanda, y apagué la vela... De inmediato percibí algo extraño: una franja de luz que se colaba por debajo de la puerta. ¿Habría dejado la señora Eaves una vela encendida en el vestíbulo para mí? De ser así, debía decirle que no era necesario.

Aparté las sábanas y saqué las piernas de la cama para averiguar de dónde procedía, pero me quedé helada antes de que mis pies alcanzaran el suelo: una sombra había dividido en dos el rayo de luz que se colaba por debajo de la puerta, como si hubiera alguien de pie. Me quedé mirando en busca de otra explicación, y entonces el pomo dorado empezó a girar en silencio. Abrí la boca para gritar, pero no logré emitir sonido alguno. El miedo me había paralizado y no podía mover las piernas, incapaz de escapar de quienquiera que estuviera al otro lado de la puerta. Solo fui capaz de observar el pomo mientras giraba... hasta que dejó de hacerlo.

No obstante, la puerta no se abrió: estaba cerrada con llave. Quien intentaba entrar estaba decidiendo qué hacer. ¿Echaría la puerta abajo? ¿Entraría por la fuerza? ¿Y luego qué? Pero debió de pensar que derribar la puerta haría demasiado ruido, porque el pomo giró de nuevo hasta su posición inicial, la sombra desapareció del resquicio de la puerta y la luz se fue apagando poco a poco.

Suspiré aliviada, todavía asustada; ahora que el peligro había pasado, las piernas empezaron a temblarme como si fueran de gelatina. ¿Debía ir en busca de la señora Eaves para explicarle lo sucedido? Pero ¿qué le diría? ¿Que había visto una luz, una sombra y que el pomo había girado? Tal vez mis sentidos me habían jugado una mala pasada y no me apetecía parecer una niña histérica en mi primer día de trabajo.

De manera que me metí de nuevo en la cama y me tapé con la sábana, sin apartar la mirada de la puerta. ¿Y si el intruso había ido por la llave? Me quedé tumbada, tiesa como una tabla entre las sábanas limpias y almidonadas, los ojos clavados en la puerta. Estaba convencida de que no podría dormir, pero había sido un largo y agotador día de viaje, de conocer caras nuevas y aprender mis nuevas obligaciones. Además, el sonido de las olas al romper allá abajo contra el acantilado y el aroma del agua salada mezclado con la fragancia de las madreselvas del jardín era relajante e hipnótico...

Al final debí de quedarme dormida pues cuando recobré la conciencia la habitación estaba inundada de una pálida luz. Eso me sobresaltó, temiendo que aquella luz de debajo de la puerta se hubiera colado en la habitación, pero enseguida comprendí que la claridad no procedía de la puerta, sino de la ventana abierta. La luna brillaba con fuerza y su luz, blanca como la nata, empapaba las sábanas y mi camisón... Yo también estaba empapada, pero del calor, que parecía impregnar toda la habitación, incluso la columna de sombra que había frente a la ventana...

Una columna con forma de hombre.

Por segunda vez esa misma noche abrí la boca para gritar, mas tampoco ahora lo conseguí, como si la luna fuera un caparazón de hielo. No distinguía las facciones del hombre, pero sin duda se trataba de William Dougall. Reconocí su porte arrogante, sus espaldas anchas, la agilidad esbelta de sus caderas al avanzar...

Se estaba acercando poco a poco, de puntillas para no hacer ruido. Debía de pensar que yo seguía dormida; quizás era mejor así: si supiera que estaba despierta podría ponerse violento.

«El señor tiene carácter —había dicho la señora Eaves—. Es mejor no contrariarlo.»

Cerré los ojos con fuerza. Quizá solo había venido a observarme, del mismo modo que lo había hecho unas horas antes desde la silla de su caballo. Quizás, si únicamente había venido a mirar, yo podría soportarlo...

Sentí un movimiento sutil en la sábana, como si la brisa la hubiera levantado, pero entonces noté que se deslizaba hacia abajo, arrastrándose por encima de mis pechos y tirando del cuello de mi camisón, que me había dejado desabotonado a causa del calor. El aire fresco me acarició la piel desnuda y, avergonzada, sentí que los pezones se me endurecían bajo la fina tela. Podía sentir sus ojos en mí; una sensación escalofriante que me erizó el vello de las piernas... Mientras dormía, el camisón se me había subido hasta las caderas. El aire me lamió los muslos, las pantorrillas y, por último, cuando la sábana se escurrió con un susurro como de agua en movimiento, los pies. Me quedé tumbada, inmóvil; apenas me atrevía a respirar, pendiente del mínimo sonido o movimiento. Si me tocaba, chillaría. Tendría que hacerlo. Pero no pasó nada. La brisa siguió rozándome la piel, regocijándose en las partes descubiertas: mis senos, la cara interior del codo, los muslos. Ya no podía soportarlo más; con los ojos entornados me arriesgué a echar un vistazo... No vi nada. En la habitación no había nadie.

¿Acaso me lo había imaginado todo? Quizá me había sacudido la sábana yo misma... Pero entonces sentí algo que me rozaba la planta del pie: una brisa más caliente que el aire exterior, caliente y húmeda como el aliento... La sombra seguía allí, agachada a los pies de la cama, pero ya no estaba segura de si se trataba de un hombre o un sueño. Aquella sombra parecía atraerme de forma sobrenatural. ¿Por qué sino iba a quedarme tumbada en silencio mientras el intruso respiraba sobre mi pantorrilla, con su aliento caliente y húmedo? ¿Por qué sino me limité a separar las piernas mientras su aliento las recorría? ¿Por qué sino cerré los ojos y me entregué a ese calor que me lamía el muslo centímetro a centímetro? Era como una ola que acaricia la orilla, que deja la arena mojada al retroceder y que llega un poco más lejos cada vez; insinuándose en las grietas, erosionando la orilla rocosa. Sentí que mi propia rocosidad cedía a medida que aquella lengua cálida se abría camino hasta mis partes más íntimas y me lamía en lo más profundo de unas profundidades que ni siquiera yo sabía que tenía... Profundas cavernas submarinas donde las olas se precipitaban y hervían, retrocedían, me lamían de nuevo y me llenaban. Retrocedían, me lamían de nuevo, me llenaban. Estaba cabalgando las olas, cada vez más alto. El olor de la sal y el rugido del océano impregnaron la habitación... Hasta que de pronto la ola me arrojó y me abandonó en la orilla.

Abrí los ojos y vi que la sombra se escabullía con la rapidez de una marea, dejándome mojada y agotada como a una náufraga. Al fin comprendí lo que me había sucedido. No me había visitado William Dougall ni ningún mortal, sino un íncubo. El demonio amante de los mitos.

1

—Señorita McFay, ¿podría explicarme de dónde surgió su interés por la vida sexual de los íncubos?

La pregunta desentonaba un poco con quien la formulaba: una señora de cabello gris recogido en un moño, collar de perlas y traje de Chanel rosa. Pero ya me había acostumbrado a ese tipo de preguntas. Desde que escribí el exitoso libro *La vida sexual de los íncubos* (título adaptado de mi tesis «El demonio amante en la literatura gótica: vampiros, bestias e íncubos»), había participado en varias conferencias, presentaciones y, en los últimos meses, algunas entrevistas que centraban su atención en la palabra «sexual». Sin embargo, me había dado la impresión de que Elizabeth Book, presidenta del departamento de Folclore de la Universidad de Fairwick, podía estar más interesada por «los íncubos».

De hecho, la razón principal que me había conducido a esa entrevista era precisamente el departamento de Folclore. No me atraía en absoluto la Universidad de Fairwick en sí: una universidad de segundo nivel con 1.600 estudiantes, 120 profesores a tiempo completo y 30 a tiempo parcial. («Estamos muy orgullosos de nuestro ratio de alumnos por profesor», había afirmado la decana Book). Tampoco había ido a la entrevista por la ubicación de la universidad: Fairwick (estado de Nueva York), con una población de 4.203 habitantes, era un pueblo rodeado de montañas y cientos de hectáreas de bosque virgen. Un lugar fantástico para los amantes de las raquetas de nieve y la pesca en hielo, pero poco atractivo para los que prefieren, como era mi caso, ver la exposición de O'Keefe en el museo Whitney, ir de compras a los grandes almacenes Barneys y cenar en el nuevo restaurante de Bobby Flay.

Tampoco era que me faltaran entrevistas. Mientras que la mayoría de estudiantes de posgrado tenían que pelearse por las ofertas de trabajo, gracias a la publicidad que había obtenido *Vidas sexuales*, yo ya había recibido dos ofertas (de universidades muy pequeñas del norte-centro del país) que había rechazado y la Universidad de Nueva York también había mostrado bastante interés. De hecho, esta última, la universidad donde me había licenciado, era mi primera opción ya que estaba decidida a quedarme en Nueva York. Además, tampoco estaba desesperada a nivel económico, como era el caso de muchos de mis amigos, que tenían que devolver los préstamos para estudiantes que habían solicitado. Con un pequeño fondo fiduciario que me habían dejado mis padres me pagué la universidad y el posgrado, y todavía me quedaba algo para complementar mi sueldo de profesora. Sin embargo, lo de la Universidad de Nueva York todavía no era seguro y valía la pena tener en cuenta a Fairwick, aunque solo fuera por su departamento de Folclore. Muy pocas universidades contaban con un departamento así, y me fascinó el enfoque que adoptaba, combinando Antropología, Literatura Inglesa e Historia en un mismo departamento interdisciplinar. Encajaba a la perfección con mis principales temas de estudio (cuentos de hadas y ficción gótica) y había sido estimulante que me entrevistara un comité de profesores interdisciplinar cuyo interés iba más allá de la clase de vampiros que yo impartía. Tampoco es que todos se mostraran entusiasmados. De hecho, un profesor de Historia de Estados Unidos llamado Frank Delmarco, un tipo fornido con una camisa vaquera bien arremangada que dejaba al descubierto sus musculosos y peludos antebrazos, me había preguntado si no creía que estaba atendiendo al «mínimo denominador común» recurriendo a la tendencia de moda de las noveluchas de vampiros.

—En mis clases estudiamos a Byron, Coleridge y las hermanas Brönte —repuse, devolviéndole la sonrisa irónica—. Yo no me atrevería a calificar sus obras de noveluchas.

No mencioné que en mis clases también veíamos episodios de la serie *Dark Shadows* y leíamos a Anne Rice. Ni que mi propio interés en los demonios amantes no era exclusivamente académico. Ya estaba acostumbrada a ese tipo de esnobs intelectuales que menospreciaban mi tema de estudio. De modo que, ahora que estábamos a solas con Elizabeth Book en su despacho, respondí a la pregunta con cautela:

—Cuando era pequeña mis padres solían contarme cuentos de hadas escoceses... —empecé. Pero la decana me interrumpió.

—¿Y de allí procede su inusual nombre, Cailleach? —Para mi sorpresa, lo pronunció correctamente.

—Mi padre era escocés —expliqué—. A mi madre le apasionaban las historias y la cultura de ese país y decidió irse a estudiar a la Universidad de St. Andrews, donde conoció a mi padre. Eran arqueólogos y les fascinaban las costumbres celtas antiguas, y de allá sacaron mi nombre. Pero mis amigos me llaman Callie. —Lo que no añadí es que mis padres murieron en un accidente de avión cuando yo tenía doce años y que me había ido a vivir con mi abuela en el Upper West Side de Manhattan. Ni que apenas recordaba nada de mis padres, aparte de los cuentos de hadas que me explicaban. Ni que esos cuentos habían llegado a parecer tan reales que uno de los personajes de esas historias me estuvo visitando en sueños durante toda mi adolescencia.

Por el contrario, me volqué de lleno en la perorata que ya había soltado una docena de veces antes, en la carta de motivación de la universidad, en las entrevistas del posgrado y en el lanzamiento de mi libro. Le expliqué que escuchando esas viejas historias que mis padres me contaban había desarrollado un amor por el folclore y los cuentos de hadas que, a su vez, me había llevado a estudiar las apariciones de las hadas, los demonios y los vampiros en la literatura romántica y gótica. Había contado esa historia tantas veces que ya empezaba a sonarme falsa. Pero sabía que era cierta, o al menos lo había sido cuando empecé a contarla. Cuando descubrí que las historias que me contaban mis padres de pequeña existían en el mundo exterior empecé a apasionarme por el tema. Hallé rastros de aquellas historias en las colecciones de cuentos de hadas y en las novelas góticas, desde *El jardín secreto* y *La princesa y los duendes* hasta *Jane Eyre* y *Drácula*. Quizás había pensado que si rastreaba esas historias hasta sus orígenes recuperaría la infancia que había perdido cuando mis padres murieron y tuve que irme a vivir con mi distante y severa abuela. Quizá también creía que podría descubrir alguna pista de por qué había tenido unos sueños tan extraños después de su muerte; unos sueños en los que un joven atractivo pero oscuro, al que yo consideraba mi príncipe azul, aparecía en mi habitación y me narraba historias, tal como habían hecho mis padres. Pero en vez de inspirarme, esas historias habían perdido fuerza, como si se hubieran gastado de tanto usarlas. Me convertí en una investigadora muy competente, me doctoré, recibí varios premios por mi tesis y publiqué un libro de éxito. Pero paralelamente también dejé de tener esos sueños, como si los hubiera exorcizado con tantos estudios y análisis académicos; lo que en cierto modo había sido mi motivación principal. ¿O no? Con la desaparición de mis sueños y de mi príncipe azul, la chispa inicial que había motivado mi trabajo también se esfumó y me estaba costando encontrar ideas para mi próximo libro.

A veces me preguntaba si los cuentacuentos que documentaba (los chamanes que se sentaban alrededor de una hoguera y las ancianas que hilaban lana mientras desgranaban sus relatos) se aburrían alguna vez de contar las mismas historias una y otra vez.

A pesar de todo, esa explicación todavía funcionaba.

—Es usted justo lo que estamos buscando —comentó Elizabeth Book cuando acabé de hablar.

¿Acaso ya me estaba ofreciendo el puesto? Las otras universidades que me habían entrevistado esperaban unos prudentes diez días antes de volver a ponerse en contacto conmigo. Y a pesar de que en la Universidad de Nueva York ya me habían entrevistados dos veces y hasta había impartido una clase de prueba, todavía no estaba segura de si iban a contratarme. Si la decana Book realmente me estaba ofreciendo el trabajo, su propuesta resultaba alentadora, o quizás un tanto desesperada.

—Me siento muy halagada —afirmé.

La decana se inclinó hacia delante y juntó las manos; las perlas de su collar tintinearon.

—Dada la popularidad de su asignatura, no me cabe duda de que ya habrá recibido otras ofertas. Los vampiros están a la última, ¿verdad? Y supongo que la Universidad de Fairwick le puede parecer bastante humilde en comparación con las de Nueva York y Columbia, pero le ruego que nos tenga en cuenta. Desde su fundación, Fairwick otorga una gran importancia al folclore, y el departamento se ha nutrido de folcloristas tan destacados como Matthew Briggs y Angus Fraser. Nos tomamos muy en serio el estudio de las leyendas y los mitos... —Hizo una pausa, como si la emoción le impidiera continuar. Sus ojos se posaron en una fotografía enmarcada que tenía encima de la mesa y, por un momento, pensé que iba a llorar. Pero entonces apretó las manos y endureció la expresión de su rostro—. Y creo que podría ser una gran inspiración para su trabajo.

Me dedicó una sonrisa tan elocuente que pensé que sabía lo mucho que me estaba costando escribir mi segundo libro. Como si supiera que, por primera vez en mi vida, el folclore y los cuentos de hadas que me habían parecido tan vivos se me antojaban ahora aburridos como el cartón. Pero era obvio que no podía saberlo y enseguida pasó a temas más prácticos.

—El comité tiene que reunirse esta tarde. Usted era la última candidata que queríamos entrevistar. Y, francamente, la mejor con diferencia. Mañana nos pondremos en contacto con usted. Se hospeda en la Dulce Posada Hart, ¿verdad?

—Sí —respondí, procurando disimular lo cursi que me parecía aquel nombre—. La propietaria ha sido muy amable...

—Diana Hart es una buena amiga mía —comentó—. Una de las cosas maravillosas de trabajar aquí, en Fairwick, es la buena relación que existe entre el pueblo y el profesorado. Los habitantes son unos vecinos excelentes.

—Eso está bien... —No sabía qué más decir. Ninguna de las otras universidades se había molestado en hablar de las comodidades de los alrededores (ni siquiera la de Nueva York, que podía presumir de su excelente ubicación en el corazón de Manhattan)—. Le agradezco mucho que se tome la molestia de estudiar mi solicitud. Fairwick es una magnífica universidad y cualquier persona estaría orgullosa de impartir clases aquí.

La decana Book ladeó la cabeza y me miró en actitud pensativa. ¿Había sonado demasiado condescendiente? Pero entonces sonrió, se levantó y me tendió la mano. Cuando se la estreché me sorprendió la energía que me transmitió. Imaginé que debajo de aquel traje rosa latía el corazón de una presidenta de convicciones férreas.

—Espero recibir noticias suyas —dije.

Mientras caminaba por el campus bajo los árboles frondosos y ancestrales, y dejaba atrás la biblioteca de estilo gótico, cuya fachada estaba cubierta de hiedra, me pregunté si podría soportar vivir en un lugar así. El campus era bonito, pero el pueblo estaba muy abandonado. Su oferta culinaria no iba más allá de un par de pizzerías, un restaurante chino de comida a domicilio y uno de cocina griega. Las opciones para ir de compras eran un par de boutiques de estilo *vintage* para estudiantes en la calle Main y un centro comercial en la autovía. Me detuve en el extremo del campus para contemplar la vista. Desde allá el pueblo no tenía tan mal aspecto y detrás de él había unas montañas boscosas que seguro que se pondrían preciosas en otoño, pero en noviembre se quedarían peladas y cubiertas de nieve.

Tenía que admitir que mi mayor ilusión era vivir en Nueva York, y también la de mi novio Paul, con quien salía desde hacía ocho años. Nos habíamos conocido en nuestro segundo año de carrera en la Universidad de Nueva York y, a pesar de que él era de Connecticut, le encantaba la ciudad y habíamos dicho que algún día viviríamos ahí. Incluso cuando no consiguió entrar en la escuela de posgrado de la ciudad y tuvo que irse a estudiar a la

Universidad de California, insistió en que yo fuera a Columbia. Nuestro plan era que cuando acabase de reescribir su tesis doctoral y obtuviese el doctorado en economía, solicitaría un puesto en alguna de las universidades de la ciudad. Así pues, estaba convencida de que Paul me pediría que esperara a recibir noticias de la Universidad de Nueva York antes de aceptar un trabajo fuera de la ciudad.

Pero ¿acaso podía rechazar la oferta de Fairwick sin tener un sí definitivo de la de Nueva York? Lo mejor sería hallar el modo de pedirle a la decana Book un poco más de tiempo para decidirme. Tenía hasta el día siguiente para dar con una táctica dilatoria adecuada.

Crucé las puertas de hierro del campus y continué andando por la calle que conducía a la casa de huéspedes. Desde allí veía la casa azul de estilo victoriano con sus banderas decorativas y las macetas desbordantes de flores. El lado opuesto de la calle estaba flanqueado por unos pinos enormes, el comienzo de un vasto terreno de reserva natural. Me detuve un instante al borde de un sendero y eché un vistazo al bosque. A pesar de que el sol brillaba, el bosque estaba oscuro. Las parras, que saltaban de árbol en árbol, llenaban todos los huecos y se retorcían creando formas curiosas. «Aquí es donde empiezan todas las historias —pensé—, cerca de un bosque oscuro.» ¿Por eso la decana pensaba que vivir en Fairwick sería una inspiración para mí? ¿Porque los bosques eran el hábitat natural de las hadas y los demonios? Intenté tomármelo a broma, pero no lo conseguí. Noté que una ráfaga de viento soplaba desde el bosque hacia mí; el aire estaba impregnado del aroma fresco de las agujas de pino, de la tierra húmeda y de algo dulce. ¿Madreselva? Miré hacia el bosque y comprobé que la oscura arboleda estaba, en efecto, salpicada de flores blancas y amarillas. Cerré los ojos y aspiré profundamente. La brisa se arremolinó a mi alrededor y me levantó las puntas del cabello, y noté que la humedad me hacía cosquillas en la nuca, como si una mano me acariciara. Esa sensación me recordó mis sueños de adolescente, en los que aquel hombre oscuro aparecía a los pies de mi cama y la habitación se llenaba del aroma de la madreselva y la sal. En los sueños oía el sonido del océano y me invadía un deseo incipiente que, de algún modo, sabía que era el anhelo que él sentía. Estaba atrapado en la oscuridad y solo yo podía liberarlo.

El psiquiatra al que mi abuela me había llevado dijo que esos sueños eran una expresión de la pena que sentía por la muerte de mis padres, pero siempre me costó creerlo. Lo que había sentido por el hombre de las sombras no era en absoluto un sentimiento filial.

En ese momento, la mano invisible tiró de mí y di un paso al frente. Abandoné el asfalto y pisé el sendero de tierra; los tacones de mis botas se hundieron en la tierra blanda y margosa.

Abrí los ojos, tambaleándome, como si despertara de un sueño, y empecé a seguir el sendero... Fue entonces cuando vi la casa. Estaba escondida detrás de un frondoso seto, aunque de todos modos era difícil divisarla porque se hallaba totalmente integrada en el entorno. Una casa victoriana de estilo reina Ana con la madera pintada de un amarillo pálido, pero la pintura se estaba desconchando por tantos puntos que parecía una mariposa ingeniosamente camuflada. El tejado de pizarra estaba cubierto de musgo, y las cornisas decorativas, los aleros en punta y la torrecilla estaban pintados del verde oscuro de los pinos. La madreselva del bosque había invadido la barandilla del porche; más bien, la madreselva del jardín de la casa se había extendido hasta el bosque. Las parras y los arbustos eran tan densos que parecía que la casa descansara sobre un nido. Me acerqué un poco más y un golpe de aire agitó una parra que colgaba suelta por encima de la puerta. La rama se meció, como si me hiciera señas para que me acercara más.

Miré alrededor en busca de algún indicio de que la casa estuviera habitada, pero el camino de entrada se veía vacío, los postigos de las ventanas, cerrados, y una capa de polvo verde en los escalones del porche, que no tenían ninguna marca de pisadas. «Qué pena que una casa tan bonita esté deshabitada», pensé. La brisa susurró a través del bosque, como si estuviera de acuerdo conmigo. Cuando me acerqué más, percibí que el borde de los aleros estaba tallado con formas de flores y parras. Por encima de la entrada, en el frontón, había un rostro de hombre tallado en la madera. «Un dios pagano del bosque», pensé al ver la corona de piña que descansaba sobre su larga melena. Había visto una cara parecida en algún sitio, quizás en algún libro de deidades del bosque... Encima de la puerta principal había una vidriera en la que aparecía el mismo rostro.

Sorprendida, me percaté de que había subido todos los escalones del porche y estaba plantada ante la puerta con la mano apoyada en el picaporte de bronce, que tenía forma de ciervo. ¿En qué estaba pensando? Aunque nadie viviera ahí, seguía siendo propiedad privada.

Me di la vuelta para marcharme. El viento sopló de nuevo y levantó el polen que cubría verdoso el suelo del porche, que se arremolinó bajo mis pies mientras bajaba los escalones. Las parras que se retorcían alrededor de las columnas del porche crujieron y se tensaron y una rama suelta me golpeó el brazo. Tal fue mi sobresalto que a punto estuve de tropezar, pero recuperé el equilibrio y me apresuré de vuelta al sendero. Solo bajé el ritmo al ver lo resbaladizo que era el terreno a causa del musgo que crecía entre las piedras. Cuando llegué al seto me volví para contemplar la casa una vez más. El viento dejó de soplar y me pareció que la casa suspiraba y sus paredes de madera gemían, como si lamentasen verme marchar. Pero entonces se acomodó de nuevo en sus cimientos y se asentó, observándome.

2

—¿De quién es la casa que hay al otro lado de la calle? —le pregunté más tarde a Diana Hart, mientras tomábamos el té en el porche de la casa de huéspedes.

Diana, una mujer delgada de unos cincuenta años repleta de pecas, se movió nerviosa en su mecedora de mimbre.

—¿Qué casa? —preguntó, abriendo de par en par sus grandes ojos marrones. Su cabello castaño y corto le acentuaba los ojos.

Señalé hacia el otro lado de la calle, a pesar de que desde donde estábamos no se veía la casa.

—Detrás de aquel seto tan frondoso. Una bonita casa amarilla estilo victoriano y de carpintería verde. Tiene una vidriera muy original encima de la puerta.

—¿Has llegado hasta la puerta? —preguntó Diana. Depositó la delicada taza de porcelana en su platillo a juego y el té con leche rebosó el borde de la taza.

—Es que parece abandonada... —expliqué.

—Sí, sí, hace más de veinte años que nadie vive ahí, desde que la sobrina de Dahlia LaMotte murió.

—¿Dahlia LaMotte? ¿La novelista?

—¿Has oído hablar de ella? —Bajó la vista y se añadió más azúcar en el té. Habría jurado que ya se había puesto dos cucharaditas, pero era una mujer bastante aficionada a los dulces, tal como evidenciaban el bizcocho de fresas y nata y los bollos de chocolate que había en la mesa de mimbre del porche—. Pensaba que sus libros habían pasado de moda hace tiempo.

Diana estaba en lo cierto. Dahlia LaMotte había escrito media docena de romances góticos a principios del siglo XX; historias en las que una joven pierde a sus padres y se encuentra a merced de un héroe byroniano autoritario que la encierra en una torre gótica y amenaza su virginidad. Pero al final de la historia el héroe se enamora de ella y le propone un matrimonio honorable. Obviamente influenciada por Ann Radcliffe y las hermanas Brontë, sus libros tuvieron un gran éxito a principios de siglo, pero más tarde pasaron al olvido. Volvieron a publicarlos en los años sesenta, cuando autoras como Mary Stewart y Victoria Holt reavivaron la popularidad de los romances góticos. Y todavía se podían encontrar copias de esas reediciones en Internet; libros en rústica medio despedazados cuyas portadas mostraban a heroínas en camisón huyendo de un amenazante castillo. Pero yo no tuve que comprarlos en Internet, sino que los había encontrado en la estantería de mi abuela escondidos detrás de los «libros buenos»; una docena de volúmenes con el nombre Emmeline Stoddard escrito en la guarda. Y los devoré el verano de mis doce años; esta era otra de mis teorías de la procedencia del hombre oscuro de mis sueños: ¡sus visitas derivaban de la lectura de todos aquellos libros eróticos de Dahlia LaMotte!

—He estado estudiando la intersección entre los cuentos de hadas y la imaginación gótica —dije con remilgo; un remilgo arruinado por el rubor que me subió a las mejillas al recordar una escena realmente obscena de mi libro favorito de Dahlia LaMotte, *El visitante oscuro*—. Sabía que había vivido en el norte del estado de Nueva York, pero no sabía que era aquí.

—Sí, sí. En Fairwick hemos tenido bastantes autores famosos. Dahlia era hija de Silas LaMotte, que hizo su fortuna importando té de Extremo Oriente. Silas construyó la Casa Madreselva en 1893 para su mujer y su hija. Plantó madreselva japonesa alrededor de toda la casa porque a su mujer, Eugenia, le encantaba su olor. Desafortunadamente, Eugenia murió un par de meses después de que se instalaran en la casa, y Silas falleció poco después. Así que Dahlia vivió sola en la Casa Madreselva, escribiendo novelas, hasta su muerte en 1934. Entonces la heredó una prima suya, Matilda Lindquist, quien también vivió allí sola hasta que falleció en 1990.

—¿Y Matilda nunca se casó?

—No, no —respondió Diana con los ojos bien abiertos. Bajó la vista, dio cuenta del té que se había derramado en el platillo y lo limpió con una servilleta de tela bordada con corazones y flores—. Matilda era una mujer dulce, pero muy infantil y con muy poca imaginación. La persona idónea para la Casa Madreselva.

—¿Por qué lo dices?

—Pues porque a cualquier persona con una imaginación activa podría darle miedo vivir junto al bosque —contestó, sirviéndose otra taza de té. A continuación, sostuvo la tetera sobre mi taza y arqueó una ceja. Asentí para indicarle que aceptaba otra taza, aunque lo cierto es que soy más de café.

—Pero Dahlia LaMotte también vivió allí sola —señalé—. Y está claro que ella sí tenía imaginación.

—Sí, tienes razón, pero a Dahlia le gustaba el miedo. De hecho, así obtenía las ideas para sus libros.

—Mmm, interesante —comenté—. Me encantaría ver la casa. ¿Sabes de quién es ahora?

—De algún familiar que LaMotte tenía en Rochester. Dory Browne de la Inmobiliaria Browne tiene la llave, se ocupa del mantenimiento y, de vez en cuando, se la muestra a alguna persona interesada. El año pasado vino a verla una pareja gay encantadora y estuvieron a punto de comprarla. Habrían sido perfectos para la casa, pero al final se echaron atrás.

—Y si quisiera verla por dentro, ¿crees que Dory me la podría enseñar?

Diana levantó la vista del té y pestañeó; tenía pestañas oscuras y largas.

—¿Estás pensando en comprarla?

Estuve a punto de decirle que no, pero me lo repensé. En realidad solo quería ver la casa por curiosidad literaria, pero si se lo decía a Diana quizá no pudiera convencer a Dory Browne para que me la enseñara.

—Bueno, si me ofrecen el trabajo aquí, tendré que instalarme en algún sitio. Y ya estoy harta de vivir en un apartamento diminuto y abarrotado de cosas. —Esto último era cierto. El estudio que tenía en Inwood era del tamaño de un clóset.

Diana me observó con atención. Por un momento temí que hubiera descubierto que mentía, pero no fue así.

—Llamaré a Dory y le pediré que venga mañana por la mañana para enseñártela. No estoy segura de que la Casa Madreselva sea lo que más te convenga —añadió—. Pero desde luego serías la propietaria perfecta.

Después de acabarnos todo el té que Diana había preparado, decidí que, aunque estaba demasiado empachada para salir a correr, me convendría dar un largo paseo para quemar los bollos y la nata montada. Eché a andar en dirección a la calle Main y pasé junto a varias casas victorianas; algunas restauradas con mucho encanto, como la Dulce Posada Hart, y otras en diversos grados de deterioro y restauración. A medida que me acercaba a Main, las casas eran más grandes pero también se veían más descuidadas. Sin lugar a dudas, el pueblo de Fairwick había tenido una época de prosperidad a finales del siglo XIX. En las paredes de ladrillo colgaban carteles descoloridos que anunciaban antiguos negocios: Compañía del Té LaMotte, Moda de Hombre Fisk y, en letras gigantes en un enorme edificio de ladrillos, Ferrocarriles Ulster & Clare. Me sonaba que el pueblo había sido un importante centro ferroviario a finales del siglo XIX, pero Ulster & Clare quebró y los trenes dejaron de llegar a Fairwick. Desde entonces el pueblo entró en una larga y lenta decadencia, marcada por la pobreza y la degradación. No obstante, todavía contaba con algunas construcciones muy elegantes, como la biblioteca de estilo neogriego que se alzaba en el centro de un parque verde en su día diseñado con buen gusto, aunque ahora los rosales estaban esmirriados y un arbusto de aspecto extraño con las flores grises y plumosas, como una gigantesca fregona, se había apoderado de los senderos y parterres. Los patios de algunas casas, antes majestuosas, estaban llenos de maleza y atestados de estatuas de jardín. Por lo que parecía, los habitantes de Fairwick sentían debilidad por los gnomos, los ciervos de plástico y los recortes metálicos de siluetas de hadas con alas. No había ninguna Virgen, ni ningún Niño Jesús; pero quizás esos los dejaban para Navidad.

La calle Main se me antojó triste y lóbrega. La mitad de los comercios estaban abandonados, y los que parecían más prósperos eran el estudio de tatuajes (negocio omnipresente en los pueblos universitarios, tal como había comprobado durante mi reciente gira de conferencias), un antiguo restaurante en forma de caravana, un *grow shop* y una cafetería llamada Fair Grounds. Al menos parecía que en esta última servían un café decente. Compré un café con leche de soja, el *New York Times* y un sándwich, por si acaso tenía hambre más tarde, a pesar de que seguramente con el té y los dulces de Diana aguantaría hasta la hora de irme a dormir.

De regreso a la casa de huéspedes pasé la Inmobiliaria Browne. Eché un vistazo a los anuncios del escaparate y vi que las casas del pueblo se estaban vendiendo realmente baratas. Por el precio de un piso de una sola habitación en Manhattan allí podía comprarme una casa victoriana de cinco dormitorios. ¿Cuánto pedirían por la Casa Madreselva?

En ese momento empezó a lloviznar, así que apreté el paso. Cuando llegué a la posada todavía no llovía demasiado, de manera que me detuve al otro lado de la calle y, mirando a través del seto, contemplé una vez más la Casa Madreselva. El rostro del frontón parecía devolverme la mirada. Las gotas de lluvia que se deslizaban por sus mejillas semejaban lágrimas. Justo entonces empezó a llover con más fuerza. Crucé la calle, subí corriendo los escalones del porche y me detuve para sacudirme la lluvia del pelo y la chaqueta para no mojar las alfombras y los muebles tapizados. De pronto, oí un ruido sordo al pie de los escalones de madera y me volví, segura de que alguien me había seguido, pero no había nadie. Nada excepto la lluvia, que ya caía con tanta fuerza que parecía una cortina de muaré gris hinchada por el viento. Por un momento me pareció distinguir una figura: una cara, como si alguien estuviera justo detrás de la cortina de agua. Conocía aquel rostro, pero ¿de qué? Antes de que pudiera ubicarlo, la cara se esfumó como arrastrada por una ráfaga de viento. Y entonces recordé dónde la había visto: tallada en el frontón de la Casa Madreselva.

«Seguro que ha sido un efecto óptico», me dije más tarde, ya tumbada en el mullido colchón de la cama con dosel mientras escuchaba la lluvia, que no había amainado en toda la tarde. Había observado la cara que había en el frontón tanto rato que después la evoqué en la lluvia. Al fin y al cabo, un rostro era el dibujo más fácil de reconocer entre formas aleatorias. Y ese rostro en particular, con sus grandes ojos oscuros, la frente ancha, los pómulos marcados, la nariz aguileña y los labios carnosos, era realmente especial. Tanto que incluso había llegado a imaginar, por un instante, que se trataba del rostro del príncipe oscuro de mis sueños de adolescente; pero eso era imposible porque nunca le había visto la cara. Siempre se quedaba al filo de la oscuridad, a escasos centímetros de la luz de la luna que habría revelado su rostro. Casi podía verlo, cobrando forma detrás del velo de mis párpados.

Me forcé a abrir los ojos de nuevo. Estaba agotada, pero le había dicho a Paul que lo llamaría a las nueve, hora de California, de manera que tenía que aguantar despierta hasta medianoche. A las doce menos cuarto marqué su número, con la esperanza de que hubiera regresado antes del seminario de la tarde. Tuve suerte.

—Hola —dijo—. ¿Cómo te ha ido la entrevista?

—Bastante bien, supongo. Creo que me van ofrecer el puesto.

—¿En serio? ¿Tan pronto? Eso no es muy habitual... —Me pareció detectar un sutil atisbo de envidia en su voz; un tono similar al que había empleado cuando me aceptaron en Columbia y a él no, y cuando conseguí un contrato editorial para mi tesis después de que a él lo rechazaran—. ¿Y qué vas a decirles?

—No lo sé. No me imagino viviendo aquí y me parece ridículo dejar la ciudad sabiendo que el año que viene empezarás a buscar trabajo allá. Supongo que puedo rechazar la oferta y ya está...

—Mmm... Deberías posponer tu decisión hasta que tengas una oferta firme de la Universidad de Nueva York. ¿A qué distancia dijiste que está de la ciudad? ¿A un par de horas? Yo podría visitarte los fines de semana.

—Son tres horas en coche por carreteras de montaña. Está en el quinto pino. La casa de huéspedes donde me alojo se llama Dulce Posada Hart. —Paul rio—. Y hay un sitio al otro lado de la carretera que se llama Casa Madreselva...

—Déjame adivinar, hay vacas de plástico por todas partes y el bar del pueblo se llama Rocío Pastoril.

—Ciervos de plástico —dije, bostezando—, y el bar se llama Traspié.

—Bueno, pues sí que parece bastante insoportable. Y seguro que en invierno hace un frío que pela. De todos modos, no rechaces el puesto hasta que tengas una oferta segura en la ciudad. Seguro que encuentras el modo de mantener abiertas las opciones.

Estuvimos charlando un rato más antes de desearnos las buenas noches. Cuando colgué el auricular sentí una sensación de agobio, tan sutil como las ráfagas de aire que se colaban por la ventana abierta de mi habitación. Supuse que se debía a la presión de mantener una relación a distancia; la incertidumbre de no saber cuándo nos las ingeniaríamos para estar juntos por un período más largo que las vacaciones de verano o de invierno. Pero ya sabíamos dónde nos metíamos cuando en el último año de universidad acordamos que ninguno de los dos comprometería su carrera profesional por nuestra relación. Nos había ido mejor que a la mayoría de nuestros amigos y teníamos muchas posibilidades de acabar en el mismo lado del país el año próximo. De modo que para mí tenía sentido esperar a que me dieran el trabajo en la Universidad de Nueva York. Si la decana Book me ofrecía el puesto, hallaría el modo de demorar mi decisión y llamaría a Nueva York para explicarles que había recibido otra oferta. Quizás así se decidirían a contratarme.

Una vez tomada la decisión, sentí que me había quitado un peso de encima; una liberación que dejaba un espacio para que entrara el sueño. Cuando me estaba quedando roque, mi último pensamiento fue que debería levantarme a cerrar la ventana para que no entrara la lluvia, pero ya estaba demasiado adormecida para moverme.

No podía moverme. Tenía que levantarme para cerrar la ventana, pero no conseguía desplazarme ni un centímetro. Tenía un peso apoyado en el pecho que me inmovilizaba contra la cama, empujándome contra el mullido colchón, que me envolvía como en un abrazo. No podía mover ningún músculo, ni tomar aire. Ni siquiera podía abrir los ojos, como si tuviera los párpados enganchados. Me esforcé y al fin logré abrirlos a la luz.

¿Luz?

Había dejado de llover. En lugar de ráfagas húmedas de aire, el claro de luna se colaba por las ventanas. Era precisamente aquella luz lo que me inmovilizaba en la cama. Veía como se extendía por encima de los anchos tablones de pino del suelo; un manto blanco que arrastraba las sombras de las ramas que se mecían con la brisa, como si intentaran alcanzarme. Pensé en los árboles y arbustos que rodeaban la Casa Madreselva y tuve la confusa impresión de que la luz de la luna venía de allí. Eso no tenía mucho sentido, pero estaba demasiado cansada para pensar en ello y la luz era tan fuerte que no pude mantener los ojos abiertos por más tiempo. Se me cerraron los párpados, y entonces lo vi: el príncipe azul de mis sueños de adolescencia. Traía consigo el aroma de la madreselva y el aire salado que envolvía a aquellos sueños, y el anhelo que siempre había percibido. Estaba de pie junto a la ventana, entre la sombra y la luz de la luna, donde siempre vacilaba...

Dio un paso al frente, hacia la luz. Era él, el hombre de la casa al otro lado de la calle. Me obligué a abrir los ojos y comprobé que seguía suspendido encima de mí, mirándome. Tenía el rostro a contraluz y la luz de la luna le caía en cascada sobre la espalda como una capa de plata. De manera que solo veía los pocos puntos de su cuerpo que estaban iluminados: un trozo de pómulo, un mechón de pelo que le caía por la frente, la forma del omóplato... Cada parte de él adquiría forma y espesor cuando la luna lo rozaba. Era como si estuviera hecho de oscuridad y la luna fuera el cuchillo que lo esculpía y convertía en humano. Cada movimiento del cuchillo lo modelaba un poco más.

Le esculpió una costilla y sentí que presionaba su pecho contra el mío; le definió una rodilla y la apoyó en mi pelvis; le talló una pierna musculosa y la apretó contra las mías.

Di un grito ahogado... o al menos lo intenté. Abrí la boca, pero no podía respirar a causa del peso que tenía encima del pecho. Él abrió los labios, húmedos y sedosos, y me sopló aire en la boca; mis pulmones se hincharon bajo su peso. Cuando espiré, se tragó mi aliento y su peso pasó de estar frío como el mármol a caliente como un cuerpo vivo. Un cuerpo que se movía. Sentí que su pecho se alzaba y bajaba de nuevo hacia el mío, que sus caderas oprimían las mías y que me separaba las piernas con las suyas... Aspiró todo mi aliento y sentí que tenía una erección encima de mí. Comenzó a mecerse y llenar mis pulmones de aire al tiempo que se abría paso entre mis piernas y dentro de mí. Era como una ola que rompía contra mí, una ola de claro de luna que me absorbía y me arrastraba hacia el mar, hasta la cresta y abajo de nuevo... una y otra vez. Nos movimos al ritmo del océano hasta que dejé de distinguir donde acababa yo y donde empezaba él, hasta que nos convertimos en la cresta de la ola y acabamos aterrizando en la arena.

Me quedé tumbada, jadeando como una náufraga, empapada de sudor y sola en una cama inundada por el claro de luna.

3

Por la mañana desperté con la satisfacción que acompaña a una noche de buen sexo, rápidamente seguida de un arrebato de vergüenza al comprender que el sexo en cuestión había sido fruto de mi imaginación. Algunas veces me había sentido avergonzada de mis sueños de adolescencia, pero nunca habían llegado tan lejos. Aquel príncipe siempre se había quedado entre la luz y la oscuridad. La primera vez que habló fue después de que mis padres murieran. Yo estaba llorando en mi nueva habitación, en el piso de mi abuela, procurando reprimir los sollozos para que no me oyera, cuando de pronto la habitación se llenó del aroma de la madreselva y el océano, y supe que él estaba allí.

—Deja que te cuente una historia —me dijo entonces.

Y me narró un cuento sobre una valiente niña escocesa llamada Jennet que salvó al príncipe Tam Lin, a quien el hada reina había secuestrado. Mis padres también me habían contado esa historia. Me quedé dormida al son de su voz reconfortante, decidida a ser tan valiente como Jennet. Desde entonces, siempre que lloraba oía su voz desgranandola misma historia. Con el paso de los años comprendí que había convertido al príncipe de esa historia en mi cuentacuentos para que ocupara el lugar de mis padres fallecidos. Era una fantasía inofensiva. Él nunca se había acercado... ni me había penetrado del modo en que esta criatura lo había hecho. Y mucho menos me había sentido dolorida en la ingle después de una de sus visitas...

Me levanté con ganas de borrar esa inquietante idea. No tenía tiempo para sueños eróticos. La decana Book me iba a llamar esa mañana y tenía que decidir qué decirle en caso de que me ofreciera el trabajo. Además, quería entrar en la Casa Madreselva antes de irme. No me había pasado la noche regodeándome solo en fantasías sexuales, sino que en algún momento tuve la idea de escribir un artículo sobre el trabajo de Dahlia LaMotte, quizás incluso un ensayo... Y recordaba haber garabateado algunas notas en la libreta que tenía junto a la cama. Decidí echarle un vistazo.

«El umbral —había escrito en letra redondeada y grande en el cuaderno— entre las sombras y la luz de la luna.» Pero no logré recordar el significado de esa anotación.

Decidí salir a correr para aclararme las ideas. Una parte del sueño que no me había imaginado era el cielo despejado. El aire frío, seco y vigorizante se colaba por la soleada ventana abierta, la misma que había dejado entrar el resplandor de la luna la noche anterior. Cuando corrí las cortinas descubrí un cielo azul y despejado. El seto que había al otro lado de la carretera centelleaba al sol. Entre las ramas se veían destellos rosas y rojos; unas flores largas y tubulares que parecían una variedad exótica de madreselva. Pero, para mi sorpresa, me percaté de que no había ninguna rama cerca de mi ventana, nada que pudiera haber proyectado las sombras que había visto la noche anterior. Incluso aquello había sido un sueño.

Dejé de lado el recuerdo de esas ramas fantasmagóricas y me puse el pantalón de chándal, una camiseta y las zapatillas de deporte. Bajé las escaleras con cuidado, haciendo el menor ruido posible en los escalones de madera, a pesar de que era la única huésped de la casa. Me pregunté si Diana estaría despierta preparando el desayuno, pero no oí ningún ruido procedente de la cocina. Miré la hora: las seis y cuarto, y en la Dulce Posada Hart el desayuno no se servía hasta las ocho y media. De manera que tenía tiempo de sobra para correr un buen rato y ducharme.

Mientras estiraba los músculos de las piernas en el porche, pensé en las posibles rutas que podía tomar. El campus era la opción más lógica, pero no quería toparme con la decana Book de esa guisa, vestida con el chándal. También podía ir hacia el pueblo, pero entonces tendría que detenerme en los semáforos y estar pendiente del tráfico. En la ciudad solía ir a correr al parque Van Cortland, donde los senderos eran de tierra y mis rodillas no sufrían tanto.

Recordé que cerca de la posada también había un sendero de tierra que se internaba en el bosque detrás de la Casa Madreselva. No sabía hasta dónde llegaba, pero como el primero se extendía varios kilómetros, era muy probable que el segundo también. Además, así podría comprobar si el bosque era tan inspirador como la decana Book decía.

Crucé la calle a buen paso y aminoré en la entrada del sendero para acostumbrar los ojos a la penumbra boscosa. Y después de adaptarme a la escasa luz continué a ritmo lento para evitar tropezar con raíces o ramas. La superficie del sendero era bastante llana y gratamente blanda, como si en el pasado hubiera sido una ciénaga. El camino giraba ligeramente hacia el norte. A juzgar por el mapa que había visto el día anterior, suponía que rodearía todo el terreno del campus. Decidí correr unos veinte minutos (unos tres kilómetros al ritmo al que iba), regresar corriendo otros diez minutos y caminar el último trecho para enfriar los músculos.

Durante el primer kilómetro ensayé varias maneras educadas de pedirle a la decana Book que me diera más tiempo para considerar la oferta de trabajo. Luego dejé la mente en blanco y me di cuenta de lo bien que me sentaba el aire puro que respiraba. La tierra estaba tan mullida que no me dolieron las rodillas en ningún momento. Aceleré el ritmo, sintiendo el chute de endorfinas que hacía que mereciera la pena levantarse al amanecer para salir a correr. ¡Era un lugar increíble! Si viviera en la Casa Madreselva ese sendero estaría justo frente a mi puerta y podría correr por el bosque todas las mañanas.

Pero no iba a vivir en la Casa Madreselva. ¿De dónde salía

esa idea? Aunque aceptara el puesto en Fairwick, ¿para qué iba a necesitar una casa tan grande y vieja?

No obstante, sería agradable poder tener al fin espacio suficiente para todos mis libros y zapatos. En mi apartamento, cada año debía elegir cuáles guardaba en el trastero y cuáles no.

Me reí en voz alta ante la posibilidad de que aceptara un trabajo con la finalidad de tener el espacio que necesitaba. Mi risa resonó en el bosque. En esa parte del camino los árboles eran más bajos. De hecho, ya ni siquiera eran árboles; eran como arbustos muy altos y frondosos que se extendían por encima del camino y se entrelazaban hasta formar una columnata arqueada, a unos dos metros y medio del suelo, decorada con gran cantidad de enredaderas que se retorcían y salpicada de flores blancas y amarillas que olían a...

Aspiré una gran bocanada de aire.

¡Olían deliciosamente!

Los arbustos de madreselva y las enredaderas que Silas La-Motte había plantado alrededor de su casa, ¡se habían extendido casi dos kilómetros hacia el interior del bosque! Toda la casa debía de oler así. Seguro que por la noche la brisa del bosque se colaba a través de las ventanas e impregnaba las habitaciones con su aroma.

Al imaginar un dormitorio con el aroma de la madreselva e iluminado por la luna, me vinieron a la mente imágenes del sueño de la noche anterior: sombras de ramas proyectadas en el suelo de la habitación, la silueta de un hombre tallada en esas sombras y él haciéndome el amor como una ola...

Estaba claro. El hombre de mi sueño era un amante demonio. Los amantes demonios siempre se aparecen en sueños. Uno de sus nombres *esmare*, de donde deriva la palabra *nightmare* (pesadilla, en inglés). Aunque lo cierto era que lo que había experimentado la noche anterior no se parecía en absoluto a una pesadilla.

Llevaba años escribiendo acerca de los amantes demonios. De hecho, había empezado a interesarme por el tema a raíz de mi príncipe azul. Pero el príncipe se había esfumado en cuanto empecé a catalogar y estudiar las diversas variedades de íncubos, amantes demonios, vampiros y fantasmas. ¿Por qué regresaba ahora?

Sin duda a causa de aquella casa: la Casa Madreselva, una casa victoriana rodeada e invadida de arbustos y parras con el bonito rostro de un hombre tallado encima de la puerta. La visión de la casa había hecho aparecer el espejismo que había visto en la lluvia, y esa era la imagen del hombre que me había visitado en el sueño la noche anterior. Recordé entonces que en el sueño me había parecido que la luz de la luna procedía del otro lado de la calle. No cabía duda: la casa me había embrujado. ¿Y por qué no? En las novelas góticas la casa siempre representa por sí misma uno de los personajes principales (el castillo de Otranto, Thornfield Hall, Manderley) y con frecuencia la aventura de la heroína comienza en cuanto cruza el umbral de la casa.

Me vino a la mente una frase de *El héroe de las mil caras* de Joseph Campbell: «... solo atravesando esos límites... pasa el individuo, ya sea vivo o muerto, a una nueva zona de experiencia».

Y por esa razón la noche anterior había garabateado aquella nota que hacía referencia al umbral. La entrada de la casa era el umbral de la aventura para la heroína de una novela gótica, especialmente para mujeres como Emily Dickinson o Dahlia LaMotte, quienes se habían recluido por completo en sus casas. Sería interesante escribir sobre la influencia que la Casa Madreselva había tenido en las obras de Dahlia LaMotte. Mientras consideraba la idea, empecé a correr más rápido; mis pies apenas tocaban el suelo. Lo llamaría *El umbral entre la luz de la luna y...*

De pronto fue como si volara, elevándome del suelo con cada paso que daba; y un instante después estaba de bruces en el sendero, con la cara hundida en la tierra y sin aliento. Intenté tomar aire, pero el suelo me apretaba el pecho con demasiada fuerza. Tuve la confusa sensación de que el propio suelo se había elevado para aplastarme. Me presionaba el pecho, la boca, la nariz... arrastrándome hacia la oscuridad. Mis dedos intentaban agarrarse a la tierra blanda y caliente. Me estaba ahogando...

De pronto, vi que el rostro del hombre que me había visitado la noche anterior emergía de lo más profundo de la oscuridad para venir a mi encuentro. Esta vez sus facciones se veían más nítidas, pero no porque hubiera más luz (él estaba en un lugar muy oscuro), sino porque parecía haber ganado solidez. Estaba creciendo... Entonces me sonrió, como si me felicitara por la perspicacia. Separó los bonitos labios y se inclinó sobre mí, hasta que sus labios tocaron los míos. Me introdujo la lengua en la boca, caliente y húmeda, y sentí un cosquilleo en la entrepierna, también caliente, húmeda y todavía dolorida de la noche anterior. El deseo me embargó y sentí que me hundía en la oscuridad... Justo entonces, él exhaló aire en mi boca.

Su aliento me abrasó los pulmones, pero aun así lo absorbí con ansias, y con el oxígeno recobré la conciencia. Abrí los ojos. Estaba tumbada de espaldas, mirando a un dosel formado por parras de madreselva enredadas. Las ramas creaban una abovedada capilla verde salpicada de flores blancas y amarillas. «Como una capilla nupcial», pensé aturdida; la fuerza erótica de ese beso me había dejado jadeando. «O quizá como una capilla funeraria, si no hubiera recobrado la respiración.»

Me palpé el pecho, pensando que quizá me había roto una costilla, pero todo parecía intacto. Poco a poco me incorporé y meneé los dedos del pie. Me dolía un poco el tobillo derecho, pero por lo demás estaba sorprendentemente ilesa. ¿Cómo me había caído? Miré el sendero, en busca de alguna rama o raíz con que pudiera haber tropezado, pero la tierra estaba despejada. Por lo visto, me había caído sola.

Avergonzada de mi propia torpeza (y por lo calenturienta que se mostraba mi imaginación desde el sueño de la noche anterior), me levanté despacio y me sacudí la tierra de los pantalones. Con cautela, estiré los brazos por encima de la cabeza y me incliné hacia delante para tocarme los dedos del pie. Más tarde me dolería todo el cuerpo por culpa de la caída y por haberme parado de repente sin haber enfriado los músculos, pero de momento parecía estar bien. De todos modos, sería mejor que no corriera más; volvería andando.

Miré el reloj: las siete y diez. Había corrido casi una hora entera a un ritmo bastante bueno. «¡Maldita sea!», pensé. ¡Puede que me hubiera alejado unos seis kilómetros de la posada! Debía ponerme en marcha ya mismo. Me volví para emprender el regreso... y me volví otra vez. Di dos giros completos antes de admitir que no tenía ni idea de qué lado había venido. Inspeccioné el sendero en busca de mis propias huellas, pero en algún punto del camino había pasado de marga blanda a una tierra tan firme y dura que no mostraba marcas de pisadas. Me agaché y estudié el terreno para ver la marca que mi cuerpo habría dejado con la caída. Pero no había ninguna marca.

Me incorporé demasiado rápido y la cabeza me dio vueltas. Quizá me había golpeado y tenía una conmoción. Eso explicaría la confusión y la alucinación. No podía ser que me hubiera perdido en el bosque, ¿no?

Respiré hondo para calmarme. Podía solucionarlo. Había estado corriendo hacia el norte, de modo que lo único que tenía que hacer era encontrar el sol para saber dónde estaba el este, y entonces solo tendría que ir hacia el sur. Parecía fácil, pero cuando alcé la vista solo vi un par de metros más allá. Los arbustos y las enredaderas formaban un sotobosque tan denso que resultaba imposible ver el cielo. Estaba perdida en medio de un matorral gigantesco.

Y no estaba sola.

Algo se movía en el sotobosque, a poca distancia del sendero. Lo oía sacudirse entre las ramas secas.

—¿Hola? —llamé, sintiéndome un poco ridícula.

Aparté una rama hacia abajo para intentar verlo, pero la frondosa vegetación estaba tan entrelazada que cuando movía una rama todo el matorral crujía. Era como un canasto de mimbre, o como un nido... Justo al pensar en la palabra «nido» rocé con los dedos algo blando y peludo.

Saqué la mano rápidamente, imaginando que había encontrado un nido de ratones entre las ramas, pero si era eso llevaba tiempo abandonado, pues unos huesos diminutos me cayeron a los pies.

Los golpes en el sotobosque cobraron fuerza. No cabía duda de que había algo atrapado allí. Sentí mucha rabia; ese asqueroso matorral le estaba quitando la vida a un pobre animal indefenso. «Y lo mismo haría contigo», me susurró al oído una voz provocadora.

Ya enfadada, empecé a romper las ramas y las enredaderas, algunas de las cuales tenían espinas, con la intención de abrir un túnel en el sotobosque. La criatura atrapada se sacudía con más fuerza a medida que me acercaba, bien porque sabía que la ayuda estaba llegando o porque pensaba que el cazador venía a por ella, imposible saberlo. Y esa incertidumbre impulsó mis ganas de liberarla. De pronto, me invadió una aprensión espantosa de que el animal pudiera estar herido, una sensación que se mezclaba con el miedo de que pudiera atacarme cuando me viese. La voz de la lógica me decía que era una locura intentar acercarme a un animal salvaje atrapado, pero hice caso omiso.

Aparté una brazada de enredaderas de baya y algo pasó volando junto a mí. Me asusté tanto que caí hacia atrás, pero no era más que un pájaro... un pajarillo negro que voló un par de metros antes de caer de nuevo al suelo. ¿En serio había podido hacer tanto ruido una cosa tan pequeña? Pero ya no se oía nada entre el matorral, de modo que supuse que sí. El pobre animal se había sacudido con tal fuerza que se había lastimado el ala. Me acerqué para ver si podía volar, y entonces se volvió y me miró con unos penetrantes ojos amarillos. Nos quedamos observándonos, hasta que se alejó unos centímetros de un saltito, batió las alas y salió volando. En ese preciso instante divisé el sol a través de la brecha que había abierto en el matorral, a mi derecha.

Eso era el este, de manera que el pájaro se había ido hacia el norte. Me volví para mirarlo una vez más, pero ya había desaparecido entre los árboles. Entonces di media vuelta y empecé a caminar hacia el sur.

4

Cuando salí del bosque ya eran las ocho y media. Lo primero que vi fue la Casa Madreselva. Los postigos y las ventanas estaban abiertos, y las cortinas blancas de encaje, que se hinchaban y deshinchaban a través de las ventanas abiertas, revoloteaban entre las parras de madreselva. La casa parecía estar respirando. La persona de la inmobiliaria debía de haber venido temprano para airearla antes de enseñármela. Me sentí culpable por hacer que se tomara tantas molestias cuando en realidad no tenía ninguna intención de comprar la casa.

¿O quizá lo que sentía eran dudas?

Después del percance matutino debería haber estado más resuelta que nunca a salir de allí, pero a pesar de sentirme dolorida y cansada (y hambrienta), también me sentía un tanto eufórica. La caída había sido dolorosa, pero ese beso... ¿Cuándo había sido la última vez que Paul me había besado así? O mejor dicho, ¿lo había hecho alguna vez? Ese beso me había hecho sentir viva. Los aromas del café, los huevos y el sirope de arce que me llegaban desde el otro lado de la calle me dieron ganas de echar a correr, pero me contuve por respeto a mis músculos doloridos.

En cuanto abrí la puerta principal oí la voz de Diana Hart llamándome desde la cocina:

—¿Eres tú, Callie? —Salió secándose las manos en un trapo

de cuadros rojos y blancos. Llevaba una sudadera en la que ponía: LO QUE ELLA DICE VA A MISA—. Ya pensaba que te habías olvidado de la hora del desayuno... —Pero al verme se calló—. Madre mía, ¿te has caído? ¿Estás bien? ¿Te traigo un poco de hielo?

—No hace falta, estoy bien —contesté—. Es que he salido a correr por el bosque...

—¿Por el bosque? —preguntó alguien que salió de la cocina detrás de Diana: una mujer menuda de unos treinta años, cabello rubio y ojos azul intenso. Llevaba un peinado estilo paje que le enmarcaba el rostro en forma de corazón. Vestía un pichi vaquero, una blusa blanca de marinero y unos zapatos de salón azules y blancos. Era tan adorable que parecía salida de uno de los cuadros de Mary Engelbreit que adornaban la cocina y el comedor de Diana.

—¡Tenías razón, Dory! Se había ido a correr al bosque... ¡Ay, perdonad! —Diana movió las manos entre la mujer rubia y yo para presentarnos—. Callie McFay, Dory Browne, de la Inmobiliaria Browne. Ha venido para enseñarte la casa y me dijo que creía haberte visto caminando hacia el bosque. Si hubiera sabido que ibas a correr, te hubiera sugerido otra ruta. El bosque... puede ser un tanto peliagudo.

—El sendero que se interna en el bosque está perfecto, pero he sido un poco torpe. ¿Tengo tiempo para una ducha rápida antes de desayunar?

—¡Por supuesto! —exclamó Diana. Tenía la impresión que si le pedía que me sirviera el desayuno en el tejado hubiera hecho lo imposible por complacerme.

—Seré rápida —prometí.

Subí cojeando las escaleras hasta mi habitación. Empezaba a acusar el dolor muscular, pero el agua caliente me alivió. Me tomé dos ibuprofenos, me puse un vestido de algodón (alentada por el conjunto mojigato de Dory) y unas sandalias, me recogí el cabello mojado en un moño y me apresuré escaleras abajo. Las dos estaban sentadas en el comedor, bien arrimadas y hablando entre susurros. Cuando entré, una tabla del suelo crujió bajo mis pies y Diana levantó la cabeza; sus grandes ojos marrones mostraban sobresalto.

—Caray, ya tienes mucho mejor aspecto. Siéntate y tómate una taza café mientras voy a buscarte el desayuno. Dory te hará compañía.

No entendía por qué necesitaba compañía, pero sonreí a la mujer de la inmobiliaria y me senté delante de ella. Dory me sirvió café y me ofreció la jarra de leche, que yo acepté, y la azucarera, que decliné.

—He traído información sobre otras propiedades disponibles —dijo, dando unos golpecitos a una carpeta estampada que tenía junto a su taza. Me di cuenta entonces de que el estampado de cachemir de la carpeta iba a juego con la bolsa acolchada de Dory—. Tengo un chalé pequeño monísimo muy cerca de aquí que podría ser perfecto para ti.

Debería de haber imaginado que, tal como estaba el mercado, pedirle a un agente inmobiliario que me enseñara una casa era como pedirle a un alcohólico que se tomara un aperitivo.

—Todavía no sé ni si me darán el trabajo —repuse—, pero la casa del otro lado de la calle parece tan especial...

—Sí, tienes razón, la Madreselva es una de las casas victorianas más bonitas que tenemos. Los LaMotte fueron una de las familias más prominentes de Fairwick en el pasado, cuando el ferrocarril convirtió el pueblo en un importante centro comercial. Y Silas LaMotte no reparó en gastos a la hora de construirle la casa a su esposa.

—Es una pena que no viviera para disfrutarla más tiempo —comenté, y bebí un sorbo de café.

—Sí, fue una pena —repuso Dory Browne entornando sus penetrantes ojos azules como si acabara de decir algo original—. Creo que el chalé te resultará más alegre...

El discurso comercial de Dory quedó interrumpido por la aparición de Diana con un plato de tostadas cubiertas de mermelada de arándanos, un bol de fresas y una cesta de magdalenas y bollos variados. Normalmente, solo desayunaba medio panecillo, pero el *footing* me había abierto el apetito. Le di un mordisco a la tostada, que estaba tan tierna que casi se me derritió en la boca.

—Le estaba comentado a Callie que quizás el chalé de la señora Ramsay le resultará más acogedor que la Casa Madreselva —le explicó Dory a Diana, que ya se había sentado a la mesa—. Esas casas viejas tan grandes son difíciles de calentar en invierno y algunas personas consideran que el bosque de detrás es muy lúgubre.

—Pues a mí me ha parecido bonito —comenté entre mordisco y mordisco de tostada—. He encontrado un matorral de madreselva. Supongo que debe haberse expandido desde la casa.

—¿Has llegado hasta el matorral? —preguntó Diana, tan sorprendida como si le hubiera dicho que había corrido todo el camino hasta Nueva York—. La gente no suele llegar tan lejos.

Levanté la vista del plato y me percaté de que las dos intercambiaban una mirada de alarma. Era obvio que algo les preocupaba de mi incursión en el bosque.

—¿Es el bosque propiedad privada? —quise saber—. No he visto ningún letrero... ¿Acaso me he colado sin permiso?

—El bosque pertenece a la finca de LaMotte, aunque siempre ha estado abierto al público —respondió Dory—. Pero es que está tan lleno de maleza...

—Sí, ya lo he visto. Es tan denso que un pájaro se ha quedado atrapado en el sotobosque y he tenido que ayudarlo a salir.

Me esperaba alguna exclamación de sorpresa o aprobación por parte de Diana, quien alababa todas las palabras que salían de mi boca. Además, en su casa tenía una colección tan extensa de criaturas del bosque de cerámica que había deducido que sentía una gran debilidad por la fauna y flora. Sin embargo, reaccionó con un largo silencio. Diana se había quedado pálida y miraba fijamente a Dory.

—Has rescatado un pájaro del matorral de madreselva —dijo Dory hablando muy despacio.

—Bueno, supongo que podría interpretarse así, aunque creo que al final habría logrado salir por sí solo.

—No; cuando se quedan atrapados en el matorral, ya les

es imposible salir —repuso Diana sacudiendo la cabeza—. Las criaturas que se pierden allí, suelen morir allí.

Recordé los huesos diminutos que habían caído del nido y me estremecí.

—¡Es horrible! ¿Y por qué no lo limpia nadie?

—Pues porque volvería a crecer —contestó Dory—. ¿Entiendes ahora por qué la gente no llega tan lejos? En cambio, el chalé de la señora Ramsay está delante de un parque precioso...

—Me gustaría ver la Casa Madreselva —dije, dejando la servilleta en la mesa. Ya había dado buena cuenta de todas las tostadas y un bollo de calabaza—. Además, ya te has tomado la molestia de abrir las ventanas.

Dory Browne me miró.

—Qué va, yo no he abierto ninguna ventana —repuso.

Diana y Dory se pusieron de pie y salieron hacia la casa antes de que yo pudiera siquiera levantarme de la mesa. Me dolía todo el cuerpo y solo podía moverme muy despacio. Cuando llegué fuera, las dos ya estaban al otro lado de la calle, observando la casa desde el seto.

—¿Va todo bien? —quise saber. Ambas la miraban como si estuviera en llamas.

—Ah, sí, sí —respondió Dory—. Había olvidado que le pedí al manitas de Brock que viniera antes a airear la casa. ¿Diana? —Se volvió poco a poco hacia ella y habló con parsimonia—: ¿Me harías el favor de hacer esa llamada de la que hemos hablado antes?

—¿Seguro que no prefieres que os acompañe?

—No te preocupes. Por lo visto, la casa quiere ser enseñada. —Rio nerviosa mientras sacaba la llave de su bolsa acolchada.

Diana le dio un apretón en el brazo.

—Bueno, pues si necesitáis algo estaré justo al otro lado de la calle.

No comprendía qué les preocupaba tanto. ¿Ratones, quizás? ¿Tablones podridos? No obstante, cuando subimos los escalones del porche la madera me pareció firme y en buen estado. El rostro tallado que había en el frontón relucía como si la lluvia del día anterior lo hubiera lavado a conciencia; brillaba a la luz de la mañana con el aspecto de un joven tras una buena noche de descanso. Y cuando Dory abrió la puerta principal (con una larga llave de hierro que giró con suavidad en la cerradura), noté que la casa no olía ni a moho ni a ratones, sino que el interior estaba impregnado del aroma de la madreselva.

Dory aguantó la puerta abierta y yo entré primero. En el gran recibidor, la luz que entraba por la vidriera caía sobre el suelo de madera como si fueran pétalos de rosa que nos daban la bienvenida.

—Los suelos son de roble —explicó Dory, cerrando la puerta—. Al igual que la barandilla. —Deslizó la mano por un balaustre tallado que había al pie de una amplia escalera—. Milas hizo que tallaran la madera en su astillero, pues quería que todo estuviera hecho como en los barcos. Y por eso, las puertas que conducen a los dos salones son correderas. —Abrió una puerta doble, y ambos lados se deslizaron entre las paredes con un chirrido que resonó en la casa grande y vacía.

Cuando entramos en el oscuro salón noté una corriente de aire procedente de la escalera. A pesar de que los postigos estaban abiertos, la madreselva había crecido por encima de las ventanas y bloqueaba la luz. Dory accionó un interruptor y una araña de cristal se iluminó por encima de nuestras cabezas.

—Como ves, los techos son muy altos —comentó Dory—. Y esa lámpara es de Venecia.

—Es preciosa —dije, maravillada por las originales formas y colores de las gotas de cristal—. Bastante exótica para un lugar así, ¿no?

—Silas hizo fortuna con el transporte marítimo y trajo tesoros de todos los rincones del mundo. Las baldosas de cerámica que hay alrededor de la chimenea son de Inglaterra —añadió, señalándolas—. Y la caoba de la repisa proviene de un castillo italiano.

Me acerqué a la chimenea y pasé la mano por la bonita madera tallada. El rostro de un sátiro me miraba fijamente desde el medallón central, y el friso superior estaba adornado con una procesión de deidades griegas.

—Esta repisa representa el casamiento de Cupido y Psique —explicó Dory con voz de guía turístico—. El mismo tema se repite en el friso del comedor...

Abrió otra puerta corredera que conducía a una gran sala octogonal con vitrinas empotradas en cada esquina. Unas figuras de yeso desfilaban por las paredes por debajo de abigarradas ramas de pino y bellotas.

—Y aquí está la cocina. Me temo que nadie ha vuelto a modernizarla desde los años sesenta...

La «modernización» consistía en una cocina de gas y una nevera Amana, ambas de un verde lima espantoso. Y el suelo de linóleo, a cuadros negros y blancos, estaba descolorido.

—Matilda construyó este añadido y pasaba la mayor parte del tiempo aquí atrás —explicó Dory, abriendo una puerta que conducía a un vestíbulo donde había una lavadora, una secadora y otra puerta. Esta conducía a un dormitorio bastante soso, con un empapelado amarillento medio despegado. En el centro había un antiguo somier de hierro pintado del mismo tono amarillento—. A causa de la artritis le costaba subir y bajar la escalera; además, le resultaba más barato calentar solo la planta principal. Incluso cerró la biblioteca...

—¿La biblioteca? —pregunté, deseosa de abandonar el pequeño apartamento de Matilda. Esa zona tenía la atmósfera propia de una residencia de ancianos y, curiosamente, parecía más vieja que el resto de la casa, a pesar de ser un añadido.

—Matilda no leía mucho, de modo que no utilizaba la biblioteca para nada. Donó todos los libros de su tía a la Universidad de Fairwick y cerró la habitación.

Me pregunté si los libros de Dahlia LaMotte seguirían en la biblioteca universitaria. Quizá tuvieran anotaciones...

Dejé de darle vueltas a esa idea en cuanto Dory abrió las puertas de la biblioteca. Daba al este y recibía la luz de la mañana, que se colaba a través de una pantalla de arbustos y teñía la estancia de un verde vidrioso, como si fuera el claro de un bosque, pero en lugar de estar rodeado de árboles, estaba rodeado de librerías empotradas que llegaban hasta el techo. Había suficiente espacio para archivar todos los libros que tenía en mi apartamento y en el trastero, y todavía quedaría sitio para más.

—¿Es aquí donde Dahlia escribía? —pregunté.

—No. Su estudio estaba en el piso de arriba, en la habitación de la torre, junto a su dormitorio.

¡Un estudio y una biblioteca! En mi apartamento de Inwood tenía que escribir en la mesa de la cocina y guardaba los archivos y los libros en los armarios al lado de la nevera. Pensé en lo fascinante que sería tener una mesa de trabajo decente y poder pasear por mi propia biblioteca para encontrar el libro que necesitara. Ahora entendía que Dahlia LaMotte hubiera sido tan prolífica (¡escribió más de sesenta novelas!); esta era la casa perfecta para una escritora.

Dory me guió escaleras arriba. Sus zapatos de tacón apenas resonaban en la madera, mientras que mis sandalias de suela de caucho despertaron un coro de crujidos similar a un enjambre de grillos.

—Con estos escalones no habría peligro de que entrasen a robar —comenté—. Son como un sistema de alarma.

Dory se volvió hacia mí en el rellano de la primera planta.

—No —repuso, tomándose en serio mi comentario—. Nadie entraría a hurtadillas. Además, el pueblo es bastante seguro.

Me mostró cuatro dormitorios pequeños y me explicó que el que tenía la cama y el armario empotrados, como el camarote de un barco, había sido la habitación de Silas. Después me enseñó un closet para la ropa de casa, un lavabo con una enorme bañera antigua y, por fin, abrió la última puerta que había al fondo del pasillo.

—Y este es el dormitorio principal —anunció.

También daba al lado este de la casa. Tenía dos ventanas grandes con vistas a un jardín lleno de maleza y las montañas a lo lejos. La cama estaba apoyada contra la pared oeste, de manera que si te tumbabas en ella veías las montañas. Seguro que por la noche se vería la salida de la luna. En la esquina sureste la habitación conectaba con una torrecilla octogonal; una mesa ocupaba tres lados de la torrecilla, y en los otros tres había librerías empotradas por debajo de las ventanas. Frente a la mesa había una silla de madera con el respaldo recto y un cojín de punto de cruz. Me senté en la silla y vi que el escritorio estaba equipado con docenas de pequeños cajones y estanterías. Abrí un cajón y hallé, gratamente sorprendida, el huevo turquesa de un petirrojo.

—Supongo que los cuadernos y notas de Dahlia LaMotte también fueron donados a la biblioteca junto con sus libros, ¿no? —dije, intentando abrir otro cajón, pero estaba cerrado con llave.

—Bueno, creo que en realidad Matilda dejó todos los papeles de su tía en el altillo.

—¿En el altillo? —repetí.

Dory Browne suspiró.

—Supongo que también querrás verlo, ¿verdad?

Como había pasado la mayor parte de mi vida en apartamentos, la verdad es que no tenía mucha experiencia con altillos. Me estaba imaginando un espacio encima de una escalera destartalada, cubierto de polvo y telarañas; pero la sala en cuestión, a la que llegamos a través de una escalera estrecha, estaba limpia y olía a té. Ese agradable aroma se debía a que todos los papeles de Dahlia LaMotte estaban guardados en cajas de té, todas marcadas con el logo de la Compañía de Té LaMotte y el tipo de té que contenía cada una: Darjeeling, Earl Grey, Lapsang y otras variedades exóticas.

—Son las que sobraron de los almacenes de su padre —explicó Dory.

Había doce cajas. Abrí una con cautela, un tanto temerosa de que un ratón pudiera saltarme del interior, pero lo único que salió de la caja fue el aroma de la bergamota. En el interior había tres cuadernos encuadernados con el mismo papel jaspeado. Cogí uno y vi que debajo había otro cuaderno idéntico. Eché un vistazo a la primera página y hallé la firma de Dahlia LaMotte con las fechas «15 de agosto de 1901 - 26 de septiembre de 1901» escritas con una letra recargada pero legible. Dahlia había llenado la libreta rápido.

—¿Y cómo es que no están en la biblioteca? —pregunté, hojeando un par de páginas. «Hoy he empezado *La luna salvaje*», leí en una; «Ayer por la noche volví a tener el mismo sueño», leí en otra.

—El testamento de Dahlia especificaba que sus cuadernos debían permanecer en la casa.

—Qué extraño...

Dory se sentó en una caja de té (una con la etiqueta «Ceylan») y se encogió de hombros.

—Dahlia era un poco extraña. Es lo que les pasa a las personas que viven solas tanto tiempo, inmersas en sus propias fantasías.

—¿Y en su testamento se estipula qué uso puede hacerse de estos cuadernos?

—Quienquiera que compre la casa será dueño de los papeles. Siempre y cuando no salgan de aquí, puedes leerlos, escribir sobre ellos, copiarlos e incluso publicarlos, aunque el cincuenta por ciento de los royalties de cualquier obra publicada corresponderá a los herederos de Dahlia, que son quienes se hacen cargo del mantenimiento de la casa.

—Nunca había oído algo tan raro —comenté, deslizando las manos por la desgastada tapa de papel de un cuaderno.

Dory sonrió con condescendencia.

—Cosas más raras se han visto... —Suspiró de nuevo—. Supongo que ya no te interesa ver el chalé, ¿no?

La ayudé a cerrar la casa. La verdad es que era todo un trabajo: los postigos aleteaban con el viento, sus bisagras crujían y nos pillaban la punta de los dedos a traición. Las ventanas de doble marco, ocho en total, protestaron cuando las bajamos, como unos niños que tienen que abandonar una fiesta de cumpleaños antes de que hayan repartido el pastel. Mientras Dory cerraba la puerta principal y me explicaba que el precio de venta (que me pareció ridículamente bajo) era demasiado elevado, se pilló el pulgar en el quicio de la puerta.

—Es como si no quisiera que nos marchásemos —dije, mirando la casa desde el jardín delantero. Con los postigos cerrados, se la veía triste y ceñuda.

—Podría ser —espetó Dory, chupándose el dedo gordo—, pero no siempre podemos tener todo lo que queremos.

No le pregunté a qué se refería, ni por qué parecía poco dispuesta a no cerrar esa venta; sino que empecé a hacer números en mi cabeza mientras regresábamos a la casa de huéspedes. Aparte del fondo fiduciario que me habían dejado mis padres, había recibido un buen anticipo por *La vida sexual de los íncubos*. Paul y yo habíamos hablado de utilizarlo para comprar un piso más grande en Nueva York, en caso de que encontrara trabajo en la ciudad, pero por el mismo dinero podía comprarme esa casa y conservar mi apartamento de renta protegida para tener un pie en la ciudad. Podría ser nuestra casa de campo, incluso si no conseguía el trabajo en Fairwick...

Estaba tan inmersa en mis pensamientos que no me di cuenta, hasta que subí los escalones de la posada, de que la decana Book me estaba esperando en el porche. Diana Hart estaba con ella, sentada en el balancín de mimbre con los brazos cruzados y los labios tensos como si estuviera enfadada. ¿Habrían estado discutiendo? No obstante, Elizabeth Book, que llevaba un vestido de lino de color marfil y un suéter de algodón a juego echado sobre los hombros, parecía contenta.

—Señorita McFay —dijo—. Siéntese aquí conmigo, por favor. Diana estaba a punto de ir a buscar otra jarra de té frío.

Diana fulminó a la decana con la mirada, pero obedeció y se levantó.

—No es necesario... —repuse, pero Diana ya había entrado en la casa, dejando que la puerta se cerrara con un golpe a su espalda.

Dory Browne la miró, pero se quedó en el porche. Me dejé caer en uno de los balancines de mimbre, cansada de pronto por todo el dramatismo de la mañana. Afortunadamente, Elizabeth Book no perdió el tiempo y fue al grano.

—En nombre del comité, me gustaría ofrecerle el puesto de profesora adjunta de Literatura y Folclore —anunció—. Por supuesto, soy consciente de que puede estar considerando otras ofertas, de modo que si necesita tiempo...

—No será necesario —repuse. De repente estaba segura de lo que quería (o debía) hacer—. Acepto el puesto y... —Miré al otro lado de la calle. No veía la casa pero la olía: madreselva y aire salado, como si estuviera al borde de un acantilado encima del mar, en lugar de en una calle de un remoto pueblo montañoso. Era el olor de mis sueños; el aroma que siempre acompañaba a mi príncipe. Aunque esa no era la razón por la que tenía que hacerlo. Me volví hacia Dory y añadí—: Y voy a comprar la Casa Madreselva.

5

Cuando llamé a Paul desde Manhattan esa misma noche, me sorprendió que se tomara tan bien la noticia de mi puesto en Fairwick.

—He estado preguntando por ahí y la verdad es que la universidad tiene buena reputación. Tienen un curso para alumnos de alto rendimiento académico con una generosa ayuda financiera que reúne a algunos de los mejores estudiantes del país y del mundo —me explicó. Oía el rumor de fondo de sus dedos tecleando en el portátil. Debía de llevar horas buscando en Google información del pueblo y la universidad—. Y según el MapQuest está solo a tres horas de la ciudad. De manera que cuando el año que viene encuentre trabajo en Nueva York será bastante fácil venir a verte.

Lo que no le hizo ninguna gracia fue que hubiera comprado una casa victoriana de cinco habitaciones.

—Pensaba que íbamos a utilizar ese dinero para comprar un piso más grande en la ciudad —protestó—. Al menos podrías habérmelo consultado, ¿no?

Me defendí recordándole que siempre habíamos dicho que aceptaríamos el trabajo (o escuela de posgrado) que más nos conviniese sin preocuparnos de lo que pensara el otro.

—Ya, pero una casa... —repuso—. Es demasiado... permanente.

—Un puesto de trabajo sí que es algo permanente —refuté—. Una casa es... —Quería decir que una casa se podía comprar y vender, pero sabía que nunca iba a resultar fácil vender la Madreselva. Y la sola idea de perderla ya me producía una punzada extraña en el pecho—. Es como una casa de veraneo. Podrías venir los fines de semana y pasaríamos los veranos juntos aquí. Ya verás, en cuanto estés bien instalado en la ciudad te morirás de ganas de salir de ahí, como todos los neoyorquinos.

—Pero deberías habérmelo consultado antes de comprarla —insistió con una pena impropia de él. Normalmente, Paul era el tío más tranquilo y comprensivo del mundo y casi nunca discutíamos. Y tampoco lo hicimos ahora. Se excusó diciendo que tenía que corregir unos trabajos y colgó.

Con la esperanza de conseguir un poco de comprensión y apoyo, tomé el metro hasta Brooklyn y me dirigí a la panadería de mi amiga Annie para explicarle lo que había hecho. Era mi mejor amiga desde el instituto y, a pesar de que no salía con hombres (había admitido su homosexualidad cuando estudiábamos segundo de bachillerato), siempre me daba buenos consejos. Además, llevaba años intentando convencerme de que dejara esa relación a distancia con Paul y me buscara un novio en la ciudad.

—Lo siento, Cal, pero está vez apoyo a Paul —me dijo, cubriendo una hilera de magdalenas con una capa de caramelo de color amarillo para darles aspecto de girasol—. Has actuado como un hombre: con total prepotencia. Y no me creo todo ese rollo de hacer lo que sea mejor para cada uno de vosotros sin pensar en la relación. Me da la sensación de que a ninguno de los dos os importa lo suficiente estar juntos como para sacrificaros para que funcione.

Había olvidado que desde que Annie vivía con su novia, Maxine, se había vuelto un poco moralista con el tema del compromiso.

—¿Crees que debería sacrificar mi carrera y trasladarme a Los Ángeles? —pregunté, cogiendo una de las magdalenas medio terminadas. De pronto sentí que necesitaba azúcar, cosa que atribuía a la gran cantidad de dulces que había ingerido en la Dulce Posada Hart.

—Yo no he dicho eso. Pero si realmente quisierais estar juntos, ya habríais hallado la manera. Y una persona enamorada no se compraría una casa para ella sola.

«A no ser que esté enamorada de un hombre que se le aparece en sueños», pensé. Pero no lo dije.

Curiosamente, era la misma actitud que mi abuela Adelaide había adoptado cuando la llamé a Santa Fe (donde se había retirado cuando acabé la secundaria) para contarle las novedades.

—Fairwick es una universidad de segunda con un personal de segunda —espetó mi abuela, alargando las palabras con su acartonada voz de Nueva Inglaterra. Utilizó el mismo tono que cuando me habló de la decisión de mi madre de ir a la universidad en Escocia («Las mujeres de nuestra familia siempre han estudiado en Radcliffe o Barnard»), del matrimonio de mi madre con mi padre, de mi decisión de estudiar en la Universidad de Nueva York y de la elección del tema de mi tesis («¡Los cuentos de hadas son para niños!», había dicho).

Cuando acabó de criticar a la universidad, me preguntó si eso significaba que había roto con «ese chico de California». Cuando le dije que no, opinó que era solo cuestión de tiempo y que si de verdad nos queríamos ya hubiéramos conseguido vivir en el mismo lado del país.

Las opiniones de Adelaide y Annie me persiguieron en el camino hacia California; iba a visitar a Paul. Por extraño que parezca, el sueño que había tenido en la Dulce Posada Hart me hacía preguntarme que quizá tenían razón, como si le hubiera sido infiel a Paul y hubiera comprado la Casa Madreselva con el fin de entrar en contacto con ese amante nocturno. El hecho de que me flaqueasen las rodillas cada vez que rememoraba el sueño corroboraba esa teoría, al igual que el hecho de que el amante nocturno me recordara al príncipe de mis fantasías de adolescente. Era como si hubiera traicionado a Paul con mi ex, y me preguntaba si en el fondo una parte de mí siempre había estado esperando el regreso de mi príncipe azul; la misma parte de mí que aceptaba vivir a cinco mil kilómetros de distancia de mi novio.

A pesar de todo, cuando llegué a Los Ángeles le hablé a Paul de las cajas llenas de cuadernos de Dahlia LaMotte que había en el altillo de la casa y él empezó a cambiar de actitud.

—¿Me estás diciendo que puedes escribir sobre ellos e incluso reproducirlos, siempre y cuando permanezcan en la casa?

Le mostré el testamento adjunto a la escritura que lo especificaba.

—¿Y por qué no empezaste por ahí? —preguntó, recompensándome con la sonrisa irónica con que me había conquistado en la clase de Literatura Inglesa en el segundo año de universidad—. Eso es fantástico, Cal. Cuando publiques tu próximo libro, ¡tendremos suficiente dinero para comprarnos un piso en Manhattan!

Aunque fue un alivio que me perdonara, sentí la incómoda sensación de que solo lo había hecho porque consideraba que a la larga mi decisión precipitada (y la infidelidad espectral de la que no tenía conocimiento) podía ser rentable. De manera que me pasé dos semanas en Los Ángeles sintiéndome como una prostituta de lujo e intentando convencerme de que tener fantasías eróticas con un amante imaginario no era lo mismo que serle infiel a mi novio. ¿Qué importancia tenía que cuando mirase a Paul recordara la manera en que la luz de la luna había tallado unos músculos sinuosos en la sombra? ¿O que recordara el tacto de sus labios carnosos cuando Paul me besaba? No era más que un sueño, y no se había repetido desde aquella primera noche en la casa de huéspedes. Además, si decidía adelantar un día la vuelta para tener tiempo de instalarme en la casa nueva antes de que empezara el trimestre, no significaba que estuviera deseando regresar a la Casa Madreselva para ver si el sueño se repetía. ¿O sí?

Si hubiera creído en la patética metáfora de que en las novelas las condiciones meteorológicas son un reflejo de las emociones de la heroína, hubiera sospechado que la adquisición de la Casa Madreselva había estado dictada por una fuerza malevolente. Mientras conducía hasta Fairwick una lluvia torrencial amenazaba con llevarse a la cuneta mi nuevo Honda FIT verde. Cuando llegué al pueblo, todas las casas de la calle tenían las luces apagadas. «Debe de haberse ido la luz», pensé. ¿Sucedería muy a menudo? Pensé en ir a la posada para pedirle a Diana una habitación, o al menos una linterna y unas velas, pero en cuanto vi la Casa Madreselva supe que no podía esperar más. Incluso el viento pareció empujarme escalones arriba (¡ahí estaba de nuevo la metáfora patética), precipitándome hacia la puerta principal. Levanté la vista hacia la vidriera, pero el rostro tallado estaba a oscuras y, de alguna manera, parecía cobijarse en esa oscuridad. Como el amante de mis sueños antes de que el claro de luna lo despertase. Me dio la impresión que él estaba en algún lugar de la casa, esperando a que el ruido de mi llave lo despertara. Tenía la llave grande y antigua que Dory me había enviado envuelta en papel marrón y atada con un cordel, y la sostuve cerca de la cerradura. En su peso noté el de todas las decisiones cuestionables que había tomado en el último mes.

Había dejado pasar una posible carrera en Manhattan, el centro de mi mundo, por un trabajo en una universidad de segunda en un pueblucho donde no conocía a nadie. Me había comprado una casa de más cien años que, a pesar del positivo informe de su estado actual, lo más probable es que fuera a requerir un mantenimiento que yo, que me había pasado la vida de apartamento en apartamento, no pudiera ni imaginar. A pesar de que había decidido mantener el estudio de Inwood, lo había subarrendado en el último momento cuando una antigua profesora mía me dijo que no tenía donde vivir. De manera que si decidía regresar a la ciudad, no tendría donde alojarme. Y lo peor era que había puesto en riesgo una relación de ocho años con un buen hombre del que creía estar enamorada. Y todo por un sueño que me recordaba al príncipe imaginario de mi adolescencia.

«Debería dar media vuelta ahora mismo —pensé—, regresar a Nueva York, decirle a Dory Browne que ponga la casa a la venta y trabajar como profesora adjunta hasta que pueda solicitar un puesto el año que viene en alguna universidad más cerca de Manhattan. Sí, eso es lo que debería hacer, pero...»

Oí un clic. Algo metálico.

Bajé la vista a mi mano y vi que la llave ya estaba encajada en la cerradura. ¿Cómo había sucedido? La extraje y la sostuve a unos centímetros de la cerradura. Se zarandeó en el aire. ¿Me estaba temblando la mano o...? La llave rozó el ojo de la cerradura y entonces me percaté de que el agujero para la llave estaba rodeado de una placa de hierro con forma de gallo. Sentí un tirón en la mano, la llave se movió y se metió en la cerradura con suavidad.

«¡Maldita sea! ¿Qué está pasando?» Me quedé mirando la llave durante todo un minuto hasta que la idea hizo clic en mi cabeza con el mismo sonido que la llave había hecho al deslizarse en la cerradura. «Debe de ser una cerradura magnética.» Parecía una tecnología demasiado sofisticada para una casa del siglo XIX, pero recordé lo que Dory Browne me había explicado de Silas LaMotte: había construido la casa como si fuera un barco y para que resistiera el paso del tiempo y, según el arquitecto que contraté para que la examinara, estaba en perfectas condiciones. «Solo necesita una mano de pintura y algún retoque de masilla», había dicho, antes de recomendarme a su primo Brock Olsen para que se ocupara de las pequeñas reparaciones.

Dory había dejado entrar a Brock la semana anterior y se había ofrecido a supervisar el trabajo. De manera que no tenía nada de lo que preocuparme. No había sido una locura comprar la casa, pero sí que sería una locura huir ahora.

Giré la llave. Lo hizo con suavidad y la puerta se abrió sin hacer ruido sobre unas bisagras bien engrasadas; nada que ver con las puertas chirriantes de un romance gótico. Al entrar tampoco me topé con telarañas ni miasmas húmedos, sino que la casa olía a pintura fresca y barniz. Un olor limpio y práctico que derrocó la ridícula idea de que hubiera comprado la casa a causa de un sueño.

Al fin y al cabo, era una casa bonita. Justo cuando estaba en el umbral, un rayo de luna se coló entre las nubes y se deslizó por el suelo recién barnizado, como una piedra rebotando en un estanque. Entré, y el viento que se coló por mis talones alborotó las cortinas de encaje del salón e hizo vibrar el cristal de las ventanas. La casa crujió como un barco en plena tormenta; quizás eso era justo lo que Silas LaMotte había pretendido. Incluso me dio la sensación de que podía oler a aire marino debajo de la pintura y el barniz, pero cuando cerré la puerta todo pareció calmarse. La tormenta estaba amainando y el claro de luna que se colaba en el interior hacía que la pintura blanca resplandeciera como mármol pulido y proyectaba un reflejo distorsionado de la vidriera en el suelo del vestíbulo: el rostro del dios pagano se alargaba y retorcía, dando la sensación de estar sonriendo satisfecho.

Me estremecí con esa idea... pero también porque me había mojado y el largo viaje en coche me había dejado exhausta. Necesitaba un baño caliente (suponiendo que el calentador del agua funcionase sin electricidad) y tenderme en la cama (suponiendo que la cama que había encargado ya hubiera llegado y estuviera montada). Los de la empresa de mudanzas llegarían por la mañana. En cuanto hubiera descansado y llenado la casa con mis libros y mis muebles no se me haría tan raro... ni resonaría tanto el eco.

Subí las escaleras; en la casa vacía el ruido de las pisadas asemejaba el estruendo de los petardos. Me acordé entonces de lo que le había dicho a Dory Browne acerca de no tener que preocuparse por los ladrones y también de su contestación: «No, nadie entraría a hurtadillas.» Había enfatizado la palabra «entraría». ¿Por qué? ¿Acaso había algo peligroso que ya merodeaba por la casa?

Temí que el vestíbulo de la primera planta estuviera completamente a oscuras, pero la luna también había hallado el modo de entrar ahí: por las ventanas de los dormitorios pequeños, cuyas puertas estaban abiertas. La única que estaba cerrada era la del fondo del pasillo, la de la habitación principal.

Recorrí el pasillo sintiéndome peculiarmente observada. Bajé la vista y reconocí la sombra de un ratón a mis pies. Chillé y di un buen salto, antes de comprender que la sombra pertenecía al tope de la puerta, que era de hierro fundido y tenía forma de ratón.

Maldije la pasión de Diana Hart por las figuras de animales (supuse que esos extraños topes eran cosa suya) y giré el pomo de la puerta de mi dormitorio, pero no se movió. Imaginé que debía de haberse cerrado de un golpe cuando la pintura todavía no se había secado. Apoyé el hombro contra la hoja, quejándome entre dientes. «Venga, ábrete, maldita...» La puerta se abrió tan de repente que me caí al suelo y vi que una ráfaga furiosa de viento sacudía las cortinas y alborotaba las sábanas de la cama.

Ahí estaba la cama.

Le había pedido a Dory Browne que les abriera la puerta a los mozos que me traerían la cama que había encargado y esperaba que la hubieran montado, pero había dado por hecho que esa noche me tocaría dormir sobre el colchón en el suelo. No obstante y contra todo pronóstico, no solo habían montado la cama de pino con dosel, sino que alguien también la había hecho con sábanas blancas, almohadas mullidas y un elegante edredón de plumas. Todo del mismo tono blanco lunar. Parecía preparada para una novia, pero yo estaba sudada y llevaba una camiseta y unos *shorts* zarrapastrosos.

«Tendría que darme un baño», pensé, pero estaba demasiado cansada. Caminé hasta la cama y me golpeé el dedo del pie con algo duro. Maldiciendo, busqué en el suelo a tientas y cogí algo pesado y frío. Lo sostuve a la escasa luz y vi que se trataba de uno de los ratones de hierro. El viento debía de haberlo arrastrado. El ratoncito tenía una salpicadura blanca en el pecho (probablemente de cuando Brock pintó la habitación) y le faltaba la punta de la cola. Eché otro vistazo al suelo y encontré el apéndice que faltaba. Lo recogí para asegurarme de que no me pinchaba el pie más tarde y lo sostuve delante de la pequeña cara con bigotes del ratón.

—Herido en acto de servicio, ¿eh? —le dije—. No te preocupes, soldado. Te doy la noche libre. —Lo llevé hasta el vestíbulo, lo dejé con el resto de sus compañeros y cerré la puerta. Entonces me deshice de mi ropa sudorosa, me metí en la cama blanca y virginal y, abrazada a la almohada, caí en un sueño profundo.

Pero no por mucho tiempo.

Alguien estaba dando golpecitos en la ventana. Me levanté y crucé la oscura habitación. La luz de la luna se apoyaba contra el cristal, como el agua que hace presión contra un dique. Yo estaba de pie en la oscuridad, en el umbral entre la sombra y la luz donde él siempre me esperaba, y alguien estaba dando golpecitos. Me acerqué a la ventana y vi que había algo metálico colgando del marco de madera: un medallón redondo con tres radios (como los de una rueda) y tres llaves colgando. A pesar de que estaba hecho de algún tipo de metal oscuro, me recordó a un atrapasueños. Estaba golpeando el cristal, impulsado por el viento que silbaba a través de un resquicio en el marco. Si no lo descolgaba acabaría rompiendo el cristal, pero cuando tiré de él rompí la cinta que lo sujetaba. Al instante se abrió una grieta en el vidrio, que se hizo añicos. Los trozos y esquirlas cayeron a mis pies y la luz de la luna entró impulsada por una ráfaga de viento que olía a madreselva y sal. La tromba de aire se aremolinó a mi alrededor con la furia de las aguas revueltas y me empujó contra la ventana; golpeé un cristal con la espalda y el resto de ellos se hicieron pedazos. La luna brillaba con tanta fuerza que su luz me cegó. Cerré los ojos, pero seguía ahí, debajo de mis párpados, reteniéndome contra la ventana. De pronto, una fuerza fría y sólida me empujó las caderas contra el alféizar, me separó las piernas y arremetió contra mí... Me agarré al marco de la ventana para mantener el equilibrio y me corté la mano con un cristal roto. Di un grito ahogado y la boca se me llenó de agua salada. Intenté zafarme, pero solo conseguí que aquella fuerza arremetiese contra mí de nuevo... una y otra vez, sumergiéndome en las aguas revueltas.

Había oído en alguna parte que en caso de estar ahogándose lo mejor es relajarse y dejarse llevar por la corriente, de manera que eso fue lo que hice. La corriente se volvió caliente y me arrastró hasta la oscuridad, como si un amante me llevara a la cama, hacia la oscuridad donde vivía.

6

A la mañana siguiente me despertó el camión de las mudanzas en el camino de entrada. Me quedé en la cama un momento, tumbada entre un revoltijo de sábanas, intentando recordar dónde estaba. ¿No me había ahogado? Enseguida comprendí que no había sido más que un sueño.

No obstante, mientras recuperaba la ropa que había dejado tirada la noche anterior, vi que había cristales rotos en el suelo y que tenía un buen corte en la mano. Me acerqué a la ventana con cuidado y descubrí, entre los cristales rotos, el carillón de metal. Me quedé observándolo un instante recordando la violencia del sueño, pero un golpe en la puerta principal me sobresaltó y me hizo abandonar el recuerdo. Supuse que el ruido del carillón golpeando el cristal me había desvelado, y al levantarme para cerrar la ventana, debí de haberme cortado la mano. El resto del sueño debió de ser fruto de la unión entre el viento, los cristales y el deseo reprimido de reencontrarme con mi oscuro amante. «Esa es la única explicación posible —me dije mientras me apresuraba escaleras abajo—. Al menos, la única que tiene cierta lógica.»

Los dos hombres y las dos mujeres de Traslados Verdes (la empresa de mudanzas ecológica de Maxine, la novia de Annie) no tardaron en descargar las cosas de mi apartamento de Inwood y las cajas del trastero, y cuando acabaron la casa todavía se veía vacía. Les invité a compartir una cesta de sándwiches que había recibido por gentileza de la charcutería Deena's Deli («¡Estamos encantados de que seas nuestra nueva vecina!», ponía en la nota). Y nos sentamos en el porche para disfrutar de la brisa fresca que llegaba desde el bosque.

—Los veranos son fantásticos aquí —dijo una de las mujeres—. Mi novio y yo tenemos una casa en Margaretville, a unos cuarenta minutos al este. Pero los inviernos...

Se llamaba Yvonne y me contó de una pareja que tras instalarse en la zona habían perdido la chaveta, aunque siempre habían tenido «sus cosas». Bromeé acerca del peligro de volverme loca en el campo, y todos dijeron que mi situación era diferente porque iba a trabajar en la universidad. Cuando se marcharon, la casa se me antojó todavía más silenciosa y vacía que antes.

Antes de que pudiera plantearme si uno de los primeros síntomas de la locura consistía en tener sueños eróticos extraños, me metí de lleno en la tarea de desembalar mis escasas pertenencias, pues creí que una de las maneras más eficaces de prevenir la melancolía era sentirme en casa. Colgué algunas fotografías e ilustraciones en la biblioteca y el salón, y coloqué mi colección de tazas y platos desiguales en las vitrinas empotradas del comedor. Pensé entonces que sería divertido comprar algunas cosas en las tiendas de antigüedades para decorar la casa.

Después de cenar (una pizza que recibí por gentileza de Mama Esta's Pizzeria y una botella de Shiraz de un viñedo de la zona), me di el tan anhelado baño en la bañera antigua, aprovechando el aceite de rosas que había recibido en la cesta de bienvenida de una tienda llamada Res Botanica («¡Haz de tu nueva casa un dulce hogar!»). Después me puse un camisón holgado y empecé a organizar mis carpetas y el material de oficina en la mesa de trabajo que había en el despacho, a la vez que disfrutaba de una copa de vino. Fue divertido abrir todos los cajoncitos del escritorio. Además del huevo de petirrojo que había encontrado el primer día, encontré una vaina negra y brillante con forma de cabeza de cabra, la cabeza de una muñeca de porcelana a la que le faltaba un ojo azul y un nido de pájaro. Uno de los cajones estaba cerrado con llave. Busqué la llave en los otros cajones, en vano.

Devolví todo a su sitio y añadí mi propia colección de piedras y conchas, así como los bolígrafos y lápices, la cinta adhesiva, la grapadora, un abridor de cartas con forma de daga (recuerdo de un castillo escocés), los archivadores y las libretas. También saqué de las cajas los libros de consulta que me gustaba tener cerca cuando escribía: el *Diccionario Oxford* (un regalo de mi abuela cuando acabé la universidad), el *Diccionario de los símbolos*, el *Tesauro* de Roget, *La rama dorada*, *From the Beast to the Blonde*, *La loca y el desván* de Gilbert y Gubar, y otra media docena de volúmenes sobre los cuentos de hadas y el folclore. En uno de los estantes coloqué mis novelas favoritas, desde *Los misterios de Udolfo* y *Jane Eyre* hasta *Rebeca* y *El extraño oscuro* de Dahlia LaMotte. Después de meter los bolígrafos en una taza de la Universidad de Oxford (un *souvenir* de mi año de intercambio en el extranjero) y de vaciar un puñado de clips en una taza de té de Sèvres medio desconchada, lo único que quedaba de la porcelana de mi tatarabuela (según mi abuela), al fin me sentí como en casa.

Me recosté y, al alzar la vista, me topé con mis propios ojos reflejados en el oscurecido cristal de la ventana. Me había recogido el cabello para bañarme, pero unos mechones se habían escapado y se rizaban alrededor de la cara; mi pelo cobrizo se veía casi negro al lado de mi piel blanca. Me di cuenta de que mi camisón era bastante transparente y, por un momento, imaginé la impresión que podría causarle a alguien que me mirara desde fuera: una doncella atrapada en una torre, como en la portada de un romance gótico de Dahlia LaMotte. Me reí de esa idea; muy pronto estaría corriendo con mi camisón diáfano hacia un acantilado con un amenazante castillo al fondo... En ese instante, un destello blanco en el jardín trasero captó mi atención. El hecho de que mi habitación diese al bosque no significaba que nadie pudiera rondar por ahí. A pesar de que las clases no empezaban hasta la semana siguiente, los estudiantes de primero ya habían empezado a llegar para asistir al curso de orientación y no tardarían en descubrir que el bosque era un buen lugar para colocarse y emborracharse.

Me puse una sudadera de Columbia por encima del camisón y me asomé a la ventana. Había algo en el césped, justo en el linde del bosque: una figura blanca que se mecía con la brisa. Por un momento me pareció ver a un hombre vestido con camisa blanca y pantalones oscuros mirando hacia mi ventana. Distinguí un rostro pálido y unos ojos oscuros... Sus ojos empezaron a ensancharse hasta ocupar toda su cara y siguieron creciendo hasta borrar el resto de la figura. Entonces comprendí que era una ilusión óptica. La forma blanca no era más que una columna de neblina que ascendía del suelo y se dispersaba con la brisa.

«Estupendo», pensé. Me estaba comportando como una de las heroínas de los libros sobre los que escribía, quienes saltaban al mínimo ruido e imaginaban rostros en la niebla. Violet Grey, en *El extraño oscuro*, imaginaba la visita de un amante fantasma a la luz de la luna; lo mismo que yo había soñado la noche anterior. Con la diferencia de que en mi sueño no me había visitado ningún amante oscuro y romántico, sino una fuerza de la naturaleza, urgente e impaciente, que había avanzado sobre mí en forma de diluvio de luz de luna.

«Fue así por todo el tiempo que llevas esperándolo —susurró una voz en mi cabeza—. Fue así por todo el tiempo que le has hecho esperar.»

—Eso es ridículo —dije en voz alta, cerrando la ventana con pestillo. Era mi primer día en una casa extraña, nada más. Además, ya empezaba a sentirme como si estuviera en mi hogar.

De todos modos, esa noche tardé un buen rato en dormirme. Me quedé tumbada escuchando los crujidos y ruidos de la vieja casa, que parecía asentarse en sus cimientos, y observando las sombras irregulares que la luna proyectaba a través de la ventana. No quería bajar la guardia ante lo que pudiera aparecer entre la luz de la luna y las sombras, temerosa de que el sueño violento de la noche anterior se repitiera.

No obstante, cuando al fin me quedé dormida el sueño que

tuve fue totalmente distinto. Las sombras se deslizaron por el suelo con sigilo, bordeando los rayos de luna como si fueran de vidrio. Se metieron en mi cama y me envolvieron, murmurando palabras que no entendía pero que sonaban igual que el zumbido del mar dentro de una caracola. Ese sonido se coló en mis oídos como si fuera aceite caliente y difundió en todo mi cuerpo una sensación de bienestar y satisfacción. Era como si me estuvieran masajeando todo el cuerpo a la vez. Las sombras me cubrían por completo, como un baño caliente con dedos y labios, chupándome la boca, los pezones y la entrepierna. Parecían alimentarse de mí y ganar fuerza con cada uno de los orgasmos que me provocaban.

Por la mañana desperté sintiéndome muy descansada. Era extraño que a pesar de todo el peso que había cargado el día anterior no me doliera nada el cuerpo. Desempaqué una docena de cajas antes del desayuno y después decidí aprovechar esa energía para instalarme en mi despacho de la universidad.

Crucé el campus en coche y vi que todavía no había mucho movimiento, excepto por los alumnos de primero que asistían al curso de orientación. Se les reconocía al instante por la manera de moverse en grupos de cinco o seis, como si el bucólico campus cubierto de hiedras fuese una jungla peligrosa que solo una expedición en grupo pudiera superar. Recordé entonces mi primera semana en la Universidad de Nueva York. Todos los chicos de fuera de la ciudad se movían en manada. Y yo, como chica de ciudad que era, había despreciado su timidez y dependencia, de modo que pasaba la mayor parte del tiempo sola o con mis amigos del instituto. Y por esa misma razón no había hecho muchos amigos nuevos en la universidad. Pero más tarde conocí a Paul y casi no me separaba de él. Cuando me aceptaron en Columbia (donde la camaradería fácil de la universidad cedió a la competencia propia de una escuela de posgrado) supuse que había valido la pena, pero en ese momento, observando a esos chicos que reían y bromeaban bajo los majestuosos árboles teñidos de otoño, sentí que me había perdido algo.

Aparqué delante del pabellón Fraser, un edificio de estilo Tudor de cuatro plantas con entramado de madera, que albergaba las oficinas del departamento de Folclore. Se llamaba así en honor de Angus Fraser, el famoso folclorista fundador de la Real Orden de Folcloristas a principios del siglo pasado. Fraser fue autor de una docena de libros sobre el folclore celta y había impartido clases en Fairwick cien años atrás. Mi despacho estaba en el último piso del edificio, que, tal como descubrí, carecía de ascensor. Afortunadamente, en mi segundo viaje por la empinada escalera cargada de cajas, un par de brazos musculosos me liberaron del peso.

—Parece que vayas a caer rendida de agotamiento.

Era Frank Delmarco, el profesor de Historia de Estados Unidos que se había burlado de la inclusión de los libros de vampiros en mi plan de estudios durante la entrevista de trabajo. Y ahora, por lo visto, estaba criticando mi capacidad para subir escaleras.

—Estoy... bien —dije jadeando—. Es que... he estado de mudanzas.

—Sí, ya me he enterado de que has comprado la vieja casa de los LaMotte. ¿No te parece un poco grande para ti sola?

Estuve a punto de decirle que no estaba sola, y sentí que me sonrojaba al recordar la compañía que tenía en mis sueños. Afortunadamente, el camarada Delmarco (ese día llevaba una camiseta con los retratos de Marx y Lenin con unos sombreros en los que ponía: ÚNETE AL PARTIDO COMUNISTA) debió de pensar que sentía embarazo por acaparar una casa tan grande para mí sola.

—Puede que alquile una habitación —respondí, aunque en realidad no tenía ninguna intención de hacerlo y no me apetecía nada tener que compartir la casa con alguien.

—¿Sí? Buena idea... —empezó, pero le interrumpí.

—¿Sabes? Es curioso que alguien que desaprueba las atenciones al «mínimo denominador común» sea socialista.

—¿Socialista? Yo no soy socialista —espetó, dejando una caja en el suelo de mi nuevo despacho—. ¿Tienes más cajas?

—Sí, pero no hace falta que te molestes por mí. —Me volví y me dirigí escaleras abajo. Él me siguió.

—No pasa nada. A nosotros los socialistas nos gusta ayudar a los camaradas. Ostras, aunque fuera socialista no veo qué tiene que ver mi desprecio hacia toda esa basura comercial de los vampiros con...

—¿Basura? ¡Menudo creído estás hecho! ¿Has leído alguna vez a Anne Rice?

—No.

—¿Y a Stephenie Meyer?

—Tampoco.

—¿Charlaine Harris?

—¿Quién?

Seguimos discutiendo mientras me ayudaba a subir el resto de libros y archivadores. Tuvimos que hacer tres viajes y al acabar ambos respirábamos con dificultad, empapados de sudor.

—Caray, qué calor que hace —comentó, secándose la frente con un pañuelo rojo—. ¿Una cerveza?

—¿A las diez de la mañana? —contesté.

—¿Quién es la creída ahora? —exclamó, levantando los brazos mientras salía de mi despacho.

Desempaqueté mis cosas con un arrebato de mal humor que poco a poco se fue convirtiendo en unas ganas insaciables de tomarme una cerveza y en un fuerte remordimiento por no haberle dado las gracias a Frank Delmarco por su ayuda.

Salí al pasillo en busca de su despacho. Seguí el sonido de unas risas hasta la vuelta de la esquina y vi, a través de una puerta abierta, el perfil de una chica guapa y joven sentada en una silla de oficina junto a un gran escritorio. Lo único que alcanzaba a ver del hombre sentado al otro lado de la mesa eran unas botas de montaña Timberland apoyadas encima de una pila de libros, pero por su risa escandalosa reconocí a Frank Delmarco. La chica se unió a su risa, se echó atrás su larga y brillante melena (que le llegaba hasta la cintura) y cruzó sus largas y desnudas piernas. De pronto sentí que ya había socializado bastante con mis nuevos colegas y decidí marcharme a casa.

Pero cuando regresé a mi despacho para cerrarlo con llave descubrí que tenía una visita. Una estudiante (o quizá la hermana pequeña de algún estudiante, pues parecía muy joven) estaba sentada en la silla que había junto a mi escritorio. Tenía la espalda encorvada y su media melena, del color del té con leche, le tapaba el rostro. Cuando entré, se estremeció y alzó la vista. Sus ojos eran enormes y del mismo color que su cabello.

—Ay, discúlpeme, profesora McFay, espero que no le moleste que haya entrado... La puerta estaba abierta y en el pasillo había mucha corriente de aire.

En el pasillo la temperatura rondaba los veinticinco grados, pero daba la sensación de que aquella muchacha podría salir volando impulsada por la brisa veraniega. Ahora entendí por qué sus ojos se veían tan grandes: estaba delgadísima.

—No te preocupes —dije sin mucha convicción. Estaba agotada y tenía ganas de volver a casa—. Las horas de consulta todavía no han empezado...

—Ay, ¡lo siento! —exclamó, levantándose de la silla. Vestía una blusa campesina azul claro que le hacía bolsas encima de su delgadísimo pecho. La chica no solo era flaca, sino que estaba desnutrida. ¿Anorexia?—. Es que he llegado tarde y aún no me he matriculado.

Me percaté entonces de su acento. «De Europa del Este», pensé.

—No te preocupes. Siéntate, por favor. Es que hoy no esperaba recibir ninguna visita. Soy nueva aquí y todavía no conozco las rutinas.

—Yo también. ¡Yo también soy nueva! —Sonrió. Sus dientes todavía no se habían beneficiado de la odontología norteamericana y su sonrisa no conseguía iluminar la palidez de su rostro—. Soy... ¿Cómo se dice? ¿Estudiante de cambio?

—Estudiante de intercambio —la corregí con delicadeza. Parecía que fuese a desmoronarse ante la mínima rudeza.

—Sí, estudiante de intercambio —repitió. Pero enseguida frunció el ceño, confundida—. No, eso no puede ser correcto. Intercambiar significa cambiar una cosa por otra, ¿no?

Asentí con la cabeza.

—Y no creo que la Universidad de Fairwick envíe a ningún estudiante americano al sitio de donde vengo —dijo con una gravedad que me hizo estremecer.

—¿Y de dónde eres exactamente?

Ella sacudió la cabeza, y su cabello lacio se apoyó en sus delgados hombros. Tenía las puntas del pelo abiertas y húmedas, como si se las hubiera estado chupando.

—Las fronteras cambian tan a menudo que ya apenas lo sé con exactitud.

Al entrar había pensado que la chica parecía más joven que la mayoría de estudiantes universitarios, pero ahora, mientras hablaba de su país, de pronto me parecía mucho mayor. Me pregunté de dónde sería. ¿De Bosnia? ¿Chechenia? ¿Serbia? Pero si ella no quería decir de qué rincón asolado de Europa del Este provenía, ¿quién era yo para entrometerme?

—¿En qué puedo ayudarte? —pregunté al fin.

Relajó los hombros y me sonrió, dejando al descubierto su perjudicada dentadura.

—Me gustaría matricularme en su clase de Vampiros e Imaginación Gótica —dijo con cuidado, como si lo hubiera estado ensayando—. Pero está llena. —Frunció el ceño y enseguida sonrió de nuevo (empezaba a parecerme un poco maníaca)—. ¡Es usted una profesora muy popular! ¡Todo el mundo quiere asistir a su clase!

—Es mi primer semestre aquí —le recordé—. De manera que esta popularidad se debe a que los vampiros y los seres sobrenaturales están de moda. ¿Es esa la razón por la que quieres inscribirte en mi clase? ¿Porque te ha gustado la saga *Crepúsculo*?

—No sé qué es *Crepúsculo*. He leído la descripción de su clase, en la que dice que la heroína de la novela gótica se enfrenta al mal, por dentro y por fuera, y lo supera. Eso es lo que me gustaría saber: ¿cómo se puede vencer al mal?

La chica estaba inclinada con las manos juntas en el regazo y con sus pálidos ojos castaños bien abiertos y vidriosos. Tenía las pupilas dilatadas y el negro se deslizaba por encima del iris como si algo oscuro despertara en su interior. Por un momento, mirándolos fijamente, me dio la sensación de que vislumbraba los horrores que esos ojos habían visto. Sentí una oleada de frío y me estremecí.

—Por supuesto que puedes apuntarte a mi clase —afirmé, deseando que hubiera algo más que pudiera hacer por esa chica—. ¿Necesitas que te firme algo?

Después de firmar la solicitud de inscripción de Mara Marinka decidí que era hora de irme a casa a echar una cabezadita. Toda la energía con que me había despertado se había esfumado. El esfuerzo de subir todas aquellas cajas por la escalera me había dejado agotada y me sentía como si realmente hubiera bebido la cerveza que Frank Delmarco me había ofrecido; bueno, de hecho, como si hubiera tomado varias.

Mientras salía del edificio me crucé con una mujer cargada con dos cajas que estaba pasando apuros para subir la escalera. Las cajas rebosaban de periódicos y revistas que no dejaban de caerse, de manera que la pobre tenía que detenerse cada dos por tres para recogerlas del suelo. Además, parecía que las cajas fueran a desmontarse en cualquier momento.

—Espera —dije, compadeciéndome de ella—, deja que te eche una mano.

—Dios mío, ¡eres un ángel caído del cielo! —declamó de manera teatral, alzando sus grandes ojos azules al techo. Iba más vestida para una interpretación dramática que para hacer una mudanza: un kimono con mangas de campana y una falda larga y vaporosa. Y el cabello rubio recogido con una pinza que se le cayó dos veces antes de que llegáramos a su despacho con las maltrechas cajas.

—¡Muchas gracias! —exclamó, volcando el contenido de una caja encima de otro montón de periódicos y revistas desparramados por el suelo del despacho—. He estado recopilando todos los diarios y revistas que han reseñado mi libro este año y todavía no he tenido ni un segundo para ordenarlos.

—Caray —suspiré, mirando con admiración las publicaciones. Las revistas *The New Yorker*, *People* y *Vanity Fair* se mezclaban con otras publicaciones literarias como *The Hudson Review* y *Blueline* y revistas especializadas como *Poets & Writers* y *The Writer's Chronicle*. Alcé la vista hasta una pila de libros que tenía encima de la mesa: ejemplares de *Phoenix. Renacer de la cenizas*.

—Eres Phoenix... —comenté, sintiéndome un tanto extraña por llamarla por su nombre de pila, pero al igual que Cher o Sting, así se la conocía—. He oído hablar de tus memorias. —De hecho, la mayoría de estadounidenses con formación escolar conocían su historia: un relato desgarrador sobre una muchacha que crece en un agujero de pobreza extrema en los montes Apalaches y es víctima de abuso infantil e incesto. Se había hablado de Phoenix en una docena de programas de televisión y había recibido una reseña excelente de una cronista del *New York Times*, conocida por haber hundido a varios autores con sus reseñas.

—¿De veras? —preguntó, pestañeando. Noté su acento sureño y recordé que era de Carolina del Norte—. Todo el mundo ha sido muy amable. Y después de escribir un libro tan duro, es muy gratificante comprobar que la gente se emociona con mi historia. ¡Algunos de los mensajes que recibo en mi página web me hacen llorar como un bebé!

—Supongo que tu honestidad a la hora de explicar tus desgraciadas experiencias anima a tus lectores a abrirse y hablar de sus propias penurias —comenté. Aunque *Vidas sexuales* me había dado bastante publicidad, al menos no había tenido que leer una sarta de e-mails con secretos inconfesables.

—¡Exacto! —exclamó Phoenix, asintiendo efusivamente—. Supongo que tú también debes de ser escritora, ¿no? Pues no todo el mundo lo entiende.

Asentí y me presenté. Ella también afirmó haber oído hablar de mi libro, pero dijo que no había tenido ocasión de leerlo porque ese año había estado muy ocupada con las presentaciones de sus memorias. Me pidió un ejemplar de mi libro para así intercambiar ejemplares firmados («¡La verdad te hará libre!», escribió en el suyo, y dibujó un pajarito en llamas al lado de su firma). También me sugirió que quedásemos un día del fin de semana para «charlar y emborracharnos» antes de que empezaran las clases. Phoenix iba a impartir un seminario de escritura.

—Sé que cuando me vuelque en mis alumnos no tendré ni un minuto para mí. ¡No puedo evitarlo! —dijo.

Mientras se presentaba a Frank Delmarco («A un hombretón tan fuerte como tú no le importaría ayudarme a subir unas cajitas, ¿verdad?») aproveché para irme. A esas alturas estaba exhausta.

Cuando llegué a casa no me vi con fuerzas para subir ni un escalón más. De modo que me desplomé en el sofá de la biblioteca, sin siquiera preocuparme de bajar las persianas para evitar el sol de la tarde, y me quedé roque.

Debí de dormir varias horas pues cuando desperté la habitación estaba casi a oscuras. Los últimos rayos de sol teñían el sofá de ámbar y varias sombras se extendían por el suelo.

«Ven aquí», ordenó de pronto una voz desde las sombras.

«Todavía estoy dormida —pensé—. Estoy soñando.»

«¡Ven aquí!»

Esa segunda vez, la voz fue más brusca. No había ni rastro del suave murmuro oceánico de la noche anterior y percibí cierta desesperación; él no podía alcanzarme en la luz. Aún no era tan fuerte.

«En cuanto me alimente de ti, sí que podré», susurró.

Me estremecí, pero no de miedo, sino del deseo que sentí al recordar esos labios de sombras que me habían chupado la noche anterior. Me excité con solo pensar en él... En realidad no era «él», sino una cosa que decía estar esperando para alimentarse de mí, y aunque solo fuera un sueño tenía que imponerme. ¿O no?

Estiré el brazo hacia atrás para encender la lámpara, pero al tocarla recordé que todavía no la había enchufado. Las sombras se acercaron un poco más y la voz me llamó de nuevo: «¡Ven aquí!» Se estaba enfadando. Balanceé las piernas y planté los pies en una franja de luz. La madera estaba caliente. Sólida. ¿De verdad estaba soñando?

«Sí, es solo un sueño —dijo la voz con más suavidad—. Pero un sueño precioso. ¡Ven a mí!»

Era cierto que los sueños eran preciosos... Bueno, el de la noche anterior lo había sido. Pero un atisbo de conciencia me decía que todo tenía un límite; que si dejaba que esa cosa entrara a la luz del día, quizá nunca me despertaría de esos sueños.

Me levanté y seguí el camino del sol hasta el interruptor de la pared. Y encendí la luz.

Me volví pensando que él seguiría ahí, mi amante nocturno, fulminándome con la mirada por haberle desobedecido. Y sentí que su enfado me erizaba la nuca. No obstante, enseguida comprobé que la habitación, inundada ahora de luz eléctrica, estaba vacía.

7

Esa noche dormí con la luz encendida y a la mañana siguiente llamé a Brock Olsen para que viniera a arreglar la ventana de mi habitación. Un cuarto de hora después ya estaba llamando a la puerta. Era bajo, fuerte y llevaba barba. Podría haber tenido un rostro bonito, pero debía de haber sufrido un acné muy agresivo en la adolescencia que le había dejado la piel rugosa y picada. Cuando le mostré la ventana rota, se acarició la barba como si estuviera contemplando la *Mona Lisa*.

—Sucedió hace dos noches, cuando hubo ese viento tan fuerte —expliqué—. Este carillón chocó contra el cristal y lo rompió. —Recuperé el juego de tubos de metal de uno de los cajones del escritorio y se lo enseñé para confirmar mis palabras.

Brock me miró con desconfianza.

—¿Y así es como se hizo ese corte? —preguntó, bajando la vista a mi mano.

Me había quitado la venda porque la herida ya había cicatrizado, pero todavía me escocía. Asentí y Brock me tomó la mano y la apoyó sobre la suya, ancha y callosa. Se quedó tanto tiempo estudiando el corte que empecé a sentirme incómoda. Entonces pasó la punta de un dedo por la herida, gesto que debería haberme incomodado más, pero me causó el efecto contrario. Mientras él me acariciaba la mano, una oleada de confort y bienestar me recorrió el cuerpo. Pensé en las historias que había leído sobre los curanderos, personas cuyo tacto puede aliviar el sufrimiento. Las manos de Brock Olsen parecían haber sufrido lo suyo; tenían rasguños, cicatrices y unas marcas de quemaduras blancas que destacaban en su piel oscura, y le faltaba la falange superior del dedo anular izquierdo. Quizás el haber sufrido tanto le daba poder para aliviar el dolor de otros. Cuando me soltó la mano, el picor había desaparecido.

—Será mejor que tenga más cuidado la próxima vez —dijo mirándome con sus amables ojos castaños. Esperó hasta que le prometí que así lo haría y entonces se fue a buscar las herramientas a la camioneta.

Pasé la mañana ordenando los papeles de Dahlia LaMotte mientras Brock Olsen trabajaba repasando todas las puertas y ventanas. El ruido de fondo del martillo y las lijas me pareció una buena compañía. Preparé una cafetera para los dos y calenté un plato de hojaldres de canela que Diana Hart me había dejado ante la puerta con una nota explicativa: los dulces le habían sobrado de la noche anterior. Los aromas del café y la canela se mezclaban con el olor a pino del serrín. Era agradable tener a alguien en casa. Quizá Frank Delmarco tenía razón. Era una casa demasiado grande para una sola persona, aunque tal vez no para alguien que tuviera tantos libros como yo.

Decidí que no quería guardar todas aquellas cajas en el despacho de la torrecilla, así que las arrastré hasta uno de los dormitorios vacíos. Cuando Brock vio lo que estaba haciendo, vino a echarme una mano. A continuación empecé a vaciar las cajas y apilar los papeles en el suelo, organizándolos por categorías y utilizando los ratones de hierro como pisapapeles.

Había muchos cuadernos (libros de contabilidad de la empresa de transporte del padre de Dahlia encuadernados en papel jaspeado y con estrechos renglones horizontales y columnas verticales rojas en sus hojas), donde por lo visto Dahlia había escrito los primeros borradores de sus libros; montones de hojas escritas a máquina y gran cantidad de cartas. Ordené las cartas cronológicamente e hice una pila para cada década de su vida, y luego organicé los cuadernos y los textos a máquina según el libro al que correspondían.

En algún momento de la tarde Brock me trajo un plato de queso y pan, unos trozos de manzana y una taza de café recién hecho.

—¡Lo siento, Brock! —me disculpé—. Debería haberle preparado algo para comer.

—No se preocupe, ya he visto que estaba inmersa en lo que sea que está haciendo. ¿Son estas las cosas de Dolly? —preguntó.

—¿Dolly?

—Sí, así la llamábamos en Fairwick. Para el resto del mundo era Dahlia LaMotte.

—¿Todavía hay gente que la recuerde? —quise saber, sorprendida de que la memoria del pueblo llegara tan atrás.

Brock sonrió.

—Este es un pueblo pequeño y hay muchas familias que llevan aquí muchísimo tiempo. Mi familia, por ejemplo, vive aquí desde hace más de cien años.

—¿En serio? ¿Vinieron de algún lugar de Escandinavia?

—Más o menos —contestó—. Hicimos algunas paradas más por el camino. La familia de Dolly llegó más tarde, y por tierra.

—¿Por tierra? —repetí, preguntándome a qué diablos se refería. Fairwick era un pueblo rodeado de montañas, ¿cómo iban a venir sino?—. ¿Quiere decir que vinieron en tren o carruaje?

El perfil izquierdo de Brock se sonrojó en cuestión de segundos, resaltando un verdugón que tenía en el pómulo; parecía que le hubiera picado un insecto.

—Sí, sí, en carruaje. ¿Cómo si no? Me refería que algunas familias no teníamos carruajes ni disponíamos de dinero para el billete de tren. Mi gente vino a pie, a través del bosque, pasando apuros y peligros. —Se frotó el verdugón con el dorso de su cicatrizada mano. Parecía enfadado, pero no conmigo, ni siquiera con el pueblo, sino consigo mismo por no ser capaz de expresarse mejor. Me pregunté si las marcas de su rostro eran vestigios de alguna enfermedad infantil que además de dejarle marcas le hubiera afectado de algún modo al cerebro. ¿Varicela? ¿Sarampión?

—Sus antepasados debieron de esforzarse mucho para encontrar un lugar seguro para vivir y criar a sus hijos —dije con dulzura—. Debería estar orgulloso de ello.

Brock asintió y el sonrojo fue remitiendo.

—Dolly lo entendía —comentó, señalando las pilas de cuadernos—. Nos ayudó... a mis tíos abuelos, quiero decir, a abrir la tienda de jardinería cuando ya no había trabajo para los herreros, y siempre les llamaba para arreglar alguna cosa de la casa. Le gustaba escuchar las viejas historias que le contaban.

—¿Ah, sí? —dije, echando un vistazo a los libros de contabilidad. ¿Habría utilizado esas historias en sus libros?—. Qué interesante. Quizá podría ayudarme a identificar algunas de esas historias en los libros de Dolly.

Brock sonrió y su rostro se embelleció de pronto.

—Sí, me encantaría. Estoy aquí para ayudarla en lo que necesite.

Pasé el resto de la tarde haciendo un inventario de los cuadernos y cartas de Dahlia LaMotte. Desafortunadamente, todas las cartas eran de trabajo e iban dirigidas a su editor en Nueva York o a su abogado en Boston. No parecía haber ningún amor clandestino ni oscuros secretos de familia escondidos en esas cartas, pero las del editor servirían para ordenar su proceso de escritura en el tiempo. Eché un vistazo a una de ellas; en todas informaba del progreso de sus novelas. «Hoy he terminado el borrador manuscrito de *Destino oscuro* y empezaré a pasarlo a máquina mañana», ponía.

Me pareció extraño que no hubiese contratado a un mecanógrafo. ¿Acaso era tan ermitaña que no soportaba la interacción humana? No obstante, Brock había dicho que a Dahlia le gustaba hablar con la gente del pueblo y escuchar sus historias. Si pudiera encontrar anotaciones de esas conversaciones, sería fascinante comparar las referencias a las criaturas sobrenaturales, hadas, brujas y demonios que aparecían en sus libros con las del folclore local.

Solo cuando acabé la lista de todos los cuadernos (clasificados por las fechas y los títulos de las novelas) y un listado de las copias mecanografiadas, me permití echar un vistazo a uno de los cuadernos. Elegí *El visitante oscuro*, su novela más conocida y también mi preferida. Empecé a leer las primeras líneas, que tan bien conocía, sintiendo un escalofrío de emoción.

Desde el momento en que crucé el umbral de la Guarida del León supe que mi destino estaba escrito. Ya había estado allí en mis sueños desesperados y mis fantasías febriles. Y siempre sentí que aquel era el lugar donde él al fin me atraparía, el hombre de mis sueños, el íncubo de mis pesadillas. El visitante oscuro, mi amante demonio...

Dejé de leer. No recordaba que la palabra «íncubo» apareciera en el primer párrafo de *El visitante oscuro*, ni la expresión «amante demonio». A pesar de que Dahlia LaMotte hacía referencia a lo sobrenatural a través de los sueños de sus protagonistas, los presagios, las escaleras chirriantes, las sombras y las voces telepáticas, nunca lo hacía de forma abierta. Al final de cada libro, todos los acontecimientos se explicaban con detalle. Sus antihéroes presentaban todas las características de los desenfadados héroes byronianos del romance gótico, pero eran de carne y hueso; no eran íncubos, demonios o vampiros. Quizá Dahlia estaba jugando con el imaginario, pero ese imaginario no había logrado llegar hasta los borradores finales. ¿Cuándo lo habrían suprimido?

Pasé a la primera página mecanografiada de *El visitante oscuro*. En el papel amarillento y quebradizo leí el primer párrafo. Ponía lo mismo que en el cuaderno, salvo en la última línea:

... el hombre de mis sueños, la figura de mis pesadillas.

Interesante.

Entre el borrador manuscrito y la copia mecanografiada Dahlia LaMotte había eliminado las palabras «íncubo» y «amante demonio». ¿Cuánto cambios más habría realizado? Hojeé otro de los cuadernos de *El visitante oscuro* y di con una escena que recordaba bien. Violet Grey, la tímida institutriz, oía un grito en plena noche y salía corriendo al rellano...

... Salí con tal urgencia, que ni siquiera me preocupé de cubrirme el camisón. Cuando llegué al rellano vi, horrorizada, que William Dougall estaba reprendiendo a la lavandera por chillar a causa de un ratón. No soportaba la idea de que el altivo William Dougall pensara que le estaba espiando, ni que me viese vestida con aquel camisón transparente. Aprovechando que la descuidada sirvienta había dejado entreabierta la puerta del vestidor y armario de la ropa blanca, me colé dentro y me escondí entre una estantería llena de sábanas dobladas y la puerta. Suspiré aliviada y me apoyé contra la fragante ropa. Por suerte, no estaba totalmente a oscuras. Un rayo de luna se colaba a través de una ventanita que había al fondo del vestidor y salía por un resquicio de la puerta. Gracias a ello, podría ver cuándo Dougall se marchase del descansillo. Todavía la estaba regañando.

—No deberías salir de tu habitación por la noche. Aquí fuera hay cosas mucho peores que un ratón, que te harían chillar de verdad. Regresa a tu dormitorio. Cierra la puerta con llave, y también las ventanas. Y corre las cortinas. La luz de la luna te puede jugar una mala pasada, créeme.

Dougall bajó la vista hasta el rayo de luz que salía del armario. Por un momento me dio la sensación de que sus ojos se posaban en los míos y un temblor me recorrió hasta la boca del estómago. Me flaquearon las piernas y me hundí un poco más en las cálidas sábanas. ¿Me habría visto?

Pero acto seguido dio media vuelta y se marchó. La sirvienta, que seguía aterrorizada, también se fue presurosa a su habitación.

Yo debería haber hecho lo mismo, pero todavía me flaqueaban las piernas. ¿Qué había querido decir William Dougall con que la luz de la luna podía jugar malas pasadas? Sin duda, esa luz había estado jugando conmigo desde mi llegada a la Guarida del León. Al recordar esos sueños extraños se me aceleró el corazón. ¿Acaso sabía Dougall que un amante oscuro se había colado en mi cama... y entre mis piernas? Al pensarlo, sentí una calentura en mis partes íntimas. Apreté los muslos como si pudiera sofocar esa llama, pero el calor aumentó. Me retorcí contra las sábanas... y sentí que estas se retorcían contra mí.

No estaba sola en el armario.

Alguien, o algo, se había escabullido detrás de mí... O quizá ya estuviera allí escondido antes de que entrara yo.

Con cautela, di un paso hacia la puerta...

Pero unos brazos fuertes me envolvieron y me tiraron hacia atrás.

Intenté gritar pero una mano me cubrió la boca. Otra mano bajó hasta mi cuello, me rozó la garganta, me sobó los pechos, descendió hasta mi vientre... y se deslizó entre mis piernas. Forcejeé, pero mis movimientos solo consiguieron excitarlo más. Sentí que algo duro y caliente me presionaba las nalgas. Su mano me levantó el camisón y me separó las piernas mientras su miembro se abría camino entre mis piernas para penetrarme.

Mordí la mano que me tapaba la boca y él me devolvió el mordisco en el hombro. Me penetró más a fondo, retrocedió y volvió a embestirme una y otra vez, avivando una llama dentro de mí que al final estalló. La luna pareció explotar a mi alrededor, disolviéndose en una lluvia de estrellas...

—¿Señorita?

Di un respingo y, avergonzada, cerré de golpe el cuaderno que describía el orgasmo de Violet Grey.

Alcé la vista, con la esperanza de que mis mejillas no estuvieran tan rojas como me temía. Brock se hallaba en el pasillo, con el abrigo puesto y la caja de herramientas en la mano.

—Seguirán aquí cuando vuelva —dijo.

—¿Quién? ¿Quién va a volver? —pregunté.

—Los libros, quiero decir —respondió, mirándome extrañado—. Seguirán aquí cuando vuelva de la recepción de profesores.

Miré el reloj; eran las cinco menos cuarto y la recepción empezaba a las seis. Me había pasado toda la tarde ordenando los papeles de Dahlia y, además de perder la noción del tiempo, me había sumido en una nube de erotismo.

¡Dahlia LaMotte había escrito literatura erótica! Y más tarde, en la copia mecanografiada, había suprimido todo aquel erotismo. ¡Menudo descubrimiento! ¡Sería un libro fascinante! Quería revisar todos los cuadernos en aquel momento, pero Brock tenía razón. Tenía que ir a la recepción de profesores.

—Gracias por recordármelo.

Empecé a levantarme, pero había pasado tanto tiempo sentada en la misma posición que las piernas se me habían quedado dormidas. Brock me tendió la mano para ayudarme y en cuanto su mano ancha y rugosa envolvió la mía volví a sentir una increíble sensación de bienestar. Bajé la vista a las pilas de papeles, cada una custodiada por su propio ratón centinela, y sentí una gran emoción... seguida por un terror de igual intensidad. Dahlia LaMotte había escrito acerca de un amante que aparecía a la luz de la luna y violaba a sus heroínas del mismo modo que la criatura de mis sueños me había violado a mí. O bien Dahlia había tenido los mismos sueños que yo... o no eran sueños en absoluto.

8

Caminé con brío por el campus, intentando disipar la ridícula idea de que mis sueños pudieran ser algo más que el resultado de una imaginación sobrecalentada, la mía o la de Dahlia. Todo aquello tenía una explicación sencilla: había crecido escuchando cuentos de hadas y, a partir de ellos, me había inventado mi propio príncipe. Además, había pasado años leyendo los libros de Dahlia, e incluso en la versiones editadas y publicadas había un erotismo latente y numerosas referencias a la luz de la luna y las sombras. El hecho de instalarme en la antigua casa de Dahlia había avivado esa sexualidad latente, que hasta había llegado a colarse en mis sueños. «Saber que ella había descrito las escenas eróticas de un modo más gráfico en el manuscrito original es un gran descubrimiento académico —me dije mientras entraba en el pabellón Briggs—, pero solo es eso.» No significaba que mis sueños fueran algo más que sueños.

Al igual que el pabellón Fraser, el Briggs era un edificio de estilo Tudor, aunque bastante más grande. Cuando entré en el salón principal me pareció estar entrando en el viejo castillo de William Dougall. Una pared estaba cubierta con tapices enormes y pesados y el techo de vigas tenía unos cuatro metros de altura. Alcé la vista y observé que las vigas estaban decoradas con caracteres y diseños celtas, que se repetían en inserciones pintadas en los oscuros paneles de roble. Por encima de la chimenea de piedra al fondo de la habitación había un cuadro gigantesco en el que aparecían unas figuras enormes vestidas con ropas medievales. La sala era tan impresionante que me quedé en la entrada varios minutos, admirándola y recuperando el aliento tras mi marcha apresurada por el campus. Pero, de pronto, me sentí observada. Elizabeth Book, ataviada con un vestido de brocado y un collar de perlas que le concedían un aspecto muy *chic* al tiempo que una elegancia clásica, me estaba haciendo señas. La decana, de pie junto a una alta mujer vestida de verde, me pedía que me acercara a ellas. Obedecí, como si me estuviera llamando una reina.

A pesar de la majestuosidad que irradiaba Elizabeth Book, la otra mujer la eclipsaba. Medía al menos un metro ochenta y llevaba un vestido midi de punto verde que se ajustaba a su esbelta silueta. Su larga melena rubia platino le llegaba hasta la cintura. Desde el otro lado de la sala me había parecido bastante joven, pero cuando me acerqué vi que tenía unas arrugas finas en el rostro y el cabello canoso. Sus ojos eran verdes y nítidos como esmeraldas y me observaban con una atención desconcertante, como un puma acechando mis pasos por la gran sala.

—Me alegro de que hayas venido, Callie —dijo Elizabeth Book, tuteándome por primera vez y tendiéndome ambas manos—. ¡Estás estupenda!

—Gracias. —Me había puesto mi vestido de cóctel favorito: un Dolce & Gabbana retro azul eléctrico que me marcaba las curvas lo justo, hacía que mi cabello cobrizo brillara y me realzaba los ojos. No obstante, a la sombra de aquella deslumbrante mujer de pronto me sentí como una fregona.

—Cailleach McFay, me gustaría presentarte a Fiona Eldritch, nuestra especialista en el período isabelino.

Fiona Eldritch inclinó su afilada barbilla en mi dirección y entornó sus felinos ojos verdes.

—Liz me ha estado hablando de ti, Cailleach... ¿Te importa que te llame así? Me encantan los nombres celtas antiguos. Son muy románticos.

—Claro —contesté, preguntándome qué le habría contado

de mí la decana—. Pero me temo que el mío no es un nombre especialmente romántico. Significa «bruja vieja».

Fiona sacudió la cabeza y oí un tintineo, seguramente procedente de sus pendientes, unas diminutas bolas de plata suspendidas de cadenitas. De pronto me sentí un poco entonada, aunque no había bebido nada.

—Bueno, esa es una corrupción del nombre —insistió Fiona—. Las Cailleachs eran diosas veneradas por los celtas de antaño. Liz me ha comentado que viviste un aventura interesante en el bosque.

—No fue nada —dije, sorprendida de que hubieran comentado eso, en lugar de mis títulos académicos—. Había un pájaro atrapado en el matorral y lo ayudé a salir. Eso fue todo.

—Estoy segura de que fue mucho más que eso —comentó Fiona Eldritch sacudiendo la cabeza—. Pero solo el tiempo lo dirá.

No supe responder a esa afirmación tan enigmática, de modo que hubo un silencio incómodo que al final decidí romper preguntándole qué autores del período isabelino le interesaban más.

—Edmund Spenser, por supuesto —contestó como si fuera la respuesta más obvia del mundo, y seguidamente se disculpó para ir a buscar una copa de champán.

—No te preocupes por Fiona —dijo la decana—. A veces puede resultar arrogante, pero se debe al modo en que se crió. Ven, quiero presentarte a Casper Van der Aart, el director del departamento de Ciencias de la Tierra. Te caerá bien.

No estaba segura de qué podría tener yo en común con un profesor de Ciencias de la Tierra, pero después de cinco minutos con aquel hombre de cabello blanco, bajo y jovial comprendí que no importaba. Me alabó el vestido y me dijo que le recordaba a una «chavala escocesa» de la que se había quedado prendado cuando había impartido clase un semestre en la Universidad de Edimburgo, y me contó divertidas anécdotas de sus compañeros de trabajo.

Cogí una copa de champán de la bandeja de un camarero que pasaba.

—Aquella de allá es Alice Hubbard, de Psicología —explicó, señalando a una mujer desaliñada con un desacertado corte de pelo estilo paje—. El año pasado, en una conferencia en Montreal, un periodista la confundió con Betty Friedan y ella le concedió una entrevista de dos horas sin aclarar la confusión. Y la vikinga alta que está a su lado es su mejor amiga, Joan Ryan, de Química. —Las dos mujeres llevaban el mismo corte de pelo. Me pregunté si la razón era que solo había una peluquería en Fairwick y decidí que para cortarme el pelo sería mejor que fuera a la ciudad—. Joan voló por los aires el laboratorio de química hace dos años y perdió las cejas. Nunca le han vuelto a crecer.

Casper Van der Aart meneó sus pobladas cejas al estilo Groucho Marx, y me reí tanto que el champán me subió hasta la nariz.

—¿Y esos quiénes son? —pregunté, inclinando la copa sutilmente hacia un grupo de recién llegados: dos hombres, uno alto y rubio, otro bajo y calvo, y una mujer menuda de cabello castaño; ellos vestidos con trajes oscuros y el rostro pálido de los académicos que pululan por las bibliotecas.

—Son del Instituto de Europa del Este y Rusia —contestó Casper, cortante—. No se relacionan mucho... Pero, mira, aquí viene una de mis preferidas, Soheila Lilly.

La delgada mujer que me presentó tenía piel aceitunada y visibles curvas. Su cabello oscuro tenía un bonito corte (tomé nota mental de preguntarle más tarde dónde se lo había cortado). Iba vestida de colores terrosos con varias prendas de cachemir ajustadas que parecían demasiado calurosas para esa época del año, pero lo cierto era que le sentaban de maravilla.

—Soy muy friolera —comentó cuando le dije que me gustaba su conjunto—. Y la humedad me sienta fatal.

—Soheila es de Oriente Medio —intervino Casper.

—Sí —afirmó ella—. Vine por tierra desde Irán cuando derrocaron al sah.

Ahí estaba otra vez la expresión que Brock había utilizado cuando hablaba de la familia LaMotte: «por tierra».

—Pues en la universidad conocí a una chica de Great Neck

cuya familia también se trasladó aquí por entonces... Pero ¿por qué dices «por tierra»?

Soheila se encogió de hombros y cruzó los brazos; los diamantes que llevaba en los dedos destellaron mientras se frotaba los brazos. Ella y Casper intercambiaron una mirada.

—Ah, no es más que una expresión que utilizamos los exiliados —respondió.

—Aquí en Fairwick —explicó Casper— tenemos una larga tradición de ofrecer asilo a los refugiados. Eso es precisamente lo que representa la pintura de las puertas exteriores del tríptico. Se llama *El adiós de las hadas* —añadió, moviendo la cabeza hacia el gran cuadro que había al fondo de la sala.

Desde lejos no me había percatado de que era un tríptico, pero cuando me acerqué comprobé que había una junta en el medio y dos pequeños pomos dorados para abrir el cuadro para mostrar las tres escenas interiores. Me pareció inusual que un tríptico estuviera expuesto cerrado, pero merecía la pena observar el dibujo de las puertas exteriores. La imagen representaba una procesión de hadas aladas y elfos con cara de zorro, liderados por un hombre y una mujer montados a caballo. Se desplazaban de izquierda a derecha a través de un prado, en dirección a una entrada abovedada que conducía a un bosque espeso. El hombre montaba un caballo blanco, vestía una capa negra y tenía el rostro ensombrecido. La mujer, en un caballo negro, llevaba un largo vestido medieval de color verde, ajustado a la cintura con cinturón dorado decorado con diseños celtas, similares a los que había en las vigas y los paneles de la sala. Su largo cabello blanco estaba entrelazado con flores y hojas, y me di cuenta, sorprendida, de que se parecía mucho a Fiona Eldritch. Me volví para mirar a Fiona, quien en ese momento estaba hablando con un profesor de Estudios Rusos que iba vestido de oscuro.

—Te has percatado del parecido, ¿eh? —preguntó Casper. Por primera vez desde que nos habían presentado me pareció un poco nervioso—. Fiona es la nieta de una de las personas que nos donaron el cuadro. De hecho, su abuela posó de modelo para la Reina de las Hadas.

—Ah, ahora lo entiendo —contesté, a pesar de que me dio la sensación de que Casper me estaba ocultando algo—. Así que ella es la Reina de las Hadas, y ¿quién es....? —Quería preguntarle por el hombre que aparecía a su lado, pero cuando me acerqué más a la pintura y observé de cerca aquel rostro ensombrecido las palabras murieron en mi garganta. Era él. El hombre de mis sueños.

—Lo has reconocido... —dijo Soheila.

Aparté la mirada del rostro pintado y miré a Soheila aterrada.

—¿Qué quieres decir? ¿Por qué iba a reconocerle?

—Porque has hecho un estudio sobre él —respondió Soheila con calma y mirándome de un modo inquisitivo—. Ese es Ganconer, tal como se le conoce en la mitología celta; su nombre significa «el galanteador». Y en la mitología sumeria lo llamaban Lilu. Es el íncubo que a lomos de su corcel, la Yegua Nocturna, visita los sueños de las mujeres a las que seduce. Se acerca a ellas mientras duermen, las hechiza y las absorbe hasta dejarlas secas, como un vampiro. Él es de quien hablas en tu libro: el amante demonio. —Soheila se cubrió un poco más con el suéter y escondió las manos dentro de las mangas; parecía aterida—. En mi país llevamos siglos tratando con demonios —susurró. Por un momento me pareció que su aliento se condensaba en una pequeña nube de vaho—. Pero este es el demonio más peligroso por ser el más hermoso. Los otros... —Inclinó la barbilla hacia el extremo derecho del cuadro, dónde aparecía el bosque al que se dirigía la procesión. En el espeso matorral habitaban unas figuras oscuras. Mientras que las criaturas de la procesión eran hadas y elfos preciosos, los seres que se escondían entre las ramas eran duendes atrofiados, enanos con piel de lagarto, demonios de lengua bífida y diablillos con cara de murciélago—. Es fácil reconocer que estas criaturas son demonios, pero Ganconer es capaz de adoptar la forma del deseo de tu corazón.

—¿Y por qué encabeza él la procesión? —pregunté—. ¿Acaso está con ella? —Señalé a la Reina de la Hadas, sintiendo una extraña punzada de celos.

Soheila me miró unos segundos antes de contestar.

—Algunos dicen que la reina lo secuestró y lo hechizó cuando era joven y humano, y que cuando Ganconer seduce a una mujer está intentando recuperar su humanidad alimentándose del espíritu de esta. No obstante, siempre acaba consumiendo a su amante antes de conseguirlo.

—Qué triste —comenté. Y para mostrar un aire de objetividad académica, añadí—: Conozco algunos relatos que hablan de hombres jóvenes secuestrados por hadas, por supuesto... —Titubeé, recordándome que ese era el tipo de historias que me había contado mi príncipe azul—, pero es la primera vez que oigo una versión en la que el joven se convierte en un amante demonio. —Me volví hacia el cuadro—. ¿Y adónde se dirigen?

—De regreso al Reino de las Hadas. Cuenta la leyenda que hubo un tiempo en que todas las hadas y demonios convivían con los mortales y se movían libremente entre los dos mundos. Pero a medida que la población de mortales iba creciendo, los humanos empezaron a dejar de creer en los dioses antiguos y las puertas entre ambos mundos comenzaron a cerrarse. De manera que las hadas y los demonios tuvieron que escoger en qué mundo querían vivir. La mayoría regresaron al Reino de las Hadas, pero los que se habían enamorado de la humanidad se quedaron aquí. Las puertas se cerraron y poco después incluso empezaron a desaparecer. Solo quedó una puerta, pero estaba muy escondida y resultaba peligroso cruzarla. A su alrededor crecieron matorrales muy espesos que bloquearon el paso entre los dos mundos. Y cada año son más espesos. Ya son muy pocos los que intentan pasar, y aquellos que lo hacen se pierden con frecuencia entre los dos mundos, atrapados en un limbo incorpóreo de dolor. Y por esa razón las puertas del tríptico están cerradas. Solo las abrimos cuatro veces al año, en los solsticios y los equinoccios, que son los momentos en que la tradición dice que las puertas entre ambos mundos pueden abrirse...

Soheila balbuceó las últimas palabras y percibí el dolor en su voz. Sorprendida, me volví para mirarla. Las lágrimas brillaban en sus ojos almendrados, y no solo en los suyos. Su historia había atraído a un pequeño círculo de personas: Alice Hubbard y Joan Ryan, que se estaban secando los ojos con sendos pañuelos; Fiona Eldritch, con el rostro marcado por el dolor, estaba al lado de Elizabeth Book, que le daba palmaditas en la mano a una mujer asiática muy menuda; los tres profesores de Estudios Rusos, que permanecían al margen y parecían sentirse incómodos, estaban absortos en el cuadro. No comprendía por qué ese cuento de hadas significaba tanto para ellos. ¿Acaso eran todos exiliados de países devastados por la guerra, como Mara Marinka y Soheila Lilly?

De pronto, una voz que me resultó familiar rompió el ambiente sombrío.

—¿Qué estáis mirando todos?

Era Phoenix, vestida con un llamativo y ceñido vestido rojo y unos zapatos con tacón de aguja de unos diez centímetros. Estaba colgada del brazo de Frank Delmarco, que no parecía muy seguro de cómo había asumido ese rol de chico florero.

El círculo se dispersó enseguida y los profesores de Estudios Rusos se dirigieron hacia el otro extremo de la sala, aunque uno de ellos se volvió para admirar a Phoenix.

—Soheila me estaba relatando la historia de este cuadro... —respondí.

Frank entabló una conversación con Casper sobre béisbol, una excusa perfecta para separarse de Phoenix. Soheila, que parecía exhausta y helada tras haber explicado aquella historia, se excusó para ir por una taza de té caliente.

—Parecía que estuvierais haciendo una sesión de espiritismo. El ambiente era fúnebre. Es que soy muy empática, ¿sabes?

—La verdad es que ha sido un poco extraño —admití bajando la voz. Y le expliqué la historia del cuadro y la reacción que habían tenido los demás.

—Ah, pues si él se colara en mis sueños —dijo Phoenix, mirando al hombre oscuro que iba a caballo—, no creo que quisiera volver a despertarme.

Asentí volviéndome para que no viera que me ruborizaba. Tenía que haber una razón por la cual se pareciera tanto al amante de mis sueños. El pintor del tríptico debía de haber diseñado también el frontón que había encima de la puerta de la Casa Madreselva. O quizás había utilizado el mismo modelo... Y eso explicaría que yo le hubiera puesto ese rostro al hombre de mis sueños.

—...Y cuando Frank me lo dijo pensé que era perfecto. ¿Qué opinas?

Estaba tan concentrada en el hombre del cuadro que había perdido el hilo de la conversación de Phoenix.

—Lo siento, es que hay tanto bullicio aquí... ¿Qué decías?

—Hablaba de tu cuarto de invitados. Frank me ha dicho que estás buscando a un inquilino. Yo pensaba instalarme en uno de los apartamentos de las residencias de estudiantes, pero entre tú y yo, no creo que ser la mami de una de las residencias sea lo mío. ¡Seguro que nosotras nos lo pasaríamos mucho mejor!

9

Intentar persuadir a Phoenix para que no se mudase conmigo resultó tan sencillo como intentar convencer al huracán *Katrina* de que no pasara por Nueva Orleans. Estaba tan entusiasmada con la idea que después de la recepción me acompañó y recorrió la casa de punta a punta, alabando hasta el último detalle. Le pareció que el rostro tallado en el frontón tenía «una mirada seductora» y que los dioses griegos de la repisa de la chimenea y del friso del comedor tenían «buenos traseros». Y la biblioteca le dio ganas de «acurrucarse y leer hasta el fin de los días». Pensé que su entusiasmo se esfumaría cuando viera el apartamento de soltera de Matilda, pero le pareció «una monada» y me dijo que le recordaba a la habitación que había alquilado en un hotel de St. Louis cuando se estaba desintoxicando del alcohol y escribiendo sus memorias.

—¡Esta casa es el lugar perfecto para escribir! —exclamó al final, aplastándome contra su gran pecho en un abrazo impetuoso—. Verás, a veces tengo algunos problemillas para mantenerme en el buen camino. Los hombres son mi talón de Aquiles... ¿No te parece que Frank Delmarco está buenísimo? Y también está... —estiró el dedo pulgar y simuló beber— el diabólico ron. Pero aquí las dos estaremos tranquilas y modositas; beberemos chocolate caliente por las tardes y trabajaremos muy a gusto.

Me pregunté qué había pasado con toda «la diversión» que me había prometido en la recepción. Todavía estaba buscando la manera educada de decirle que no quería compartir la casa con nadie, pero si su traslado era inevitable (tal como parecía), debía al menos dejarle claro que necesitaba muchas horas ininterrumpidas de silencio para escribir.

—Tengo una idea para un nuevo libro —dije con cautela mientras subíamos la escalera, esperando no arruinar la idea por mencionarla—. Y estaré trabajando la mayor parte del tiempo.

—¡Perfecto! —exclamó—. ¿Y aquí es donde trabajarás?

Habíamos llegado a la habitación donde había organizado todos los papeles y cuadernos de Dahlia LaMotte.

La puerta estaba abierta y asegurada con un ratón de hierro («¡Qué mono!», chilló Phoenix al verlo). Creí haberla cerrado, pero quizá Brock, que se había ido después de mí, la había dejado abierta por alguna razón. También había colgado algo en la ventana: un pequeño manojo de ramitas de abedul y enebro atadas con una cinta roja, que supuse que era algún tipo de amuleto sueco para la buena suerte.

Le hablé a Phoenix de los cuadernos de LaMotte y de los curiosos términos de su testamento, pero no mencioné que había descubierto un tesoro oculto de literatura erótica del siglo XIX en los manuscritos.

—¡Qué gran hallazgo! —Phoenix batió palmas y luego sostuvo las manos abiertas por encima de las pilas de papeles como si los bendijera—. Puedo sentir energía creativa aquí. Ay, sé que avanzaré mucho en esta casa... Será mi salvavidas. ¿Te he dicho que hace seis meses que debería haber entregado mi siguiente manuscrito al editor?

Mientras recorríamos el pasillo en dirección a mi dormitorio, Phoenix me explicó las razones que le habían impedido empezar su segundo libro. Por un lado estaban las limitaciones de tiempo impuestas por su gira de conferencias, entrevistas y la redacción de notas publicitarias de otros libros, y por el otro la responsabilidad de no defraudar a sus queridos lectores, que se habían emocionado tanto con su primer libro.

—Pero sobre todo —dijo cuando abrí la puerta de mi habitación—, no sabes lo duro que resulta tener que utilizar partes de tu propia vida para crear. Me siento como el pájaro de aquella historia que se arranca plumas del pecho para tejer seda.

Quizá fuera la alusión a una de mis fábulas preferidas, *La grulla agradecida*, lo que me ablandó, o quizá la afinidad que sentía con Phoenix por lo mucho que le estaba costando gestar su segundo libro, pero en realidad creo que acabé cediendo porque tenía miedo. Ese mismo día había empezado a pensar que el hombre oscuro de mis sueños era real. Seguro que aquello era una señal de que estaba demasiado sola. Y si alguien era capaz de llenar de vida esa vieja casa, esa era Phoenix.

Ella estaba tan emocionada porque íbamos a ser compañeras de piso que insistió en que tomáramos una copa para celebrarlo. Abrimos una botella de Prosecco que me habían enviado como regalo de bienvenida de Vinos y Licores In Vino Veritas.

—Mejor Prosecco que Prozac, ¡ese es mi lema! —brindó Phoenix, entrechocando su copa contra la mía.

Debí de quedarme dormida en el sofá de la biblioteca con la luz encendida, ya que cuando desperté eran las ocho de la mañana y Phoenix había regresado con sus pertenencias en una camioneta (que tal como me explicó después, le había prestado Frank Delmarco). Empezó a instalarse a las nueve, y a las doce del mediodía ya parecía que llevara años viviendo en su nueva habitación. Puso chales estampados encima del cabezal de hierro de la cama, fotografías enmarcadas de ella con varios famosos que había conocido en las giras y otras fotos más antiguas en las paredes, botellas de cristal de diversos colores en las repisas de las ventanas y centelleantes cristales colgando de los marcos. Incluso su colección de porcelana Rosa del Desierto se había hecho un sitio en los armarios de la cocina.

—No te importa, ¿no? —preguntó mientras colocaba sus tazas de té de color verde, rosa y crema en los estantes vacíos—.

Quedan tan bonitas en estos armarios antiguos... ¿Sabías que esta fue la vajilla que Jacqueline Kennedy eligió para la Casa Blanca?

Cuando hizo una pausa para tomar aire le aseguré que no me importaba. Y era verdad. Tal como le expliqué a Paul esa noche por teléfono, la casa no se me antojaba tan vacía con Phoenix y sus cosas dentro. Él coincidió en que sería mejor para mí no estar sola, teniendo en cuenta que no estaba nada acostumbrada a vivir fuera de la ciudad; y puesto que su contrato de escritora residente era solo para un año, no tendría que pasarme la vida con Phoenix en caso de que resultara una compañera odiosa.

Esa noche me metí en la cama apenas terminé de hablar con Paul; quería descansar bien antes del primer día de clases. Apagué la luz, convencida de que ahora que no estaba sola en la casa, aquel sueño no se repetiría.

Pero me equivoqué. La luz de la luna inundó la habitación y enseguida supe que él estaba allí, en las sombras... Él era la sombra. No me podía mover ni respirar. Estaba encima de mí, observándome pero sin tocarme. ¿Acaso estaba enfadado porque había encendido las luces para echarlo de la biblioteca? ¿O porque había traído a alguien a la casa?

La sombra se cernió sobre mí y le vi la cara. No estaba enfadado, sino triste... Y en cierto modo envejecido. Tenía unas líneas severas alrededor de la boca y unas ojeras profundas. Durante esas pocas noches en que lo había rechazado se había debilitado. Quizá todavía pudiera mantenerlo a raya. Se acercó más, quedando a unos milímetros de mi piel, y sentí la electricidad estática que corría entre nosotros. Su proximidad me causó un cosquilleo y se me erizó la piel. Sus labios tocaron los míos y los apretó, como si intentara abrirme la boca para inhalar mi respiración.

«Las absorbe hasta dejarlas secas, como un vampiro», había dicho Soheila.

Pero ¿qué daño podía hacerme si no era más que un sueño? ¿Por qué no disfrutarlo?

Separé los labios. Él vaciló un instante y empezó a deslizar la lengua por mi labio superior, posponiendo el beso como si me castigara por la demora. Me mordisqueó el labio inferior. Abrí más la boca y metió su lengua, de pronto dura y apremiante, mientras inhalaba mi aliento. Cuando sopló aire en mis pulmones pude moverme, pero solo a su ritmo.

No puse reparos.

Esa noche no fue ni tan violento como la primera, ni tan dulce como la segunda. Parecía haber aprendido un ritmo concreto que abría todas las puertas cerradas de mi interior. Me hizo el amor como si conociera mi cuerpo tan bien como el suyo, como si estuviera dentro de mí y me leyera el pensamiento, anticipándose a mis deseos antes de que yo fuera consciente de ellos. Observar aquel rostro suspendido encima de mí, sus ojos oscuros, sus labios carnosos, era como mirar mi propia cara... Pero justo cuando estaba a punto de verla entera, justo cuando la luna estaba a punto de iluminarlo por completo, las sombras le cubrieron la frente, como si unas nubes cubrieran el cielo, y sentí que me absorbía una oscuridad profunda e infinita en la que solo estábamos nosotros dos, haciendo el amor toda la noche.

Sabía que el tiempo era engañoso en los sueños y que a veces parecía que los de un minuto habían durado toda la noche, pero así era como me sentía: igual que si hubiésemos pasado la noche entera haciendo el amor. Cuando desperté estaba empapada de sudor y tenía los músculos doloridos. Me toqué la entrepierna y comprobé que estaba mojada y que la cara interna de mis muslos estaba sensible.

Esa mañana tuve que beber media cafetera para estar en condiciones de afrontar mi primer día de clase. Me daba miedo no dar la talla, pero en cuanto me puse delante de mis alumnos estuve bien. Mejor que bien. Hice caso omiso de mis notas y con una reproducción de *La pesadilla* de Fuseli proyectada en la pizarra a mi espalda, dediqué treinta minutos a hablar sobre el amante demonio en la literatura. Mientras lo hacía me di cuenta varias veces que mi mirada se detenía en Mara Marinka, que estaba sentada al fondo del aula y me miraba con firme interés. En la gira que había hecho para presentar el libro, había descubierto que algunas personas tienen mejor «cara de oyente» que otras. Puede que tuviera muy poco o nada que ver con lo que estuvieran pensando en realidad (personas que me habían mirado durante toda la lectura con el ceño fruncido y después se habían acercado para decirme lo mucho que les había gustado), pero me ponía nerviosa mirar a alguien que parecía aburrido o escéptico. Era mejor centrarse en alguien cuyo rostro mostrase un interés correcto (no como la chica que estaba sentada al lado de Mara, cuya cara redonda no expresaba más que ganas de echar una cabezada), y Mara tenía el rostro de oyente perfecto. Parecía estar absorbiendo cada una de mis palabras.

Mis alumnos se enzarzaron en un animado debate en cuanto abrí la ronda de preguntas. Y al acabar la clase, varios se acercaron para hacerme preguntas o pedirme que les dejara inscribirse en mi asignatura a pesar de que las listas ya estaban cerradas.

Puesto que le había dado permiso a Mara Marinka, no pude rechazarlos.

Una vez que el gentío se hubo dispersado, la propia Mara se acercó, escoltada por la chica de la cara redonda.

—Lo ves —le estaba diciendo a la muchacha—, ya te dije que la profesora McFay era excelente y que te gustaría su clase. Señorita McFay, esta es mi compañera de habitación, Nicolette Ballard. Le gustaría asistir a sus clases, pero las listas están cerradas.

Miré a Nicolette. La redondez de su rostro quedaba acentuada por su horrible corte de pelo; el mismo estilo paje que había visto en Alice Hubbard y Joan Ryan. Debía de haber un peluquero sádico en el pueblo.

—¿Te interesa la literatura gótica? —pregunté.

Nicolette bostezó.

—No me gusta mucho la parte romántica —dijo mirando al suelo, al techo y a *La pesadilla* de Fuseli, que seguía proyectada en la pared—, pero he visto que *Jane Eyre* está en su programa y es mi libro favorito.

—Nicolette me está ayudando mucho con el idioma —explicó Mara—. Me sería de gran ayuda si ella también estuviera en esta clase y pudiéramos estudiar juntas.

Bajé la vista a la lista de alumnos; ya tenía seis más del límite establecido. Miré de nuevo a Mara. Sus grandes ojos del color del té destellaban bajo la luz de la imagen proyectada.

—Sí, claro —asentí, y firmé la solicitud de Nicolette—. No vendrá de uno más.

Regresé a casa sumida en una nube de satisfacción y bienestar. Debería de haber estado exhausta, pero durante la clase se me había ocurrido una idea para el libro de Dahlia LaMotte. Escribí cuatro horas hasta que el olor de la cena me condujo escaleras abajo. Recordaba vagamente que en algún momento de la noche anterior había aceptado cobrar parte del alquiler de Phoenix en especie, o sea, en comida casera.

Tomé dos raciones de estofado de cangrejo con pan de maíz y tarta de boniato, y Phoenix y yo alargamos la velada hasta tarde bebiendo vino y charlando sobre los estudiantes que teníamos en común.

—¿Tienes en clase a la chica raquítica de Bosnia? —preguntó Phoenix—. No te creerías las cosas que ha escrito en su primera redacción. La he leído en voz alta, ¡y no quedó un ojo seco en toda el aula!

Me metí en la cama tan cansada que estaba convencida de que el sueño no se repetiría.

Pero lo hizo. Se repitió esa noche y las siguientes tres semanas. Cada noche me despertaba, o pensaba que lo hacía, en una habitación iluminada por la luna. Las sombras se acercaban a mí y se transformaban en mi amante oscuro. Sentía su peso sobre mí y, justo cuando pensaba que me iba a asfixiar, apretaba sus labios contra los míos y soplaba aire en mis pulmones. Hacíamos el amor; un sexo intenso y vigorizante que me hacía estremecer de placer y se alargaba hasta el alba.

La causa de esos vívidos sueños eróticos debía de estar en la lectura de los manuscritos no censurados de Dahlia LaMotte.

A pesar de que siempre me levantaba exhausta, cuando por la tarde regresaba a casa (Phoenix daba clases a esas horas) me volcaba de inmediato en los manuscritos y solo paraba para disfrutar de las elaboradas cenas que Phoenix preparaba. Después, solía escribir hasta bien entrada la noche, hasta que se me cerraban los ojos, y entonces volvía a tener el mismo sueño. Era como si hubiera entrado en un bucle de creatividad, un circuito cerrado que parecía retroalimentarse sin cesar.

Era el mismo bucle en que había caído Dahlia LaMotte.

Cualquier persona que echase un vistazo a su bibliografía comprobaría que había sido muy prolífica, pero solo mediante la lectura de los borradores manuscritos se podía comprender que había estado poseída. Fechaba todas las anotaciones, de manera que podía saber cuánto había escrito en un día. Escribía una media de cuarenta páginas diarias, en letra diminuta y en hojas de renglones estrechos, y a veces escribía sesenta o más. En ocasiones, cuando llegaba al final de un cuaderno seguía escribiendo en los márgenes e incluso entre líneas de las páginas escritas. En sus días más prolíficos, su cuidada letra se volvía prácticamente indescifrable, como si la pluma se hubiera deslizado por la página como una piedra lanzada a ras de un estanque.

Las escenas que plasmaba durante esos días singularmente productivos difería del resto, tal como pude comprobar con la lectura de *El visitante oscuro*. La versión publicada rebosaba sexualidad pero de una forma muy sutil. Una mujer joven, sin un céntimo, huérfana y sin amigos, llamada Violet Grey, se instala en la Guarida del León, un castillo aislado en la costa de Cornualles, para trabajar como institutriz para la hermana pequeña de William Dougall, un hombre inquietante cuyo comportamiento es cada vez más extraño y amenazador. Violet sufre varios accidentes, de los cuales consigue salvarse gracias a una figura misteriosa con una capa negra, el visitante oscuro del título. La joven sospecha que Dougall está intentando matarla, a pesar de que sus motivaciones, relacionadas con la herencia, identidades falsas y cartas extraviadas, se mantienen en misterio a lo largo de la novela. Violet acaba creyendo que el visitante oscuro que la salva es el fantasma del fallecido hermano de Dougall, el hermano bueno que debería haber heredado la Guarida del León. Empieza a soñar con él y a imaginar que por las noches se cuela en su habitación (el castillo está lleno de pasillos secretos y puertas ocultas). Hay un erotismo persistente en estos pasajes, realzado por la identidad ambigua del visitante, que a veces aparece enmascarado y otras adopta el rostro de William Dougall. Al final del libro se descubre que William Dougall es el visitante oscuro, y que ha estado tratando a Violet con tal dureza debido a una maldición que pesa sobre todas las mujeres de la Guarida del León que le hace reacio a enamorarse. Dougall se ha estado colando en su habitación para protegerla del hijo ilegítimo de su hermano fallecido, que sería quien heredaría la finca si Dougall muriera sin hijos. Por supuesto, es a Dougall a quien Violet ha querido desde el principio; él es el visitante oscuro, todavía misterioso y lascivo, pero reformado lo suficiente como para proponerle matrimonio a Violet en la última página. Él es la Bestia liberada de la maldición de la bruja; el señor Rochester redimido por haber intentado salvarle la vida a su enloquecida mujer durante el incendio.

La tensión sexual en *El visitante oscuro* era potente pero sutil. Dougall visita el dormitorio de Violet, pero nunca la toca.

No obstante, eso no sucedía en los borradores manuscritos de Dahlia. La escena que ya había leído, en la que un extraño invisible ataca a Violet en el vestidor era una de las muchas en que un «visitante oscuro» le hace el amor. En el manuscrito, el visitante oscuro fornica con Violet Grey en todos los rincones de la Guarida del León, desde el vestidor hasta la despensa («sus sacudidas hacían repiquetear las tazas de cerámica») e incluso en la cabaña del guardabosques, donde «me tumbó encima de los ásperos tablones de madera y me penetró con urgencia». Para el lector moderno resultaba obvio que las visitas de aquel hombre oscuro reflejaban el gran anhelo sexual que Violet sentía por William Dougall, a quien no podía permitirse amar mientras lo considerara un ser malvado. Violet sospecha que el visitante oscuro es un íncubo y el ama de llaves, la señora Eaves, refuerza esta teoría contándole una leyenda local en que la Reina de las Hadas convierte a un joven en un demonio. Solo cuando William Dougall le confiesa su amor al final del libro, Violet es capaz de renunciar al íncubo, el visitante oscuro, para casarse con su amante mortal.

La noche en que acabé de leer el borrador manuscrito de *El visitante oscuro*, permanecí despierta un buen rato pensando en el amante de Violet y en el que me visitaba en sueños, reacia a quedarme dormida. Me había estado diciendo que aquellos sueños derivaban de la lectura de las escenas de sexo de Dahlia La-Motte en combinación con el ambiente de esa antigua casa, e intentaba convencerme de que el amante de la luz de la luna era una versión adulta y bastante porno del príncipe de mi adolescencia. Pero los sueños habían empezado antes de que comenzara a leer los borradores de Dahlia y mi príncipe nunca me había asustado tanto como aquella criatura. Comencé a dar vueltas de un lado a otro intentando hallar la solución del misterio, pero por mucho que me esforzase no daba con una explicación racional de cómo era posible que tuviera el mismo sueño erótico que un personaje ficticio creado mucho tiempo atrás. El esfuerzo me dejó agotada y, finalmente, me quedé dormida.

Cuando llegó ya lo estaba esperando. Las sombras de las ramas se acercaron y crecieron y la luna me envolvió con su brillante resplandor plateado, pero mantuve los ojos abiertos. Observé cómo tomaba forma encima de mí. Por primera vez comprendí que tomaba forma porque yo lo miraba y que solo respiraba después de soplar aire en mi boca y de absorber mi aliento... ¿Se movería si no me movía yo primero? Me quede quieta, a pesar de cada célula de mi cuerpo se sentía atraída por cada átomo de la materia oscura de que él estaba hecho. Posó sus ojos en los míos y me miró sorprendido.

—¿Quién eres? —pregunté, asombrada de atreverme a hablarle, pero no tan asombrada como pareció él.

Vislumbré una expresión de sorpresa en su rostro... un rostro que nunca me había parecido tan completo ni tan bello...

Y entonces desapareció. La luz de la luna retrocedió hasta las sombras con un sonido áspero, como el de una ola que se arrastra por encima de un guijarro rugoso. Las sombras se arrugaron, se encogieron y se esfumaron. Y yo me quedé sola, jadeando como un pez abandonado en la orilla por una marea furiosa.

10

La mañana siguiente desperté irritada y de mal humor. Me dolía la cabeza y me sentía a punto de caer enferma de gripe. Una ducha caliente me haría sentir mejor, pero cuando abrí el grifo solo salía agua helada; el calentador del agua, que el ayudante del arquitecto había certificado que estaba en buenas condiciones, debía de haberse estropeado. Tomé nota mental de llamar a Brock y me preparé una cafetera, pero pronto descubrí que la leche se había agriado. Y cuando intenté tostar unos panecillos, se produjo un cortocircuito en la tostadora, se incendió y los panecillos se chamuscaron.

Decidí ir al campus a pie, con la esperanza de que el aire y el ejercicio cambiarían mi mal humor, pero desde que salí me percaté de que el suave clima del veranillo de San Martín se había acabado de forma abrupta. La temperatura no debía de llegar ni a los cinco grados. Persistí, decidida a no quejarme del frío, pero a los diez minutos empezó a llover; bueno, de hecho, empezó a caer aguanieve. La lluvia helada me pinchaba la cara y la nuca, y cuando llegué a la universidad estaba empapada y congelada. Me detuve para comprar una rosquilla y un café. Llegué tarde a clase y dediqué los primeros diez minutos a quejarme ante los estudiantes, que me miraban boquiabiertos, de la mala calidad de esa clase de rosquilla fuera del área metropolitana de Nueva York y de lo absurda que resultaba el aguanieve en octubre.

Había planeado poner *Rebeca* en clase, pero cuando introduje el DVD en la disquetera, mi ordenador chirrió y lo escupió con un bufido. Solté algunos improperios y oí que algunos estudiantes se reían de mi uso de maldiciones anglosajonas. Introduje de nuevo el DVD, pero saltó una chispa de la disquetera, me dio corriente y mi portátil maulló como un gato herido. Sentí que los ojos se me llenaban de lágrimas ante la injusticia de que el mundo fuera en mi contra. No sé lo que hubiera hecho si Nicky Ballard no me hubiera brindado su ayuda.

—A ver, deje que le ayude. He trabajado algunos años como asistente técnico en el campus y suelo solucionar este tipo de cosas. —Tecleó un par de órdenes en mi ordenador y unos minutos después mi Mac estaba ronroneando y reproduciendo la película.

Le di las gracias a Nicky y ella me respondió con una sonrisa extraña. Fue entonces cuando me percaté de que había perdido peso. Tenía el rostro más delgado y se le marcaban los pómulos. Llevaba el flequillo de lado, dejando al descubierto una frente amplia y unos grandes ojos turquesas. Estaba guapa, pero sentí una punzada de preocupación. Aunque era bastante típico que los estudiantes de primer año ganasen peso, también había sido testigo de algunos casos de anorexia causados por el estrés académico y social de la universidad. Decidí hablar con ella después de clase y me dispuse a ver la película.

El minuto que había dedicado a pensar en otra persona y olvidarme de mis problemas puso en perspectiva mi mal humor, pero mientras veía la película sentí que mi irritación volvía por sus fueros. Me gustaba poner *Rebeca* porque la novela era una adaptación clásica de los temas góticos y la película de Hitchcock era bonita y conmovedora. Pero lo cierto es que la segunda señora De Winter era una boba y resultaba doloroso verla acobardándose frente a la imperiosa señora Danvers y escondiendo vajillas rotas como una chiquilla.

Después de ver media película di por terminada la clase y les pedí a los alumnos que acabasen de leer el libro antes de la siguiente clase.

—La novela termina de manera diferente que la película, de modo que no penséis que podéis pasar sin leerla. —Y luego, en un impulso, añadí—: Preguntaos lo siguiente: ¿Qué hubierais hecho vosotros de haber estado en la piel de la segunda señora De Winter o en la de cualquiera de las heroínas que hemos estudiado hasta el momento? ¿De verdad creéis que estas mujeres tienen que ser tan impotentes?

Mientras les explicaba los deberes advertí que Mara me estaba mirando, pero no con su habitual mirada reverente, sino con cierto asombro. Comprendí entonces que había formulado la pregunta con enfado. «Joder, debo de estar volviéndome loca de verdad.»

Tal vez debería posponer mi charla con Nicky Ballard para otro día, pero cuando la muchacha pasó junto a mí, se detuvo y dijo:

—Yo despediría a la señora Danvers.

—¿Qué?

—Pues que si yo fuera la segunda señora De Winter, eso es lo primero que haría. Después donaría todas las cosas de Rebeca al Ejército de Salvación, o a su equivalente británico, y redecoraría la casa. Entonces le diría a Max que si quería que nuestro matrimonio funcionase, tendría que superar la muerte de su mujer anterior y empezar a prestarme atención.

—Bien dicho —comenté.

—Pero ¿qué harías cuando descubrieras cómo murió Rebeca? —inquirió una voz desde la puerta. Era Mara, que había estado esperando en la salida del aula a su compañera de habitación.

—Lo felicitaría y me aseguraría de que nadie encontrase jamás el barco.

En ese momento vislumbré una dureza en los ojos de la muchacha que me sorprendió.

—Nicky, ¿puedes quedarte un momento para enseñarme cómo has arreglado mi ordenador? —pregunté, forzando una sonrisa. Entonces, me volví hacia Mara y añadí—: Será mejor que vayas a clase. No llegues tarde por mi culpa.

—Pero Nicky va a la misma clase...

—Dile a Phoenix que ella llegará en unos minutos.

Mara se marchó a regañadientes, echándole a Nicky una mirada de preocupación por encima del hombro. Me pregunté si ella también se habría percatado de que su amiga había adelgazado. Mientras Nicky me explicaba los pasos para solucionar el problema de mi portátil, la miré con atención y observé que, además de haber perdido peso, tenía los ojos febriles y estaba muy pálida.

—Gracias, Nicky. Me has salvado la vida. ¿Puedo llamarte si me vuelve a dar problemas en casa?

—Por supuesto. Como he dicho, hace años que trabajo en la asistencia técnica...

—Pero eres una estudiante de primer año, ¿verdad?

—Sí, pero como vivo aquí en el pueblo conseguí el trabajo en mi segundo año de bachillerato. Una de mis profesoras me recomendó para el puesto porque siempre estaba arreglando los ordenadores del instituto. Y conocí a la decana Book... —Sonrió y bajó la voz—. Es una mujer muy inteligente, pero no tenía ni idea de ordenadores. De hecho, fue ella quien me sugirió que solicitase el ingreso en esta universidad. Yo tenía pensado ir a la Universidad Estatal de Nueva York, en Oneonta, pero la decana Book me habló del programa de becas y, bueno... aquí estoy.

—¿Y te está gustando?

—Pues la verdad, se me hace un poco raro. Llevo toda la vida viendo a los profesores de la universidad en el pueblo y siempre me habían parecido seres de otro mundo. Como esa profesora de Inglés, la señorita Eldritch, ¿se ha fijado alguna vez en su manera de andar? Es como si flotara... Y esos profesores rusos. ¿Sabía usted que viven todos juntos en una vieja mansión victoriana en lo alto de la colina? Da miedo; los postigos siempre están cerrados y ellos solo se dejan ver por la noche. ¡Incluso sus clases son nocturnas! Los chicos del pueblo dicen que forman un pervertido triángulo sexual... —Nicky se sonrojó—. Perdone, no quería ser irrespetuosa. Es solo que se me hace raro haber pasado la vida en un lado y estar ahora en el otro, como Alicia a través del espejo, ¿entiende?

Asentí. En aquel momento creí comprender el problema de Nicky. Además de tener que adaptarse a la universidad, tenía que lidiar con un cambio de estrato social. La decana Book me había dicho que las relaciones entre el pueblo y la universidad eran cordiales, pero seguro que esa relación era diferente para los chicos que repartían las pizzas y sus padres, quienes se encargaban de la fontanería y de fregar los suelos de las residencias de estudiantes.

—¿Y qué les parece a tus padres que estudies en Fairwick? —pregunté.

—Pues... solo tengo a mi madre y mi abuela; vivo con ellas. Mi abuela se alegró bastante y mi madre, bueno, dijo que estaba de acuerdo siempre y cuando ella no tuviera que pagar nada, pero que más valía que estudiara algo práctico y consiguiera un trabajo como dios manda y no perdiese el tiempo con tonterías artísticas. Lo siento... —Se le quebró la voz y me di cuenta de que estaba conteniendo las lágrimas—. No quiero agobiarla con mis cosas.

Le toqué el brazo, que estaba excesivamente delgado, para animarla.

—No te preocupes, Nicky. Yo perdí a mis padres cuando era pequeña y fue mi abuela quien se hizo cargo de mí. —Por el modo en que me miró, adiviné que era precisamente su abuela quien se ocupaba de ella en su casa—. Ella se aseguró de que no me faltase de nada —continué. Eso era lo que siempre decía de mi abuela, como si temiera que estuviera escuchando a escondidas la evaluación que hacía de su tutela—. Pero era mucho mayor que yo y no sabía cómo relacionarse con una adolescente. —Me vino a la mente una imagen de mi abuela, con la boca tensa en señal de desaprobación cuando yo aparecía en tejanos para tomar el té en su club. Aparté la imagen—. De manera que sé lo que es estar rodeada de gente que cuenta con familias intactas.

Nicky asintió y se secó con la manga de la sudadera una lágrima de la mejilla.

—Creo que por eso la decana Book eligió a Mara para que fuera mi compañera de habitación. Mara lo ha perdido todo. En comparación con todo lo que ha sufrido ella, mis problemas parecen minúsculos.

—Supongo que siempre es bueno poner tus problemas en perspectiva —comenté, arrepintiéndome de mi mal humor de la mañana—. Pero como decía la madre de mi amiga Annie, «cuando los zapatos te aprietan, duele». Es normal que te cueste adaptarte a un entorno nuevo y que necesites hablar con alguien... ¿Y qué ha sido de tus amigos del instituto? ¿Todavía están por aquí?

—Solo mi novio Benny. Habíamos planeado ir juntos a la Universidad Estatal de Nueva York, pero cuando me concedieron la beca decidió quedarse aquí e inscribirse en un ciclo formativo de grado superior. Le dije que no fuera tonto, que ya nos veríamos los fines de semana y que no hiciera sacrificios por mí, pero me contestó que uno de los dos tenía que sacrificarse o de lo contrario sería mejor que lo dejáramos. Así que el pobre se quedó aquí, deprimido, en el instituto de grado superior, y culpándome a mí de ello.

—Pero, Nicky, eso no es justo. Él fue quién tomó la decisión, no tú. —«Gracias a Dios que Paul y yo no optamos por este camino», pensé. Ahora entendía por qué Nicky estaba tan triste y abatida. Entre la falta de apoyo por parte de su familia, su novio haciéndola sentir culpable por su propia falta de ambición y su decisión estúpida, y el estrés académico de la universidad, era increíble que se las ingeniara para mantener la compostura—. Nicky, si alguna vez necesitas hablar, no dudes en recurrir a mí. Vivo muy cerca del campus...

—En la vieja casa de los LaMotte —dijo, recobrando un poco el ánimo—. Cuando era pequeña, solía ir a jugar al bosque que hay detrás. Siempre me ha parecido la casa más bonita del pueblo. Me alegro de que alguien vuelva a vivir allí, a pesar de que la gente diga que está encantada.

La subida de ánimos que había sentido ocupándome de los problemas de Nicky en lugar de los míos ya se había esfumado cuando salí del pabellón Fraser; el inocente comentario de Nicky acerca de la Casa Madreselva y la conversación que lo siguió me volvió a dejar el ánimo por el suelo. Procuré tomármelo como un leyenda local inofensiva. No era más que una vieja casa que se había quedado vacía varios años y que en el pasado había estado habitada por una escritora excéntrica; con razón se había ganado la reputación de casa encantada. Pero fue lo que Nicky dijo después lo que me causó cierta ansiedad. Le pregunté si la gente del pueblo pensaba que la casa estaba encantada por Dahlia LaMotte.

—No... —respondió—. Dicen que está encantada por su amante.

—¿Su amante? Pero yo creía que Dahlia LaMotte era una ermitaña.

—Sí, pero la gente dice que precisamente se encerró en esa casa porque tenía un amante secreto. Se habla de que había un hombre en el bosque detrás de la casa, y otros aseguran que vieron la silueta de un hombre a través de la ventana de su habitación. Incluso se ha dicho que la señora Dahlia estaba comprometida con un tipo que la dejó plantada y que ella lo mató, y que su fantasma era la figura que vieron junto a la ventana.

Sonreí.

—Me temo que William Faulkner escribió una historia parecida, *Una rosa para Emily*.

Intenté tomármelo a risa. Acompañé a Nicky hasta la puerta del aula de la clase de Phoenix y luego caminé con brío por el campus, pero no podía quitarme de la cabeza la imagen de la columna de bruma en forma de hombre que me había parecido ver en el extremo del bosque, ni el rostro del amante de mis sueños, el mismo que había huido cuando me enfrenté a él. Lo cierto era que llevaba toda la mañana de un humor pésimo porque el sueño había terminado antes de que el amante demonio me hiciera el amor.

Al comprenderlo me detuve en medio del camino, tan repentinamente que un muchacho que tarareaba al ritmo de su iPod tropezó conmigo. ¿Qué narices me pasaba? ¿Era mi vida sexual real tan deprimente que me había vuelto adicta a una fantasía?

Porque eso era todo, ¿verdad? Una fantasía.

No obstante, lo que había experimentado la noche anterior (aquel momento de reconocimiento y de sorpresa en sus ojos) no me había parecido ni una fantasía ni un sueño, sino tan real como el enorme sicomoro que veía a mi derecha y sus hojas amarillas caídas al suelo, y tan sólido como las torres de granito de la biblioteca que se elevaban al fondo del camino.

De pronto me pareció extraño que a pesar de haber escrito sobre todo tipo de criaturas sobrenaturales (vampiros, hadas, íncubos), nunca me había parado a pensar que pudieran ser reales, incluida la criatura que me había estado haciendo el amor todas las noches. Era un cuento de hadas, igual que los cuentos que mis padres me leían antes de irme a dormir, aunque este era un poco más sofisticado. Había achacado la aparición del príncipe azul en mis sueños de adolescente como una manifestación del dolor por la pérdida de mis padres. Había analizado la presencia del íncubo en la novela de Dahlia LaMotte como un símbolo del vehemente deseo de Violet Grey. Y había tratado la aparición del amante demonio en la literatura como una manifestación psicológica, un tropo literario, un símbolo del deseo reprimido, fantasías de dominación o de rebelión contra el *statu quo*. Pero ¿y si Dahlia escribió sobre un amante demonio porque uno la visitaba? ¿Y si la criatura que me visitaba en mis sueños de adolescente era el mismo demonio? Al fin y al cabo, la historia acerca de un chico raptado por las hadas era casi igual que la que Soheila me había contado del amante demonio del tríptico. ¿Y si mi príncipe había vuelto ahora para consumar nuestra relación?

¿Y si el amante demonio fuera real?

Me quedé inmóvil unos minutos, tal como indicó el reloj de la torre de la biblioteca, que tocó la hora mientras yo intentaba recobrar el raciocinio que me hiciera descartar esa posibilidad.

Los estudiantes, vestidos con sudaderas y chalecos de anorak, pasaban por mi lado, las hojas caían de los árboles y las ardillas cogían bellotas del suelo y sacudían las colas ante mis ojos, pero la idea de que el hombre que me hacía el amor en sueños pudiera ser real seguía ahí.

—Si él es real —me dije en voz alta—, será mejor que averigüe todo lo que pueda acerca de él.

Nadie se detuvo para mirar a la profesora que se había quedado petrificada en medio del camino hablando sola. Probablemente pensaron que estaba hablando por el manos libres de un móvil. De todas maneras, me pregunté cuánto tiempo podría ocultar mi locura en caso de que empezara a creer en los íncubos. Sería mejor que, mientras pudiera, fuera a la biblioteca para averiguar todo lo posible sobre mi íncubo particular.

Ya había investigado a los amantes demonios antes, pero nunca con el objetivo de demostrar su existencia. De todos modos, ahora estaba en el sitio perfecto para hacerlo. La colección de folclore de la biblioteca de la universidad era muy completa. De hecho, había todo un espacio, la sala Angus Fraser, dedicado a los cuentos de hadas y folclóricos.

Muchos de los datos que encontré ya los sabía: el íncubo era un demonio con apariencia de varón que se acostaba con mujeres mientras dormían, a veces para tener hijos (Merlín, hijo de un íncubo y de una mujer humana, era el ejemplo más citado), pero con más frecuencia para consumir la fuerza vital de la mujer.

Bueno, yo no me había quedado embarazada y hasta esa mañana me había encontrado bien... Aunque había estado perdiendo peso...

Normalmente, las visitas del amante demonio venían acompañadas de una sensación de opresión en el pecho.

Sí, había sentido algo así, pero seguro que había una explicación fisiológica para esa sensación de ahogo durante el sueño. Asma, o apnea del sueño...

La leyenda más antigua que encontré era de la antigua Sumeria. Se decía que el padre de Gilgamesh era el íncubo Lilu (recordé que Soheila Lilly le había mencionado), pero en muchas otras culturas también se le conocía por otros nombres: el Trauco en Chile, Alp en Alemania, Popo Bawa en Zanzíbar, Liderc en Hungría y el Ganconer celta, también llamado el Galanteador. Tal como recordé, ese era el nombre del íncubo que aparecía en el tríptico del pabellón Briggs.

En alguna ocasión había leído que una de las maneras de deshacerse de un íncubo era mediante un exorcismo, pero, según un libro que encontré en la biblioteca, si eso no funcionaba (y por lo visto no solía hacerlo) también se podían poner cerraduras de hierro en las puertas y ventanas.

¿Por eso Brock Olson había puesto cerraduras de hierro nuevas en las puertas y ventanas de la casa y colgado un carillón de hierro fundido en la ventana de mi habitación? Me sonrojé al pensar que él pudiera saber lo del amante demonio y miré alrededor, preguntándome quién más sabría que estaba practicando sexo con un demonio todas las noches, pero la única persona que había en la sala Angus Fraser de la biblioteca era un chico con el cabello recogido en una coleta que tenía la cabeza apoyada en un grueso libro de texto de Historia del Arte, totalmente dormido.

En el *Compendio de folclore y demonología*, de A. E. Forster, leí que en los hogares suecos las amas de casa castas colgaban unos amuletos hechos con ramitas de abedul y enebro atadas con una cinta roja para evitar los avances del amante demonio.

Idénticas a los pequeños ambientadores que Brock había colocado.

No obstante, la mejor manera de deshacerse de un íncubo era enfrentarse a él directamente.

«Hablar durante la visita del íncubo requiere un gran esfuerzo, pero si la víctima logra reunir las fuerzas necesarias y pedirle que se identifique, entonces el íncubo huirá para siempre.»

Levanté la mirada del libro y miré más allá de la cabeza del lector durmiente, a través del vidrio emplomado de la ventana, a las hojas rojas y doradas que caían de los árboles en el exterior.

«¿Quién eres?», le había preguntado yo.

Los trocitos de vidrio ondulado empezaron a dar vueltas ante mis ojos. Supuse que debería sentirme orgullosa de haber logrado «reunir las fuerzas necesarias» para hablar, pero no sentí más que desamparo.

11

El amante demonio no me visitó esa noche, ni las siguientes.

Debería haber sido un alivio, pero, en cambio, me sentía inquieta. Me quedaba despierta observando las temblorosas sombras de las ramas hasta que la luna pasaba por encima de mi casa y su luz perdía intensidad. Entonces, sin poder conciliar el sueño, iba descalza hasta la habitación vacía, cogía uno de los manuscritos de Dahlia LaMotte y me lo llevaba a la cama. Los leía deprisa y sin analizarlos, devorando las historias escabrosas de institutrices y señores inquietantes y de huérfanas y benefactores misteriosos, todas salpicadas de extensas escenas de sexo.

El amante demonio se insinuaba en todos los libros de Dahlia del mismo modo que entre las piernas de sus heroínas... y debajo de su piel. En todos los libros la heroína se hacía adicta a un amante demonio.

«¡Lo deseaba del mismo modo que un adicto al opio anhela su pipa! —exclamaba India Wilde en *El páramo lejano*—. Él es mi opio. Lo inhalo y cobra vida. Le dejo entrar en mí y cobro vida. Él es mi vida, sin él me marchitaría y moriría.»

Empecé a temer que me sucediera lo mismo si no lograba deshacerme del control que ejercía sobre mí.

Me quedaba leyendo hasta que el preludio del alba reemplazaba el resplandor lunar. Entonces salía a correr un rato antes de las clases, siguiendo el sendero a través del bosque. Corría hasta donde llegaban los matorrales de madreselva y siempre me detenía unos instantes para escuchar el ruido de las ramas entrelazadas que se rozaban con la brisa. Prestaba atención para ver si oía a algún pájaro atrapado en el sotobosque, pero el matorral estaba vacío y melancólico. Pensaba en el cuadro del pabellón Briggs, en el que aquellas hadas y demonios salían de este mundo para introducirse en otro a través de un matorral igual que ese, y notaba que el corazón me daba un vuelco. ¿Qué se sentiría al abandonar el hogar y deambular toda la eternidad a través de un laberinto cada vez más estrecho cuyo camino de vuelta se contraía y retorcía con cada año que pasaba? Esa metáfora del exilio, extrañamente evocadora, me perseguía en el camino de regreso a casa con la sensación de que yo también estaba exiliada; no de mi antigua vida en Nueva York (eso apenas lo echaba de menos), sino del amante demonio que yo misma había ahuyentado.

A pesar de que las horas de *footing* y el frío deberían haberme abierto el apetito, esas primeras semanas de octubre empecé a comer menos, coincidiendo con el momento en que Phoenix dejó de cocinar repentinamente.

—Espero que no te importe —dijo, pasándome los menús de entrega a domicilio de la pizzería del pueblo y el restaurante chino—. Es que estoy un poco agobiada de trabajo y tengo que corregir un montón de redacciones. Son muy buenas, ¿sabes?, sobre todo las de Mara.

—¿Escribe sobre lo que vivió en Bosnia?

—Más o menos. Está escribiendo una parábola que representa sus experiencias en la vida real, pues le resultan demasiado dolorosas para afrontarlas derechamente. Yo la animo a que siga con la parábola, a ver si algún día es capaz de hacer frente a los acontecimientos reales de su vida, tal como hago con todos los alumnos. Pero la propia parábola es tan intensa y violenta, tan perturbadora, que no puedo ni imaginar lo espantosa que es la verdad que yace detrás de ella.

—¿En serio? ¿Crees que deberías enseñársela a alguien... profesional? —pregunté, pensando en el tiroteo que hubo en la

Universidad Virginia Tech unos años atrás y en las redacciones violentas y trastornadas que el autor de la masacre había presentado en su clase de Escritura Creativa. Esas redacciones podrían haber servido de aviso si hubieran llegado a manos de un experto en salud mental. No obstante, a Phoenix le horrorizó mi sugerencia.

—¡Ni hablar! ¡Perdería su confianza por completo! Le he prometido que no se la enseñaré a nadie hasta que hayamos trabajado juntas en ello. Y todas las mañanas me reúno con ella para repasar sus borradores. —Phoenix me mostró una carpeta de color lila de cinco centímetros de grosor—. Así que tengo la situación bajo control.

Yo no estaba muy segura de cuán controlada tenía la situación. Había estado tan absorta en mi propia obsesión que no me había percatado de lo mucho que Phoenix lo estaba en la suya. Se pasaba el día leyendo las redacciones de Mara. Cuando bajaba la escalera al amanecer para salir a correr me la encontraba dormida en el sofá de la biblioteca con la carpeta lila abierta en el suelo y varias hojas marcadas en rojo esparcidas como salpicaduras de sangre. Y cuando me cruzaba con ella en el pabellón Fraser por las tardes siempre llevaba consigo aquella carpeta lila.

Un día, un alumno me entretuvo en el pasillo para pedirme que le aplazara la entrega de un trabajo, y al pasar junto al aula de Phoenix quince minutos después de que hubiera empezado su clase, me sorprendió ver que no se hallaba allí y que los estudiantes estaban jugando y escribiendo mensajes con sus móviles de última generación. Divisé a Nicky Ballard y le hice un gesto para que saliera al pasillo.

—¿Qué pasa? —pregunté—. ¿Ha venido Phoenix?

—Bueno, más o menos —contestó mordiéndose el labio, que tenía muy agrietado. También me pareció que había perdido más peso y sentí una punzada de culpabilidad al recordar que me había propuesto estar pendiente de ella; sumida en mi bajo estado de ánimo, no me había percatado del creciente mal aspecto de la muchacha—. Está en su despacho con Mara, en otra de sus «reuniones de supervisión». —Nicky señaló comillas con los dedos y vi que tenía las uñas mordidas—. Se supone que el resto tenemos que seguir trabajando en nuestras memorias hasta que ella nos llame uno a uno, pero nunca queda tiempo para que se reúna con nadie más aparte de Mara.

—Pues a los otros alumnos no les debe de hacer mucha gracia. ¿Ha ido alguien a quejarse a la decana?

Nicky se encogió de hombros.

—No creo que nadie quiera hacerlo. Lo poco que Mara ha leído en voz alta en clase es tan doloroso, que nadie quiere quejarse del tiempo que Phoenix le dedica.

—Pero no es justo que un alumno acapare toda la atención... —Noté que Nicky se incomodaba y cambié de táctica—: ¿Y cómo estás tú? ¿Te estás adaptando bien a Fairwick?

La chica se volvió a encoger de hombros; un gesto que en ella ya parecía un tic nervioso.

—Bueno, tengo muchos deberes e intento explicarle a Ben que no puedo salir por ahí todo el día porque tengo más trabajo que él, pero me dice que lo que pasa es que desde que estudio en «mi querida universidad privada» se me han subido los humos. —Nicky volvió a marcar comillas en el aire y me pregunté cuánta parte de la nueva vida de la muchacha requería el uso de esa distancia irónica.

—Las relaciones son complicadas cuando uno de los dos tiene más éxito que el otro, y todavía más si es la mujer. —Pensé en lo mucho que Paul tuvo que esforzarse por no molestarse cuando me aceptaron en Columbia y cuando conseguí un gran contrato editorial con mi tesis, mientras que él tenía que reescribir la suya, tal como le aconsejó su tutor—. Pero eso no significa que tengas que sentirte culpable o dejar escapar las oportunidades que tú misma te has ganado. Si a Ben le importas de verdad, lo entenderá.

Nicky asintió con la cabeza, aunque parecía al borde de las lágrimas.

—Ya, pero las chicas de su instituto no tienen que quedarse en la biblioteca los sábados por la noche. ¿Cuánto tardará en darse cuenta de que es más sencillo salir con alguna de ellas?

Suspiré. Por supuesto, yo también me había preguntado lo mismo con Paul. Aunque UCLA no fuera un instituto de grado superior, Los Ángeles estaba repleto de rubias esbeltas y surfistas que no vivían a cinco mil kilómetros de distancia. Con el fin de no torturarme con fantasías de celos había cerrado con llave una parte de mi cerebro y, para ser sincera, también un trocito de mi corazón. A veces me preocupaba que el resultado de aquello fuera que ya no lo quería tanto. E incluso me preguntaba si realmente le había querido lo suficiente, o si Annie tenía razón cuando me decía que si de verdad estuviera enamorada habría hallado el modo de estar con él. Últimamente, cuando hablábamos por las noches, me sentía impaciente por colgar. Debería haber estado contando los días que faltaban para que viniera a visitarme en Acción de Gracias, pero, por el contrario, estaba perdiendo la cabeza por un amante fantasma. ¿Sería por eso que había conjurado a mi amante demonio? ¿Porque no estaba satisfecha con Paul? ¿Y nunca me había sentido así porque no dejaba de comparar a Paul con el príncipe de mis fantasías de adolescente?

—Si estáis hechos el uno para el otro, las cosas funcionarán —dije, deseando poderle ofrecer un consejo más potente. Pero ella asintió como si hubiera dicho algo sabio.

—Gracias, profesora McFay. Muchas gracias por tomarse la molestia de hablar conmigo. Sé que está muy ocupada.

Me sentí culpable al recordar la cantidad de trabajos sin corregir que se amontonaban en mi escritorio y los que llenaban la bolsa bandolera que siempre llevaba. Me sentía tan abatida que me había retrasado en mis obligaciones.

—La verdad es que todavía tengo que corregir los últimos trabajos que me habéis entregado —dije, dando un golpecito a mi repleta bolsa—. Será mejor que me ponga en marcha. Recuerda, si necesitas hablar...

—Gracias, profesora.

Nicky entró de nuevo al aula y yo me marché. A pesar de que solo estábamos a finales de octubre, la mayoría de hojas ya habían caído de los árboles y hacía suficiente frío como para llevar un abrigo de invierno, aunque yo no me lo había puesto. Llevaba una chaqueta Armani, un jersey de cuello alto, unos tejanos ajustados y unas botas altas: mi conjunto otoñal favorito. Cuando vivía en la ciudad, ese tipo de ropa me servía hasta que empezaba la Navidad, pero en Fairwick iba a tener que ponerme un abrigo y ropa interior abrigada antes de Acción de Gracias. Tenía tanto frío que decidí hacer una parada en la biblioteca y avanzar un poco el trabajo allí, pues cada vez que intentaba corregir deberes en casa, acababa leyendo una novela de Dahlia LaMotte. Quizás en la biblioteca hallara la disciplina que necesitaba.

Empecé a evaluar las redacciones, procurando concentrarme en lo que mis alumnos opinaban de *Los misterios de Udolfo* y *La abadía de Northanger*, pero cada pocas frases levantaba la vista y me quedaba mirando por la ventana los árboles desnudos del campus, sintiendo una tristeza profunda, como si alguien cercano acabara de fallecer. «¿Qué me está pasando?», me preguntaba, forzándome a bajar la vista de nuevo a los papeles. Nunca había estado tan distraída. ¿Acaso estaba sufriendo algún tipo de síndrome de abstinencia del amante demonio? ¿O me estaba poniendo enferma? Leí el siguiente trabajo con la cabeza llena de posibles enfermedades: gripe porcina, la enfermedad de Lyme, un Alzheimer temprano... Quizá las visitas del amante demonio eran un síntoma de un tumor cerebral.

Como para confirmar mis peores temores, cuando bajé la vista a la hoja que tenía delante las letras perdieron nitidez y comenzaron a dar vueltas. Visión borrosa, ¿no era ese un síntoma de derrame cerebral? Cerré los ojos y apoyé la frente en la fría mesa de madera lustrada. Ahora entendí por qué aquel estudiante había estado durmiendo en esa misma sala el otro día: era el lugar perfecto para dormir, silencioso pero con un suave zumbido de fondo, apenas audible, que debía de proceder del sistema de ventilación; sonaba como un arrullo.

Debí de quedarme dormida. Estaba rodeada de gente caminando a través de un prado interminable. Bajé la vista y vi que tenía los pies descalzos en la hierba húmeda. Tenía unos arañazos en las piernas y me había hecho sangre, y el vestido que llevaba estaba hecho jirones a la altura de las rodillas. Al verlo me asusté. No debería estar sangrando, ni tener la piel rasguñada. Empecé a caerme... como si la conciencia de mi vulnerabilidad me hubiera arrebatado el último ápice de fuerza y voluntad. Me tumbaría allí mismo en la hierba mojada y dormiría. No me importaba que la multitud pudiera pasarme por encima en estampida; les dejaría pisotearme en el suelo hasta que no fuera más que polvo bajo sus pies y me filtrase en la tierra. Mientras caía oí el ruido de los caballos, los Jinetes, y supe que enseguida quedaría enterrada y convertida en polvo bajo sus pezuñas. «Vale, dejad que vuelva a convertirme en polvo...», pensé. Pero justo entonces una sombra se me acercó y al levantar la vista vi que una figura montada en un caballo blanco se inclinaba hacia mí. Me aferré a sus manos tendidas y él me levantó y me sentó delante de él. Me rodeó con los brazos y noté que rozaba mi piel fría y desnuda. Mi vestido, empapado y desgarrado, apenas me cubría. Me apretó contra él y sentí su erección. Sabía que teníamos que irnos, que no había tiempo, pero el deseo que sentíamos el uno por el otro era demasiado fuerte. Dirigió el caballo hacia el bosque y nos adentramos hasta un claro cubierto por un entramado de ramas... parecía una capilla.

—Me hubiera gustado casarme contigo en una iglesia —me susurró al oído, a la vez que me bajaba del caballo para tumbarme en la hierba—, pero esto tendrá que servir. —Siguió la línea de mi mandíbula con un dedo y lo apretó contra mis labios—. Eres mía —dijo, deslizando el dedo por mi cuello hasta llegar a mi pecho izquierdo. A continuación, dibujó unos círculos alrededor del pezón, trazando una espiral sobre mi corazón, sin dejar de mirarme ni un instante.

—Sí... —gemí, arqueando las caderas hacia él mientras se suspendía dos centímetros tentadores encima de mí—. Nos pertenecemos él uno al otro. Siempre ha sido así y siempre lo será.

Sin apartar los ojos de los míos, levantó los últimos jirones de mi vestido y me hizo suya. Su rostro, iluminado al contraluz por el sol que se colaba entre las ramas, brilló, y sus ojos destellaron con el mismo tono verde que el del bosque espeso que nos rodeaba. Cuando me penetró fue como si el bosque estuviera entrando en mí... La luz dorada del sol estallaba a través de las ramas verdes, arrasando consigo todo lo demás... incluso su carne y, tal como comprobé, también la mía. Podía ver el sol y las ramas a través de mi mano; nos estábamos disolviendo el uno en el otro...

Desperté sobresaltada, con el rostro apoyado sobre una mancha húmeda en la mesa. Me incorporé y me llevé la mano a la boca; esperaba que nadie me hubiera visto babeando mientras dormía. Pero esa esperanza se esfumó rápidamente: Elizabeth Book estaba sentada frente a mí y su elegancia serena me hizo sentir todavía más sucia y avergonzada.

Sonrió con mirada triste.

—Estabas soñando —comentó.

—Sí, me he quedado dormida mientras corregía estos trabajos —dije, al tiempo que apilaba los papeles desparramados por la mesa. Debía de haberlos desordenado cuando intentaba aferrarme a mi amante demonio... Dios mío, ¿me habría oído gemir la decana o decir algo en voz alta? No lo llamé por su nombre... aunque estaba segura de que en el sueño lo había sabido. Y también lo había reconocido a él, tanto como a mí misma. Pero ¿qué significaba aquello? ¿Quién había sido yo en el sueño?

—¿Has estado teniendo sueños perturbadores? —preguntó Liz.

Me sonrojé al pensar en la posibilidad de que ella supiera exactamente el tipo de sueños que estaba teniendo. Sueños en los que hacía el amor hasta que mi cuerpo se desvanecía.

—No —mentí—. A no ser que consideres perturbador soñar con trabajos sin corregir. Me temo que voy un poco retrasada. —Sonreí con gesto contrito, con la esperanza de que pensara que mi bochorno se debía a que me había pillado dormida, no porque tuviera una vida sexual depravada con un ser demoníaco—. Pero te aseguro que voy a ponerme al día y no volveré a dejar que se me acumule el trabajo.

Elizabeth Book estiró los brazos por encima de la mesa y apoyó su mano en la mía.

—No estoy preocupada por tu rendimiento, querida Callie. Estoy preocupada por ti. No todo el mundo se adapta fácilmente a Fairwick. A veces, el hecho de estar aquí plantea... ciertos problemas. Y tengo que decirte que me preocupa que vivas sola en esa casa...

—No estoy sola —la interrumpí—. Phoenix vive conmigo.

—Ah, es verdad. Phoenix ha resultado una incorporación interesante para nuestra comunidad, pero quizá no sea la compañía más serena del mundo. Y tampoco creo que ella se diese cuenta si algo anduviera mal.

—Nada anda mal, decana Book. Es solo que estoy... —¿Obsesionada con un amante fantasma? ¿Arrepentida de haberlo echado?—. Estoy intentando acostumbrarme a mi nueva rutina. No tienes que preocuparte por mí. Y ahora, si me disculpas, recogeré todas estas redacciones para corregirlas en casa, pues la biblioteca no ha resultado tan buen entorno de trabajo como esperaba.

12

Me obligué a acabar de corregir todos los trabajos de mis alumnos esa misma noche, pues no quería darle ningún motivo a la decana para quejarse de mi rendimiento en el futuro. A pesar de que se había mostrado comprensiva y preocupada, no me cabía duda de que si no cumplía sus expectativas no duraría mucho en la Universidad de Fairwick.

Durante las siguientes semanas fui una profesora diligente y atenta, con el incentivo añadido de la visita de Paul, programada para Acción de Gracias. «No necesito un amante demonio», me repetía mientras corregía los exámenes parciales; ya tenía un novio humano, uno que se merecía que le prestara más atención. Incluso si el amante demonio no fuera tan imaginario como había pensado, había hecho bien en deshacerme de él. El deseo experimentado en el último sueño no había sido solo de sexo, sino de ganas de fundirme con él. Desde luego, aquello no podía ser sano.

De manera que cuando no estaba preparando las clases ni corrigiendo trabajos, me volcaba en poner la casa a punto para la llegada de Paul y en planificar la cena de Acción de Gracias. Desde que mi abuela se había mudado a Santa Fe, yo siempre pasaba ese día en casa de Annie, en Brooklyn. Y antes de eso, mi abuela y yo siempre lo celebrábamos en el formal e inmaculado comedor de su club. Nunca había cocinado el pavo yo misma, y en mi antiguo apartamento tampoco habría podido preparar más que un pavo calentado al microondas. No obstante, ahora tenía una casa preciosa y grande que se parecía a las casas vacacionales que aparecían en los anuncios de televisión, esos anuncios en que la música de Pachelbel suena de fondo. De manera que no solo podía ofrecerle a Paul un facsímil bastante bueno de una cena de Acción de Gracias, sino que además también podía invitar a un par de compañeros de trabajo. Quizás hasta a la decana Book (me había enterado de que no estaba casada y vivía sola); así le demostraría que me estaba integrando bien en Fairwick.

Le expliqué a Phoenix lo que había pensado, con la esperanza de que se ofreciera para ayudarme y de que los preparativos lograran distraerla de su obsesión por las memorias de Mara Marinka. Le entusiasmó la idea y enseguida se puso a escribir el menú de la cena y la lista de la compra. Decidimos que ese fin de semana iríamos al mercado a echar un vistazo a los productos locales.

Puesto que ella tenía el tema de la comida bajo control, decidí centrarme en la decoración de la casa. A pesar de que ya llevaba tres meses viviendo en la Casa Madreselva, todavía retumbaba como un bidón vacío. La escasez de muebles había creado un ambiente espacioso y aireado ideal para los días de calor, pero con la incipiente llegada del invierno me apetecía un ambiente más acogedor. Conduje hasta el centro comercial de la autovía y en la tienda de muebles Pottery Barn compré un par de sofás de dos plazas tapizados en terciopelo verde bosque. Después compré una alfombra, unos cojines y unas cortinas, todos en diversas tonalidades de ocre, teja y esmeralda. Elegí la cristalería y las fuentes para la mesa, junto con unas toallas de cortesía y una alfombrilla para el aseo de abajo. En un momento de arrebato, también compré albornoces y pantuflas a juego para Paul y para mí.

En el camino de regreso a casa pasé por un centro de jardinería llamado Valhalla y pensé que debía de ser la tienda de Brock y su hermano Ike. Hice una parada y pronto tuve una carretilla llena de macetas de crisantemos y ásteres, unas preciosas coronas hechas a mano con ramitas y hojas de arce, y una cesta de flores secas que quedaría preciosa como centro de mesa. Me percaté entonces de que entre las plantas y flores había numerosos artículos decorativos de hierro fundido: colgadores de plantas, percheros, estantes pequeños y una colección de animales de hierro fundido, como aquellos topes con forma de ratón. «Por supuesto», pensé. Brock me había dicho que sus tíos abuelos habían sido herreros antes de iniciarse en el negocio de la jardinería. Ahora comprendía porqué todas las cerraduras que había en la casa eran de hierro fundido, al igual que los topes.

A Phoenix le gustaron tanto mis compras que ella misma empezó a decorar la casa. A lo largo de las siguientes semanas las habitaciones de la planta principal se llenaron de cojines bordados, suaves chales de alpaca, velas aromáticas y boles de cristal rebosantes de golosinas y chocolates. La casa volvió a llenarse con los olores de la cocina, mientras Phoenix probaba las recetas para el relleno del pavo, las tartas, los boniatos caramelizadas, el pudín, diversas salsas y todos los vinos.

—Prueba este champán —me decía cuando bajaba a cenar—. Podríamos empezar con este y después servir un buen Pinot Noir con la sopa.

Después de catar las bebidas yo quedaba hecha polvo, pero Phoenix, que había empezado a beber antes que yo, seguía pletórica de energía y continuaba despierta hasta muy entrada la noche leyendo los trabajos de Mara, pero ahora entre los papeles corregidos me encontraba botellas vacías, y algunas marcas en rojo en las hojas parecían más de burdeos que de tinta. Recordé lo que me había dicho sobre su «pequeño problema con la bebida» y me preocupó un poco. Una semana antes de Acción de Gracias decidí abordar el tema preguntándole si creía que la lectura de las redacciones de Mara la estaba afectando. Pero en lugar de responder, me preguntó si me parecía bien invitar también a Mara a la cena.

—No tiene familia y Nicky Ballard no la ha invitado a su

casa. No podemos dejar que pase sola esa fecha tan señalada.

Creí saber por qué Nicky no había invitado a Mara. La semana antes la había visto salir de una destartalada casa victoriana que tenía el porche medio hundido y lleno de electrodomésticos estropeados y sofás rotos, a unas tres manzanas de mi casa, en la calle Elm. Una voz chillona de mujer siguió la salida de Nicky: «¡No olvides mi paquete de Pall Mall!» Si esa era su casa, no la culpaba por no querer compartir el día de Acción de Gracias con nadie más. Quizás ella tampoco quisiera pasarlo allí.

—Me parece bien —acepté—, pero con la condición de que también invitemos a Nicky.

—¡Cuantos más, mejor! —exclamó Phoenix, entrechocando su copa de vino Puligny-Montrachet con mi vaso de agua con gas.

Aunque seguía preocupada por lo mucho que bebía Phoenix, tenía que admitir que parecía que íbamos a tener una velada divertida. Había invitado a Soheila Lilly, a Casper Van der Aart y a su pareja Oliver, que tenía una tienda de antigüedades en el pueblo, y, aunque solo fuera para demostrarle que no estaba acaparando esa gran casa para mí solita, también a Frank Delmarco; todos aceptaron la invitación. La decana Book también dijo que vendría y me sugirió que invitara a Diana Hart que, tal como me explicó, siempre estaba demasiado ocupada con sus huéspedes para sentarse a disfrutar de una comida de verdad. Le dije que me parecía muy buena idea, pues así podría recompensar a Diana por todas las provisiones de dulces que me había traído.

—Pero no le digas que la quieres «recompensar». Le podría sentar mal. Que no te extrañe si insiste en traer algunas tartas, ¡y sobre todo no las rechaces! Además, supongo que te vendrá bien un poco de ayuda, ¿no? Tienes cara de trabajar mucho. ¿No duermes bien?

—Sí, sí —mentí—. Es solo que me ha costado un poco acostumbrarme a la casa nueva.

Pero la verdad era que, a pesar de mi frenética actividad diurna, apenas dormía. Desde aquel día en la biblioteca se habían sucedido sueños extraños; no eran las visitas eróticas de antes, sino que... En realidad no parecían sueños, eran más como recuerdos medio olvidados.

En especial uno. Siempre empezaba con la marcha a través de aquel prado desolado en un amanecer medio iluminado, rodeada de una multitud de viajeros cuyos rostros quedaban ocultos por la neblina. A lo lejos la procesión pasaba bajo un arco y desaparecía entre las zarzas. Al verlo, el corazón se me encogía de miedo. ¿Adónde iban? ¿Adónde íbamos? El bosque se veía oscuro y espeso y quién sabe adónde conducía. Mis miedos resonaban como susurros a mi alrededor: la puerta era más estrecha de lo que solía ser y nadie sabía con seguridad si todavía conducía al Reino de las Hadas. Era fácil perderse entre las zarzas y tal vez quedarte atrapado toda la eternidad en las Tierras Fronterizas. Por el modo en que aquellas palabras resonaban no me cabía duda de que aquello podría ser una pesadilla horrorosa, pero si nos quedábamos allá más tiempo nos desvaneceríamos en la nada.

Justo entonces llegaba él en su elegante corcel blanco. Ya casi era transparente bajo el sol de la mañana, pero todavía podía distinguir su rostro: su frente ancha, los ojos almendrados y sus labios carnosos sonriendo al verme. Se acercaba a mí y me subía a su caballo, siempre delante de él, y cabalgábamos hasta el claro del bosque, donde me tumbaba bajo la capilla de madreselva y hacíamos votos el uno por el otro justo fusionando nuestros cuerpos cuando empezaban a desvanecerse... Entonces me despertaba agitada, y mis labios articulaban un nombre que olvidaba nada más despertar. Y el cuerpo me dolía de deseo frustrado.

Y eso era lo que soñaba todas las noches. No obstante, la noche antes de Acción de Gracias el sueño se repitió hasta que él apretaba su dedo contra mis labios y dibujaba una espiral en mi pecho, y esa vez noté que su roce me quemaba la piel, como si me marcara...

Desperté sobresaltada con un dolor abrasador en el pecho.

Corrí hasta el espejo, me aparté el camisón y vi que en el pecho izquierdo tenía una espiral intrincada, como las ilustraciones que aparecían en el *Libro de Kells*, quemada en mi piel.

Eso no solo demostraba que el amante demonio era real, sino que además seguía allí. Y me había marcado como si fuera un bien de su propiedad.

Desde luego, una parte de mí lo había disfrutado, y eso me avergonzaba: no me refería a todo el sexo salvaje con el que me había deleitado ese fantasma, sino al hecho de que yo lo deseaba tanto que estaba dispuesta a dejarlo todo (mi trabajo, mis amigos, este mundo, mi cuerpo) para estar con él.

Yo, que había basado mi única relación de adulta en el principio de que ninguno de los dos renunciara a nada.

Eso no era propio de mí. Tenía que oponerme y enfrentarme a él.

Pero ¿cómo? Ya había leído todos los libros de la biblioteca que versaban sobre los íncubos. Necesitaba a un experto... Y la persona que mejor conocía la historia del amante demonio, o al menos el que aparecía en la pintura del tríptico, era Soheila Lilly.

Después de mi última clase fui a buscar el despacho de Soheila Lilly en el laberinto de pasillos estrechos que formaban la planta baja del pabellón Fraser. Angus Fraser había vivido en esa parte del edificio cuando enseñaba en la universidad a finales del siglo pasado, y se había conservado su distribución laberíntica. Deambulé por los pasillos unos minutos hasta que encontré una puerta con el nombre de Soheila Lilly encima de un póster del Museo Británico que mostraba una placa de terracota con la escultura de una mujer de pie encima de dos leones agachados y flanqueada por dos lechuzas enormes. Fui a llamar a la puerta, pero me detuve para leer la leyenda que había debajo del póster: LA REINA DE LA NOCHE, ANTIGUA BABILONIA 1800-1750 A. C. Observé a la mujer más de cerca y me percaté de que en los extremos de sus hermosas piernas tenía dos garras, idénticas a las de las lechuzas que la flanqueaban. Algo en ese detalle me hizo estremecer, pero me sacudí esa sensación de frío y llamé a la puerta.

Una voz melodiosa me invitó a entrar. Cuando abrí la puerta me dio la sensación de haberme transportado a un bazar de Oriente Próximo. El suelo estaba cubierto de alfombras persas, y de las paredes y el techo colgaban tapices de colores vivos. En lugar de los fluorescentes que iluminaban mi despacho con una luz pálida y fría, tres farolillos de cristal (uno azul zafiro, otro verde esmeralda y otro amarillo ámbar) proyectaban una luz muy cálida. El bonito escritorio estaba despejado, a excepción de un viejo libro encuadernado en cuero y una taza de té de cristal. Soheila, que iba vestida en tono caramelo de los pies a la cabeza (desde el chal de cachemir y las botas de ante hasta el pintalabios), estaba reclinada en la silla contemplando por la ventana las últimas hojas otoñales que caían de los ya casi desnudos árboles del campus. O al menos eso supuse que estaba mirando, pues no había nada más. El campus estaba casi desierto. Todo el mundo se había marchado para las fiestas.

—Hola, Callie. Imaginé que hoy tendría el placer de contar con tu compañía —dijo volviéndose hacia mí. Sonrió, pero sus ojos parecían distantes y tristes—. ¿Una taza de té? —ofreció, moviendo la cabeza hacia un humeante samovar de plata encima de un archivador de roble.

—Sí, gracias —acepté, al tiempo que tomaba asiento en la silla tallada que había frente a su escritorio. El respaldo parecía demasiado delicado para aguantar el peso de mi bolsa bandolera, de manera que me la coloqué en el regazo—. Si no es molestia, me gustaría hacerte un par de preguntas acerca de la historia que me contaste en la recepción de profesores... La del amante demonio que fue secuestrado por la Reina de las Hadas.

Soheila suspiró mientras vertía té en un vaso con ribete plateado. Alzó el vaso medio lleno frente a la ventana y el color del té pasó de caramelo a dorado. A continuación añadió un chorrito de agua hirviendo del samovar y me trajo el vaso en una bandeja de plata junto con un bol de cristal con terrones de azúcar.

Repitió el mismo proceso para ella. Cuando estuvo sentada de nuevo a su escritorio con su taza de té, tomé un sorbo del mío; sabía a cardamomo, clavo y alguna otra especia indefinible.

—Está buenísimo —comenté, depositando el vaso caliente en la bandeja—. Y muy reconfortante. —Por primera vez desde que había descubierto la marca con forma de espiral en mi pecho sentía que entraba en calor—. Me dijiste que ese Ganconer...

—El ritual del té siempre relaja a mis alumnos... —Inclinó la cabeza y entornó sus preciosos ojos dorados—. Pero no está funcionando contigo, ¿verdad? Estás inquieta por esas preguntas que quieres hacerme, ¿verdad?

Reí con cierta exageración y me levanté el cuello del jersey, aunque sabía que la marca estaba bien escondida.

—Además de ser experta en Próximo Oriente, ¿también eres licenciada en Psicología? —pregunté. Lo cierto es que sonó más sarcástico de lo que pretendía; cuando estoy nerviosa puedo parecer demasiado incisiva. A veces pienso que adquirí ese hábito de mi abuela, que se mostraba todavía más sarcástica que yo cuando algo le disgustaba. Pero la educada Soheila Lilly no iba a tomárselo como una ofensa.

—Sí, en efecto. Estudié con Jung...

Al ver mi expresión de sorpresa, titubeó. Para haber estudiado con el mismo Carl Jung, Soheila tendría que tener unos ochenta años, y a pesar de que ese día sus ojos sí que parecían de anciana, el resto de ella no lo parecía en absoluto.

—Quiero decir... que estudié en el Instituto Jung, en Zurich.

—Eso es fantástico. Seguro que Jung tenía algunas cosas interesantes que decir sobre los amantes demonios.

—Pues la verdad es que sí, pero no creo que hayas venido para hablar de Jung, ¿no?

—Ya. Verás, he estado buscando información acerca de la historia sobre el amante demonio secuestrado por la Reina de las Hadas... Si no recuerdo mal, lo llamaste Ganconer. Es para un libro que estoy escribiendo. Pero no he encontrado nada acerca de ese mito en particular, ni en Internet ni en la biblioteca, que parece tener todo lo que se ha escrito sobre folclore a lo largo de la historia. Así que me preguntaba si podrías proporcionarme la fuente de esa historia.

—Era una fuente oral —respondió—. No creo que nunca se haya escrito nada al respecto.

—Ah —dije, intentando disimular mi decepción. Por muy grande que sea su interés profesional, los académicos nunca lloriquean por fuentes perdidas—. Qué mala suerte... O quizá todo lo contrario... —rectifiqué, recuperando el ánimo—. Podría ser una gran oportunidad para escribir un artículo. Podríamos hacerlo juntas. ¿Sigues en contacto con la fuente?

—No. Él murió hace años. —Se le empañaron los ojos y se volvió hacia la ventana, aunque me dio la sensación de que ya no veía la hierba verde ni las hojas que caían de los árboles.

—Lo siento —dije—. No pretendía hurgar en recuerdos dolorosos. No es tan importante. —Empecé a levantarme, pero Soheila se volvió y me clavó la mirada.

—Ya, pero para ti sí que es importante, ¿verdad? ¿Por qué quieres información sobre ese demonio en particular?

Me senté de nuevo e intenté hallar una respuesta que no supusiera darle a entender que pensaba que el amante demonio era real. Por muy comprensiva que se mostrara, estaba segura de que si lo hacía, Soheila le diría a la decana que me pusiera bajo observación psiquiátrica.

—Bueno, he estado investigando mucho sobre los amantes demonios, pero nunca me he topado con una leyenda como esta. Esta cuenta la historia del íncubo y explica por qué seduce a las mujeres. Este mito lo hace más... digamos, más humano. Es como cuando en *Jane Eyre* descubrimos que a Rochester lo embaucaron para que se casara con Bertha, o cuando descubrimos que la Bestia está bajo una maldición. Justifica su comportamiento y los hace... —iba a decir adorables, pero rectifiqué a tiempo—: redimibles.

—Pues parece que ya has encontrado las conclusiones que buscabas —comentó con voz fría por primera vez.

Dolida, me cobijé en la actitud distante propia de los académicos.

—Sí, pero no cuento con ninguna fuente legítima que explique el fenómeno. El Ganconer de tu historia podría ser el puente entre el íncubo del folclore y los héroes byronianos de la ficción gótica. Pero si no lo recuerdas...

—Me acuerdo de todo —repuso, levantándose y apartándose con impaciencia el chal que le cubría los hombros. Fue hasta la puerta que había al lado del archivador y la abrió: conducía a un vestidor con armarios de roble—. Por favor —me dijo con una sonrisa forzada en sus labios pintados de color caramelo—, acábate el té. Solo tardaré un minuto.

Los tacones de sus botas retumbaron en el parquet del vestidor, que debía de ser bastante más grande que mi rincón de trabajo.

Bebí un sorbo del té y alcé la vista hacia la estantería que tenía al lado. Muchos de sus libros estaban escritos en farsi, pero también había algunos en alemán, francés, ruso y un par de idiomas que no pude identificar. No obstante, uno que me llamó la atención estaba en inglés, y en su cubierta de cuero rojo se leía una única palabra en letras doradas: *Demonología*.

Cogí el libro de la estantería y vi que los cantos también eran dorados. Pasé las páginas hasta llegar al índice y me fijé en el título del capítulo tres: «Cómo invocar y hacer desvanecer a un íncubo.» Justo lo que necesitaba.

Miré hacia la puerta del vestidor y oí el sonido de un archivador abriéndose. Volví a bajar la vista al libro que tenía en el regazo, justo encima de mi bolsa bandolera, de manera que solo fue necesario un leve movimiento para deslizarlo dentro.

—Aquí está —dijo Soheila, saliendo del vestíbulo con un pequeño sobre azul—. Esta es la única copia que tengo, así que cuídala, por favor.

—Descuida —le aseguré, y metí el sobre en mi bolsa. Me puse de pie, ansiosa por irme antes de que Soheila se percatara del hueco que había quedado en su estantería—. Muchas gracias.

—Espero que te sirva —respondió—. La fuente pagó muy cara esta información. Úsala con prudencia.

13

Regresé a casa caminando deprisa, pensando que en cualquier momento un guardia de seguridad me detendría para exigirme la devolución del libro de la profesora Lilly. Cuando alcancé la salida del campus me sentí aliviada, pero me importunó ver que Diana Hart me llamaba desde la entrada de su casa. Estaba de pie junto a un Toyota JF Cruiser amarillo chillón, que debía de pertenecer a alguno de sus huéspedes. Aunque Diana condujera, dudaba que se hubiera comprado un coche tan llamativo.

—¿Tienes un momento, Callie? Justo le estaba hablando de ti a esta joven de la ciudad.

Todo lo que alcanzaba a ver de esa «joven de la ciudad» era un trasero bonito junto a la puerta trasera del vehículo. «Un pompis de yoga», habría dicho Annie apreciativamente. No cabía duda de que la mujer practicaba el yoga y hacía alarde de sus buenos resultados vistiendo unas mallas bien ceñidas, estampadas con el símbolo sánscrito de *namaste*. Cuando se volvió, observé que cada centímetro de su cuerpo estaba tonificado y forrado de licra y lana. Incluso su trenza larga y negra, que le colgaba por encima del hombro, parecía musculosa. El estar tan cerca de aquella mujer me hizo echar en falta mis sesiones de Javamukti a las seis de la mañana y mis tazas de té con leche de soja, y desde luego añoraba la ciudad. Solo llevaba tres meses en

Fairwick y ya me había convertido en una *wiccana* que hacía conjuros y vestía sudaderas anchas... Bueno, en realidad no llevaba sudaderas anchas, pero al lado de las mallas de esa mujer y después de todo el peso que había perdido últimamente, mis tejanos me iban bastante holgados.

—Hola —saludó la señorita Pompis de Yoga con un marcado acento australiano—. Diana me ha contado que tú escribiste ese libro de vampiros sexys. Me ha parecido totalmente fascinante. Trabajo como *freelance* para la sección de estilo de la revista *Times* y me gustaría que me concedieras una entrevista. Por cierto, me llamo Jen Davies. —Y me tendió la mano; no me sorprendió que apretase con la misma firmeza que se necesitaba para hacer los ejercicios del Moola Bandha.

Le dediqué una ancha sonrisa; de hecho, siempre me ablandaba cuando un desconocido me decía que había leído mi libro y le había gustado.

—Claro —contesté—. ¿Has venido a pasar las vacaciones en familia?

—No; toda mi familia vive en la otra punta del mundo. Solo he venido para hacer algunas fotos de la fauna y flora de la zona —explicó, a la vez que me mostraba una cámara con aspecto de cara y complicada.

—Jen quería dar un paseo por el bosque detrás de tu casa —intervino Diana en tono alegre, pero forzado.

Había algo en esa huésped que la ponía nerviosa, y creí saber qué era. Diana había dado por sentado que todos sus huéspedes tendrían planes para la cena de Acción de Gracias, así que debía de preocuparle dejar sola a Jen para venir a cenar a casa al día siguiente. Quizá pudiera echarle una mano. Mientras Diana le explicaba a Jen lo de mi caída en el bosque, conté mentalmente las personas que cabíamos en la mesa. Si nos apretábamos un poco...

—... podrías perderte ahí dentro. Díselo, Callie —pidió Diana con voz más estridente de lo normal.

—Sí, el bosque es muy frondoso y está lleno de maleza —dije con suavidad. La mujer llevaba unas botas Timberland de montaña y una brújula pequeña colgada de la cremallera de su chaleco de lana; parecía saber cuidar de sí misma—. Además, no puedes pasarte todo el día haciendo senderismo. ¿Por qué no vienes a celebrar Acción de Gracias con nosotros? Nada de familia, somos todos compañeros de trabajo y amigos.

Jen juntó las manos en posición de oración e inclinó la cabeza en estilo *namasté*.

—Eres muy amable —dijo con una sonrisa radiante—. Iré encantada.

Crucé la calle aprisa con la esperanza de que la noticia de una nueva invitada alarmase a Phoenix lo suficiente para que no se diese cuenta de que me escabullía escaleras arriba. Pero no había razón para preocuparse; Phoenix estaba fuera de combate en el sofá de la biblioteca y roncaba a pierna suelta. En la cocina encontré tres boles con tres clases de ponche. Metí una taza en uno y probé un sorbo. El líquido me abrasó la garganta, pero al llegar a mi estómago difundió un agradable calor. Me serví un poco más y me senté a la mesa de la cocina con el libro robado. Si el hechizo requería algo esotérico, como el ojo de un tritón, hasta ahí habría llegado mi aventura, y casi deseaba que así fuera. Había robado el libro impulsivamente y me había preocupado tanto que me pillaran que no me había parado a pensar qué iba a hacer con él. ¿De verdad estaba pensando en invocar a un demonio? Porque el título de aquel capítulo sugería que antes de desterrar a un demonio debías invocarlo.

Ojeé el capítulo y descubrí que en casa ya disponíamos de los ingredientes necesarios para el hechizo. Los reuní en una de las cestas decorativas que Phoenix había comprado en Pier 1 y, tras añadir un hervidor de agua eléctrico y un azucarero vacío, subí a mi habitación.

El libro de demonología aconsejaba invocar al demonio en el lugar «donde suela aparecerse». O sea, en mi habitación; mejor dicho, en mi cama, aunque no lo haría desde la cama. Además del riesgo de prender fuego a las sábanas, pensé que le enviaría el mensaje equivocado. El simple hecho de mirar la cama ya me recordaba las largas noches de sexo... cómo me besaba los pechos, cómo me observaba mientras me penetraba incansablemente...

«Será mejor que me mantenga alejada de la cama», pensé. No quería invocar al amante demonio para hacer el amor, y menos pretendía invitarlo a quedarse. Mientras disponía un círculo de velas en el suelo, dije en voz alta lo que quería hacer. «Las intenciones claras», solía decirnos la profesora de yoga al principio de las clases. Y aquella era una situación que exigía especialmente tener las intenciones claras.

—Lo invocaré para decirle que se marche y me deje en paz —afirmé, conectando el hervidor eléctrico a un enchufe—. Porque no lo quiero —añadí, trazando un círculo de sal por fuera del círculo de velas. Sentí una punzada de deseo en el pecho y que la marca en forma de espiral me ardía—. Vale, está bien, puede que sí que lo quiera, pero no quiero quererle.

Espolvoreé el cardamomo, el clavo y la canela en la azucarera y la dejé junto al hervidor de agua. Todavía necesitaba un objeto más. El libro de demonología decía que era necesario tener un regalo preparado para el demonio, algún objeto que significara algo para el invocante. Fui a mi escritorio y empecé a revolver los cajones... Sabía que lo había guardado en alguno de ellos... Cuando encontré lo que buscaba, me lo metí en el bolsillo junto con una caja de cerillas de Sapphire, el restaurante preferido de Paul en Los Ángeles.

¡Paul! Me había olvidado de su inminente visita. Él era la razón principal por la que debía seguir adelante con aquello, pues tenía el presentimiento de que Paul no estaría a salvo con el amante demonio rondando por la casa. En cuanto hubiera hecho desaparecer al íncubo, estaría preparada de nuevo para entregarme por completo a Paul. Al menos eso esperaba.

Eché un vistazo al reloj: las cuatro y veinte. Así pues, según la página web timeanddate.com, aún faltaban diez minutos para la puesta de sol. No obstante, en California todavía era la una y veinte. Paul tenía previsto coger el vuelo nocturno a Nueva York después de su última clase y venir desde allí en coche, de manera que todavía estaría en casa. Cogí el móvil y marqué su número.

—Hola —dijo—, justo estoy haciendo la maleta. He visto que en Binghamton están a unos diez grados. Es más o menos la misma temperatura que tenéis ahí, ¿verdad?

—Bueno, estamos a unos cinco grados menos —contesté. Fairwick estaba sumida en una extraña bolsa de frío que hacía que las temperaturas se mantuvieran unos diez grados por debajo de las normales del norte del estado que aparecían en los mapas del tiempo, pero no me atreví a decírselo.

—Buff, ¿seguro que no quieres venir tú aquí? Estamos a veintiocho grados y hace sol.

Sabía que bromeaba, pero por un momento consideré su oferta. ¿Estaba segura de que iba a poder hacer desaparecer al amante demonio después de invocarlo? Si no lo conseguía, ¿podría sentirse este amenazado por Paul? La idea de que la criatura que se había colado en mi cama pudiera ver a Paul como una amenaza se me antojaba todavía más ridícula que la posibilidad de que fuera real.

—Si hace mucho frío, podemos pasar todo el día en la cama y ya está —propuse con voz seductora.

—Claro —repuso Paul con frialdad—, mientras tu decana disfruta de la cena de Acción de Gracias en la planta de abajo, ¿verdad? Bueno, al menos la previsión meteorológica dice que estará despejado; no hay tormentas a la vista. Así que no debería haber retrasos en el vuelo.

—No —contesté, mirando por la ventana—. Ni una nube en el cielo.

La silueta de las montañas que había al este se veía recortada contra el horizonte azul. Ni un ápice de brisa agitaba los pinos ni las ramas desnudas de los arces y robles. De pronto anhelé la llegada de nubarrones oscuros y vientos racheados; lluvia, aguanieve o nieve, cualquier cosa que imposibilitara la visita de Paul. ¿Y si la primera parte del hechizo me salía bien, pero la de hacerlo desaparecer no funcionaba? Paul podría correr peligro en

Fairwick. Estaba a punto de pedirle que no viniera, pero él ya me estaba diciendo que tenía que irse a clase.

—Nos vemos mañana por la mañana. Te quie... —Se perdió la conexión antes de intercambiar los proverbiales *tequieros*. A pesar de que últimamente esas palabras me parecían banales, las eché en falta. Lo único que esperaba es que una vez que me hubiera deshecho del amante demonio para siempre, fuera capaz de decírselas a Paul sintiéndolas de verdad.

El agua ya hacía gorgoritos en el hervidor eléctrico. La vertí en el azucarero encima de las especias y le puse la tapa. A continuación, con el libro de demonología bajo el brazo y el bol caliente entre las manos, entré en el círculo y me senté con las piernas cruzadas en el centro. Coloqué el azucarero delante de mí y abrí el libro por el capítulo que explicaba cómo invocar y deshacerse de un íncubo. Vacilé unos instantes; estaba ansiosa por empezar, pero si la «fuente» de Soheila tenía alguna información útil acerca de esa criatura sería mejor que lo descubriera antes de proceder. De manera que abrí el sobre azul que me había dado Soheila. Contenía hojas azules del papel de carta aérea que se utilizaba mucho antes del advenimiento de faxes y e-mails. Mi madre tenía un montón de cartas así. «De los viejos tiempos», me había dicho cuando encontré el paquete de cartas atadas con una cinta. Por aquel entonces yo tenía once años, edad en que la mayoría de niñas remplaza los cuentos de hadas por romances de adolescente; pero yo, cautivada por las historias que mis padres me contaban por las noches, creí que mi madre se refería a los tiempos de los caballeros, dragones y princesas, no solo al verano de los años setenta, cuando mis padres se escribían después de haberse conocido en St. Andrew's. «Me cortejó por carta —me confió mi madre—. Como en las novelas románticas de antaño.» A veces me preguntaba si mi posterior pasión por las novelas románticas no derivaba de aquel comentario casual.

El crujido del papel al desdoblarlo hizo que me acordara de ella, pero el contenido de la carta enseguida acaparó toda mi atención.

«Queridísima Soheila», ponía en una letra inclinada a la derecha, como si el remitente tuviera prisa por llegar al final de cada línea.

Te escribo para contarte una última historia (¡tú siempre eres mi mejor oyente!): la de Ganconer. Vine a este país para encontrarlo, para seguirlo hasta sus raíces, por así decirlo. Pero ahora me temo que, en lugar de seguirle yo el rastro, ha sido él quien me ha perseguido todo el tiempo, desde mi infancia.

Cuando yo no era más que un niño de doce años, mi hermana Katy cayó víctima de una enfermedad que la consumía y que el médico del pueblo no sabía identificar ni detener. Katy, que siempre había sido una chica alegre y hermosa, empezó a palidecer y se quedó tan débil que no podía ni salir de su habitación. El médico diagnosticó tuberculosis, a pesar de que mi hermana no tenía fiebre ni tos, e instó a mi familia a que la llevarán a las montañas para tonificarse con aire puro. No obstante, cuando le mencionaron la idea a Katy, se puso histérica y nos gritó que si la sacábamos de su cama se moriría. Mi madre decidió que debíamos llevarla a las montañas pese a su negativa, pero mi padre, que siempre se ablandaba en lo concerniente a Katy, no tuvo arrestos para hacerlo. De manera que nos quedamos, y Katy siguió perdiendo peso y palideciendo.

Una noche oí que gritaba y corrí a su habitación. Cuando abrí la puerta pensé que estaba soñando. La luz de la luna entraba a raudales en el dormitorio de mi hermana, pero con la forma de un caballo blanco montado por un hombre sumido en la oscuridad. Me quedé plantado en el umbral sin poder pronunciar palabra mientras Katy se levantaba de la cama y se acercaba al jinete. Este le tendió la mano y fue entonces cuando vi que el hombre estaba hecho de sombras; no era más sólido que las sombras de las ramas que se proyectaban en el suelo. De todos modos mi hermana le cogió la mano y él la subió al caballo de luz de luna. Ella rodeó al hombre oscuro con los brazos y apoyó la cabeza en su espalda de sombra. El rostro de Katy resplandecía a la luz de la luna y vi que sonreía, pero también reparé en que estaba cayendo a la oscuridad, como si las sombras la estuvieran engullendo. Intenté chillar, pero no lo conseguí. Fue como si una mano, una mano de sombra, me presionase la garganta. Entonces una oleada de frío me recorrió el cuerpo. Estaba aterrorizado, pero si no gritaba perdería a mi hermana para siempre. Todavía hoy sigo sin saber cómo lo hice, pero de alguna manera reuní las fuerzas para gritar «¡Déjala en paz!».

El hombre oscuro me miró, pero ya no estaba hecho de sombras, estaba ganando cuerpo, una carne blanca y pálida como si la luna estuviera llenando un molde. Pero sus ojos... ¡Qué ojos espantosos! Todavía eran pozos de oscuridad, y cuando los miré me invadió una tristeza desmedida, una tristeza que me hizo caer de rodillas y me arrastró a la oscuridad.

A la mañana siguiente me desperté en el suelo frío con el sonido de los gritos de mi madre. Sujetaba entre sus brazos el cuerpo sin vida de mi hermana, que estaba tumbada en el suelo a mi lado. «¿Qué ha pasado?», preguntó cuando vio que estaba despierto. Le expliqué todo lo que había visto, sin dudar de que pudiera no creerme, y cuando acabé vi que efectivamente me creía. «¿Quién era ese hombre?», quise saber. Y ella me contestó: «Era Ganconer, el Galanteador, un hombre que les roba la vida a las mujeres. Dicen que antiguamente era un humano como tú y como yo, pero un día se perdió en el bosque y se quedó dormido. La Reina Hada apareció con sus Jinetes y lo encontró. Era tan hermoso que ella deseó tenerlo. Se lo llevó consigo al Reino de las Hadas y allá es donde vive desde entonces, aunque después de tantos siglos ya es más sobrenatural que humano, una criatura de las sombras y la luz de la luna. La pequeña chispa de humanidad que todavía le queda anhela volver a ser humano, pero solo podrá conseguirlo si una chica humana se enamora de él. De manera que se dedica a seducir a muchachas con la esperanza de que alguna le quiera, pero si fracasa la chica muere.»

«Pero nuestra Katy le quería —repuse—. Vi que él se empezaba a convertir en humano, de carne y hueso; todo excepto sus ojos. Y entonces él me vio...»

«Seguramente te hubiera matado si Katy no lo hubiera detenido. Ahí es donde su amor por él perdió fuerza. Ella debió de liberarse de él para salvarte.»

«Entonces ha muerto por mi culpa», dije.

Mi madre, qué Dios la bendiga, parecía tan afligida como cuando lloraba la muerte de su hija. Intentó convencerme para que me quitara esa idea de la cabeza y con el paso del tiempo dejé que pensara que lo había conseguido.

Pero siempre he sabido que no era así.

Ese demonio (hace tiempo que comprendí que las criaturas que llamamos hadas en nuestro país son indistinguibles de los demonios del tuyo) la había matado, pero yo también tenía una parte de culpa en su muerte. Y por esa razón decidí que la misión de mi vida sería encontrarlo y enviarlo al Infierno, o al Reino de las Hadas o cualquiera que sea la fosa oscura de donde vino. (Sí, ya sé que según la leyenda que me explicó mi madre él antes había sido humano, pero ¿es eso razón para perdonarlo? Todo lo contrario; creo que es una razón de más para condenarlo.) Todos mis estudios, las licenciaturas en las universidades de Edimburgo, Oxford y Cambridge, las matrículas de honor, los artículos y las publicaciones, incluso la fundación de la Real Orden de Folcloristas, todo ha sido con este objetivo. Y ahora, por fin, creo que he dado con el hechizo para acabar con él.

Sé que si te hubiera explicado mis planes hubieses intentado detenerme, pero no tengo otra opción: debo enfrentarme a él. Desde que vi la negrura que había tras sus ojos, una parte de mí ha estado sumida en esa oscuridad. Y he notado que a lo largo de las últimas semanas me he ido debilitando. Creo que de alguna manera me está consumiendo, del mismo modo que hizo con Katy. A menos que me enfrente a él, nunca me sentiré entero de nuevo.

Antes de embarcarme en este viaje definitivo te envío el manuscrito de mi último libro para que hagas con él lo que consideres oportuno. No hay nadie en quien confíe más, *azizam*. Quiero que sepas que entré en la oscuridad con tu rostro siempre presente y que si no regreso no será por falta de ganas de amarte.

Dooset daram,

Angus Fraser
29 de agosto de 1911

La fecha y la firma me sorprendieron. Creía que la carta iba dirigida a Soheila, pues creía recordar que había hablado del escritor como un querido amigo suyo. Pero Angus Fraser había impartido clases en Fairwick cien años atrás. Quizás había enviado la carta a la madre de Soheila, o incluso a su abuela. Abrí el libro que tenía en el regazo por la primera página y hallé su nombre debajo del título: Angus Fraser, doctor en Letras por Oxon, doctor en Folclore por la Universidad de Edimburgo, doctor en Arqueología por Cambridge, 1912.

Ese debía de ser el libro que le había enviado a Soheila para que lo publicara. ¿Habría regresado? Por lo que Soheila me había dicho no parecía que lo hubiera conseguido. Y si había muerto utilizando este hechizo para enfrentarse al demonio que había matado a su hermana, ¿era buena idea que yo también lo utilizara para invocar al mismo demonio?

Suponiendo que fuera el mismo.

Me quedé sentada con el libro abierto en el regazo y el azucarero lleno de agua caliente delante de mí. No tardaría mucho en enfriarse y entonces sería demasiado tarde para utilizarla. Las instrucciones indicaban que una vez que la hechicera hubiera entrado en el círculo no debía volver a salir de él. De manera que si pensaba hacerlo...

Lo que me hizo decidirme en última instancia fueron dos frases de la carta de Angus:«Desde el momento en que vi la negrura que había tras sus ojos, una parte de mí ha estado sumida en esa oscuridad... A menos que me enfrente a él nunca me sentiré entero de nuevo.»

Cuando leí esas líneas la marca en espiral me había ardido en el pecho.

Sabía que a mí me estaba sucediendo lo mismo.

14

Encendí las velas al tiempo que recitaba los nombres que aparecían en el libro de Fraser. Eran los mismos que Soheila me había dicho en la recepción de profesores.

—Lilu, Liderc, Ganconer, escúchame. Lilu, Liderc, Ganconer, te llamo. Lilu, Liderc, Ganconer, ven a mí.

Cuando hube encendido todas las velas destapé el azucarero y se formó una columna de vapor aromático. Olía a tarta de calabaza, reconfortante e incongruente al mismo tiempo.

Saqué del bolsillo el objeto que había cogido de un cajón de mi escritorio: la ofrenda. Era la piedra que mi padre me había regalado cuando yo tenía seis o siete años para protegerme de las pesadillas. Me dijo que se la había encontrado en la orilla de un lago en Escocia, un lago parecido al del monstruo del Ness. Era blanco pálido y tenía un agujero en el centro. Mi padre me explicó que la gente decía que ese tipo de piedras eran mágicas, porque si mirabas a través del agujero al amanecer podías ver hadas, y porque protegían a sus dueños de las pesadillas. Dormí con esa piedra debajo de la almohada hasta la adolescencia, cuando murieron mis padres. Y cuando cumplí los quince le pedí a Annie que me acompañara a Central Park al amanecer; la convencí utilizando mi «rol de niña huérfana», tal como dijo. Fumamos hierba y nos sentamos en las rocas, con vistas al prado Sheep Meadow, y esperamos a que el sol apareciese entre los edificios. Cuando los primeros rayos iluminaron el prado sostuve la piedra delante de mi ojo. No vi ningún hada, pero sí que oí un zumbido, como si un enjambre de abejas revolotease a mi alrededor. Lo achaqué a la marihuana y la falta de sueño, y desde aquel día dejé de dormir con la piedra bajo la almohada, pero la guardé en la misma caja en que atesoraba las cartas de mi madre.

Sumergí la piedra en el agua caliente, a la vez que recitaba los tres nombres:

—Lilu, Liderc, Ganconer, acepta mi ofrenda.

La columna de vapor tembló y se estrechó, como si se hubiera canalizado a través del agujero de la piedra. Y el vapor enseguida se alzó en espiral y comenzó a mecerse con la brisa...

Pero antes no había ninguna brisa, ¿no? Al menos mientras hablaba con Paul por teléfono seguro que no. No obstante, en ese momento una brisa fuerte se colaba por la ventana abierta de la habitación. Las llamas de las velas danzaron y las mechas empezaron a hundirse en las piscinas de cera derretida. Fuera, los árboles se bamboleaban con el viento. El vapor se arremolinó en el aire, enrollándose como la cola de una cometa. Lo observé anonadada hasta que comprendí que aquel vapor ya no salía del azucarero; se había separado de su fuente y había cobrado vida propia.

Una ráfaga apagó las velas.

«Ha sido por el viento y las moléculas de agua», me dije.

Pero esas moléculas empezaron a brillar como plancton fosforescente, como si también tuvieran vida propia.

Respiré hondo. El vapor se arremolinó hacia mí, como si procediera de mi aliento, y adoptó la forma de un rostro. Su rostro.

Abrí la boca sorprendida y bloqueada. No me había parado a pensar en qué le diría si aparecía. Lo único que se me ocurría era: «¿Quién eres?», pero eso no había funcionado muy bien la última vez. Antes de que pudiera pensar otra cosa, se me adelantó.

—¿Quién eres tú? —preguntó, como si improvisara una réplica a mi pregunta.

Resoplé y el aire que expulsé lo empujó hacia atrás.

—Me llamo Cailleach McFay —contesté.

—Cailleach. —El nombre fue un suspiro en el viento que me acarició la cara. Me gustó oír mi nombre en sus labios—. Te conozco —susurró la brisa, tirando de mi blusa—. ¿No te acuerdas?

—¿Eres tú? ¿Me visitabas en sueños cuando era niña?

—Sí —respondió con voz ronca—, aunque tú y yo nos conocemos desde mucho antes.

La brisa se insinuó entre mis pechos y siguió la línea de la espiral que tenía en el izquierdo. Sentí un hormigueo y el pezón se me endureció; la marca se encendió como si estuviera recién hecha. ¿Habría sido mi príncipe azul capaz de hacer algo así?

—No sabes nada de mí —dije, e intenté dispersar la brisa sacudiendo los brazos—. Y yo ni siquiera sé tu nombre.

En sus labios se formó una sonrisa un tanto forzada, como si no estuviera acostumbrado a mover esos músculos. ¿Acaso tenía músculos? Su imagen difería de la de sus otras visitas. Me dio la sensación de que era una proyección remota.

—Tengo muchos nombres —repuso. Entonces me percaté de que la voz no salía de su boca, sino que la traía el viento. Entraba y salía por la ventana y se enroscaba a mi alrededor como un fular de seda. Fuera los árboles se retorcían—. Todos aquellos por los que me has llamado y muchos más, pero puedes llamarme Ganconer.

—¿Eres el mismo... el mismo hombre que aparece en la historia de Angus Fraser?

Frunció el ceño y el viento que entraba por la ventana se volvió frío de repente. Se me puso piel de gallina.

—No te creas todo lo que dice ese hombre.

—¿Sedujiste a su hermana? ¿La mataste?

—Katy... —El nombre fue un suspiro arrancado del viento—. La perdí. Fue por culpa de su hermano.

—Lo dudo —repuse, empezando a ponerme nerviosa con aquel fantasma. Despierta y con los ojos bien abiertos no me parecía tan encantador como en mis sueños. Aunque fuera la misma criatura de mi adolescencia, había cambiado... O quizá la que había cambiado era yo. Me había hecho mayor—. Escúchame —dije—. Te he llamado para pedirte que te vayas...

El vapor se agitó y el viento rugió. Tardé unos segundos en darme cuenta de que se estaba riendo.

—No me lo creo, Cailleach McFay. Creo que me has llamado porque quieres más de mí. —El vapor se extendió y me rodeó. La habitación se había enfriado mucho, pero el vapor que me rozaba la cara estaba caliente. Ese calor se filtró a través de mí y se expandió por mis venas como un licor caliente. Giró en espiral hasta mi pelvis y alcanzó mi entrepierna.

Sacudí la cabeza.

—No —dije—. Eres un fantasma, un íncubo. Me succionarás la vida hasta matarme...

—Si me quieres, eso no sucederá —susurró, su voz era como una ola caliente que me lamía la oreja y me excitaba.

—Eso es mucho suponer. Según mi experiencia, el amor viene y se va. Así que no me jugaría la vida por ello. —Me vinieron a la mente imágenes de mis padres: de mi madre acariciando las cartas de amor que mi padre le había enviado y mi padre mirándola con cariño; pero las aparté.

La espiral de vapor que me envolvía se detuvo y noté que él vacilaba. Cuando habló de nuevo, su voz sonaba diferente, menos sedosa y más real. Y en aquel momento comprendí que había estado jugando conmigo.

—¿Así han sido tus experiencias? —preguntó—. Pobrecilla... —Y recuperando la voz sedosa, añadió—: Quizá te sientas así con tu amante humano porque me has estado esperando. No lo dudes. Tu experiencia conmigo será totalmente diferente.

Quizá fuese mi lealtad hacia Paul (todavía le quería, ¿no?) o quizás el desdén que noté en su voz cuando pronunció la palabra «humano», o quizá solo fue la chulería con que afirmaba saber lo que yo quería, pero de pronto me sentí desencantada con aquella criatura.

—Tienes mucho que aprender sobre las mujeres, tío. El amor es mucho más que un buen polvo —dije, tensando los músculos para no pensar en lo mucho que me satisfacía en la cama—. Puede que haga tanto tiempo que no eres humano que ya no sabes ni lo que significa serlo.

Levanté los brazos y golpeé el aire; la serpentina de vapor se rompió en mil pedazos. Entonces, antes de que tuviera tiempo de reagruparse y susurrarme palabras de amor, le puse la tapa al azucarero y recité tres frases del libro de Angus Fraser que había memorizado:

—¡Márchate, íncubo! ¡Te echo de aquí, demonio! ¡Te envío a la oscuridad, Ganconer!

Durante la extraña pausa que siguió, el vapor dispersado intentó rejuntarse para formar un rostro. Fuera el viento había dejado de soplar, como si esperara indicaciones de su señor. No podía permitir que volviera a tomar forma ni que me hablase. Sabía lo que tenía que hacer. No lo había leído en el libro de Angus Fraser, pero ya me había funcionado una vez en un bar de la ciudad con un vendedor pesado y asqueroso. Cogí el azucarero y, justo cuando su rostro se estaba recomponiendo en el aire, le arrojé el agua caliente. Durante una fracción de segundo el rostro del íncubo tuvo la misma expresión que aquel vendedor cuando le tiré el mojito a la cara, y al punto desapareció. El vapor fue absorbido por la ventana en una ráfaga tan fuerte que me derribó de espaldas. Golpeé una de las velas con la mano y la cera caliente se me derramó en los nudillos. Me puse de rodillas y me arrastré por la cera y la sal hasta la ventana con la intención de cerrarla, pero cuando llegué al alféizar y me levanté, lo que vi me dejó helada.

Los árboles, que unos segundos antes se bamboleaban, estaban inmóviles, pero no erguidos sino inclinados hacia el este, como si una fuerza magnética irresistible tirara de sus ramas en dirección opuesta a la casa. Lo único que se movía en el exterior eran los animales que corrían por el jardín: mapaches, ardillas e incluso ciervos... Todos huían del bosque como si este estuviera en llamas. Sentí un cosquilleo en el cuero cabelludo, bajé la vista y observé que todos los pelos se me levantaban en la misma dirección. Fuera reinaba una calma extrema, como si el mundo estuviera conteniendo la respiración...

Aquello me recordó una declaración de un superviviente del tsunami que azotó Indonesia varios años atrás: había dicho que unos instantes antes de que se produjera el maremoto, toda el agua de la playa se había retirado mar adentro.

Lo oí antes de verlo; un ruido como si un tren de mercancías se abalanzara contra la casa. Y entonces lo vi: un especie de tornado estaba arrasando el bosque, tumbando los robles centenarios como si fueran palillos. Me agaché un segundo antes de que alcanzara la casa y de que los cristales se hicieran añicos sobre mí. Me pegué al suelo y me cubrí la cabeza con las manos. Entonces algo me golpeó; por el olor supe que había sido una vela. Aquello me sacó de quicio y, apoyándome en los codos, grité al viento:

—Si así es como reaccionas cuando una chica te rechaza, me alegro de haberlo hecho. Sería imposible que me enamorase de ti.

Un trueno sacudió la casa, seguido de un relámpago que iluminó la habitación. Debía salir de allí, así que me incorporé con cuidado y fui de puntillas hacia la puerta, aplastando cristales y sal. Temí no poder abrir la puerta, pero en cuanto toqué el pomo de hierro esta se abrió.

—Gracias, Brock —susurré.

En cuanto salí, la puerta se cerró de golpe y oí otro estruendo, este procedente de la planta baja. «Mierda», pensé. Me había olvidado de Phoenix.

Bajé y me la encontré tiesa en el sofá, con los ojos como platos y muerta de miedo. Tenía el pelo de punta, como si llevara una peluca de Andy Warhol, pero por lo demás parecía estar bien. Además, todas las ventanas de esa planta estaban cerradas y habían soportado milagrosamente el viento. Los golpes que se oía venían de la puerta principal.

—Deberíamos abrir, ¿no?

¿Podía una criatura inanimada llamar a la puerta? Quizás, pero mi íncubo no era tan educado.

Fui hasta la puerta. «Ojalá hubiera una mirilla», pensé. Podría haber preguntado quién era, pero dudaba que los azotes del viento y la lluvia que estaba cayendo me dejaran oír la respuesta. Abrí.

Había tres personas en el porche, tan envueltas en abrigos de lana, anoraks y pieles que al principio no las reconocí. Podrían haber sido los tres Reyes Magos, o las tres brujas de Macbeth. Pero cuando la que estaba en medio se apartó el cuello del abrigo de piel y habló, reconocí a mi jefa, Elizabeth Book.

—Hola, Callie. ¿Podemos entrar, cielo?

Distinguí entonces a Diana Hart, tapada hasta la nariz con un anorak rojo chillón, y a Soheila Lilly, envuelta en una capa de lana de colores burdeos.

—Quizá es un poco pronto para la cena de Acción de Gracias —dije.

—No estamos aquí por la cena, cielo —respondió la decana con un suspiro—. Estamos aquí para una intervención.

15

—¿Es por Phoenix? —pregunté en voz baja—. Ha estado bebiendo mucho últimamente.

—No, cielo —contestó la decana, suspirando de nuevo—. Hemos venido por ti. ¿Podemos entrar, por favor? Hace bastante frío con este tiempo que has levantado.

—Y todavía hará más a medida que avance la noche —añadió Diana Hart, sacudiéndose el agua del abrigo antes de entrar—. Espero que no hiele; ya perdimos muchos árboles con la última helada.

Las tres mujeres entraron en el recibidor, y tuve que hacer uso de todas mis fuerzas para conseguir cerrar la puerta.

—¿Cómo habéis sabido que...?

—He visto que cogías el libro de demonología de mi despacho —explicó Soheila—. Y cuando el viento se ha levantado estaba en casa de Liz explicándoselo.

—Yo he visto los animales que huían del bosque y después he oído el temporal —dijo Diana, entregándome su abrigo mojado—. He llamado a Liz y le he confirmado que procedía de la Casa Madreselva.

—Nos hemos imaginado que estarías probando el hechizo de Angus para deshacerte del íncubo —añadió Liz, pasándome también su pesada capa.

—Te podría haber explicado que el hechizo tiene sus inconvenientes —dijo Soheila—. Y que nunca debe utilizarlo la persona que está poseída por el íncubo.

—Yo no estoy poseída —repuse enfurruñada. Pretendía mostrarme indignada, pero cargada con los tres abrigos (solo el de Elizabeth Book ya pesaba lo suyo), mi voz sonó como la de una criada dolida. O, por las miradas de lástima que intercambiaron las mujeres, como la de una drogadicta que se niega a aceptar su problema.

—Nadie se da cuenta de que está poseído, cariño —dijo Diana, acariciándome el brazo—. Y ahora, ¿por qué no guardas esos abrigos y nos sentamos a charlar con un té caliente? He traído donuts caseros. —Y sacó una bolsa de papel de su bolso acolchado.

«Por supuesto», pensé de mala gana mientras colgaba los pesados abrigos en el armario del recibidor; el de Elizabeth Book no dejaba de resbalarse de la percha, como si no quisiera quedarse allí. Dónuts y cafeína, alimentos básicos en todos los programas de desintoxicación. Hablando de rehabilitación... ¿dónde estaba Phoenix? La había dejado en la biblioteca cuando fui a abrir la puerta; ¿se habría desmayado?

No obstante, cuando entré en la cocina me la encontré abriendo los armarios.

—Tenemos un hervidor eléctrico —decía—, pero no sé adónde ha ido a parar. Y tampoco encuentro el azucarero...

—Es que... Los he cogido yo, Phoenix. Están en mi habitación.

—Vale, pues voy a buscarlos.

—No te preocupes, podemos calentar el agua al fuego —intervino Diana—. Creo que será mejor que nos quedemos aquí abajo, ¿verdad, Callie? Imagino que ahora mismo tu habitación está un poco... desordenada, ¿no?

Asentí, me senté a la mesa de la cocina y me percaté de que Diana y Elizabeth intercambiaban una mirada de preocupación por detrás de Phoenix.

—Podríamos utilizar el hechizo del sueño para intentar que se duerma —dijo Elizabeth Book.

—No es recomendable para personas bipolares —repuso Soheila, mirando a Phoenix—. Y todavía menos si ha tomado Depakote.

—¿Quién es bipolar? —preguntó Phoenix, sacando la cabeza del armario de las tazas. Me sorprendió que esa fuera la palabra que le llamara la atención y no «hechizo».

—Tú, cielo —contestó Diana, frotándole la espalda—. Y eso significa que no reaccionas bien a la magia, pero me temo que hoy vas a tener que presenciarla. Después te daré una infusión para los nervios.

—¿Qué sois vosotras? —inquirí, cansada de que me ignorasen en mi propia cocina—. ¿Brujas?

Diana rio.

—Bueno, Liz sí, por supuesto. Es una de las brujas más poderosas que puedas encontrarte. —Diana sonrió con cariño a la decana y me pregunté por qué había tardado tanto tiempo en darme cuenta de que eran pareja. Por lo visto, mi radar gay funcionaba tan mal como el de brujas—. Yo no soy más que un hada común y corriente.

—Cariño, no hay nada de común y corriente en ti —comentó Elizabeth, acariciándole un hombro—. Diana desciende del antiguo linaje de las Fiadh, cuidadoras del ciervo de la Reina de las Hadas desde tiempos inmemoriales.

—Ah, ya veo —dije, sorprendida por lo poco que me sorprendía—. ¿Y qué me dices de ti, Soheila? ¿Hada o bruja?

—Ni una ni otra —respondió muy sonriente—. Yo soy un demonio. —Al ver la expresión de mi rostro se le escapó una carcajada—. Mejor dicho, un *daemon*, que es la palabra políticamente correcta y la que mi tribu prefiere utilizar actualmente.

—Soheila, no deberías avergonzarte de tus orígenes. Verás, Callie, Soheila es descendiente de un increíble espíritu del viento de Mesopotamia...

—Liz, de verdad que no creo que sea necesario entrar en esos detalles ahora mismo —la interrumpió Soheila—. Lo importante es que Callie sepa que la mayoría de nosotras no somos más peligrosas que las hadas, aunque eso no signifique mucho.

Cuando tengamos más tiempo ya hablaremos de los diversos géneros y especies. Me temo que lo único que has conseguido con el hechizo es cabrear a tu íncubo, así que tenemos que poner manos a la obra lo antes posible.

Esa noche me deparaba muchas sorpresas, pero lo primero que me desconcertó fue la naturalidad con que Phoenix se tomó el descubrimiento de que ambas habíamos caído en una universidad poblada de hadas, brujas y demonios.

—Siempre he sabido que tenía un poco de sangre de hada —alardeó Phoenix cuando estuvimos sentadas a la mesa de cocina con el té y los dónuts. Fuera el viento no dejaba de aullar.

—Siento decepcionarte, cielo —dijo Diana, dándole una palmadita en la mano—, pero estoy segura de que no tienes ni una gota. Sin embargo, Callie... Lo sospeché desde el primer día, aunque no tuve la certeza hasta que rescató aquel pajarillo del matorral...

—Bueno, pues entonces podría ser bruja, ¿no? Siempre me ha gustado la brujería. ¿Podréis entrenarme?

—No sería buena idea, dado tu perfil de salud mental —repuso Soheila con brusquedad. Era obvio que era la más impaciente por desterrar al íncubo. Quizá solo un demonio sabía lo que otro de su especie era capaz de hacer, pero yo tenía un montón de preguntas que hacerles.

—¿Y todos los profesores de la universidad son hadas, brujas u otras criaturas sobrenaturales? —Todavía me sentía un poco incómoda calificando a Soheila de demonio.

—No, ¡en absoluto! —exclamó Elizabeth—. ¿Te imaginas los problemas que podríamos tener con la ALM? Pero sí procuramos contratar gente que pueda tener ascendencia sobrenatural o talentos nigrománticos ocultos. Aunque no siempre podemos saberlo de inmediato, en especial con los que desconocen que sus antepasados eran brujas u otras criaturas sobrenaturales. Como tú, por ejemplo. Dado tu interés en los cuentos de hadas y el folclore, sospeché que podía haber algo ahí, pero no detecté ningún poder brujeril en ti... —Hizo una pausa; parecía preocupada—. Pero cuando Diana me explicó que habías liberado a un pájaro del matorral comprendimos que tenías antepasados sobrenaturales de un género de hadas en concreto, uno que es capaz de abrir y cerrar la puerta que conduce al Mundo de las Hadas. Una guardiana.

—En ese bosque hay una puerta que conduce al Reino de las Hadas —explicó Diana, mirando hacia la parte trasera de la casa—. Después de que todas las criaturas abandonaran este mundo para partir hacia el Reino de las Hadas algunas lograron volver a entrar por esa puerta.

—Había otra puerta más al este, en el río Hudson, pero se cerró hace unos cien años. —A la decana Brook le temblaba la voz y Diana le dio unas palmaditas en la mano.

—Por lo que sabemos —añadió Soheila—, esta es la última puerta que queda.

—Los humanos que vivían aquí cuando llegamos —continuó Diana—, los indios americanos, estuvieron encantados de compartir sus tierras con nosotros. Los primeros colonos que se instalaron en la zona eran brujas exiliadas de Salem y de otras colonias inhóspitas para la religión antigua.

—Verás —intervino Elizabeth, relevando a Diana—. Las brujas del Viejo Mundo veneraban a los dioses antiguos: el Dios Astado...

—Cernunnos —susurró Diana.

—Mitra —murmuró Soheila.

—Y la Diosa Triple —continuó Elizabeth.

—Morrigan —dijo Diana.

—Anahita —añadió Soheila.

—Así que el pueblo se formó a partir de esos dos grupos —continuó la decana Book—, y lo bautizaron con el nombre de Fair-Wick para celebrar la unión de las hadas (*fairy* en inglés) y las brujas (*witches*).

—Las brujas ayudaron mucho a las hadas que llegaron a través de esa puerta —explicó Diana—. Los recién llegados suelen estar débiles y confundidos.

—Y las hadas enseñaron a las brujas muchos secretos de su oficio —añadió Elizabeth—, tal como habían hecho en el Viejo Mundo, pues las primeras brujas fueron humanos que convivieron con las hadas y aprendieron a usar los poderes de la naturaleza con su ayuda...

—Pero más tarde —la interrumpió Diana—, durante la Edad Media las brujas del Viejo Mundo fueron perseguidas por venerar a los dioses antiguos. Y algunas renunciaron a su relación con las hadas...

—Pero otras decidieron venir aquí y recuperar esa relación —continuó Elizabeth—. Y fue entonces cuando se decidió que debían fundar una universidad para conservar todo el conocimiento adquirido. Pero a medida que llegaba más gente, llegaron a la conclusión de que también era importante salvaguardar la puerta...

—Porque no todos los seres que atraviesan esa puerta son inofensivos, ¿sabes? —explicó Soheila—. Como, por ejemplo, el íncubo que has conocido. Vino hace más de un siglo y se aferró a Dahlia LaMotte. Yo misma intenté ahuyentarlo...

—¿Hace más de un siglo? —pregunté—. Así que eres...

—Más mayor de lo que aparento. Bastante más. Pero ni siquiera yo conseguí que esa criatura regresara al Reino de las Hadas; es un demonio muy fuerte. Al final fue Angus Fraser quien logró conducirlo hasta el matorral, a las Tierras Fronterizas, pero no consiguió que atravesara la puerta de regreso al Reino de las Hadas. Murió en el intento. —Hizo una pausa y apartó la mirada. La decana Book apoyó la mano en la de Soheila. Tras unos instantes, esta respiró hondo y continuó—: Cuando el íncubo quedó desterrado en las Tierras Fronterizas, le pedimos a Brock... —Vio que estaba a punto de interrumpirla y añadió—: Sí, Brock es uno de los *daevas* de la mitología nórdica, los herreros de los dioses. Él y su hermano viven aquí desde hace más de cien años. Como te iba diciendo, le pedimos a Brock que colocase cerraduras de hierro en todas las puertas y ventanas para mantener al íncubo alejado. Pero aún así, creemos que Dahlia le permitía entrar de vez en cuando.

—Pero ella vivió muchos años —dije—. Pensaba que los íncubos consumían a sus víctimas hasta matarlas.

Soheila y Elizabeth Book se miraron preocupadas, y a continuación la decana le indicó a Soheila que respondiera.

—Por lo visto, este íncubo sabe cómo mantener a sus víctimas con vida durante mucho tiempo. Si lo que se cuenta de él es cierto, en el pasado fue humano y ahora cree que recuperará su mortalidad cuando una mujer humana se enamore de él. Creemos que Dahlia halló el modo de coexistir con él. Este alimentaba su creatividad, pero cuando ella se debilitaba demasiado lo enviaba a las Tierras Fronterizas una temporada.

—Suena un poco cruel —comenté; quizá el modo en que Dahlia lo había tratado era el responsable del carácter resentido de mi amante demonio.

Soheila chasqueó la lengua.

—¿En serio crees que él es así porque lo han tratado mal? Has leído la carta de Angus. Este demonio mató a su hermana. No lo subestimes, por favor. Y no intentes excusarlo. Y Dahlia vivió muchos años, sí, pero no tenía energía para nada aparte de sus libros. No fue capaz ni de mantener una relación normal, aunque me consta que Brock la quería mucho.

Le iba a preguntar qué clase de relación normal podría haber mantenido con una antigua divinidad nórdica, pero Phoenix tomó la palabra. Había estado siguiendo la conversación con los ojos como platos, bebiendo con ansia de su taza (que por el olor que desprendía, sospechaba que llevaba whisky).

—Últimamente me he sentido muy cansada. Quizás el íncubo me está consumiendo —dijo.

—No lo creo —repuso Diana, sirviéndole más té—. Has estado durmiendo en la cama de hierro fundido de Matilda y el hierro lo mantiene alejado.

—Ah. —Phoenix pareció decepcionada—. Bueno, muchas veces duermo en el sofá.

—¡Es a Callie a quien quiere! —exclamó Elizabeth Book, enfatizando su sentencia con un golpecito en la mesa. El sonido fue seguido por el viento que aporreaba los postigos—. Pero no podemos dejar que te consiga. Eres demasiado importante para nosotros. Ya sé que tienes muchas preguntas más, pero deberíamos dejarlas para más tarde, una vez hayamos echado al demonio de tu casa.

—¿Podéis hacerlo? —pregunté.

—Sí, las tres juntas podemos, siempre que de verdad quieras que se vaya. ¿Estás segura de que no albergas ningún afecto escondido por esa criatura?

Consideré la pregunta. No cabía duda de que me había encaprichado de él. «Estás loca por él —me dijo una voz en la cabeza—, eres su esclava sexual.» Además, había sentido lástima por él al enterarme de que tiempo atrás había sido humano. Cuando pensaba en la dulce criatura que se me había aparecido en sueños tras la muerte de mis padres, sentía una punzada de lealtad. Pero no me gustaba la actitud prepotente que había mostrado en mi habitación; había sido arrogante e imperioso. ¿Y cómo se había atrevido a decirme que no amaba a Paul porque le había estado esperando a él? De ninguna manera iba a enamorarme de un engreído así.

—Totalmente... —contesté—. Así que enseñémosle dónde está la puerta.

Cuando hubimos reunido los elementos necesarios (sal, especias, una cazuela azul de hierro con una tapa pesada, velas nuevas, una escoba y un recogedor) nos dirigimos escaleras arriba. La decana Book y yo íbamos delante, seguidas por las demás.

—¿Crees que es buena idea que Phoenix esté presente? —pregunté en voz baja, a pesar de que el viento aullaba tanto que dudaba que pudiera oírme aunque chillara.

—No tenemos opción —respondió—. Estará más a salvo dentro del círculo que fuera de él.

Sentí un escalofrío, pero quise creer que esas mujeres sabían lo que hacían y que estaba más segura con ellas que sola. En cuanto puse la mano en el pomo de la puerta, Diana gritó: «¡Espera!». Y, por un momento, deseé que quisiera suspender la operación. Diana se había quedado plantada delante de la puerta cerrada de la habitación donde guardaba los cuadernos y notas de Dahlia LaMotte.

—Necesitamos un poco de hierro para que el círculo sea seguro —dijo—. Siento que aquí dentro hay hierro, pero yo no puedo cogerlo. Y Soheila tampoco. —Se volvió hacia Phoenix—. ¿Te importa?

Phoenix abrió la puerta y exclamó:

—Anda, mirad, ¡es como si nos estuvieran esperando!

Retrocedí y me asomé a la habitación. Los cinco ratones de hierro, que yo misma había dejado encima de las pilas de papeles, estaban colocados en línea como a la espera de que los cogiéramos.

—Perfecto —aprobó Diana—. Phoenix, ¿puedes...?

Phoenix ya se había agachado para coger los topes, pero como no creí que pudiera llevar más de tres, recogí los otros dos, uno de ellos el de la mancha de pintura y la cola rota.

—Mi pequeño soldado herido —dije—. Te llaman de nuevo a combate.

Diana me miró sorprendida y le susurró algo a Elizabeth.

—Quizás —contestó la decana, mirándome con curiosidad.

—¿Qué pasa? —quise saber.

—Tienes sangre de hada, de manera que lo normal sería que no tolerases el hierro, pero no parece que te moleste lo más mínimo —explicó Diana.

—Tu cuerpo ha hallado el modo de neutralizar su poder... —añadió la decana—. Y quizá por eso el hierro no ha ahuyentado al íncubo.

—Qué fascinante —comentó Soheila—. Casper querrá escribir un artículo al respecto.

—Bueno, pues ya se lo contaremos mañana —repuso Elizabeth con una sonrisa compungida—. Si es que todavía seguimos aquí...

Pensé que la decana exageraba hasta que abrí la puerta de mi habitación. Iluminada por la luz del pasillo (todas las bombillas de mi dormitorio estaban hechas añicos), parecía que un animal salvaje hubiera arrasado la habitación. El suelo estaba cubierto de sal, cera fundida y cristales rotos. Algo había arrancado las sábanas de la cama y destrozado el colchón. Y en el cabezal de madera había cinco tajos que parecían la marca de la garra de alguna bestia.

—Vaya, lo has hecho enfadar —comentó Soheila, examinando la marca. Me pareció detectar un atisbo de admiración en su voz—. ¿Qué le has dicho?

Intenté recordar nuestro breve diálogo, pero como en la mayoría de discusiones de pareja resultaba difícil. De algún modo había pasado de preguntarle su nombre a cabrearme con él en cuestión de minutos. Ah, sí, ahora lo recordaba.

—Le dije que el amor era mucho más que un buen polvo.

Soheila abrió los ojos de par en par. Diana se llevó la mano a la boca para contener la risa y miró a Elizabeth Book, pero la decana tenía la vista clavada en algo que había en el suelo.

—Creo que aquí tienes su respuesta —dijo.

Rodeé la cama y miré al suelo. Había dos palabras escritas en la sal: «¿Qué más?»

—Fascinante —murmuró Soheila. Apenas podía oírla a causa del viento que rugía a través de la ventana rota.

Barrí la sal y los cristales del suelo, borrando también las palabras, como si de pronto me avergonzase de ellas, y sentí una punzada de... ¿qué? ¿Deslealtad? Como si lo hubiera dejado en ridículo delante de esas cuatro mujeres.

Me quité esa idea de la cabeza. ¡Él sí que me había puesto en evidencia! Tenía a mi jefa, mi vecina, mi compañera de casa y mi compañera de trabajo limpiando mi habitación, recogiendo literalmente los trozos de un devaneo sobrenatural que no había acabado bien. Me armé de coraje y me puse a recoger. Le pasé el cubo de basura a Soheila y tiré los escombros en la papelera que tenía debajo del escritorio. El íncubo había sacado todos los cajones, todos menos el que estaba cerrado con llave, y había clips tirados por todas partes. Las anotaciones para mi nuevo libro estaban desperdigadas por el suelo. Debería darle vergüenza. ¿Qué clase de pregunta era aquella? «¿Qué más?»

Mientras recogía los papeles, algunos rasgados y mojados, encontré la piedra mágica debajo del escritorio. Me la guardé en el bolsillo y me senté en el círculo entre Diana y Elizabeth. Soheila dibujó un nuevo círculo de sal a nuestro alrededor, a la vez que recitaba unas palabras en farsi que de algún modo hicieron que la sal se quedase pegada al suelo a pesar del viento, y luego se sentó entre Diana y Phoenix. Había una vela delante de cada una de nosotras sujeta con uno de los topes en forma de ratón; me alegré al ver que me había tocado el de la mancha de pintura y la cola rota.

—Aquí hay demasiado hierro para Diana —comentó la decana Book, inquieta.

—No te preocupes, estoy bien —repuso Diana, forzando una voz alegre. Era difícil saberlo con tan poca luz, pero me pareció que estaba muy pálida y que apretaba los labios como para disimular una mueca de dolor.

Elizabeth Book encendió su vela y me la pasó. Y cuando todas las velas estuvieron encendidas, Elizabeth y Diana me tomaron de la mano. Diana cogió la mano derecha de Soheila y esta, a su vez, la derecha de Phoenix. Cuando la decana Book tomó la mano izquierda de Phoenix noté que una leve descarga eléctrica me recorría el cuerpo.

—El círculo está completo —dijo Elizabeth con determinación, como si estuviera convocando una reunión de profesores—. Mantengámoslo cerrado. Soheila recitará el ritual de destierro. Y el resto repetid estas palabras: «Márchate, íncubo. Te echo de aquí, demonio. Te envío a la oscuridad.» No dejéis de repetirlas y no permitáis que ningún otro pensamiento os distraiga...

—Como un mantra de yoga, ¿no? —comentó Phoenix alegremente.

La miré y me percaté de que era la única que no parecía asustada, y no me extrañaba, pues también era la única que no sabía lo que nos esperaba.

—Sí, como un mantra de yoga —repuso Elizabeth Book con gesto crispado—. Un mantra de yoga que te salvará la vida.

Soheila empezó a hablar en farsi, o al menos eso me pareció.

Las palabras se mezclaban en un zumbido que se entrelazaba con el rugido del viento, como dos ríos que confluían. Empecé a recitar el mantra salvavidas:

—Márchate, íncubo. Te echo de aquí, demonio. Te envío a la oscuridad.

El aire que entraba por la ventana se hizo más frío, como si estuviera cargado de cristales de hielo que se posaban en mi piel. Abrí los ojos y vi que había copos de nieve girando en el aire y espolvoreando el suelo.

«Se comporta como un hombre; le importa un bledo la suciedad que provoca con su ir y venir», pensé.

—Márchate, íncubo. Te echo de aquí, demonio. Te envío a la oscuridad.

«¿Qué más?», había preguntado él. Eso también era propio de los hombres: fingir ignorancia, cuando todo el mundo conocería perfectamente la respuesta a esa pregunta. ¿Qué pasaba con la decencia, la bondad y la estima por...?

—Márchate, íncubo. Te echo de aquí, demonio. Te envío a...

¿... la estima por la persona a quien intentaba seducir? Cualquiera que me conociera no me desordenaría el escritorio ni los papeles.

—... a la oscuridad. Márchate, íncubo. Te echo...

Todo hombre que se precie de tal sabría que la comunicación es al menos tan importante como el sexo. Mi príncipe azul lo había sabido. Me había contado historias...

—... de aquí, demonio. Te envío a la oscuridad. Márchate...

Quizás eso es lo que había estado haciendo cuando me mostraba aquellos sueños de las hadas que huían. En cuánto le pregunté quién era, los sueños sexuales cesaron y comenzaron aquellos otros. «¿Es eso lo que intentabas hacer? ¿Decirme quién eres?».

Una ráfaga violenta me golpeó, pero no estaba fría. A pesar de que la nieve cubría la cabeza y los hombros de mis compañeras de círculo y de que los cristales rotos estaban forrados de una capa de hielo, el viento que me lamía la cara era caliente como una brisa caribeña. «Síii», me canturreó al oído, y las olas de calor me llegaron hasta los pies. «Quiero conocerte y que sepas quién soy. Tú y yo ya nos hemos conocido antes.»

Reí. Era el tópico más consabido del mundo: «Ya nos conocemos, ¿verdad?»

Pero mientras reía, una imagen florecía en mi cabeza: el prado, la larga fila de viajeros, mis compañeros desvaneciéndose en la niebla antes de alcanzar la puerta, los caballos que cruzaban primero... y después el caballo blanco que regresaba a buscarme. Regresaba por mí. Acabábamos en el claro del bosque, nuestra capilla matrimonial, y hacíamos el amor. Nos estábamos desvaneciendo juntos, pero entonces sus ojos se convertían en dos fosos oscuros. Alguien le estaba llamando.

—¡No! —grité, en el sueño y en la habitación—. ¡No me dejes! —Pero él ya se había dado la vuelta y miraba a la mujer de verde montada en un caballo oscuro, ella le había llamado y él no se atrevía a desobedecerla.

Abrí los ojos de pronto.

«Me has dejado por esa...»

«No pude evitarlo, Cailleach.» La ola de calor se coló por el cuello de mi camisa y me acarició el pecho. Solté a Diana y la ahuyenté con la mano derecha.

—¡Lárgate! —grité—. No quiero volver a verte.

Por un momento el aire caliente adoptó la forma de una mano y me cogió, pero yo la solté, al igual que él me había abandonado tanto tiempo atrás. Entonces, el remolino de aire retrocedió de golpe como una goma elástica, golpeó la ventana y rompió el poco cristal que quedaba. Azotó la casa como la cola de un gato enfadado y se estampó en el bosque. Oí que golpeaba los árboles y que algo explotaba cerca de mí: uno de los ratones de hierro se había hecho pedazos; los otros tres estaban al rojo vivo. En ese momento estalló otro y los pedazos de hierro volaron por los aires. Uno de los trozos golpeó a Phoenix encima de su ojo izquierdo.

—¡Agachaos! —grité.

Soheila empujó a Diana hacia el suelo. Justo cuando el tercer ratón estalló y los trozos de hierro caliente salían disparados,

Elizabeth me empujó hacia delante. Oí que Diana gritaba de dolor y supuse que un trozo de hierro la había quemado. Miré al suelo y vi que el ratón sin cola se estaba tambaleando sobre sus diminutas patas traseras. Lo cogí y lo lancé fuera del círculo; el hierro caliente me chamuscó los dedos. Me pareció oír unas patitas que huían y un último gemido procedente del bosque. Después, todo lo que nos rodeaba recuperó la serenidad.

16

Soheila ayudó a Phoenix a bajar la escalera y Elizabeth y yo nos encargamos de Diana. Aunque Phoenix estaba sangrando y no dejaba de chillar, Diana me preocupaba más. Apenas estaba consciente. Elizabeth y yo prácticamente tuvimos que cargarla hasta el sofá del salón.

—No debería haber dejado que se acercase tanto al hierro —dijo Elizabeth, apartándole el pelo de la frente húmeda. Las pecas del rostro destacaban como gotas de sangre.

—¿Hay algo que podamos darle? ¿Algún antídoto?

—¿Tienes romero en la cocina?

—Sí, me parece que Phoenix lo compró para el relleno del pavo.

—Pues hierve un poco de agua y añade el romero con un poco de té negro y menta. Y trae un paño de cocina. Haremos una compresa con el té hasta que pueda bebérselo.

En la cocina, Soheila estaba limpiando la herida de Phoenix e intentaba tranquilizarla:

—Ya ha pasado todo. No tengas miedo. No, no te estás volviendo loca.

—Tú también lo has visto, ¿verdad, Cal? —preguntó Phoenix—. Has oído el viento y has visto que las velas se apagaban y que los ratones explotaban, ¿verdad?

—Sí —respondí, poniendo el agua a hervir—. Pero ahora ya

ha acabado todo... ¿Verdad? —añadí mirando a Soheila. Phoenix no era la única que necesitaba consuelo.

—Sí, ya ha acabado —confirmó Soheila, demasiado ocupada con el vendaje de la frente de Phoenix para mirarme mientras respondía. O al menos esperaba que esa fuese la razón de que hubiera evitado el contacto visual.

Cuando el agua empezó a hervir preparé una tetera con romero y menta y la puse en una bandeja con un bol y un trapo, y la llevé al salón. Diana seguía inconsciente. Me senté en el sofá de delante mientras Elizabeth remojaba el paño en la infusión para humedecerle la frente Diana con él, murmurando palabras cariñosas.

No quería inmiscuirme, pero no pensaba moverme de ahí hasta que supiera que Diana estaba bien. Todo aquello había sido culpa mía. Si hubiera sido más severa con el íncubo quizá se hubiera ido antes. O si hubiera pedido ayuda... Las recriminaciones se arremolinaban en mi cabeza, pero la suave voz de Elizabeth junto con el aroma relajante de la menta y el romero pronto hicieron que me quedara dormida.

Debí de dormir varias horas pues cuando desperté los primeros rayos del amanecer, difuminados por la escarcha que cubría las ventanas, iluminaban el suelo del salón. Elizabeth Book estaba de pie a mi lado. Normalmente llevaba el moño impoluto, pero en ese momento parecía una madriguera y tenía el rostro arrugado y ojeroso a la fría luz de la mañana. Sostenía un teléfono.

—Es tu novio, Paul —dijo, entregándome el aparato.

Lo cogí, pero lo tapé con la mano para preguntarle cómo estaba Diana.

—Creo que lo peor ya ha pasado —respondió, mirando el sofá donde esta yacía inmóvil bajo el grueso abrigo de Elizabeth; parecía un oso gigante roncando. Me di cuenta de que yo también estaba tapada con una manta de alpaca. Elizabeth debía de habernos tapado a las dos durante la noche—. Pero tenemos otros problemas. Responde la llamada y cuando acabes hablamos.

—¿Paul? —dije al teléfono—. ¿Va todo bien? ¿Dónde estás?

—¡Estoy en Buffalo! —gritó; no lo notaba tan emocionado

desde que los Yankees ganaron la Serie Mundial—. ¡Mi avión ha estado a punto de estrellarse! ¡Una tormenta inesperada nos obligó a hacer un aterrizaje de emergencia en un campo! ¡Todo el mundo dice que es un milagro que hayamos sobrevivido!

—Oh, lo siento... —¿Una tormenta inesperada? ¿Podría haber sido...?

—¡No, no lo sientas! —Paul empezó a hablar con tono agitado y a la vez emocionado, y yo me pregunté si por mi culpa podía haberse desatado aquella tormenta repentina—. Ha sido la experiencia más increíble de mi vida. ¡Tendrías que haber visto los rayos! Dicen que la velocidad del viento superaba los doscientos kilómetros por hora. Pensé que iba a morir, pero no fue así. Y ahora lo veo todo más claro.

—Caray —comenté—. Eso es fantástico, me muero de ganas de que me lo cuentes todo. ¿Puedes coger un avión desde Buffalo? ¿O venir en coche? Creo que son unas cinco horas de...

—¡Ostras, Callie! Supongo que no has salido de casa ni has visto las noticias, ¿no? Echa un vistazo por la ventana.

Intenté hacerlo, pero los cristales estaban cubiertos de hielo y no se veía nada. De manera que me levanté y fui por la cocina hasta la puerta trasera; no quería molestar a Diana abriendo la puerta principal.

—Dicen que Fairwick es el epicentro de la tormenta —me dijo Paul mientras yo abría la puerta—. Las carreteras están cortadas en un radio de treinta kilómetros del pueblo. Es la mayor tormenta de hielo registrada jamás. ¿Cómo se ve desde ahí?

—Pues se ve... —Busqué una palabra para describir lo que estaba viendo. Una capa de hielo cubría el patio trasero hasta la entrada del bosque y el hielo resplandecía como ópalos que se derretían con los primeros rayos solares. A medida que el sol se alzaba entre los árboles, estos también empezaron a brillar. Todas las ramas, muchas de ellas rotas, las agujas de los pinos y las pocas hojas que habían resistido a la tormenta estaban revestidas de una capa de hielo transparente y brillaban en cuanto el sol se posaba en ellas—. Pues parece —dije al fin— el país de las hadas.

Paul me dijo que se iba al hotel que la compañía aérea había proporcionado a «los supervivientes», para intentar dormir unas horas, y que me llamaría después cuando tuviera más información de sus opciones de viaje.

Tras colgar, fui a la cocina. Elizabeth y Soheila estaban sentadas a la mesa bebiendo café y viendo la CNN en el pequeño televisor portátil. Me serví una taza y me senté a ver las noticias con ellas.

«La tormenta de hielo de Acción de Gracias apareció de la nada —explicaba una reportera abrigada con un anorak ribeteado de piel. La mujer estaba de pie frente a una fila de coches detenidos, junto a una señal que indicaba la salida a Fairwick—. Hay conductores parados por todas partes. Curiosamente, esta no es la primera vez que el pueblo de Fairwick es víctima de un tiempo insólito. En el verano de 1893 el pueblo fue arrasado por un fuerte granizo en cuyos granos congelados había hasta ranas vivas...»

—Eso fue por culpa de uno de los experimentos de química de Caspar —comentó Soheila, poniendo los ojos en blanco—. Siempre le digo que no juegue con el tiempo.

«Y en 1923 una tormenta de arena cubrió el pueblo entero.»

—¿Una de las Guerras de las Hadas Ferrishyn? —preguntó Elizabeth.

Soheila asintió.

—Qué criaturas tan asquerosas. De vez en cuando todavía encuentro arena en los armarios de casa.

«Algunas fuentes nos han informado de que en Fairwick no tienen electricidad desde medianoche.»

Miré la cafetera eléctrica y el televisor.

—¿Cómo es que estos sí que funcionan? —pregunté.

—Cortesía de Soheila —respondió Elizabeth—. Creo que te mencioné que es un espíritu del viento, ¿no? Pues también puede transmitir energía. Y ahora callad un momento, quiero oír hasta dónde llega el hielo.

En la pantalla apareció un mapa del norte del estado de Nueva York. Fairwick estaba rodeado de una mancha azul con bordes irregulares que representaba el hielo, pero lo cierto es que la mancha parecía un microbio maligno que cubría toda la reserva natural hacia el este y el norte, pero no alcanzaba West Thalia al oeste, ni Bovine Corners en el sur.

—Gracias a Dios —comentó Elizabeth—. Al menos solo ha afectado a nuestro pequeño valle. Creo que podremos arreglárnoslas. Llamaré a Dory para que organice una patrulla para comprobar que las personas mayores y los enfermos están bien y para asegurarnos de que tienen suficiente comida y leña, en caso de que no dispongan de generadores.

—Ike y Brock pueden encargarse del camión de sal y de despejar los caminos —añadió Soheila.

—Afortunadamente la mayoría de los estudiantes se han ido a pasar las fiestas en familia. De todos modos, les pediré a Casper y Oliver que echen un ojo a los rezagados en la residencia.

—Mara Marinka no se ha ido a casa —afirmé. Vislumbré preocupación en el rostro de la decana.

—No, claro que no. Pero seguro que está bien, y además vendrá más tarde para la cena de Acción de Gracias, ¿no?

—No estoy segura de que Phoenix se encuentre bien para cocinar —repuse, recordando de pronto la cantidad de gente a la que habíamos invitado—. Anoche parecía bastante nerviosa.

—Sí, estoy preocupada por ella —admitió Soheila—. Se fue a la cama hacia las dos de la madrugada, pero puede que cocinar la distraiga un rato.

—Además, Dory Browne ha llamado para decir que vendrá a echarnos una mano —dijo Elizabeth—. Así que no te preocupes por eso. Aquí en Fairwick todos arrimamos el hombro cuando hay una emergencia. Pero hay una cosa con la que necesito que me ayudes ahora mismo. ¿Te importaría salir a dar un paseo conmigo?

—Por supuesto que no.

—Bien, pues ponte unas botas resistentes y que no resbalen. Allá adonde tenemos que ir, el terreno puede ser bastante traicionero.

Puesto que todo el pueblo estaba cubierto de una capa de hielo de cinco centímetros de grosor, me pareció que el consejo de Elizabeth Book era innecesario, pero cuando vi que nos dirigíamos hacia el bosque me pregunté si la advertencia era suficiente. Antes de que la temperatura cayera, el viento había derribado ramas e incluso árboles enteros, y estos estaban cubiertos de tal cantidad de hielo que se habían unido hasta formar una intrincada masa. Ni siquiera podía distinguir dónde estaba el camino. Elizabeth vaciló a la entrada del bosque, y yo aproveché para volverme hacia la casa. Los postigos de mi habitación habían sido arrancados de cuajo, y al resto de postigos les faltaban algunos listones y estaban colgando de las bisagras. El canalón de cobre se había soltado del alero norte y pendía retorcido como una pajita de cóctel mordisqueada. Y en el techo faltaban tantas tejas que había adquirido el aspecto de un tablero de ajedrez.

—¡Maldito engreído! —protesté—. El berrinche de ese demonio me va a costar miles de dólares en reparaciones.

Elizabeth Book se volvió y contempló la parte trasera de mi casa.

—Sí, ese es el problema de los íncubos; son pura libido. Y el hecho de que sea un demonio no lo excusa. Soheila también es un demonio, ¡y mira lo evolucionada que está! De todos modos, me sorprende que los daños no sean mayores. Por el estado de los árboles de este bosque, yo diría que el viento que levantó debía de soplar a unos doscientos kilómetros por hora. Si hubiera alcanzado tu casa a esa velocidad ahora estaría totalmente destruida. Algo debe de haber atenuado el impacto... —Me miró—. Es como si hubieras lanzado un hechizo de repulsión antes de que el viento alcanzara la casa o...

—Pero no conozco ningún hechizo —repuse, molesta porque la decana no se estaba tomando en serio los daños que había sufrido mi casa—. ¿Debería? Dijiste que yo tenía sangre de hada, pero no que fuera una bruja... ¿Lo de ser bruja es hereditario? —pregunté, abrumada de pronto por todo lo que desconocía de ese mundo nuevo con el que debía lidiar.

—Hay familias de brujas que han ido transmitiendo sus habilidades de generación en generación —explicó la decana Book, pasando por encima de una rama de pino que el hielo había convertido en una alegre decoración navideña—. Yo misma soy descendiente de un largo linaje de brujas. Nadie sabe con certeza cuánta parte de ser bruja es innata o adquirida. Algunos creen que las brujas originales se cruzaron con las hadas, y que eso fue lo que les proporcionó su poder. Pero las brujas más reaccionarias consideran que la sangre de hada anula sus poderes.

—¿Hay brujas reaccionarias? —pregunté, caminando detrás de ella y agarrándome a las ramas cubiertas de hielo para no resbalar. Parecía que estuviéramos andando a través de las ruinas de un mundo extraño y desconocido, quizá por los anillos de hielo de Saturno, o por el Jotumheim (el mundo glacial de los gigantes de la mitología nórdica). La violencia que había causado aquel cataclismo era aterradora, pero el efecto era sorprendentemente bonito. Algunos árboles enormes habían quedado partidos por la mitad, pero las piñas, las bellotas e incluso las delicadas flores amarillas de los avellanos se habían preservado en el hielo como unas delicias azucaradas que podrían utilizarse para decorar un pastel. Parecía el escenario idóneo para conocer ese mundo extraño que la decana estaba describiendo.

—Me temo que sí —asintió afligida—. Hay algunas que pretenden que renunciemos a todos los vínculos que nos unen a las hadas. Pero si lo hiciéramos, la última puerta que conduce al Reino de las Hadas se cerraría por completo y nadie podría volver a salir...

Cuando llegamos al matorral de madreselva, la decana hizo una pausa. La maraña de ramas y parras forradas de hielo parecía hecha de azúcar, y las preciosas formas destellaban en los codos de las ramas y las parras como luces de Navidad. Al mirarlas más de cerca distinguí las formas de pájaros pequeños, ratones diminutos y ardillas: todas las criaturas que habían muerto en el matorral. Elizabeth ahuecó la mano enguantada alrededor de un paro carbonero congelado, que acurrucado en su mano parecía una joya exótica.

—¿Por qué mueren tantas criaturas aquí? —quise saber.

—Estas son Tierras Fronterizas —explicó—. Los animales pequeños se pierden. Incluso las criaturas grandes, las más poderosas, se pierden entre nuestro mundo y el Reino de las Hadas, y cada año son más los que quedan atrapados entre los dos mundos. La puerta se está estrechando y cada vez se abre durante períodos más cortos. Por esa razón nos alegró tanto descubrir que quizá fueras una guardiana.

—Todavía no sé qué significa. Parece una especie de portero o custodio...

—Sí, de hecho, así llamaban los romanos a sus guardianes. Sabían que los umbrales eran sagrados y que algunos dioses se dedicaban a custodiarlos. Jano, el dios de las dos caras, y Hécate, la diosa de las tres caras, ambos eran guardianes, como tú, Cailleach.

—¿Me estás diciendo que soy descendiente de dioses y diosas? —intenté bromear—. Eso todavía me cuesta más de creer que la posibilidad de que tenga sangre de hada.

—Son lo mismo, Callie. Lo que llamamos hadas y demonios son todos descendientes de la última raza de dioses antiguos, aunque entre ellos existe una gran variedad, especialmente desde que los más antiguos empezaron a cruzarse con los humanos... como puedes ver aquí...

Apartó una parra salpicada de bayas lilas que el hielo había convertido en amatistas, y levantó la vista. Seguí su mirada, pero no vi nada salvo un matorral espeso y helado. No obstante, cuando el sol brilló a través de las ramas enredadas, empecé a distinguir unas formas resplandecientes suspendidas en el aire. Era como si una telaraña gigante tejida entre las ramas se hubiera congelado, pero el dibujo de la red revelaba rostros en su intrincada trama: caras de hombres, mujeres y animales, y de otras criaturas que no parecían ni una cosa ni la otra. Algunas tenían rostros humanos con cuernos, orejas puntiagudas o piel de reptil; otras tenían cara de animal con la inteligencia humana centelleando en sus ojos. Y todas tenían el rostro contraído de dolor.

—¿Qué son? —pregunté.

—Este es un *puka* —respondió, señalando a un hombreperro—. Guarda relación con el Puck de William Shakespeare. Y este otro —continuó, señalando a un caballo con cola de pez— es un *kelpie*. Les gusta merodear por los riachuelos y llevarse consigo a doncellas incautas. ¡Qué imprudente! No sé cómo se le ocurrió que podría cruzar en esta época del año cuando todos los riachuelos están congelados. Bueno, de todos modos, seguro que estamos mejor sin él. Tu íncubo levantó una tormenta en ambos mundos, ¿sabes? Por lo general, solo una o dos criaturas cruzan a la vez, pero la tormenta debe de haber arrastrado a muchos hasta las Tierras Fronterizas y la helada les congeló el paso.

—¿Están todos... muertos?

Elizabeth se acercó a una de las criaturas, una mujer cuyo cuerpo esbelto acababa en una cola de pez.

—Esta es una ondina —dijo, como si no hubiera oído mi pregunta—. Una criatura del agua. Dicen que los ondinas macho se están extinguiendo y quizás eso explique por qué esta se ha arriesgado a cruzar en pleno invierno, aunque no sé por qué decidió hacerlo fuera del período de apareamiento. Pobrecilla. Debe de haberse confundido. Nunca sobrevivirá.

Tuvo cuidado en no tocarla, pero cuando su aliento caliente la alcanzó, el hielo se partió y cayó en cascada al suelo. La ruptura de la red se extendió y enseguida todas las caras empezaron a crujir y disolverse.

—¿Y no podemos hacer nada para salvarles? —grité.

Elizabeth se volvió hacia mí; tenía el rostro tan tenso que parecía también a punto de romperse.

—Quizás. Ya abriste la puerta una vez para salvar a otra criatura. Ese pájaro al que liberaste fue el primer indicio de que tenías sangre de hada. Quizá puedas ayudar a cruzar a alguno.

—Pero ¿cómo? No sé hacerlo... Necesito que alguien me enseñe, ¿no?

—Nadie sabe cómo el guardián de la puerta hace lo que hace. Escoge uno... ¡y estira!

—¿Que elija? ¿Cómo voy a elegir? —Todos los rostros a mi alrededor se estaban desmoronando en pedazos de hielo. Pronto no habría ninguno que escoger. Enseguida hallé uno que todavía estaba entero; una criatura diminuta con cara de zorro, orejas enormes y dientes afilados. Estiré la mano y, con cautela, le rocé la frente con un dedo. En lugar de hielo, sentí el tacto de su pelo. Rápidamente empujé la mano en... algo que parecían arenas movedizas. Lo cogí del cogote peludo y estiré. La criatura emergió del hielo, gruñendo y enseñándome los dientes, pero en lugar de morderme, me lamió la muñeca con su lengua larga y rugosa, antes de salir corriendo sobre sus dos pezuñas para desaparecer en el bosque.

—¿Qué diablos era eso?

—¡Un sátiro! —rio Elizabeth—. Hacía años que no veía uno. Pensaba que ya se habían extinguido en el Reino de las Hadas. No te preocupes, encontrará el camino hasta la universidad y entonces le ofreceremos un trabajo o lo enviaremos a West Thalia; allí hay una encantadora comunidad griega. —Entonces se secó los ojos y, para mi sorpresa, me abrazó—. Sabía que estabas aquí por algún motivo. Vamos, regresemos, todavía nos queda mucho trabajo por hacer.

17

En el camino de regreso a casa se me ocurrió algo.

—Decana Book...

—Llámame Liz, por favor... ¡Después de todo lo que hemos pasado!

—Está bien... Liz. —No me iba a resultar fácil acostumbrarme a llamarla así—. He visto muchos rostros en ese claro del bosque, pero no lo he visto a él. Al íncubo, quiero decir.

—Sí, yo tampoco. Puede que haya regresado al Reino de las Hadas o...

—¿O que siga por aquí?

Eliz... Liz suspiró.

—Lleva más de cien años merodeando por este bosque. Seguro que sabe dónde esconderse. Pero yo no me preocuparía mucho por él. Después de lo que sucedió anoche, es bastante improbable que intenté entrar de nuevo en tu casa... A no ser que tú le invites, claro —añadió, clavándome una mirada inquisitiva.

—Yo nunca haría algo así. Ya he aprendido la lección.

—Eso creo. —Me dio unas palmaditas en el hombro—. Eres una chica lista.

Al entrar en casa nos encontramos con una cocina rebosante de actividad. Diana se estaba comiendo un bol de avena en la mesa de la cocina. Se la veía pálida pero animada. Dory Browne, vestida con pantalones de esquiar, botas ribeteadas de pelo y un jersey estampado con dibujos de pavos y hojas, estaba lavando los platos en la pica, y Casper Van der Aart estaba rellenando el pavo mientras escuchaba la versión, más bien exagerada, de Phoenix de lo que había sucedido la noche anterior. No pensaba que fuera posible adornar la historia, pero Phoenix había añadido algunas apariciones fantasmales que me recordaron a los personajes del libro de Dickens *Canción de Navidad*. Excepto por el brillo febril de sus ojos, no tenía mal aspecto a pesar de su encontronazo con lo sobrenatural. Incluso parecía ilusionada con aquella cena de Acción de Gracias.

—Al fin y al cabo tenemos un montón de comida, una cocina de gas que funciona y electricidad. No todo el mundo puede decir lo mismo. Francamente, creo que deberíamos invitar a más gente; a todos aquellos que se hayan quedado sin luz.

Dory y Diana se miraron, y esta última asintió.

—No es mala idea. Hay personas que tienen cocinas eléctricas y que no podrán preparar la cena.

—Y tendríamos que ir casa por casa para comprobar que todos están bien —añadió Dory—. Así podremos invitar a todos los que no puedan cocinar en sus casas.

—Eso debería decidirlo Callie, ¿no? —intervino Liz—. Es su casa y quizá no quiera que se le llene de extraños.

Eché un vistazo alrededor: una bruja, un demonio, un hada, un... ¿Qué era Casper? De pronto me percaté de que se parecía mucho a los gnomos de cerámica con que la gente del pueblo decoraba sus jardines. Y la persona más normal que había en la cocina era una escritora alcohólica y bipolar. Lo cierto es que la situación no podía ser más extraña.

—Por supuesto —dije—. Cuantos más seamos, mejor.

Mientras Diana, Phoenix y Casper empezaban a cocinar, Dory Browne me reclutó para que la acompañara casa por casa.

—Será una buena manera de conocer a tus vecinos —afirmó, poniéndose unas orejeras peludas con las que parecía un koala.

Ya había hablado por el móvil con sus primos Dulcie y Davey para repartirse las visitas por calles.

—No cabe duda de que tu familia es muy generosa con su tiempo... —empecé, pero Dory agitó las manos en gesto de protesta; sus ojos azules destellaban.

—Es nuestro trabajo, ¿sabes? Nosotros, los *brownies*, aceptamos convertirnos en los cuidadores del pueblo a cambio de asilo, hace ya dos siglos.

—¿Los *brownies*? —repetí, preguntándome si se podría referir a los grupos de niñas exploradoras que se entrenaban para convertirse en Girl Scouts.

—Sí, mi gente vino de Gales, donde nos llamaban *bwca*... ¡Cielos! —Se paró en seco al ver mi expresión de asombro—. Diana me dijo que ya te lo habían explicado todo, así que pensaba que podía decírtelo. ¿No sabías que era una *brownie*? —preguntó, como si fuera la cosa más obvia del mundo.

—No, no tenía ni idea, y la verdad es que tampoco estoy segura de lo que significa. Bueno, aunque sí que he oído hablar de ellos... Mis padres me contaron algunos cuentos en los se mencionaba a unos *brownies* y me dijeron que eran unos duendecillos del hogar que ayudaban con las tareas de la casa y el campo.

—Y eso es cierto. Nos gustan los hogares limpios y ordenados, y siempre ayudamos a los propietarios abnegados, pero nunca a los holgazanes.

—Mi padre solía dejar un bol de crema o un trozo de pastel para los *brownies* de casa —le expliqué—. Para mí era como dejarle galletitas y leche a Papá Noel.

—Y hacía muy bien —afirmó Dory, sonriendo y moviendo la cabeza efusivamente—. Siempre se agradece un buen trozo de tarta, pero no nos gusta que nos dejen ropa, porque... Bueno... ¡mírame! ¿De verdad parezco necesitar ayuda para vestirme?

—¡En absoluto! —repuse, notando cierta molestia en su tono de voz—. Desde el primer día que te vi he pensado que tenías muy buen gusto para vestirte.

—Y tú también, Callie. Por cierto, los *brownies* detestamos que nos critiquen.

—¿Y quién no? —comenté.

—¡Exacto! Y tampoco nos gusta que nos den las gracias.

—Tengo que admitir que siempre me ha costado entender esa parte.

Dory parecía preocupada.

—Bueno, esa es una larga historia... Será mejor que la dejemos para otro día. Pero un buen reconocimiento de nuestro trabajo, como un bol de crema o unas galletitas, nunca está de más. Obviamente, he intentado aprender a no ofenderme demasiado ni a comportarme como un *boggart* con los pobres ignorantes que me dan las gracias...

—¿Qué es un *boggart*?

—Son aquellos *brownies* que se enfadan tanto que empiezan a hacerles canalladas a los humanos para los que trabajan. Mi primo segundo Hamm, por ejemplo, lleva años atormentando a una familia de granjeros de Bovine Corners solo porque su tatarabuelo sugirió que los campos se habían arado torcidos. Pero la mayoría hemos evolucionado un poco más y en la universidad se imparten clases de Control de la Ira para aquellos *brownies* que corren el peligro de convertirse en *boggarts*.

Me costaba creer que una persona tan alegre y hermosa como Dory Browne pudiera necesitar una clase para aprender a controlar la ira, pero enseguida tuve la oportunidad de vislumbrar su genio. Fue en la tercera casa que visitamos. Los primeros dos propietarios a los que fuimos a ver (Abby y Russel Goodnough, una pareja que acababa de comprar la clínica veterinaria del pueblo, y Evangeline Sprague, una bibliotecaria jubilada octogenaria) estaban bien preparados para la tormenta de hielo. Tenían hornos de leña y lámparas de gas. Y además de no necesitar que los invitásemos a cenar (los Goodnough ya habían invitado a Evangeline a su casa), se ofrecieron a acoger a todas aquellas personas que no cupieran en la nuestra.

—Son muy buena gente —comentó Dory cuando salimos de la casa de los Goodnough—. El otro día abrieron la clínica aún siendo festivo porque a mi primo Clyde le había atropellado un coche cuando corría por ahí en forma de perro y quedó demasiado herido para transformarse de nuevo en humano.

—¿Y sabían ellos que estaban atendiendo a un...?

—¿A un *puka*? No, no. Pero no podrían haberlo curado mejor si hubieran sabido que en lugar de un cocker spaniel era una persona. —Dory soltó una risita—. Abby no comprende cómo es que su casa nunca tiene polvo y que los suelos de parquet siempre están impolutos. Aunque tampoco es que necesiten mucha ayuda que digamos. Los dos son muy cuidadosos y comparten todo el trabajo tanto en casa como en la clínica, pero siempre están muy ocupados. No como otros que no tienen excusa que justifique lo descuidados que son.

Habíamos llegado a la tercera casa: una decadente casa victoriana de tres plantas con la pintura tan descolorida y desconchada que era imposible distinguir su color original. La reconocí al instante: era la casa de la que había visto salir a Nicky Ballard. Esperé que no estuviera allí, porque estaba segura de que le daría vergüenza que viera donde vivía. La colección de sofás viejos y aparatos rotos que había en el porche ya avergonzaría a cualquiera, y cuando me acerqué observé que debajo de los sofás había cajas de licores vacías.

—Es una pena —comentó Dory, abriéndose paso con cuidado a través de los tablones despintados y podridos del suelo del porche—. Los Ballard fueron una de las familias más importantes de Fairwick. De hecho, se podría decir que casi dirigían la ciudad, hasta que... Ay, hola, JayCee, no te había visto.

La mujer que nos miraba desde la puerta mosquitera vestía una sudadera gris desteñida que le iba tan grande que le colgaba hasta las rodillas y dejaba al descubierto un hombro huesudo. El color gris de la sudadera se mezclaba con las sombras y el humo gris azulado que salía del cigarrillo que sujetaba entre los labios.

—No quería interrumpir tu pequeña clase de historia, Doree. Adelante, continúa. Explícale a esta recién llegada que los Ballard fuimos distinguidos y prósperos, y que el viejo Bert Ballard fue una vez el propietario de todos los ferrocarriles de aquí a Nueva York y que tenía una mansión enorme en la Quinta Avenida. ¡Y que ahora esto es todo lo que queda de esa gran fortuna de los Ballard! —JayCee empezó a reír, pero su risa enseguida se convirtió en una tos seca.

—Al menos tu familia conservó esta casa. La mayoría de familias que acabaron aquí, en Fairwick, daban gracias a Dios por tener un lugar seguro donde cobijarse de la tormenta —repuso Dory, juntando las manos con remilgo. Me dio la sensación de que lo hacía para contener el impulso de subirle la sudadera a JayCee para taparle el hombro y arrancarle el cigarrillo de la boca—. Pero no hemos venido a hablar de tu familia. Solo queríamos asegurarnos de que Arlette y tú os las apañabais bien después de la tormenta, y ya veo que tienes el generador en marcha para mantener encendidos los tanques de oxígeno de tu madre. De todos modos, ¿necesitáis algo?

—No somos idiotas —espetó. Intuí que la noticia de que el generador estuviera en marcha la pillaba por sorpresa, aunque si te fijabas podías oír el traqueteo de la máquina zumbando en algún lugar debajo de nosotros—. Se ha ido la electricidad, ¿eh? ¿Y dices que ha habido una tormenta?

Dory exhaló con exasperación y su aliento se condensó en el aire frío.

—Sí, JayCee, ha habido una tormenta de hielo. ¿Por qué no me dejas entrar a hacerle una visita rápida a Arlette para desearle un feliz día de Acción de Gracias? —Dory ya estaba abriendo la puerta mosquitera (que debería haber sido reemplazada por una puerta más resistente al frío, tal como Brock había hecho con la mía a principios de noviembre) para entrar en el recibidor.

JayCee se encogió de hombros y se apartó; la sudadera se le deslizó hasta el brazo. En el recibidor solo había espacio para una persona a causa de las pilas de periódicos y revistas que bloqueaban parte de la entrada. Una franja estrecha de suelo de mármol conducía a una escalera de madera tallada. Seguí a Dory, apretujándome frente a JayCee al pie de la escalera. Me sentí incómoda por invadir la casa de aquella mujer, así que sonreí y me presenté.

—Su hija Nicky está en mi clase —le dije—. Es muy buena estudiante y una chica encantadora.

JayCee resopló y puso los ojos en blanco.

—Solo espero que esté aprendiendo un oficio en esa universidad. Ella no puede perder el tiempo y limitarse a aprender a tejer como esas chicas ricas de Fairwick.

No pude evitar preguntarme qué oficio ejercería JayCee, pero me limité a sonreír y repetí mi afirmación de que Nicky era una chica lista y que estaba segura de que se las arreglaría. A continuación, seguí a Dory escaleras arriba; el olor a cigarrillos mentolados y pis de gato dio paso al hedor medicinal del Vick's VaporRub y los desinfectantes. El olor se intensificaba al fondo del pasillo, oscuro y atestado de cosas.

—¿Señora Arlette? —llamó Dory, golpeando la puerta entreabierta—. ¿Podemos pasar? Somos Dory Browne y la profesora McFay, de la universidad.

Nicky Ballard abrió la puerta de golpe y me miró horrorizada por encima del hombro de Dory.

—Profesora McFay, ¿qué hace usted aquí?

Abrí la boca para contestar, pero una voz débil se me adelantó desde el interior de la habitación.

—Nicolette Josephine Ballard, ¿qué son esos modales? Invita a estas dos buenas señoras a entrar y ve a pedirle a la inútil de tu madre que les prepare una taza de té.

—No hace falta que se moleste, señora Ballard —dijo Dory, entrando en la habitación—. Solo estamos dando una vuelta por el pueblo para comprobar que todo el mundo esté bien después de la gran tormenta que hemos tenido. Pero ya veo que Nicky lo tiene todo bajo control.

Seguí a Dory al interior de la habitación y comprendí a qué se refería. A pesar de que estaba abarrotada de muebles grandes y oscuros, la habitación se veía ordenada. Los frascos de medicinas estaban alineados pulcramente en la mesilla de noche. Encima de un precioso secreter antiguo, decorado con unos cupidos de porcelana rosa, había un humificador que desprendía un vapor caliente y mentolado. Una anciana delgada y con las facciones marcadas, pero bien peinada, estaba sentada en una enorme cama con dosel y tenía las nudosas manos apoyadas encima de unas sábanas bien dobladas. Un tubo de plástico le salía de la nariz y se conectaba a una bombona de oxígeno que había junto a la cama. Los ojos azules y penetrantes de la anciana saltaron de Dory a mí.

—¿Y quién has dicho que es ella?

—Soy Callie McFay, señora Ballard —dije—. Su nieta Nicky asiste a mi clase de Literatura Inglesa. Es una estudiante magnífica...

—Claro que lo es —me interrumpió Arlette Ballard—. Todos los Ballard empiezan con un buen coco, hasta que lo hunden en alcohol, como mi hija Jacqueline. Debes de ser nueva aquí —comentó, mirándome con los ojos entornados—. Acércate más, pero no grites; mis oídos están perfectos. Son mis malditos pulmones los que no sirven para nada.

Di un paso al frente y la anciana me cogió con su mano huesuda y tiró de mí para acercarme más a ella, lo suficiente para que pudiera oler su aliento dulzón.

—¿De qué clase eres tú? —preguntó entre dientes—. ¿Un hada, una bruja o un demonio?

—¡Abuela! —Nicky cogió la mano de su abuela e intentó que me soltara, pero no lo consiguió—. Ya te he hablado de la profesora McFay. Ha sido muy amable conmigo.

—¿Es ella la escritora loca?

—No, esa es mi compañera de casa —repuse.

Arlette se rio y me apretó todavía más la mano.

—No dejes que esas brujas hagan trabajar tanto a mi pobre Nicolette. Ese lugar puede llegar a consumirte. Lo digo por experiencia.

Asentí, intentando no estremecerme por el dolor que sentía en la mano.

—Estaré pendiente de ella, señora Ballard. Se lo prometo.

—Le tomo la palabra, jovencita —dijo Arlette con un último apretón que me hizo crujir los huesos. Entonces me soltó y se recostó de nuevo en la almohada. Cerró los ojos y movió la mano, que de pronto volvía a parecer débil, para despedirnos.

Dejamos atrás la familia Ballard, pero su presencia no nos abandonó del todo. Después de caminar dos manzanas, la ropa y el cabello todavía me olían a humo de cigarrillo.

—¡Siempre pasa lo mismo! —protestó Dory, parándose para recoger una ramita de pino de las muchas que habían caído con el viento la noche anterior. Estaba congelada y enganchada al suelo, pero Dory se arrodilló y la sopló, y el hielo desapareció. Seguidamente, cogió la ramita y empezó a sacudirla a mi alrededor, de la cabeza a los pies, a la vez que repetía tres palabras parecidas a *fyrnceaoa odoratus epil*. Cuando acabó, repitió todo el ritual consigo misma—. Ya está, mucho mejor.

Me olisqueé la manga del abrigo y después un mechón de pelo; el aroma del pino había reemplazado al del tabaco.

—Gra... —empecé, pero me callé cuando vi que Dory fruncía el ceño—. ¡Es un truco fantástico! —rectifiqué—. Y eso que has dicho, ¿era latín y anglosajón?

Dory sonrió mientras caminábamos por la calle Elm.

—Tienes un buen oído para las lenguas. Sí, el idioma de los hechizos es una mezcla de lenguas antiguas. Cuando las hadas empezamos a enseñar magia a los humanos no teníamos palabras para los hechizos. Solo teníamos que pensar algo para hacer que sucediera. Pero para comunicarnos con los humanos tuvimos que adjudicar palabras a las cosas y nos percatamos de que, a pesar de que las palabras suelen ser imprecisas y engañosas, aumentaban el poder de nuestra magia. Le daban un toque extra, para que me entiendas.

Asentí, aunque en realidad me pareció que el hecho de pensar en algo y conseguir que sucediera era la magia más potente del mundo.

—Lograr que suceda algo todavía mejor y más grande —dijo Dory, respondiendo a mis pensamientos—. Es decir, conseguir que suceda algo inesperado. Hacía más de un milenio que las hadas no se sorprendían por nada, y les encantó el empujón extra que las palabras aportaban a su magia. Así que enseñamos a los humanos a hacer magia a cambio de las palabras y para... bueno... también a cambio de otras cosas. —Dory se sonrojó.

—¿Otras cosas?

Dory se volvió hacia mí y sin pronunciar palabra articuló «sexo» con los labios.

—No es algo de lo que nos sintamos orgullosas, pero así fue. Antiguamente eran un poco... Bueno, ya sabes... Aunque era cierto que las hadas se sentían muy unidas a sus compañeros humanos y los trataban muy bien. Mejor de lo que algunos las trataban a ellas. Pero, en serio, no creo que yo sea la persona más apropiada para hablar de esto. Estoy segura de que Elizabeth te instruirá sobre las relaciones entre las hadas y los humanos, el protocolo actual y las leyes de acoso sexual aprobadas en los años noventa, una vez que hayas recibido tu orientación y tu propio libro de hechizos.

—Perfecto —dije, intrigada por la idea de aprender a hacer hechizos y para ahorrarle a Dory el bochorno de explicarme las relaciones sexuales entre especies. No debería haberme sorprendido, pues la mitología y el folclore están llenos de dioses lascivos que secuestraban a jóvenes y doncellas, pero de algún modo la idea de que las hadas hubieran intercambiado su magia por esos favores hacía que todo pareciera más sórdido. Decidí que era un buen momento para cambiar de tema—. ¿Hay algo en esos libros de hechizos que pudiera ayudar a los Ballard? Parecen...

—¿Malditos? —preguntó Dory, deteniéndose en la acera—. Sí, lo están. Después te lo cuento, pero vayamos primero a casa de los Lindisfarne. Se han ido a pasar el invierno a Florida, así que quiero asegurarme de que no se les revientan las tuberías.

La seguí por un camino de piedras pulidas rodeado de crisantemos naranjas, ahora recubiertos de hielo, hasta una cuidada casa de piedra y tablillas de madera. Dory levantó un gnomo de piedra medio escondido en una hortensia (las redondas flores de color pardo rojizo parecían grandes bolas de nieve bajo la capa de hielo) y cogió una llave. Abrimos la puerta y entramos en una casa limpísima y ordenada, decorada con muebles de estilo Stickley.

—Está bien, volvamos a la historia de los Ballard —dijo Dory dirigiéndose a la cocina—. ¿Has oído hablar de Bertram Hugues Ballard?

—¿El gran magnate del siglo XIX que hizo fortuna en la industria y el ferrocarril?

—El mismo —repuso Dory desde debajo de la pica de la cocina; les estaba haciendo alguna cosa a las tuberías que implicaba soplarlas y susurrar *Ne fyrstig glaciare*—. Su padre era francés, y de ahí viene la afición de la familia por los nombres franceses. Pues bien, este hizo fortuna con la madera y más tarde, tal como ha dicho JayCee, con el ferrocarril. Él y su socio, Hiram Scudder, tomaron el mando de Ulster & Clare en 1880 y fundaron la Fundición Ballard y Scudder aquí, en el pueblo, para suministrar las vías para el ferrocarril. En el momento de máximo esplendor, Ballard construyó esa enorme monstruosidad que acabamos de visitar. —Dory emergió de debajo de la pica y recorrió con la mirada la cocina limpia y alegre de los Lindisfarne—. Ballard y Scudder compraron casi todo el pueblo entre los dos, pero entonces se produjo el Gran Choque del noventa y tres.

—¿Un choque?

—Sí, un accidente ferroviario. El tren que salía de Kingston en sentido oeste chocó contra el tren de Binghamton, que iba en sentido este. Murieron ciento tres personas, incluido un equipo de trabajadores que Ballard había enviado esa mañana para que reparasen una sección de la vía que estaba en mal estado. El accidente se atribuyó a la mala calidad de las vías fabricadas por Ballard y Scudder. En el período subsiguiente, tanto el ferrocarril como la fundición de hierro quebraron, y la mujer de Scudder, Adele, se suicidó. Ballard perdió todas sus casas, salvo la que tenía aquí, y regresó a Fairwick completamente arruinado. Pero hasta que la maldición empezó a manifestarse no supisimos que debía de haber hecho algo para ponerse en contra una bruja muy poderosa.

—¿Una maldición?

Dory se llevó un dedo a los labios y ladeó la cabeza como para escuchar algo. Lo único que oí fue el tictac del reloj de pie que había en el salón y el goteo de los carámbanos que se derretían fuera de la casa. Dory sacudió la cabeza.

—Perdona, me ha parecido oír algo. Bueno, como estaba diciendo —continuó, caminando con brío hasta el lavabo—, la maldición: un año antes del accidente, Bertram se había casado con una chica de la alta sociedad de Nueva York. Y cuando se produjo la desgracia estaba embarazada, pero perdió el bebé, un niño, en su sexto mes de embarazo. Después de aquello se quedó embarazada media docena de veces, pero todos los bebés murieron en el parto (todos niños), hasta que al fin dio a luz a una niña viva y el médico le dijo que ya no podría tener más hijos. A Bertram le disgustó tanto la idea de que el apellido Ballard se perdiera que contrató a un abogado para que redactara un testamento especial. Debía estipular que su hija solo heredaría la casa y la fortuna familiar si conservaba su apellido. Y también se establecía que, a no ser que dieran a luz un heredero varón, todas las mujeres Ballard deberían conservar el apellido para poder heredar.

Cuando Dory hubo acabado con el lavabo de abajo (les había dado una buena charla a las tuberías y abierto el grifo), empezó a subir la escalera.

—Y ahí fue cuando imaginamos que a Bertram lo habían maldecido para que no tuviera hijos varones —continuó—. Pero tardamos bastante más en descubrir el resto de la maldición...

Se detuvo en lo alto de la escalera y ladeó la cabeza de nuevo para comprobar si oía algo. Arrugó el rostro, pero enseguida sacudió la cabeza y continuó hablando mientras repetía la misma operación en las tuberías de la primera planta.

—Cuando la hija de Bert, Estelle, creció, lo tenía todo para convertirse en una gran dama. Era hermosa, inteligente, simpática y poseía mucho talento. Y lo que había quedado de la fortuna de los Ballard se utilizó para su presentación en sociedad en el Waldorf-Astoria, en Nueva York. Supongo que Ballard esperaba recuperar su fortuna casándola con algún joven adinerado. La muchacha tenía media docena de pretendientes ricos, pero al cumplir los dieciocho pareció convertirse en una persona diferente. Empezó a beber, rechazó todas las propuestas de matrimonio y finalmente acabó regresando al pueblo embarazada. El viejo Bert la encerró en la casa y, cuando dio a luz a una niña, Bert la bautizó como Nicolette Josephine Ballard y la historia volvió a comenzar. Mientras su madre se mataba con la bebida encerrada en ese mausoleo de casa, Bert criaba a su nieta para convertirla en una gran dama de la alta sociedad.

—¿Y cuando Nicolette cumplió los dieciocho? —Me estremecí al pronunciar el mismo nombre que el de mi alumna.

—Sucedió exactamente lo mismo... —Dory se detuvo en la entrada del dormitorio de los Lindisfarne y olisqueó el aire. A continuación cruzó la habitación para entrar en el lavabo, pero se detuvo con expresión pensativa junto a la cama de madera y alisó las arrugas de la colcha.

—¿Y desde entonces siempre ha sido así? ¿Cada generación da a luz a una niña que se echa a perder una vez cumplidos los dieciocho años?

Dory levantó la vista; parecía distraída, al parecer oyendo algo. Entonces sacudió la cabeza y agitó la mano delante de su cara como si apartara una telaraña, aunque la habitación estaba impoluta, salvo por las arrugas de la colcha y una toalla húmeda que había en el suelo del lavabo. Era como si los Lindisfarne se hubieran ido con prisas el día anterior y no hubieran cumplido con las expectativas de pulcritud de Dory Browne.

—De vez en cuando, de generación en generación, nace un niño, pero siempre huyen de la casa Ballard antes de cumplir los dieciocho. ¿Quién puede culparlos? Y entonces su hermana sigue el mismo patrón que las otras mujeres Ballard. Arlette se fue a estudiar a la Universidad Smith, pero regresó embarazada después de su primer trimestre allí. Incluso JayCee acabó el instituto y consiguió un buen empleo en un hotel de Cooperstown antes de quedarse embarazada y de darse a la bebida.

—¿Y Nicky? Ella no es así... Espera, ¿cuántos años tiene Nicky?

Dory sonrió con tristeza.

—Cumplirá los dieciocho el dos de mayo. Liz pensó que si lográbamos que entrara en la universidad y la vigilábamos quizá podríamos salvarla. Las brujas de Fairwick han estado intentando anular la maldición de los Ballard durante generaciones, pero la única persona capaz de hacerlo es un descendiente de la bruja que los maldijo... Y mucho me temo que es como intentar curar una enfermedad sin el diagnóstico correcto. —Dory se frotó los brazos—. Salgamos de aquí. Estoy helada.

18

Dory y yo fuimos a una docena de casas más; algunas habitadas y otras no. La mayoría de gente que visitamos estaba bien preparada para el apagón y no le hacía falta ayuda, y casi todos se ofrecieron a echar una mano si alguien los necesitaba. El ingenio y la generosidad de los vecinos me hubieran animado si no hubiera estado tan preocupada por Nicky Ballard. Y tenía ganas de ver a Paul. Había intentado llamarle varias veces con el móvil, pero siempre me saltaba el contestador. Puede que estuviera ocupado llamando a las líneas aéreas o a las empresas de alquiler de coches para hallar el modo de llegar a Fairwick.

Estuve preocupada y melancólica hasta que por la tarde regresamos a casa y descubrí cómo había cambiado durante nuestra ausencia. Brock e Ike Olsen estaban fuera colgando algunas luces eléctricas entre los arbustos. En cuanto nos vieron llegar, Brock las encendió. Las diminutas luces blancas que destellaban entre las ramas congeladas quedaban preciosas. Le di un abrazo, que hizo ruborizar a Brock, y los invité a él y su hermano a quedarse a cenar. Aceptó tras una rápida conversación con su hermano en un idioma que parecía nórdico antiguo. Cuando abrí la puerta de casa fui recibida con los aromas del pavo asado y la tarta de calabaza, los sonidos del fuego y la música clásica. La huésped de Diana venida de la ciudad, Jen Davis, estaba en el salón echándole leña al fuego mientras charlaba con Nicky y

Mara. Nicky me sonrió tímidamente. Supuse que estaba avergonzada de que hubiera ido a su casa y conocido a su familia, pero a la luz del fuego se la veía saludable y joven. De ninguna manera iba a permitir que sucumbiera a una estúpida maldición.

Le di un apretón en el hombro y acepté la copa de ponche que me ofrecía.

—Este tiene alcohol —dijo—. Pero Mara y yo nos hemos servido zumo de arándanos.

Mara levantó su copa y sonrió con educación.

—Nicky y Jen me estaban explicando que aquí en vuestro país los jóvenes no pueden consumir bebidas alcohólicas hasta que cumplen los veintiuno. Me parece extraño que puedan votar, conducir y hasta luchar en vuestras guerras, pero no se les permita tomarse una cerveza o una copa de vino.

—Sí, tienes razón, este es un país extraño —comentó Jen, bebiendo un trago generoso de su ponche con alcohol—. ¿Y de dónde has dicho que eres?

Dejé que Jen ejerciera sus habilidades periodísticas con Mara y fui a la cocina. Phoenix y Diana estaban rociando el pavo con su jugo mientras Liz Book, vestida con un delantal blanco de volantes y su collar de perlas al estilo Donna Reed, preparaba una bandeja de boniatos; y Casper Van der Aart y un hombre esbelto de piel oscura y cabello gris, llamado Oliver, colocaban en una bandeja trocitos de apio y de otras verduras crudas untadas con queso crema.

—¡Me alegra que hayas vuelto! —exclamó Phoenix al verme—. ¿Te importaría poner la mesa? Según el último recuento, seremos doce... Ah, y ha llamado tu novio. Dice que no puede coger ningún avión desde Buffalo y que ya no quedan coches de alquiler disponibles. Así que pasará la noche allá y mañana volverá a intentar alquilar un coche.

—¡Jo, pues al pobre le tocará cenar en un hotel! —me lamenté.

—No te preocupes; no se le notaba demasiado disgustado —intervino Liz—. Phoenix ha hablado con él con el manos libres, así que todos pudimos oírlo, y parecía estar en una fiesta. Ha dicho que todos los pasajeros que no habían podido llegar a sus destinos iban a celebrar Acción de Gracias juntos. Imagino que una experiencia tan fuerte como la suya les ha unido.

—Sí, eso es bueno, supongo... Pero me encantaría que estuviera aquí. Me hacía ilusión que os conociera. —Eché un vistazo alrededor (una bruja, una maníaca depresiva, un espíritu del viento de Mesopotamia, un hada y un gnomo) y pensé que también estaba bien que yo tuviera un día más para adaptarme a mis nuevos amigos.

Durante las siguientes horas estuve tan ocupada que no tuve tiempo de preocuparme por Paul. Con la ayuda de Mara y Nicky puse la mesa, sumando a Brock e Ike al recuento de Phoenix y preguntándome quién sería el invitado adicional. Después, corrí escaleras arriba para ducharme y cambiarme de ropa. Fue un alivio ver que alguien había ordenado mi habitación y tapado la marca del cabezal de la cama con un chal. Los únicos rastros de la debacle de la noche anterior eran los tablones que cubrían la ventana y una gota de hierro fundido en el suelo. Mientras intentaba decidir qué ponerme (un jersey informal y pantalones de pana o una elegante minifalda de terciopelo y una camisola de raso) me pareció oír que algo se movía entre mis cajas de zapatos. Pero era muy poco probable que el íncubo se hubiera instalado entre los mocasines, los zapatos de salón y las botas.

Al final opté por la falda de terciopelo con un jersey de cachemir verde esmeralda que hacía destacar mis ojos verdes y mi cabello pelirrojo. Y bajé justo a tiempo para abrirle la puerta a Frank Delmarco. Traía una caja de cervezas y les estaba preguntando a Brock y a Ike si había algún televisor en la casa para ver el partido. Los tres hombres me siguieron hasta la cocina, y estaban justo detrás de mí cuando abrí la puerta y vi que el equipo de cocineros sobrenaturales estaba realizando unas maniobras bastante sorprendentes. Casper Van der Aart había hecho levitar el pavo y lo hacía rotar en el aire a la vez que lo aderezaba. Liz Book estaba caramelizando los boniatos con una llama que le salía de la yema del dedo, y Diana estaba convenciendo a una bolsa de patatas para que se pelasen solas a la orden de *Nudate unmicelettes*. En cuanto vieron a Frank dejaron de hacer todo eso. El pavo salpicó grasa por todos los fogones y dos patatas cayeron rodando al suelo. Así fue como descubrí que Frank Delmarco no formaba parte de aquel grupo de seres sobrenaturales. (Pero el novio de Casper, Oliver, sí; lo había visto cogiendo las pieles de las patatas al vuelo para tirarlas a la papelera).

Acompañé a Frank, Brock e Ike a la biblioteca, y luego, después de ver que Phoenix le añadía más vodka al ponche, la engatusé para que se fuera al salón con la promesa de presentarle a una verdadera reportera del *New York Times*. Justo después de que resolviera esas sutilezas sociales, sonó el timbre de la puerta. El recuento de Phoenix incluía un invitado más de los que yo tenía constancia, pero no me había dicho quién era. «Por favor, Dios, que sea humano», rogué. Ya había suficientes seres sobrenaturales en la casa.

Pero no tuve suerte.

Supe al instante que aquella criatura nunca había sido humana. Debía de haber estado escondiendo su naturaleza hasta ese momento para que no me diera cuenta, pero en aquel instante, con el sol cayendo por detrás de ella y formando un aura resplandeciente que la silueteaba (no me cupo duda de que había calculado la hora de llegada a propósito para conseguir ese efecto), parecía justo lo que sin duda era.

—Buenas noches, profesora Eldritch. ¿O debería dirigirme a usted como su majestad, la Reina de las Hadas?

—Hemos prescindido de las formalidades desde que abandonamos el Reino —contestó Fiona, mirando con ojos penetrantes mi jersey verde. Ella llevaba un abrigo verde y me pregunté si habría algún protocolo de las hadas que estableciera que solo la Reina Hada podía vestir ese color. Mala suerte; me sentaba bien el verde—. Espero que no te importe que me haya autoinvitado. Me he enterado de lo que pasó anoche y quería hablar contigo de mi íncubo.

—¿Su íncubo? Quiere decir... —Cómo podía ser que tampoco me hubiera percatado de eso antes. Fiona era idéntica a la Reina de las Hadas que aparecía en el tríptico, la que cabalgaba junto a Ganconer en el caballo blanco—. ¿Es cierto? ¿Usted lo secuestró y lo convirtió en un... demonio?

Fiona se rio, emitiendo un sonido tan agudo que los carámbanos que colgaban del techo del porche se rasgaron.

—¿Secuestrarlo? Yo no lo diría así. Primero, porque él no era ningún niño. Y segundo, porque decidió venir por voluntad propia. En cuanto a lo que sucedió después... Pues me temo que eso es lo suele sucederles a las personas que pasan demasiado tiempo con seres sobrenaturales. Tendemos a sacar lo mejor y lo peor de nuestros consortes humanos. De manera que quizá quieras pensar en ello si tienes planeado pasar tiempo en nuestra compañía, especialmente en compañía de uno tan volátil como mi Ganconer. Eso es lo que quería decirte.

Me sonrió y oí esos cascabeles de nuevo. De pronto olvidé que un instante antes estaba enfadada; olvidé quién era y qué día era. Solo quería quedarme allí contemplando a la profesora Fiona Eldritch, cómo su cabello claro parecía rodeado de fuego a la luz del atardecer y cómo sus ojos verdes destellaban como bolitas de hielo en una grieta glacial profunda; una grieta en la que uno podía caerse y pasar la eternidad soñando...

—Callie, ¡está entrando mucha corriente de aire! —chilló Phoenix, empujándome a un lado para ver quién era.

—Ah, profesora Eldritch. Ya veo que ha encontrado la casa. Pase y deje que le guarde el abrigo... Anda, ya veo que ha traído champán. ¡Perfecto!

Dejé que Phoenix acompañara a Fiona Eldritch al salón, como si fuera su casa y no la mía. Me sentía como si hubiera inhalado algún narcótico potente... y necesitaba más, por favor. Si ese era el efecto de pasar dos minutos con ella, ¿cuáles podrían ser las consecuencias de pasar años a su lado? ¿Qué efecto podría tener en mí la compañía de las hadas? ¿Sería bueno o malo?

Enseguida quedó claro que Fiona estaba decidida a sacar lo mejor de todos mis invitados, tanto humanos como no humanos. Le dijo a Jen Davis que había leído un artículo suyo en *Vo-*

gue y alabó los pendientes de Phoenix. A Nicky y Mara les informó de que ambas habían sacado buenas notas en los parciales. Le pidió a Casper que nos deleitara con una de sus «lúcidas» explicaciones acerca del término químico «fuerza de dispersión de London», y felicitó a Oliver por la decoración del escaparate de su tienda de antigüedades. Incluso el grosero de Frank se enorgulleció cuando Fiona le entregó la botella de champán para que la abriera, y él, Brock e Ike se disputaron el sitio a su lado cuando nos sentamos a cenar.

Era el centro de atención y resultaba natural que se sentara a la cabecera de la mesa, pero objetó y me cedió a mí en el sitio de honor. Después de que nos hubiéramos servido el champán, Fiona se levantó y alzó su copa hacia mí. Un silencio expectante reinó en la mesa.

—Por nuestra atenta anfitriona, Cailleach McFay —comenzó—. Fairwick cuenta con una larga tradición a la hora de ofrecer refugio a los perseguidos y los exhaustos... —Sus ojos verdes recorrieron toda la mesa, demorándose unos instantes en cada uno de los invitados. Cuando los miraba, sus ojos rebosaban felicidad y brillaban, como si hubiera vertido una gota de champán directamente en sus almas. Oí el sonido lejano de los cascabeles y sentí el mismo júbilo extraño que antes en la puerta—. Nos ha abierto las puertas de su casa y eso demuestra que Cailleach McFay es totalmente digna de vivir en Fairwick. Esperemos que este se convierta en su hogar. *Slainte!*

Slainte! Un murmullo de aprobación se alzó por encima del sonido de los cascabeles y me di cuenta de que tenía lágrimas en los ojos. Agaché la cabeza para esconder la emoción. ¿Cuándo había sido la última vez que había sentido que tenía un hogar? Apenas recordaba los pisos en que había vivido con mis padres antes de que murieran. Los arqueólogos siempre saltaban de excavación en excavación o de universidad en universidad. Cuando murieron, tuve suerte de que mi abuela me cobijase, pero a pesar de que ella se esforzó, en su casa nunca me sentí bien. En cambio, el tiempo que pasé viviendo en las residencias de estudiantes y en los diminutos apartamentos durante los años de universidad y posgrado me pareció lo más natural. El «hogar» que Paul y yo planeábamos compartir un día era un espejismo escurridizo.

¿Y qué pasaba con Paul? Un hogar no tenía por qué estar hecho de mortero y madera. Conocía a parejas, como mis padres, que habían encontrado su hogar el uno en el otro. Y cuando conocí a Paul pensé que tendríamos lo que mis padres habían tenido, pero ellos siempre se las arreglaron para permanecer juntos, mientras que Paul y yo no conseguíamos ni pasar la cena de Acción de Gracias en la misma casa.

Levanté la vista y me topé con los ojos de Liz Book. Recordé que ella, Soheila y Diana habían arriesgado su propia seguridad para protegerme del íncubo la noche anterior. No cabía duda de que Diana había arriesgado su mismísima vida. Y Brock llevaba meses intentando protegerme con sus cerraduras de hierro, los atrapapesadillas y los topes en forma de ratón. Miré entonces a Nicky Ballard, que sostenía una copa de zumo de arándanos a la que habían añadido unas gotas de champán. ¿En qué debía pensar ella cuando oía la palabra «hogar»? Le había asegurado a su abuela que la cuidaría y me había prometido a mí misma que anularía la maldición que caía sobre ella. ¿Acaso había mayor vínculo que una obligación? Solo llevaba en Fairwick unos pocos meses y ya me sentía más en casa que en ningún otro sitio.

Levanté mi copa y brindé con Fiona. El cristal repicó con nitidez, seguido por el repique de todas las copas cuando los invitados (mis nuevos amigos y compañeros de trabajo) brindaron entre ellos. Sonó como si campanas de cristal repicasen en una sala enorme; casi podía ver la sala, una catedral abovedada decorada con ramas de árboles y una vidriera luminosa. Ese sonido hizo desaparecer toda la tristeza y añoranza que había estado sintiendo y la transformó en algo diferente.

—Por mis nuevos amigos —dije, alzando mi copa delante de todos los reunidos—, y por los que no están aquí —añadí, pensando en Paul.

—¡Bien dicho! —aprobó alguien, y los demás asintieron.

Entonces se produjo un silencio mientras todos bebíamos un sorbo. Decenas de burbujas heladas explotaron en mi boca. Estaba tan seco que me dio la sensación de estar bebiendo el aire puro de las montañas. Pero el regusto, una combinación sutil y extraña de roble, manzana y madreselva, me demostró que el líquido me había bajado por la garganta.

—Mmm —suspiró Phoenix, con una mano apoyada en el pecho de manera teatral—. Sabe igual que la primera copa que tomé en mi vida, que fue un cóctel de champán en el Plaza una calurosa noche de verano.

—Pues lo primero que bebí yo —comentó Oliver mientras me pasaba una bandeja de boniatos— fue un Tequila Sunrise en Studio 54. Pensé que me había muerto e ido al cielo.

—La mía fue un Martini con vodka en el Lotus Club —explicó la decana Book sonrojada, sirviéndose un poco de puré de patata.

Mientras nos pasábamos las bandejas de comida, todos explicamos las historias de esas primeras copas, aunque Mara y Nicky se abstuvieron con recato. El comedor se llenó del aroma del pavo y los boniatos y del tintineo de la porcelana y los cubiertos de plata. La comida estaba deliciosa; el pavo, muy tierno, y los boniatos glaseados con una delicada capa caramelizada de azúcar moreno. En el relleno había castañas asadas y entre los guisantes unas diminutas cebollitas traslúcidas. La conversación pasó de las primeras copas a los primeros besos y las primeras películas. Al principio, los más mayores (y menos humanos) de la mesa explicaron sus recuerdos con cierta imprecisión, o al menos los limitaron al siglo pasado. Pero a medida que fuimos bebiendo más (a pesar de que Fiona solo había traído una botella, el champán no parecía acabarse nunca), las hadas y las otras criaturas sobrenaturales empezaron a explicar historias de las fiestas que se organizaban en la barcaza de Cleopatra y en la corte del rey Arturo. Aquellos que desconocían el secreto de Fairwick no parecieron sorprenderse con esas historias increíbles. Jen Davis estaba más interesada en conocer los detalles de la infancia de Phoenix que en el relato de Casper Van der Aart acerca de su aventura en un buque mercante de camino a las Antillas. Nicky Ballard posiblemente pensara que Dory Browne estaba describiendo el argumento de una novela histórica que estaba escribiendo, y Frank Delmarco hablaba de deporte con Brock e Ike. La única que se quedó callada con los ojos abiertos como platos fue Mara Marinka. Quizás el escaso champán que había bebido había bastado para embelesarla como al resto de nosotros, o quizá solo desconfiaba de su conocimiento del idioma.

Me preguntaba cómo se habría sentido Paul en aquella mesa. No me lo imaginaba dejándose llevar por ningún hechizo ni reprimiendo ni un ápice de incredulidad. ¿Qué me diría si intentase explicarle lo que había sucedido la noche anterior? ¿Pensaría que me había vuelto loca? Quizá fuera mejor que no hubiera podido venir. Me sentí culpable por pensar así, pero Fiona enseguida me llenó la copa y me olvidé de todo salvo del momento presente.

Después de cenar pasamos al salón, frotándonos las barrigas llenas. Aunque la verdad es que, a pesar de todo lo que había comido y bebido, no me sentía empachada en absoluto. Me sentía satisfecha. Brock avivó el fuego y Casper abrió una botella de coñac muy añejo. Lo bebimos con la tarta de calabaza y jugamos al Trivial Pursuit. Frank Delmarco ganó dos veces, lo que fue digno de admiración teniendo en cuenta que estaba jugando contra un gnomo y dos antiguas divinidades nórdicas.

Después de la tercera partida, Nicky y Mara se despidieron y se marcharon con un montón de sobras que Dory les había envasado, y Phoenix se llevó a Jen a la biblioteca para enseñarle sus recortes de prensa. De pronto me percaté de que Fiona, Soheila, Diana y Liz estaban en la cocina. «Estarán lavando los platos», pensé. Me sentí culpable, así que cogí los platos de postre y me dirigí a la cocina. Tuve que detenerme un instante frente a la puerta para recoger un tenedor caído en el suelo y, sin darme cuenta, mi oído quedó justo a la altura del ojo de la cerradura.

—¿Estáis seguras de que se ha ido? —oí que preguntaba Fiona.

—Bueno, Diana y yo conjuramos el hechizo de destierro mientras Soheila recitaba los...

El ruido de los platos no me dejó oír las siguientes palabras. Después, Fiona preguntó algo más en voz baja y Soheila respondió:

—Estaba a punto de encarnarse. Nunca había visto a un íncubo ganar cuerpo tan rápidamente. Debe de sentirse muy atraído por ella...

—Esto no tiene nada que ver con ella —espetó Fiona. Sus encantadores modales se habían esfumado. Incluso con una puerta entre nosotras, sentí la frialdad que desprendía. Hasta Liz Book, que había logrado mantener la calma frente al berrinche de un demonio, parecía intimidada.

—Claro que no, mi reina. Temíamos que intentara hallar el modo de entrar de nuevo a través de otra persona que viviera en esta casa. Ella no es más que un conducto, pero quizás uno muy poderoso. El primer día que llegó a Fairwick abrió la puerta y hoy he visto cómo salvaba y liberaba a un sátiro.

—Es una guardiana. Perfecto —repuso Fiona con desdén—. Puede sernos útil, especialmente después de lo que le sucedió a la última. Pero vigilad a quién deja entrar. Sabéis tan bien como yo que hay cosas merodeando en el umbral que hacen que mi íncubo parezca un cachorrillo.

Me incorporé, ya cansada de escuchar a hurtadillas en mi propia casa. Hice repiquetear los platos que llevaba en la mano en señal de aviso y abrí la puerta con el hombro. Cuando entré ya estaban charlando de la receta de Diana para la tarta de nueces, como si estuvieran en un programa de cocina.

A las ocho ya se habían marchado todos los invitados, excepto Jen Davis, que estaba en la biblioteca bebiendo el coñac de Casper y escuchando con los ojos como platos las aventuras de la infancia de Phoenix en el sureste del país.

Me despedí y me fui a mi habitación para llamar a Paul. Estaba en el bar del hotel comiendo alitas picantes con Stacy, Mack y Rita, sus tres nuevos amigos «supervivientes».

—Stacy y Mack van a Ithaca y Rita a Binghamton, así que

mañana compartiremos un coche. Creo que llegaré hacia la una.

—Estupendo —dije—. Hoy te he echado mucho de menos. He estado pensando... y tenemos que hallar el modo de pasar más tiempo juntos. Podría ir a pasar las vacaciones de Navidad a California...

—Creí que te hacía ilusión pasarlas en tu casa nueva —repuso.

—Eso no importa. —Agarré el teléfono con fuerza para reunir el valor de decirle lo que quería—. Lo que importa es que las pasemos juntos. Quiero que tú seas mi hogar, Paul, y que yo sea el tuyo. Si no podemos ofrecernos eso... entonces, ¿qué estamos haciendo? —Contuve las lágrimas, dando espacio a una pausa lo suficientemente larga para que Paul pudiera reconfortarme, pero se quedó callado. Quizá tampoco tenía respuesta para mi pregunta—. Porque sea lo que sea lo que estamos haciendo, no estoy segura de poder seguir así. —Me mordí el labio y me obligué a callar para darle la oportunidad de contestar. Esperé y esperé. Entonces eché un vistazo al teléfono y vi que la llamada se había cortado. No tenía manera de saber desde hacía cuánto tiempo.

Quince minutos después, cuando estaba en la bañera, Paul me envió un mensaje: «Te perdí! Hasta mañana.»

Le contesté con un corazón y mi inicial, pero estaba empezando a cuestionarme si en realidad no nos habríamos perdido ya el uno al otro.

19

Ese fin de semana Paul no logró llegar a Fairwick. Llegó hasta West Thalia y me llamó para decirme que la carretera que conducía a Fairwick estaba bloqueada por árboles caídos. Temiendo que aquello sucediera, me había despertado temprano (después de dormir unas horas sin soñar) y había empezado a caminar hacia la carretera de West Thalia. Cuando llegué a las afueras del pueblo vi algo que parecía un atasco. Había árboles tirados en la autovía que cortaban el paso durante kilómetros. Cuando le pregunté a uno de los operarios que estaban despejando el camino hasta dónde llegaba el estropicio, me dijo que hasta unos quince kilómetros más allá.

—El problema está aquí y en la carretera que sale hacia el sur —me dijo—. Nadie podrá entrar ni salir de Fairwick hasta mediados de la semana que viene.

Me quedé en las afueras del pueblo una hora más, hablando por teléfono con Paul. No podía creer que no hubiera ninguna manera de salvar la corta distancia que nos separaba. Pero Fairwick estaba embutido en un valle entre unas montañas intransitables y empinadas; era como una fortaleza medieval construida para evitar la peste y la llegada de los vikingos. Al fin y al cabo, sus fundadores (hadas y demonios) seguro que recordaban bien ambas amenazas. Y ahora uno de esos demonios había levantado el puente levadizo e inundado los fosos, aislando así al pueblo del resto del mundo. ¿Lo habría hecho a propósito? Al principio pensé que la tormenta y la estela de destrucción que dejó a su paso eran el resultado de su pataleta, pero en aquel momento, observando la ringlera de árboles caídos, me pregunté si el demonio habría hecho todo aquello para impedir que me reuniera con Paul...

¿Habría intentado matarlo haciendo que su avión cayera?

—Si empiezo a caminar ahora mismo, puede que consiga llegar a Fairwick mañana por la mañana —ofreció Paul con gallardía en nuestra última conversación telefónica del día.

Me lo imaginé solo en la carretera de West Thalia en plena noche, con el bosque a ambos lados repleto de criaturas sobrenaturales, entre las que quizá se escondía un íncubo desquiciado y celoso.

—Gracias, Paul, pero han dicho que esta noche las temperaturas continuarán bajando, y no tienes que congelarte para venir a verme.

—Ya, tienes razón. Y no voy muy equipado que digamos. Me olvidé de meter las botas en la maleta, y los zapatos que llevo son bastante finos. Entonces supongo que me iré a Binghamton a visitar a Adam. —Era un amigo de Paul del instituto que estaba haciendo un posgrado en la Universidad de Binghamton—. Además, Rita también va en esa dirección.

—Dale recuerdos a Adam de mi parte —dije. Y a continuación, observando un tronco especialmente destrozado atravesado en el suelo, añadí—: Y conduce con cuidado, ¿vale? El tiempo aquí es... impredecible.

Cuando regresé a casa ya empezaba a anochecer, y estaba helada y agotada. Al entrar me encontré a Phoenix caminando de un lado a otro de la casa como una pantera enjaulada.

—No puedo creer que estemos atrapados aquí —se lamentó cuando le expliqué que las dos carreteras que salían de Fairwick estaban cortadas—. ¿Y si tenemos una emergencia?

—Bueno, en el pueblo hay un hospital y seguro que si hubiera algún caso grave podrían trasladarlo en helicóptero a Cooperstown.

—¿Y si se produjeran muchos incendios y el cuerpo de bomberos no pudiera ocuparse de todos? ¿O hubiera un asesino en serie? ¿O una banda comenzase a saquear las casas o los negocios? Esto es como en aquel libro de Stephen King en el que un pequeño pueblo queda atrapado bajo una cúpula invisible. ¡En el pueblo se arma la de San Quintín!

Era culpa mía que Phoenix hubiera leído ese libro de Stephen King, que yo había devorado un par de semanas atrás. Yo también había pensado en él en el camino de regreso a casa, pero Fairwick no parecía estar siguiendo los pasos del pequeño pueblo de King. La calle Main estaba llena de gente alegre que paseaba en las aceras, ya despejadas y cubiertas de sal, y que se congregaba en las esquinas para compartir anécdotas de supervivencia en la tormenta. En el parque habían instalado un pequeño quiosco con una parada de sidra caliente y dónuts, y los patinadores se deslizaban por el estanque helado. Distinguí a Ike, que patinaba con una mujer que parecía una de las primas de Dory Browne, y a Nicky Ballard, que estaba acurrucada en un banco con un chico vestido con una sudadera del instituto superior que supuse que sería su novio Ben. Las casas por las que pasé mientras caminaba colina arriba, o bien tenían los generadores en marcha o habían colgado farolillos en las ventanas. Mucha gente ya había colocado las decoraciones de Navidad, entre las que había los típicos renos de plástico y Papá Noel inflables, pero también una clase de adornos que no había visto nunca. Entre las ramas de los árboles, repletas de lucecitas, habían colgado campanas, piñas, palomas y ángeles de cristal. Al acercarme comprobé que no estaban hechas de cristal sino de hielo, y atrapados dentro del hielo había diminutos objetos; cosas naturales, como piñas y arándanos rojos, pero también amuletos dorados, juguetes (una muñequita con el cabello rosa y un Power Ranger azul), llaves y unos pergaminos enanos atados con una cinta roja.

—Son ofrendas de hielo —me explicó Brock cuando llegué a casa y lo encontré colgando una paloma de hielo de uno de los arbustos que había cerca de mi puerta. Me mostró el molde de cocina que estaba utilizando para hacer un ángel helado y me explicó que en el pueblo seguían una tradición que consistía en poner objetos diminutos en el interior del hielo como ofrendas para los espíritus del bosque—. En el pueblo donde nací —continuó mientras vertía agua en otros moldes—, se creía que un objeto que se dejara en el hielo durante el invierno ganaba poder. Los humanos dejaban ofrendas para los dioses dentro de estas formas de hielo y estos, a cambio, dejaban regalos en su interior para los humanos a los que amaban. De hecho, así fue como mi padre cortejó a mi madre Freya. Cada año le hacía alguna baratija (unos pendientes, una pulsera, un collar) y lo metía dentro de una paloma de hielo. «Te esperaré todo el tiempo que tarden en fundirse los campos de hielo de Jotunheim», le decía todos los años. El quinto año mi padre le hizo un anillo de compromiso y ella, impaciente, encendió un fuego debajo del árbol del que pendía la paloma de hielo. Cuando esta se derritió, mi madre cogió el anillo y gritó: «¡Jotunheim ya se ha fundido! ¡Ven por mí!» Cuando llegó mi padre el fuego se alzó de golpe y mi madre se quemó el dedo meñique. —Brock me mostró su mano—. Mis hermanos y yo nacimos todos sin la yema de los meñiques; testamento del amor que nuestra madre humana sentía por mi padre. Como era humana, murió hace mucho tiempo, pero... —Brock levantó la vista y me miró; su ternura difuminó la fealdad de su rostro—. La recuerdo como si acabara de salir de la habitación. Es tan fuerte el amor que los humanos poseéis...

Me ruboricé al recordar lo que Dory me había explicado sobre las relaciones entre los seres sobrenaturales y los humanos, pero no cabía la menor duda de que la madre de Brock no había intercambiado sexo por magia y que el padre de Brock debía de haberla amado mucho para que sus hijos la recordaran con tanto cariño. Rebusqué en el bolsillo y encontré la «piedra mágica» que llevaba encima desde el ritual de destierro dos noches atrás.

—Aquí tienes —dije, lanzando la piedra al agua—. Me la regaló mi padre cuando era pequeña. Me dijo que me protegería de las pesadillas. Supongo que será más útil aquí fuera que en mi bolsillo.

Brock echó un vistazo a la piedra agujereada.

—Seguro que sí —afirmó, introduciéndola en un molde—. A veces el solo hecho de regalarla ya le confiere más poder.

Después de que Brock se marchara intenté distraer a Phoenix de sus suposiciones fatalistas. Me la llevé fuera y le mostré las esculturas de hielo que Brock había colgado en los arbustos; además de la paloma, había ciervos y ángeles de hielo, o quizá fueran hadas. No obstante, Phoenix se limitó a estremecerse y se apresuró a entrar para refugiarse de nuevo en un nido de mantas, revistas y periódicos que se había hecho en el sofá de la biblioteca. Y ahí fue donde pasó el resto del fin de semana, bebiendo coñac y leyendo en voz alta las críticas favorables de su libro. Puede que ese fuera su modo de lidiar con las revelaciones sobrenaturales de los últimos días, o quizá su sangre sureña fuera demasiado clara para el frío que hacía. Supuse que el lunes, cuando las clases comenzaran, recuperaría el ánimo.

Pero las clases no empezaron el lunes. Las carreteras estaban despejadas y el puente hacia el sur estaba abierto, pero el autobús que venía de Nueva York pesaba demasiado para cruzar ese puente. De manera que la decana Book pospuso las clases hasta el miércoles.

Aproveché ese tiempo para estudiar la historia de Fairwick en la biblioteca del pueblo, más concretamente la historia de la familia Ballard. Además de lo que Dory me había explicado, descubrí que el socio de Ballard, Hiram Scudder, abandonó el pueblo después de que su mujer se suicidara y se fue al Oeste para rehacer su vida. Leí una descripción gráfica de la colisión, junto con un relato heroico de uno de los trabajadores de las vías, llamado Ernesto Fortino, quien se había arrastrado hasta el interior de uno de los vagones que colgaban del puente. Ese hombre logró que los pasajeros salieran con vida antes de que el vagón cayese al río, pero él murió. Me quedé un rato contemplando la imagen desgarradora de los cadáveres envueltos en sacos, alineados como troncos a un lado de la retorcida vía férrea. Leí los nombres de los fallecidos y luego los de las personas que se arruinaron después de que el ferrocarril y la fundición quebraran. El número de personas que podrían haber querido maldecir a Bertram Ballard era extenso; no me extrañaba que las brujas de Fairwick no hubieran podido identificar al causante de aquella maldición.

Por las noches, ya en la cama, me dediqué a leer un manuscrito de Dahlia LaMotte titulado *El asaltante vikingo*, en el que un hombre nórdico apuesto y tosco secuestraba a una princesa irlandesa para exigir un rescate por ella. Me llamó la atención un pasaje en particular:

> Aquel bruto me desgarró la túnica y empezó a sobarme los pechos. Estaba maniatada, así que lo único que podía hacer era intentar soportar el tacto de sus manos ásperas y crueles mientras me estrujaba los pezones, me apretaba los pechos, me acariciaba la barriga e introducía sus dedos entre mis piernas. Cuando grité, me tapó la boca con la mano... Hundí los dientes en su meñique y le mordí con tanta fuerza que le arranqué la yema del dedo. Chilló de dolor, pero en lugar de golpearme, levantó la mano herida y exclamó: «¡Menudo carácter que tenéis las muchachas irlandesas! Esto me servirá de recuerdo de nuestro noviazgo durante todos los años de nuestro largo matrimonio.»

Me preguntaba si Dahlia LaMotte habría estado pensado en Brock cuando escribió aquella escena. Y de ser así, ¿qué había sentido realmente por él?

Cuando no estaba deleitándome con una de las escenas picantes de Dahlia LaMotte, me dedicaba a reorganizar los armarios. Había algo allí dentro y empezaba a sospechar que quizá fueran ratones. Las cajas de zapatos estaban roídas y mis sandalias de cuero plateadas de Christian Louboutin tenían más agujeros que un queso Gruyère. Fui a unos almacenes que había en el pueblo y compré cajas de zapatos de plástico y unas trampas para ratones que nunca tuve el valor de instalar.

Phoenix se dedicó a beber y preparar un álbum con sus recortes de prensa. El miércoles por la mañana, decidida a conseguir que se despertara temprano para que llegase sobria a sus clases de la tarde, preparé una buena cafetera y unas tortitas de plátano, y llevé el desayuno a la biblioteca con una bandeja y el *New York Times*.

—Mira —dije, blandiendo el periódico—. ¡Esto demuestra que volvemos a estar conectados con el mundo civilizado! ¡Anuncios de Tiffany! ¡Un artículo de Gail Gollins! ¡Y hasta una receta para preparar galletas veganas de chocolate y plátano! Y mira, aquí sale un artículo de esa mujer, Jen Davies...

—¿Sí? —preguntó Phoenix con una vocecita en la que no había rastro de su acento sureño—. ¿Habla de mí?

Me hundí en el sofá, encima de una pila de revistas recortadas, con los ojos clavados en la página.

—Mmm, sí... Creo que sí... —Leí todo el artículo y levanté la vista. Dos grandes ojos inyectados en sangre me miraban desde una cara de cabello enmarañado—. Dice que no naciste en una familia desestructurada en Alabama. Y que tu madre no te abandonó con unos extraños en un cámping cuando tenías trece años... Y que tampoco pasaste dos años en un hospital psiquiátrico. Afirma que tu nombre verdadero es Betsy Ross Middlefield y que creciste en Darien, Connecticut, con tu padre, que es un corredor de seguros, y tu madre, Mary Ellen, que es miembro de la asociación de Hijas de la Revolución Americana y dirige una empresa de interiorismo.

Phoenix sacudió la cabeza mientras arrancaba una pluma que emergía del edredón.

—Mi madre se llama Mary Alice —repuso—, y no Mary Ellen. Se va a cabrear mucho cuando lea esto. —Seguidamente, se escondió entre las mantas y se tapó la cabeza.

Me llevé la bandeja y el periódico de vuelta a la cocina, me senté a la mesa y releí el artículo dos veces más. Después me quedé contemplando el jardín helado con la mirada perdida. Desde que llegué a Fairwick me había llevado muchas sorpresas. Había descubierto que el hombre de mis sueños eróticos era un íncubo de verdad; mi jefa, una bruja; y mi vecina, un hada. Mis compañeros de trabajo también eras brujas, hadas y demonios, y mi alumna predilecta estaba bajo una maldición que le iba a arruinar la vida. Vivía en un pueblo que albergaba dos mundos y, por lo visto, yo tenía un talento oculto para abrir la puerta que los separaba. De manera que no debería haberme desconcertado tanto que Phoenix se hubiera inventado sus memorias (sin duda, no era la primera escritora que lo hacía), pero lo cierto es que me quedé perpleja. Hacía tres meses que vivíamos juntas y, aunque estaba un poco chiflada, le había cogido cariño. Era divertida y generosa y se preocupaba por sus estudiantes... o al menos por uno de ellos. Sabía que era descuidada, boba y vanidosa, pero nunca me había parecido mezquina ni había sospechado que todas aquellas historias locas que me explicaba pudieran ser mentira. Y lo peor era que no había mentido para ocultar una identidad secreta sobrenatural, sino que lo había hecho porque... La verdad es que no tenía ni idea de por qué. Si algún día se levantaba del sofá quizá se lo preguntaría.

Pero en ese momento tenía que irme o de lo contrario llegaría tarde a clase. Regresé a la biblioteca y me senté en el sofá a los pies de Phoenix, apartando una pila de periódicos y la carpeta lila que contenía el trabajo de Mara Marinka.

—Escucha —dije, dirigiéndome a la maraña de pelos que asomaba por debajo del edredón—. Quería decirte que he estado leyendo tus mem... tu libro, y que me parece muy bueno. Quizás hayas nacido para escribir novelas en lugar de tu autobiografía. Y piensa que tarde o temprano toda esta historia pasará al olvido. ¡Piensa en James Frey, por ejemplo! ¡Sigue publicando libros!

—Tendré que devolver el anticipo —gimió una vocecilla entre las mantas—. Y me despedirán.

—No sé lo que pasará con el anticipo, pero si quieres hablaré con la decana Book.

—¿Harías eso por mí? —La afilada nariz y los grandes ojos de Phoenix asomaron por el extremo del edredón. Me recordó al lobo que se escondía en la cama de la abuela en *Caperucita roja*.

—Claro. La llamaré de camino a clase. ¿Por qué no te levantas, te duchas, desayunas y...? —Recobras la sobriedad, iba a decir, pero no lo hice—. Haz todo lo que tengas que hacer, pero no cojas el teléfono ni respondas a ningún e-mail de los periodistas.

Estuve a punto de decirle que se quedara en casa, pero comprendí que no era necesaria la advertencia. Llevaba días sin salir a la calle. La Casa Madreselva ya contaba con su segunda escritora ermitaña.

Llamé a la decana Book desde el móvil en cuanto salí de casa, y esta contestó enseguida.

—Acabo de leer el artículo —dijo sin preámbulos—. ¿Cómo está Phoenix?

—Está destrozada. Debió de imaginar que esa descarada de Jen Davis sospechaba de ella, porque se ha pasado todo el fin de semana enfurruñada.

La decana calificó a la periodista australiana con un adjetivo bastante más fuerte que «descarada».

—¿Vas a despedir a Phoenix? —pregunté.

—Tengo que hablar con la junta de profesores, pero antes me gustaría oír su versión. ¿Está en tu casa?

Ya había llegado a la entrada del campus, pero me volví antes de cruzar las puertas para observar la Casa Madreselva, ya que desde que Ike había recortado los setos podía verse perfectamente desde allí. Me pareció atisbar que una sombra se movía detrás de la casa, pero no era más que un arbusto meneándose a causa del viento.

—Sí. Y no creo salga.

—Bien, pues dentro de media hora iré a verla. ¿Puedo coger la llave que hay debajo del gnomo si no me abre?

Asentí, sin tomarme la molestia de preguntarle cómo sabía que teníamos una llave escondida, y estaba a punto de colgar cuando me hizo otra pregunta:

—No ha habido más indicios de... él, ¿no?

—No —respondí en tono optimista—. Ni rastro. *Rien de rien*. Tema zanjado. Elvis ha abandonado el edificio.

La decana Book tardó tanto en responder que pensé que la llamada se había cortado. En cierta manera esperaba que así fuera y que se hubiera perdido mi fingida frivolidad.

—Bien, pues una cosa menos de la que preocuparnos. Qué vaya bien la clase, Callie.

La verdad es que la clase fue bastante bien. Les había encargado a mis alumnos que leyeran una novela de Victoria Holt durante las fiestas, con la sospecha de que un romance de bolsillo sería mejor compañero de viaje que una de las densas novelas del siglo XVIII que habíamos estado leyendo en clase.

—Me ha encantado —comentó entusiasmada Jeanine Marfalla, una estudiante de segundo curso muy guapa que era de las afueras de Boston—. Leí toda la novela en el tren de camino a casa y al llegar me compré otros dos libros de la misma autora en una tienda de segunda mano.

Nicky dijo que su parte favorita era cuando la heroína oye que el héroe murmura palabras cariñosas frente a su puerta cerrada con llave.

—¡Se me puso piel de gallina! —exclamó.

Por lo visto, a Nicky le habían sentado bien las vacaciones. Se la veía descansada y bien alimentada. Mara, en cambio, ni siquiera había venido a clase. Cuando le pregunté a Nicky después de clase dónde estaba Mara, se sonrojó y me dijo que no estaba segura porque ella todavía no había regresado a la residencia; se había pasado las fiestas en el pueblo, con Ben. Intenté disimular los celos que sentí de que ella hubiera podido estar con su novio y yo no.

Comprobé el móvil y vi que tenía un SMS de Liz Book: me preguntaba si podía encargarme del taller de Phoenix. Le contesté que lo haría encantada y le pregunté por ella.

«No está muy fina —escribió—. Cuando acabes la clase, ven directamente a casa.»

Cuando entré en el aula del taller de escritura, la primera persona en quien reparé fue Mara, que al verme se mostró avergonzada.

—Siento haberme perdido su clase, profesora McFay. Estos días me he acostumbrado a dormir hasta tarde y esta mañana no me he despertado a tiempo. —Tenía muy mal aspecto; estaba en los huesos y parecía exhausta. Recordé que en la cena de Acción de Gracias la había visto comer con ganas y me pregunté si sería bulímica.

—No te preocupes, Mara. Me puedes compensar explicándome qué deberes os puso Phoenix para las fiestas.

—Pues nunca nos pone deberes. Solo nos dice que sigamos trabajando en nuestras memorias. Para cavar hasta las raíces más amargas, como suele decir.

—Las raíces de la verdad —terció en tono burlón otro estudiante, un chico con *piercings* y una chaqueta de cuero.

—Allí donde escondemos los trapos sucios —aportó otro.

Era obvio que los alumnos de Phoenix habían memorizado esas frases. Desafortunadamente, todas giraban alrededor de la importancia de decir la verdad. ¿Qué pensarían esos chicos cuando descubrieran que toda la autobiografía de su profesora era falsa?

Pregunté si alguien se ofrecía voluntario para leer en voz alta lo que habían escrito durante las vacaciones. Un par de estudiantes levantaron la mano, pero en cuanto Mara levantó la suya, el resto se apresuró a bajarla. «Caray —pensé—, es como si estuvieran entrenados.» Le cedí la palabra a Nicky.

—Bueno, es que yo... En realidad he escrito sobre por qué no me gustan las memorias —dijo con timidez.

—Bueno, pues entonces, léenos eso —repuse, exasperada.

La muchacha se levantó y leyó su redacción, que había titulado «Fantasmas familiares», una evocación vívida de su casa y las personas que vivían en ella.

—A veces creo que sería mejor olvidar el pasado y centrarse en el futuro —concluyó—. Supongo que por esa razón no me siento cómoda con este trabajo. Yo crecí rodeada de fantasmas del pasado, fantasmas en forma de vestidos de seda pudriéndose dentro de armarios polvorientos, y de cadáveres envueltos en sacos a un lado de las vías del tren. ¿No sería mejor dejar que esos fantasmas descansaran en paz?

La última imagen que Nicky describía en su redacción me persiguió durante el camino de regreso a casa. «Cadáveres envueltos en sacos»; eso debía de haberlo sacado de las fotografías del accidente de tren del 93, un accidente que lo más probable es que hubiera sido culpa de la negligencia de su tatarabuelo. ¿Crecer en un pueblo con ese pasado familiar? Uno no tendría que estar realmente maldito para sentirse como tal.

Mis cavilaciones se vieron interrumpidas de golpe por un chillido agudo. Sonaba como si a alguien lo estuvieran descuartizando vivo, y el grito procedía de mi casa. Eché a correr y casi me caigo de bruces, pues la acera todavía estaba resbaladiza. Aminoré el ritmo, con la vista clavada en el suelo para evitar los parches de hielo. Al llegar a casa me detuve en el camino de entrada; me quedé tan helada como los ángeles y palomas que colgaban de los árboles. Phoenix, o mejor dicho Betsy Ross Middlefield, vestida con su albornoz de felpa lila y con el cabello alborotado, se aferraba con ambos brazos a una de las columnas del porche.

—¡No puedo irme! —gritó—. Si me voy, el demonio me encontrará. Lo echamos de la casa, pero ¡hoy lo he visto espiando por la ventana de la cocina! ¡Está esperando que salga fuera para abalanzarse sobre mí!

Una señora de unos sesenta años con el cabello rubio ceniza muy bien cortado y peinado, que vestía un abrigo ceñido de piel de camello, estaba de pie a su lado. Apretaba los labios y apoyaba una mano en la espalda de Phoenix.

—Venga, vamos, Betsy —oí que decía—. En McLean no hay demonios. Te acuerdas del doctor Cavett, ¿verdad?

Miré al hombre al que se refería. Estaba en el porche junto con la decana Book. Era un hombre bajo y con entradas, vestido con una americana a cuadros y un jersey de cuello alto de color ladrillo. Parecía aterrorizado por las mujeres que tenía alrededor, sobre todo la decana Book, que se movía inquieta en su pesado abrigo de piel. Cuando Liz me vio, se acercó y vi que la luz del sol se deslizaba por su abrigo de piel. Por un momento me pareció que la piel se movía sola, como si una criatura enorme y peluda tuviera en sus garras a la decana. Parpadeé y la ilusión se esfumó... si es que había sido una ilusión.

—Ay, Callie, me alegro de que estés aquí. Le he estado explicando al doctor Cavett que algunas de las historias que Phoenix cuenta de demonios e íncubos deben de proceder de tu investigación.

—Se llama Betsy, no Phoenix —insistió la mujer del abrigo de piel de camello—. Le pusimos el nombre de su abuela, que era descendiente de Betsy Ross, y ese nombre no tiene nada de malo.

—Lo odio, mamá —protestó Phoenix; aún no lograba acostumbrarme a su verdadero nombre—. Te lo he dicho miles de veces. Odio llamarme igual que la loca de la abuela y odio McLean. Soy escritora, ¡una artista! Y tengo una idea para un libro nuevo, será acerca de lo que he vivido aquí, en Fairwick, pero necesito quedarme en la Casa Madreselva para escribirlo.

—Pero ¿no decías que había un demonio aquí fuera esperando para abalanzarse sobre ti?

Los ojos inyectados en sangre de Phoenix saltaron de su madre a mí. Si me pedía que corroborase su historia, ¿qué debía hacer? No quería cargar en mi conciencia la responsabilidad de que la encerrasen en un manicomio, pero tampoco quería que me llevaran a uno a mí. De todos modos, Phoenix no me pidió que atestiguase que últimamente un demonio había merodeado por la casa.

—Ay, Callie, te has ocupado de mi clase, ¿verdad? ¿Has visto a Mara? ¿Te ha preguntado por mí? ¿Te ha entregado algún fragmento más de sus memorias para que yo lo lea? —Y volviéndose hacia su madre dijo—: ¿Lo ves? No puedo irme de aquí. Mara Marinka depende de mí.

La decana Book me miraba nerviosa. Supuse que estaba pensando lo mismo que yo: que la obsesión de Phoenix por Mara no era más sana que su fijación con el demonio.

—Todos tus alumnos han preguntado por ti —mentí—. Y Nicky Ballard ha leído...

Phoenix sacudió los brazos en señal de desinterés.

—¡La que importa es Mara! —chilló—. Mara debe aprender a decir la verdad. No puedo dejar que piense que he mentido. Tengo que explicárselo.

La decana suspiró.

—Quizá sea mejor que se lo expliques todo a tus alumnos después de descansar un poco. —Se volvió hacia la madre de Phoenix y el doctor y añadió—: No puedo permitir que altere a los estudiantes en este estado. —Miró a Phoenix de nuevo—. Pero en cuanto vuelvas a ser tú misma, podremos considerar tu regreso a la universidad, ¿vale?

Aquella fue una elección de palabras muy desafortunada.

—¡Yo ya soy yo misma! ¿Quién iba a ser si no? —gritó Phoenix, abalanzándose sobre la decana.

Creo que solo pretendía encomendarse a la merced de la decana, pero se tiró con tanta fuerza que la empujó hacia atrás. Liz se tambaleó unos instantes, sacudiendo los brazos para no perder el equilibrio. Corrí en su ayuda mientras el doctor y la señora Middlefield intentaban refrenar a Phoenix. Ellos estaban entre Liz y Phoenix, de espaldas a la decana, así que no vieron lo que sucedió después. No vieron la sombra que Liz proyectó en la pared: una criatura gigantesca, parecida a un oso, con garras y una enorme boca abierta que dejaba al descubierto sus dientes. Pero yo sí que lo vi, y Phoenix también. Esta comenzó a chillar de nuevo; lo cierto es que parecía tan enloquecida que no pude culpar al doctor Cavett por administrarle una inyección de tranquilizante. Cuando los gritos de Phoenix se calmaron para dar paso a unos lloriqueos suaves, estuve a punto de pedirle que me proporcionara una dosis de tranquilizante a mí también.

20

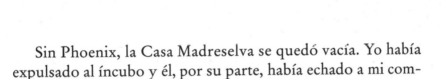

Sin Phoenix, la Casa Madreselva se quedó vacía. Yo había expulsado al íncubo y él, por su parte, había echado a mi compañera de casa.

Liz Book, después de explicarme que la sombra con forma de oso que había visto en la pared era una pariente suya, Ursuline, y de prometerme que ya me lo explicaría en otro momento, me dijo que no debía tomármelo a la tremenda. Era obvio que Phoenix ya no estaba bien cuando llegó y que el verdadero punto de inflexión había sido el desenmascaramiento de su autobiografía fraudulenta. No obstante, yo creía que lo que había llevado a Phoenix al límite de la cordura había sido el exorcismo y los subsiguientes descubrimientos. ¿Por qué si no habría hablado de los demonios de tal manera?

—Además, no sabemos con certeza que no fuera él quien condujo a Jen Davis hasta aquí para desenmascarar a Phoenix —señalé—. Al fin y al cabo, desvió el avión de mi novio trescientos kilómetros hacia el oeste y creó una barrera de hielo alrededor del pueblo para que yo no pudiera pasar el día de Acción de Gracias con él.

Sabía que parecía una paranoica, pero después de todo lo ocurrido supuse que era comprensible que me sintiera inquieta. El íncubo no había logrado ganarse mi amor, de manera que había decidido que tendría que quedarme sola.

Pues se iba a enterar. No me importaba vivir sola y tampoco iba a perder la cabeza como Phoenix. Estaba decidida a trabajar duro lo que quedaba de semestre. Me había ofrecido a ocuparme de las clases de Phoenix hasta que la decana Book encontrara un sustituto, y lo más seguro es que eso no sucediera hasta después de las vacaciones de Navidad, así que tenía trabajo de sobra. Lo primero que descubrí de esas clases es que Phoenix no había devuelto ningún trabajo corregido en todo el semestre. Prometí rectificar esa situación enseguida y decidí dedicar el fin de semana a leer las vidas de los treinta y cuatro alumnos.

No había imaginado que aquellos chicos tuvieran tantas cosas que contar, pero me equivocaba. Leí la historia de una chica de África Central que había escapado de su país natal para evitar la mutilación genital. También leí un relato breve y conmovedor de Flonia Rugova, en el que explicaba cómo ella y su madre habían huido de Albania. Pero no todos los estudiantes tenían un fondo exótico. Richie Esposito, del Bronx, había entregado una novela gráfica en la cual unas bandas rivales formadas por ratas, cucarachas y palomas luchaban por el control de la ciudad después de un apocalipsis nuclear.

Leí el trabajo de Nicky Ballard con especial atención, en busca de alguna pista de la maldición de su familia, pero la muchacha no había escrito mucho. De manera que decidí releer aquella otra redacción que había titulado «Fantasmas del pasado», que ya había leído en clase. Debajo de la última línea había escrito: «Este semestre me encantaría hacer poesía.»

Al final de la página Phoenix había garabateado: «¡DEBES ENFRENTARTE A TUS FANTASMAS!» Pero yo comprendía a la pobre Nicky. Mi abuela Adelaide había hecho un fetiche de los orígenes de nuestra familia, que se remontaban al *Mayflower*. Se pasaba la mayor parte del tiempo en los eventos de las Hijas de la Revolución Americana o en su club, un lugar anticuado llamado La Arboleda donde la alta burguesía de la sociedad de Nueva York se reunía para comparar sus árboles genealógicos. Ese lugar siempre me había puesto los pelos de punta; temía utilizar el tenedor equivocado o romper una de las finísimas tazas de té.

Taché el comentario de Phoenix y escribí: «Me encantan las imágenes de tu redacción. ¿Por qué no pruebas con algo de poesía?»

A continuación recuperé la fotocopia que había hecho de la lista de fallecidos en el Gran Choque del 93 de Ulster & Clare. Esa semana había empezado a investigar cada uno de los nombres que aparecían en aquella lista. Por mucho que le dijera a Nicky que dejara atrás a sus fantasmas, mientras no encontrara al «fantasma» que había maldecido a su familia, la joven seguiría atrapada en esa ruina de casa.

La única redacción que no conseguí leer fue la de Mara Marinka. La carpeta lila que contenía su trabajo había desaparecido. Se lo comenté a Liz y ella llamó a la madre de Phoenix para preguntarle si llevaba la carpeta consigo cuando entró en McLean, pero la señora Middlefield nos aseguró que no.

—No deja de pedirnos que le enviemos el trabajo de esa chica, pero ya le he dicho que eso no será posible —dijo.

Busqué la carpeta por toda la casa, o algún fragmento que pudiera encontrar de las redacciones de Mara. Recordaba haberla visto en la biblioteca antes de salir de casa el día que se llevaron a Phoenix. Quizá si había sospechado que alguien intentaba entrar en la casa aquel día (el demonio, más concretamente), puede que la hubiera escondido. Pero por mucho que busqué lo único que encontré fueron las botellas de licor medio vacías que Phoenix había escondido en diferentes rincones.

El lunes siguiente dejé mi cita con Mara para el final; me daba pánico que llegara el momento de decirle que todo lo que había escrito ese semestre se había perdido.

—Phoenix hablaba maravillas de tu talento para la escritura —le dije—. Si imprimieras otra copia, me encantaría leer tu trabajo.

—¿Imprimir? —preguntó Mara, mirándome perpleja con sus ojos del color del té.

—Sí, desde tu ordenador. Si no tienes impresora seguro que puedes enviar el archivo a la imprenta del campus o pasármelo por e-mail, ¿no?

—Pero es que yo no escribo en el ordenador. Escribo con bolígrafo y papel.

—Ah... —Menuda decepción—. Y supongo que no habrás hecho ninguna copia, ¿no?

Mara sacudió la cabeza.

—Nunca creí que fuera necesario. Lo que escribí no era más que... —Levantó los dedos y dibujó unos lazos en el aire. Por un momento me pareció ver unas letras; unos extraños símbolos rúnicos suspendidos en el aire como luciérnagas. Pero cuando parpadeé, las imágenes se desvanecieron—. ¿Cómo lo llamáis? ¿Garabatos?

—Pues a Phoenix no le parecían garabatos —repuse, frotándome los ojos—. Le impresionó mucho lo que escribiste.

Mara sonrió con tristeza.

—Me temo que le impresionó tanto que se la llevaron. Quizá no sea tan buena idea que escriba sobre las cosas horribles que he visto. Puede que ponerlo en palabras lo haga todavía más real y no sea bueno para nadie.

—Pero no te conviene quedarte todo eso dentro. Creo que deberías hablar con alguien. Con la doctora Lilly, por ejemplo.

—Ya he hablado con ella, pero no lo entiende —repuso.

A mí me parecía que Soheila Lilly era el tipo de persona que podría entender la angustia de una exiliada, pero, al igual que la mayoría de jóvenes, Mara no creía que una persona mayor pudiera entender sus experiencias.

—¿Y qué me dices de Flonia Rugova? —le pregunté—. Ella es de Albania, que está cerca de tu país.

Mara bajó la vista, tal como solía hacer cuando alguien hacía alusión a su tierra natal, pero al mirarme de nuevo entornó los ojos con interés.

—Mmm... Quizá tenga razón. Puede que Flonia y yo tengamos muchas cosas en común y estaría bien poder hablar con alguien. Nicolette está muy ocupada con su novio Benjamin. Ya ni siquiera viene a dormir a la residencia... ¡Ups! —Se tapó la boca con la mano—. No debería haber dicho eso. No quiero que Nicolette tenga problemas por mi culpa.

—No te preocupes. No creo que en Fairwick haya toque de queda. Pero entiendo que te sientas sola. Quizá deberías intentar hacer nuevos amigos... y conocer a otros estudiantes.

La joven me dedicó una ancha sonrisa, la más radiante que le había visto nunca. Y una vez más comprobé que tenía una dentadura horrible.

—Sí, eso es lo que haré. Empezaré por hablar con Flonia Rugova. Y en cuanto a la clase de escritura... ¿Le importaría que no entregara nada hasta que decida sobre qué quiero escribir?

—Bueno, supongo que puedes esperar hasta que llegue el sustituto de Phoenix —contesté, un tanto incómoda. No me gustaba la idea de dejar que un estudiante se escabullera del trabajo tan fácilmente, pero lo cierto es que ella había hecho más de lo que le correspondía, y así los otros estudiantes tendrían la oportunidad de leer sus trabajos en clase. Además, era un alivio poder ahorrarme la lectura de todos los horrores vividos por la pobre Mara...

No obstante, mi charla con Mara me dejó bastante inquieta y pasé la noche merodeando por la casa vacía. La sensación de que algo no andaba bien con aquella chica me perseguía, así que quería encontrar la carpeta en caso de que sí que estuviera en la casa. El hecho de que en realidad no quisiera leer su contenido me hizo buscarla todavía con más ímpetu para mitigar mi conciencia. Revisé todos los rincones en que Phoenix hubiera podido esconder aquellos papeles: en los armarios de la cocina y las vitrinas del comedor, detrás de los libros de la biblioteca, entre las pilas de manuscritos de Dahlia LaMotte, en mi propio escritorio (comprobé que el cajón que estaba cerrado con llave seguía cerrado, aunque era obvio que era demasiado pequeño) y mis armarios.

Dejé el desván para el final porque no me gustaba la idea de subir ahí sola. Me daba la sensación de que si el íncubo rondaba por algún lugar de la casa aquel sería el escondite idóneo; debajo del techo inclinado, entre las cajas de té y los muebles rotos. Cuando encendí la luz y la bombilla se fundió, tuve que resistir el impulso de abandonar, pero me obligué a bajar a buscar uno de los farolillos con pilas que Dory Browne me había prestado por si volvía a cortarse la luz. Regresé sosteniendo el farolillo por encima de la cabeza y me dispuse a revisar hasta el último recoveco. Cuando ya casi había peinado todo el espacio y el farolillo iluminaba el ala izquierda del desván, distinguí una sombra que se deslizaba por el suelo.

Casi se me cayó el farolillo, pero enfoqué la luz en la dirección que la sombra había tomado y vi que algo se escurría en el interior de una caja abierta. Con el corazón a mil, me abalancé sobre la caja y cerré la tapa. Fuera lo que fuera lo que había dentro, comenzó a empujar la tapa; aquel frenético ruido retumbaba en mi propio pecho.

«Mierda. ¿Y ahora qué? ¿Cierro la caja con llave y se la llevo a Liz Book?», pensé.

Pero entonces recordé que esas cajas estaban hechas para preservar secas las hojas del té durante los largos viajes oceánicos y que, por tanto, eran herméticas. Si había atrapado a algo con vida ahí dentro, cuando llegara a casa de Liz ya habría muerto.

Eso no debería suponer un problema. Si se trataba del íncubo, no se podía ahogar por falta de aire... ¿no? Y si era un animal que hubiera decidido instalarse en mi desván, entonces era mejor deshacerse de él... ¿no?

Otro golpe hizo traquetear la caja. Aquello, fuera lo que fuese, estaba rabioso. O enfadado.

«Joder, qué mala pata.»

Apoyé el farolillo en una silla desvencijada procurando que la luz iluminara la caja. Entonces, me agaché y levanté la tapa de golpe.

Dos ojos negros, pequeños y brillantes, me miraron desde una diminuta cara peluda. Si la criatura se hubiera movido un centímetro yo habría chillado y salido corriendo, pero el ratón se quedó quieto y sentado sobre las patas traseras con las dos patitas de color rosa apoyadas en la mancha blanca que tenía en el pecho, como pidiendo clemencia. Esa postura me resultaba familiar. Examiné su cola y comprobé que en su lugar tenía un muñón.

—¡Eres tú! —exclamé—. El ratón sin cola. ¡No explotaste!

Ladeó la cabeza y movió sus orejitas rosas. Tenía que admitir que era bastante simpático.

—Me alegro de que sobrevivieras. —Me sentí un poco estúpida hablando con un ratón, pero bueno, esos últimos días había hecho cosas más raras—. Lamento que tus amigos no lo consiguieran.

El roedor gimió y se frotó la cara con una patita, como si se limpiara... o se secara una lágrima.

—Oooh, ¿estás llorando? —Metí la mano en la caja, con la palma hacia arriba—. Ven aquí, pequeñín. No te haré daño.

El ratón se quedó observando mi mano. Luego estiró el cuello y me olisqueó los dedos; todavía tenía las ampollas que me había hecho cuando lo cogí durante el exorcismo. «¿Y si me muerde? ¿Los ratones de hierro que cobran vida pueden tener la rabia?» Pero no me mordió, sino que me lamió las ampollas y se subió a mi palma. Una vez encima, dio dos vueltas seguidas y se enroscó como una bola con el muñón debajo de las patas traseras y la nariz rosa apoyada en las patas delanteras, y me miró.

Reí.

—La verdad es que eres una monada. Vamos a buscarte algo de comer.

Lo llamé *Ralph*, en honor al ratón de *La escapada de Ralph* de Beverly Cleary, uno de mis libros favoritos cuando era pequeña. «*Ralph*, el ratoncito de la puerta», me gustaba cómo sonaba. Después de darle un poco de queso, lechuga y zanahoria, me lo llevé de nuevo escaleras arriba en una cesta forrada con un trapo de cocina y lo dejé encima de mi escritorio mientras llamaba a Paul. *Ralph* se acurrucó y me escuchó con un ojo abierto mientras le explicaba a Paul cómo había ido mi reunión con Mara.

—Me da que está intentando escaquearse del trabajo. No puedes ser tan buena con tus alumnos, Cal. Se aprovecharán de ti.

Ya habíamos tenido esa discusión antes. Paul apenas llevaba un par de años dando clases, pero ya parecía harto de las peticiones emocionales de sus alumnos. En estos tiempos de e-mails y mensajes de texto, los jóvenes de la «generación de la autoestima» podían ser exigentes y hasta fastidiosos (yo misma había tenido alumnos en Columbia que querían saber por qué no me compraba un iPhone o una Blackberry para así contestar sus correos de inmediato). Pero en realidad solo unos pocos se comportaban como si tuvieran derecho a la atención íntegra del profesor. A pesar de ello, Paul trataba a todos los estudiantes como si fueran una amenaza potencial de su tiempo y de su trabajo. A veces me preguntaba si no sería más feliz trabajando en algo ajeno a la enseñanza.

Cuando le deseé las buenas noches a Paul y colgué, vi que *Ralph* se había quedado dormido. Dejé su cesta encima del escritorio y me fui a la cama. Supongo que el hecho de que me sintiera mejor con aquel ratoncito durmiendo en mi habitación era un claro indicador de lo sola que me sentía desde la marcha de Phoenix.

Decidí leer alguna de las redacciones de mis alumnos antes de dormir, pero acabé cogiendo uno de los cuadernos de Dahlia LaMotte. No estaba segura de que la literatura erótica fuera lo adecuado en ese momento, pero no me veía con fuerzas para leer ni un trabajo más, y la verdad es que estaba bastante enganchada a *El asaltante vikingo*. Era el único manuscrito que había leído hasta el momento en el que el sexo con un personaje humano eran tan excitante como el sexo con un íncubo. Acababa de llegar a la parte donde el asaltante vikingo comprende que la chica irlandesa que mantiene prisionera tiene la misma pesadilla todas las noches.

—Estás poseída, muchacha, atormentada todas las noches por el demonio. Te lo veo en los ojos y... —Metió la mano por debajo de mi túnica y me apretó con brusquedad la ingle. Cerré los ojos e intenté imaginar que estaba en otro lugar—. Sí, y tu sexo está hinchado; la doncellez que he estado reservando para tu futuro. Si este demonio la ha roto...

Maldiciendo en su propia lengua deslizó su dedo dentro de mí y noté que me flaqueaban las rodillas. Me mordí el labio para evitar gemir y que él pensara que aquello me complacía. Solo estaba sensible por las visitas de aquello que él llamaba demonio.

—Ah, todavía eres doncella, muchacha. Gracias a Odín. Todavía conseguiré un buen rescate por ti... Pero tenemos un pequeño problema.

Había retirado el dedo de mi interior, aunque ahora me acariciaba las nalgas, estrujándolas con sus grandes y crueles manos. Se apretó contra mí y me empujó hasta que mi espalda alcanzó la repisa de piedra del ventanuco de mi celda, y sentí entonces que su fuerte virilidad me presionaba el vientre. Me subió las caderas encima de la repisa y me empujó contra los barrotes de hierro al tiempo que me separaba los muslos. En ese instante noté que la punta de su virilidad empujaba contra mi sexo, que latía en respuesta a sus frotamientos. Lloriqueé, procurando no gemir, y quise apretar los muslos para no abrazarlo dentro de mí. ¡Carne traidora! Incluso cuando el demonio de mis pesadillas me cabalgaba, no anhelaba que me penetrara del modo en que lo deseaba ahora.

Abrí los ojos y vi que estaba estudiando mi rostro.

—Sí, muchacha, yo también quiero. Quiero penetrarte y llenarte de placer. Quiero meterte mi verga y cabalgarte como ese demonio.

Me acarició la cara y eso pudo conmigo. Le rodeé con los brazos y deslicé las manos hasta sus caderas, duras como el hierro por el esfuerzo que hacía para contenerse. Lo empujé hacia mí, arqueando las caderas para recibir sus embestidas, y sentí que su carne caliente tocaba la mía; su prepucio ardiente raspando mi sexo irritado... Y entonces sentí la bofetada de aire frío cuando retrocedió, con una sonrisa burlona dibujada en sus labios.

—Aún no, muchacha. Debo proteger mi inversión. Pero

veamos qué podemos hacer por ti para que no precises nunca más las atenciones de ese demonio...

Se arrodilló y sumergió esa sonrisa burlona y cruel entre mis piernas. Sus labios se encontraron con mis labios íntimos en un beso intenso. Su lengua exploró lo que su virilidad no podía. Me lamió hasta lo más profundo, como un niño que saborea un melocotón maduro... Llegó hasta lo más hondo de mi anhelo oscuro y su lengua chocó contra la presa que reprimía mis deseos más oscuros y profundos, y la rompió, liberando así el flujo dulce y salvaje. Cuando eyaculé en su boca, se incorporó y se limpió la cara con el dorso de la mano.

—Creo que ahora esa pesadilla te dejará en paz. —Y se fue, dejándome tan vacía como la piel de una fruta consumida.

Cerré el cuaderno y apagué la luz. La luna inundó la habitación como si una presa la hubiera estado conteniendo; pero era una luz fría y estéril, y las sombras permanecían rígidas y quietas, tan frías e inmóviles como barrotes de hierro. Me estremecí y me hundí bajo la colcha, sintiéndome tan desechada como la muchacha irlandesa de Dahlia.

21

A la mañana siguiente oí que Brock estaba intentando despejar el camino de entrada. Cogí a *Ralph* y corrí escaleras abajo para enseñárselo, y cuando estaba a medio camino me acordé del pasaje obsceno que había leído la noche anterior. Avergonzada, vacilé. ¿Sabía Brock que Dahlia lo había utilizado como modelo para uno de sus héroes más apasionados? ¿Sabría que yo había estado leyendo esas escenas? Pero cuando abrí la puerta me miró con tal franqueza e inocencia que enseguida deseché esas ideas. Brock era un hombre amable y honrado; no me extrañaba que a Dahlia le gustara. Cuando le enseñé a *Ralph*, se quedó pasmado, y estuvo encantado de que su creación hubiera cobrado vida.

—Cuando forjé esos topes añadí una chispa de Muspelheim, el fuego primigenio de donde proceden las estrellas y los planetas, para que tuvieran la fuerza necesaria para protegerte, pero nunca imaginé que uno de esos ratones cobraría vida. Debes de haber despertado su fuerza vital de algún modo... —Me miró con la misma admiración con que le había visto observar a Drew Brees tras completar ocho pases seguidos—. A partir de ahora dedicará la vida a protegerte.

Me gustaba la idea de tener un compañero fiel, pero no imaginaba cómo un ratón iba a ser capaz de defenderme ante eventuales amenazas.

Cuando volví a entrar en casa, dejé a *Ralph* en la taza de té que tenía en el escritorio y comprobé mi correo electrónico. Me sentí aliviada al ver que había recibido uno de Liz Book. Me decía que ya había encontrado un sustituto para Phoenix, un poeta irlandés, Liam Doyle, cuyo nombre me resultaba ligeramente familiar. Lo busqué en Google y descubrí que había estudiado en el Trinity College de Dublín (donde había recibido varios premios de poesía) y se había doctorado en Literatura por Oxford (donde le habían concedido una beca de investigación y una matrícula de honor por su tesis acerca de los poetas del romanticismo). Además, había publicado dos libros de poesía con una editorial pequeña llamada Snow Shoe Press. La fotografía que aparecía en la página web de la editorial mostraba a un hombre serio con aspecto de rata de biblioteca. El cabello, oscuro y greñudo, le colgaba por encima de unas gafas cuadradas bien gruesas.

Pulsé uno de los enlaces que aparecía en la web de la Casa de la Poesía del Muérdago en Klamath, Oregón, y encontré la siguiente biografía:

El destacado poeta Liam Doyle fue el escritor residente seleccionado en la primavera de 2001 por la Kelly Writers House de la Universidad de Pensilvania. Sus intereses se centran en la poesía del romanticismo del siglo XIX, la poesía de los exiliados y expatriados, y en la poesía de la naturaleza. Doyle ha trabajado en el Macalaster College (Minnesota) y el Bates College (Maine), y ha pasado los últimos dieciocho meses impartiendo clases de poesía en un instituto de un barrio marginal de Baltimore.

Respondí a Liz diciéndole que me alegraba de que hubiera encontrado un poeta para cubrir el puesto, y destaqué lo fantástico que sería aquello para Nicky Ballard. También aproveché para preguntarle si todavía necesitaba que me ocupara de la clase de ese día.

Cuando acabé de ducharme y vestirme, comprobé que ya

me había contestado: el profesor Doyle tenía previsto llegar a tiempo para impartir la clase de la tarde («Ha venido a Nueva York para participar en una conferencia. Qué suerte, ¿verdad?»). Y me pedía si podía reunirme con él después de la clase para entregarle los trabajos de los alumnos.

Le contesté que lo haría encantada, pero ¿no sería mejor que nos reuniéramos antes de la clase para entregarle las redacciones y hablarle un poco de los estudiantes?

«No —contestó—; me ha dicho que prefiere conocer a sus alumnos sin ninguna idea preconcebida.»

«Bastante idealista —repuse, pero temí parecer cínica, así que añadí—: Parece un tipo competente.» Y como todavía no estaba segura de si parecía sarcástica añadí un emoticono sonriente.

—Nada de ideas preconcebidas, ¿eh? —le dije a *Ralph*, que seguía acurrucado en la cesta—. ¿Quién es ese tío?

Ralph bostezó y estiró las patas, adoptando una postura que lo convertía en el animalillo más tierno del mundo. Como *Ralph* no tenía nada que añadir, decidí contestar yo misma a aquella pregunta. Aún tenía los resultados de Google de Liam Doyle en la pantalla y observé que tenía una página de Facebook. La abrí, suponiendo que estaría bloqueada, pero no lo estaba. Perfecto. No tendría que solicitarle amistad para echar un vistazo a su perfil. La fotografía que tenía en el muro no me proporcionaba más detalles de su aspecto que su foto de autor. Esta mostraba el perfil de un hombre de cabello oscuro; el cuello de pana de su chaqueta Barbour le tapaba la parte inferior de la cara y el cabello húmedo le cubría la otra mitad. En la foto aquel hombre estaba contemplando el espectacular paisaje de montañas y lagos que había a lo lejos. El lago Country, supuse, ya que había incluido «Hacer senderismo por el lago Country» en la lista de sus actividades de interés, junto con «tocar el laúd» y «estudiar idiomas».

Seguí cotilleando en su perfil y descubrí que su música preferida incluía desde U2, Kate Nash y Vivian Girls hasta Billie Holiday y grupos de fusión de música celta, como The Pogues, Thin Lizzy y Ceredwen. Sus películas favoritas eran *La bella y la bestia* (de Cocteau), *La fiera de mi niña*, *Sucedió una noche* y, para mi sorpresa, *Tienes un e-mail*.

En el apartado de situación sentimental había escrito: «Es complicado.»

Justo cuando empezaba a leer los mensajes que tenía en el muro, *Ralph* saltó al teclado y pisó varias teclas. Lo cogí antes de que pisara alguna con la que acabase agregando a Liam Doyle a mis amigos y revelase que le había estado investigando ciberné-ticamente.

—Pero bueno —lo reprendí, dejándolo encima de la mesa—. No te subas al teclado, me lo vas a llenar de pelos.

Ralph se sacudió, erizando el pelo hasta parecer uno de esos bichos peludos de Star Trek en miniatura, y entonces empezó a lamerse como si le hubiera ofendido que me quejara de su boni-to pelaje.

—Lo siento —me disculpé, y cerré el portátil para que no se subiera mientras yo no estaba—. Pero que seas un ratón mágico no significa que no se te caiga el pelo, ¿vale?

Comprobé la hora y vi que estaba a punto de llegar tarde a clase. Me había pasado una cantidad de tiempo ingente nave-gando por el perfil de Facebook de Liam Doyle. Sería mejor que lo bloqueara, de lo contrario todos sus alumnos acabarían haciendo lo mismo.

Ese día puse *Cumbres Borrascosas* en clase (la versión clá-sica, con Merle Oberon y Laurence Olivier), de manera que aproveché el tiempo para organizar las carpetas del taller de escritura, adjuntando notas con comentarios acerca de cada alumno. No me preocupaba lo más mínimo que aquello le pro-porcionase ideas preconcebidas a Liam Doyle. Después de cla-se, un alumno (el chico de la chaqueta de cuero y los *piercings*) me preguntó si podía hablar conmigo de su trabajo final, de manera que no tuve la oportunidad de echarle un vistazo al nue-vo escritor residente antes de que comenzara su taller. Y cuando más tarde pasé junto al aula, la puerta estaba cerrada. Oí el murmullo de una voz grave y, seguidamente, una oleada de risas de los alumnos.

«Bien», pensé. Esa clase se merecía un profesor que les prestara atención a todos. Solo esperaba que no se obsesionara con Mara del mismo modo que Phoenix. Quizá debería avisarle de la situación cuando terminara la clase, en una hora y veinte minutos. Tendría que hacer tiempo hasta entonces en la biblioteca. A pesar de que tenía muchísimo trabajo, me molestó que el señor Doyle no hubiera reparado en que reunirme con él después de su clase pudiera no resultarme oportuno. Al menos podría habérmelo consultado. ¿Habría tan siquiera preguntado a la decana Book cuál era mi horario?

En lugar de sentarme en la mesa de siempre, me senté frente a uno de los ordenadores y entré en mi cuenta de correo. Vi que Liz había respondido a mi último e-mail (el que había firmado con la carita sonriente).

«Por cierto, el señor Doyle me ha preguntado qué hora sería más conveniente para ti, pero le he dicho que como a menudo trabajas en la biblioteca ambas opciones te irían bien. Espero que no te moleste. Hemos tenido bastante suerte en encontrar a un poeta tan destacado (y con tan buena reputación entre sus alumnos) en tan poco tiempo, de modo que he intentado facilitarle las cosas. Espero no haberte causado ninguna molestia.»

Suspiré. Era obvio que la decana estaba intentando que nadie se sintiera molesto (una carita sonriente, ¡por Dios!). Aunque la verdad es que no envidiaba su trabajo. Además, tenía razón: los escritores residentes eran conocidos por su dudoso comportamiento y por rehuir el trato con sus alumnos. Un tipo de Oxford que impartía clases en universidades fuera de la ciudad era sin duda un fichaje excepcional.

Le contesté que estaba en la biblioteca y que tenía mucho trabajo pendiente que me mantendría ocupada hasta la hora de reunirme con el profesor Doyle. Y era cierto: tenía trabajos por corregir, un artículo de la última edición de *Folklore* que quería incluir en mi lista de reserva, y los nombres de la lista de víctimas del accidente de tren de Ulster & Clare que quería empezar a investigar. No obstante, en lugar de hacer alguna de estas cosas, busqué de nuevo a Liam Doyle en Google y leí sus méritos poéticos. Algunas de las revistas en que aparecía eran publicaciones digitales. Busqué una que se llamaba *Per Contra* y encontré un poema titulado «Invierno mentiroso».

Lo que una vez llegó, no volverá a llegar jamás,
por muchos que sean los recuerdos acumulados;
el verde soleado siempre sucumbe al viento invernal.
Y tú, mi amor, que también fuiste mi mejor amiga,
tenías que seguir y vivir tu propia vida.
Tu juventud no fue culpable de la tragedia.
Aunque confiaba tanto en nuestra unión,
que no fomenté más que capricho y libertad
a un destino sin aparente perdición.
La juventud pudo hacernos insensatos,
y aunque fue elevado el precio que pagué,
ahora sé que de esa fiebre ya estoy curado.
El fresco viento de abril suspira mis tristezas,
pero sé que el sol será más fuerte que ese frío
y pronto despertará el verde y zumbarán las abejas.
El verano convertirá al viento en embustero,
pero yo ya no seré capaz de entrar en calor,
pues tú eres todo lo que en este mundo anhelo.

«Caray», pensé, cuando acabé de leer el poema. Aquel tipo de Oxford impartía clases en universidades menores y encima escribía bien. Aunque quizás aquel poema era fruto de la casualidad. Volví a Google y encontré otro poema... y otro y otro. Leí media docena; todos eran preciosos y todos hablaban de un amor perdido. No cabía duda de que alguna chica le había calado hondo. Abrí de nuevo su Facebook y empecé a buscar entre los mensajes de su muro alguna mención de esa novia tan especial. Los mensajes de los estudiantes eran particularmente conmovedores: «Gracias por inspirarme a escribir poesía, profe, ¡me has ayudado a creer en mí misma», había escrito Ali del

Macalaster College; «Me ha encantado el libro que me recomendó, señor D. Tenía razón, ¡el romanticismo mola!», decía KickinItKT de Baltimore.

Ni novias ni esposas mencionadas por ninguna parte.

Su situación sentimental seguía descrita como «Es complicado». «Pues claro, cómo iba a haberlo cambiado durante la clase», me reprendí. Entonces reparé en la hora digital que marcaba la pantalla y me percaté de que hacía más de diez minutos que su clase había terminado.

¡Mierda! Cogí mi bolsa y salí presurosa de la biblioteca, crucé el patio casi corriendo y llegué al pabellón Fraser jadeando. Hice una pausa para recobrar el aliento en el pasillo, delante de la antigua aula de Phoenix, y oí voces que procedían del interior. Me asomé y vi la espalda ancha de un hombre de cabello oscuro que estaba un poco hacia la derecha de Flonia Rugova. La joven, que solía ser muy tímida (nunca le había oído decir más de cinco palabras seguidas) estaba charlando efusivamente; tenía las mejillas sonrojadas y movía las manos en el aire como si fueran pájaros cantores recién salidos de una jaula. Intenté escuchar lo que decía, pero no estaba hablando en inglés. Y el profesor Doyle tampoco. Este comentó algo en un idioma que supuse que era albanés y Flonia soltó una risita tonta. En aquel momento la muchacha me vio en la puerta y se tapó la boca. Antes de darse la vuelta, el profesor se inclinó hacia Flonia, apoyó la mano en su hombro y le murmuró unas palabras. Ella asintió, ya más seria, juntó las dos manos e inclinó la cabeza. Yo no sabía ni jota de albanés, pero se veía que le estaba dando las gracias por algo. La muchacha cogió sus libros y se marchó rápidamente, pasando por mi lado como si no estuviera.

¡Caray! Una sola clase y la tímida y seria Flonia Rugova ya estaba loca por él. ¿Qué aspecto tendría ese hombre?

No tuve que esperar mucho para descubrirlo. En cuanto Flonia se marchó, el profesor nuevo se volvió. Mi primera reacción fue «Va, no es para tanto». Sí, tenía la espalda ancha y una boca generosa, pero para mi gusto llevaba el cabello demasiado largo y esas gafas de montura cuadrada que los hombres se ponen para parecer más intelectuales y que le hacían parecerse a Clark Kent. Además, vestía una camisa sin cuello como las que Errol Flynn llevaba en *El capitán Blood*. Entendía que una joven sin experiencia como Flonia lo encontrase atractivo, pero a mí me pareció un tanto artificial.

Él me sonrió; se le formó un hoyuelo en un lado de la boca y sus ojos castaños destellaron tras las gruesas gafas y se tiñeron de un tono dorado.

—Ah, usted debe de ser la profesora McFay —dijo con un acento irlandés cantarín—. Mis alumnos me han hablado de lo generosa que ha sido con su tiempo.

«¿Mis alumnos?» Estaba claro que había tomado posesión de ellos muy rápido. Vale, era atractivo, pero seguro que era consciente de ello.

—Son un buen grupo —repuse—. Nicky Ballard es...

—Una poetisa excepcional. Sí, ya me he dado cuenta. Por eso me extraña que la señorita Middlefield la instara a escribir sus memorias.

Estaba de acuerdo con él, pero no me gustaba que criticara a Phoenix; porque seguramente en aquel momento la pobrecilla estuviera atada a una camilla en pleno estupor catatónico.

—Phoenix estaba sometida a muchas presiones. Estoy segura de que hacía lo que creía mejor para sus alumnos. Consideraba que era necesario que un escritor fuera capaz de enfrentarse a sus propios demonios.

Doyle sonrió como si hubiera oído algo gracioso.

—¿Así lo llamaba ella? ¿Enfrentarse a sus propios demonios? Pues a mí más bien me parece que se estaba exponiendo a sus demonios; algunos estudiantes me han dicho que el aliento le olía a alcohol y que no les había devuelto ningún trabajo corregido desde septiembre.

—Sí, sí, eso no está bien...

—Es mucho peor: es un crimen. Estos jóvenes estaban dispuestos a desnudar sus almas ante esa mujer, ¿y que consiguieron a cambio? Una profesora borracha que mintió con el fin de alcanzar la fama y la fortuna. —Sacudió la cabeza con tristeza—.

Solo espero poder ganarme su confianza después de algo así.

—Pues parece que con Flonia Rugova lo estaba consiguiendo —espeté, arrepintiéndome al instante del tono empleado. Aquel hombre tenía razón. El comportamiento de Phoenix había sido pésimo, pero de todos modos me fastidiaba que llegara y se atreviera a juzgar a una persona que no conocía después de pasar una hora con sus alumnos.

Liam Doyle ladeó la cabeza y entornó los ojos, mirándome con curiosidad.

—La señorita Rugova me estaba explicando cómo salió su familia de Albania. Dejó a una hermana allá, de la que no recibe noticias desde hace tres años. Así que le estaba ofreciendo un contacto que tengo en Amnistía Internacional para que le ayuden a encontrarla.

—Ah —dije, notando como me sonrojaba—. Eso ha sido... muy amable por su parte. Flonia no ha escrito mucho, pero lo poco que he leído es bonito. Tenga. —Le entregué la pila de trabajos de los alumnos—. Tiene razón. Estos chicos merecen un profesor bastante mejor de lo que Phoenix fue. Se distrajo... Lo que me recuerda que tengo que avisarle que las únicas redacciones que no están aquí son las de Mara Marinka. No las encuentro por ninguna parte. Supongo que Phoenix las perdió.

Esperaba otra diatriba contra Phoenix, pero Doyle se limitó a suspirar.

—No importa —respondió—. Mara me ha dicho hoy que iba a borrarse de esta clase.

—¿En serio? Me sorprende. Ayer hablé con ella y no me dijo nada.

Él se encogió de hombros.

—Creo que estaba decepcionada porque ya no iba a ser el centro de atención. Mucho me temo que un exceso de atención puede ser tan perjudicial como su falta. En todo caso, la señorita Marinka me dijo que aborrecía escribir poesía, y eso es lo tengo pensado hacer en clase durante las dos semanas que quedan de semestre.

—Pero es una pena que no consiga los créditos de esta asignatura después de lo mucho que ha trabajado. He buscado sus memorias por todas partes...

—No me cabe duda... Por cierto, me he enterado de que le estaba alquilando una habitación a la señorita Middlefield. Yo estoy durmiendo justo al otro lado de la calle, en la Dulce Posada Hart... —Hizo una mueca al pronunciar el nombre—. Y está bien para uno o dos días, pero si me quedo más tiempo podría darme un ataque diabético, ya sea por la decoración o por la comida.

—Sí, a Diana le encantan los dulces —asentí—, y tiene debilidad por las figuritas.

—No era mi intención insultar a otra amiga suya, profesora McFay. La señora Hart es una posadera muy gentil, pero las habitaciones son... bueno, un poco femeninas para mi gusto, y la comida demasiado dulce. Lo que quería preguntarle era si se sentiría cómoda con un inquilino varón.

—¿Quiere alquilar la habitación de Phoenix?

—Sí. La decana Book me explicó que tiene una entrada independiente y acceso a la cocina. Me gusta cocinar, ¿sabe? De hecho, hice un curso en el Cordon Bleu cuando vivía en París.

Estuve a punto de preguntar por qué no había incluido ese talento junto con «tocar el laúd» y «hablar albanés» en su Facebook, pero me contuve para no revelar mis investigaciones cibernéticas. Al final, sonreí con pesar.

—Me encantaría ayudarle, señor Doyle, pero Phoenix dejó sus cosas ahí y quiero que sienta que todavía es bienvenida.

—Muy leal por su parte —comentó—. No querría que hiciera nada que la incomodase. Pero si la señorita Middlefield le pide que le envíe sus cosas...

—Entonces usted será el primero de la lista de posibles inquilinos —contesté, segura de que Phoenix no estaba en condiciones de pensar en sus cosas. Y le devolví la sonrisa a Liam Doyle, contenta de que esta vez hubiera encontrado una excusa para no acoger a un compañero indeseado.

No obstante, cuando salí del pabellón Fraser me sentía inquieta. «¿Por qué he sentido esa antipatía inmediata por Liam Doyle?», me pregunté. ¿Acaso estaba celosa del rápido éxito que había tenido con sus alumnos, cuando yo me había pasado todo el fin de semana leyendo sus trabajos y todo el día anterior reuniéndome con ellos uno a uno? ¿O eran sus viajes exóticos y sus actividades filantrópicas lo que envidiaba? ¿O el hecho de que hubiera estudiado en Oxford? Vale, había algo pretencioso en él que me sacaba de quicio. ¿Y esa mierda del laúd? ¡Por Dios! Yo no era la única que lo veía, ¿no?

Me volví y me dirigí de nuevo hacia el pabellón Fraser. Esta vez entré por la puerta trasera para evitar toparme con Doyle. Si ese hombre ocultaba algo, Soheila Lilly se habría dado cuenta. No había ningún estudiante esperando fuera de su despacho, pero oí voces procedentes del interior. Estaba a punto de marcharme cuando escuché que una de esas voces, una voz grave de hombre, decía:

—¿Y has visto la camisa que llevaba? ¡Parecía sacada de un catálogo de J. Peterman!

«Gracias a Dios —pensé—, al menos no soy la única.» Llamé a la puerta, que estaba entreabierta, y asomé la cabeza. Soheila, detrás de su escritorio, lucía un bonito jersey de color caramelo y un collar de ámbar largo que combinaba con el color del té que estaba bebiendo. La última persona que me esperaba que estuviera tomando el té con ella era Frank Delmarco, pero ahí estaba, reclinado en una silla tallada con delicados detalles y sosteniendo un vaso humeante de té con especias.

—¿Interrumpo algo? —pregunté.

—No; solo estábamos hablando del sustituto de Phoenix —respondió Soheila, levantándose para servirme un vaso de té del samovar—. ¿Lo has conocido ya?

—Sí —contesté, mientras tomaba asiento junto a Frank—. Parece muy... entregado —aventuré con cautela.

—¡Ja! —resopló Frank, y se inclinó hacia delante tan bruscamente que pensé que la frágil madera de la silla se iba a romper—. Os ha engatusado a todas.

—En absoluto —repuse, molesta porque me metiera en el mismo saco que las jovencitas de su clase—. De hecho, me ha parecido un poco impertinente. Hasta me ha preguntado si podía quedarse con la habitación de Phoenix.

—¡Lo veis! —se jactó Frank—. La cama de esa pobre mujer todavía no está ni fría y él ya está intentando arrebatársela. Espero que le hayas dicho que no.

—Pues claro —asentí. Entonces sonreí con picardía y añadí—: Aunque puede ser que me arrepienta. Me ha dicho que hizo un curso de cocina en el Cordon Bleu.

Frank se reclinó de nuevo en la silla y soltó una carcajada, tal como imaginé que haría.

—Puede que hasta sepa coser. ¡Y podrías haberle pedido que te arreglase las cortinas! ¿Has leído sus poemas?

No estaba segura de si admitirlo, pero Frank no esperó a que respondiera y citó un verso del poema que había leído en la biblioteca en un falsete burlón. Lo cierto es que cuando lo leí me había parecido precioso, pero ahora algo malicioso me hizo reír y preguntar:

—¿De verdad creéis que él cree todas esas tonterías?

Oí un paso detrás de mí.

Soheila se aclaró la garganta y miró por encima de mi cabeza. Eché un vistazo disimuladamente y lo vi: Liam Doyle estaba en el umbral, bloqueando la entrada con su espalda ancha. El sol de media tarde se reflejaba en sus ojos, de manera que no pude descifrar su expresión, pero su voz sonó fría como el hielo:

—Pues la verdad es que sí. —Y antes de que pudiera disculparme, ya se había ido.

22

Pasé toda la semana siguiente (la última antes de los exámenes finales) intentando evitar a Liam Doyle. Estaba muy avergonzada de que me hubiera sorprendido hablando de él a sus espaldas; burlándome de su poesía, para ser exactos. No sabía qué mosca me había picado. ¿Por qué le había cogido manía desde el principio? ¿Porque llevaba camisas cursis y había estudiado en Oxford?

No cabía duda de que a casi todos los demás les gustaba. Soheila Lilly me sirvió un té Irish Breakfast la siguiente vez que fui a visitarla a su despacho («¡Un regalo de aquel escritor irlandés tan majo!») y me confesó que Doyle le recordaba a Angus Fraser. También lo vi dos veces almorzando con Elizabeth Book en la Asociación de Estudiantes y oí a la decana reír como una niña. Incluso Frank Delmarco admitió de mala gana que el nuevo no estaba tan mal, y me mostró unas entradas de los Jets que Doyle le había conseguido para el fin de semana posterior a Navidad. Además, sus alumnos estaban entusiasmados con el taller y me explicaban que salían de excursión al bosque con el profesor nuevo y este les recitaba poesía.

Nicky Ballard parecía especialmente motivada gracias a él. Había empezado a escribir una serie de poemas en torno al tema de la doncella de hielo. Cuando me enseñó algunos, comprendí que la muchacha estaba enfrentándose mediante la poesía al miedo de quedar atrapada por su pasado familiar. Me pareció una excelente estrategia emocional, pero me pregunté si realmente la ayudaría a combatir una maldición del siglo pasado. Resultaba claro que Nicky no sabía que estaba maldita, de modo que estaba en mi mano hacer lo posible por evitarlo.

Había empezado el minucioso trabajo de rastrear a las víctimas del accidente de tren de Ulster & Clare, pero iba muy lenta. Incluso cuando encontraba información sobre una víctima o su familia no podía saber si la persona era una bruja o no. Seguro que había alguna manera más sencilla de hacerlo. Al comienzo de la semana de los exámenes finales decidí ir al despacho de Liz Book para preguntarle si sabía cómo podía identificar al autor de la maldición. En cuanto mencioné la maldición, una nube de cansancio se abatió sobre su rostro; se la veía cansada y mayor. De hecho, ya me había percatado de que iba un poco descuidada. Algunos mechones grises se habían escapado del moño, que solía llevar impoluto, y vestía una chaqueta de punto de St. John's a la que le faltaba un botón dorado.

—Mis predecesores han estado documentando la maldición de los Ballard durante generaciones. Y cuando acepté este puesto, hace diez años, decidí que una de mis misiones sería acabar con ella. Primero pensé que si dábamos con los orígenes de la maldición seríamos capaces de deshacerla, así que le pedí a Anton Volkov que repasara la larguísima lista de gente que tenía una razón para odiar a Bertram Ballard.

—¿Por qué Anton Volkov? —quise saber. Liz pareció confundida con mi pregunta, de modo que añadí—: Él está en el departamento de estudios de Europa del Este y el Instituto Ruso, ¿verdad?

—Sí, claro... Ah, ya entiendo lo que quieres decir. Eso me recuerda que todavía no te he hecho la sesión de orientación sobre el IPM, el Instituto de Profesionales Mágicos. Anton ha estado trabajando en la creación de un registro *online* de brujas, hadas y demonios, llamado BOGGART. Cuando esté acabado será un recurso inestimable porque algunos seres mágicos no son totalmente francos sobre su... mmm... su naturaleza. Después de siglos de persecución es comprensible, pero la tendencia imperante es hacia la inclusión y la revelación total.

—Pero ¿consiguió identificar a la bruja que maldijo a la familia de Nicky? —la interrumpí. No quería ser maleducada, pero mucho me temía que podía pasarme allí todo el día escuchando a la decana explicarme el funcionamiento de la academia mágica, que, por muy fascinante que me pareciera, no iba a ayudar a Nicky.

—Bueno, de hecho, identificó al menos a dos brujas que podrían haber tenido un motivo y la oportunidad de hacerlo, pero no pudo localizar a los descendientes de ninguna de las dos. Me consta que tiene pensado ir a la ciudad para echar un vistazo al Registro Central de Seres Sobrenaturales, el RCSS, en la sede principal de la biblioteca, pero todavía no ha podido...

—¿Hay un Registro Central de Seres Sobrenaturales en la Biblioteca Pública de Nueva York? —pregunté sorprendida. Había estado allá millones de veces y por supuesto nunca me había topado con algo así.

—Sí, pero para acceder a él necesitas tu tarjeta del IPM. Cuando te desvelamos nuestro secreto, envié toda la documentación necesaria para inscribirte en el IPM. Y creo que tengo tu tarjeta por aquí... —Rebuscó entre la pila de papeles que tenía encima del escritorio, el cual solía estar siempre muy despejado. Se le cayeron unas hojas al suelo, de modo que me agaché y recogí un formulario de baja/alta y una factura de cuatro cajas de champán y se los entregué—. Ah, ¡aquí está! —exclamó, enseñándome una tarjeta laminada con un símbolo de dos lunas crecientes flanqueando un orbe con las letras IPM inscritas—. Solo tienes que enseñarla en recepción y te conducirán hasta las colecciones especiales. También te da derecho a utilizar la biblioteca en horas en las que normalmente estaría cerrada.

—Estupendo. La próxima vez que vaya a la ciudad iré a echar un vistazo. ¿Sabes los nombres de las dos brujas que Anton identificó?

—Pues los tenía... por algún sitio... —Se volvió para buscar en un gran archivador que tenía detrás. Abrió un cajón atiborrado de cosas y hurgó en su interior, suspirando de cansancio; pero de pronto un libro cayó del archivador a su regazo y pareció animarse—. ¡Mira, tu libro de hechizos! —Me entregó un libro muy soso con la típica tapa verde de biblioteca—. Pero no encuentro esa lista por ningún lado. Creo que será más sencillo que le preguntes los nombres directamente a Anton...

—Por supuesto —dije—, aunque la verdad es que no lo conozco mucho. Lo vi en la recepción de profesores, pero no me lo presentaron. ¿Es un...? Es que Nicky Ballard me explicó que él y sus compañeros viven juntos en el pueblo y que corren por ahí algunas historias extrañas sobre ellos... —Como el hecho de que nunca se dejan ver de día, recordé.

Liz movió la mano para que me quitara de la cabeza esas preocupaciones.

—No debes hacer caso de las habladurías. Anton es encantador. Si de verdad estás preocupada por Nicky deberías ir a hablar con él, pues ha estado estudiando el tema a fondo. Su despacho está en el pabellón Bates, que es aquel edificio que hay en lo alto de la colina.

—Vale, iré a hablar con él.

—Bien.

La decana pareció contenta de poder dar por zanjado algún tema. Se la veía con ganas de acabar la reunión y me daba la sensación de que necesitaba echar una cabezadita. El final de semestre debía de ser una época dura, y todavía más un semestre como aquel, que había incluido la invasión de un íncubo, un escándalo de fraude y una tormenta de hielo. Eso haría envejecer a cualquiera, pensé, y de pronto caí en la cuenta de que no tenía ni idea de cuántos años tenía Elizabeth Book en realidad. Si sus poderes mágicos la habían mantenido joven hasta ahora, era posible que si estos menguaban envejeciera rápidamente. Esa idea me hizo sentir incómoda y sentí lástima por ella.

Me levanté para marcharme, aferrada a mi libro de hechizos.

—Voy a hablar con el profesor Volkov ahora mismo —anuncié.

—Hay algo sobre lo que debo avisarte.

—¿Sí?

—Admiro tu deseo de ayudar a Nicky Ballard, pero no te obsesiones. Justo hoy le comentaba al señor Doyle que los jóvenes de hoy, en especial los que vienen a Fairwick, precisan mucha atención y pueden llegar a consumirte.

Ese comentario me sorprendió, pues no era muy propio de la decana Book, que siempre se mostraba tan tranquila y gentil. No obstante, en aquel momento, viendo la sequedad de su piel, el cabello desaliñado y el ligero temblor que tenía en la mano, parecía que algo la estuviera consumiendo.

Nunca había estado en el pabellón Bates, pero había visto su chapitel de piedra de lejos y sabía que albergaba el Instituto de Europa del Este y Rusia. Se alzaba en el extremo oeste del campus y lo cierto es que no me hacía ninguna gracia tener que caminar hasta allá arriba, pero se lo debía a Nicky. A medida que me acercaba al edificio a través del empinado camino comencé a sentirme como Jonathan Harker aproximándose al castillo de Drácula en los Cárpatos. Quizá por esa razón el instituto eslavo lo había escogido.

No había nadie más en el camino. Puesto que era la semana de los exámenes finales, la mayoría de estudiantes estarían encerrados estudiando en sus habitaciones o en la biblioteca. El sol estaba bajando por detrás de las montañas occidentales, tiñendo el edificio de piedra de un rojo sangre. Con la caída del sol, el día se estaba volviendo helado y las nubes grises que se concentraban en el norte amenazaban con nieve. El hombre del tiempo llevaba días prediciendo la primera nevada de la temporada. Estuve a punto de dar media vuelta, pero recordé mi promesa a la abuela de Nicky.

En el interior del edificio hacía frío y reinaba el silencio. Mis pasos retumbaban mientras recorría un largo pasillo y pasaba junto a mapas amarillentos de países ya desaparecidos y vitrinas de cristal con trozos de cerámica y esculturas rotas, reliquias de alguna civilización eslava antigua. Me detuve para leer la lista de cursos que se ofrecían. Las clases abarcaban desde Ruso, Literatura Rusa del siglo XIX, Folklore Balcánico, Historia Otomana y Bizantina y Poesía Rusa. Bastante impresionante para una universidad del tamaño de Fairwick, pensé. Normalmente, solo en las universidades grandes, como Harvard o la de Chicago, se podían dedicar tantas clases a un tema tan minoritario. Me pregunté si algún alumno adinerado de Fairwick habría dotado de fondos al departamento.

Encontré el despacho del profesor Volkov, pero la puerta estaba cerrada y nadie respondió a mi llamada. Escritas con letra anticuada en una tarjeta de color marfil aparecían sus horas de consulta: «Lunes y miércoles, de 18 a 20 horas, o con cita previa.» Perfecto, pensé, la decana Book podría haberme informado de las excéntricas horas de visita del profesor Volkov. También descubrí, por su horario, que impartía clases a horas todavía más extrañas: de 8 a 9.15 los lunes y miércoles. Justo cuando estaba a punto de irme, oí un ruido al otro lado de la puerta. Puede que Volkov sí que estuviera ahí. Me acerqué y agucé el oído. Era un sonido parecido al de pasar las hojas de un libro antiguo, con la diferencia de que este duraba tanto y cobró tanto volumen que empecé a dudar de que alguien pudiera hojear un libro con tal ímpetu. No, cuanto más escuchaba más me recordaba al ruido de alas, como si un pájaro hubiera quedado atrapado en el despacho de Volkov.

Llamé a la puerta de nuevo y el extraño sonido paró en seco. Esperé a que alguien respondiera, pero nadie se acercó ni oí ningún movimiento, aunque ahora estaba segura de que había alguien, o algo, al otro lado de la puerta. Empecé a retroceder con sumo sigilo y me alejé por el pasillo, con la única compañía de mi propio reflejo en las vitrinas de cristal.

Cuando salí del edificio y el aire frío me dio en la cara me sentí mejor, pero entonces reparé en lo oscuro que estaba el camino. En los pocos minutos que había pasado en el pabellón Bates el sol había desaparecido tras el horizonte y estaba nevando. La nieve había desdibujado los bordes del camino y llenado de sombras grises el bosque que lo flanqueaba. Caminé deprisa, reprendiéndome por el pánico creciente que me presionaba el pecho. «El sonido en el despacho de Volkov no era más que el ruido de papeles desperdigados por la corriente de aire que entraba por alguna ventana abierta», quise creer.

Pero, entonces, ¿por qué se había parado cuando llamé a la puerta?

¿Y por qué tenía Volkov unas horas de visita tan extrañas e impartía todas sus clases por la noche?

Recordé de nuevo las habladurías del pueblo que Nicky me había comentado sobre el profesor Volkov y sus colegas. Nunca salían antes del anochecer y las luces de su casa siempre estaban encendidas... ¿Acaso eran vampiros?

Unas alas agitándose por encima de mi cabeza acabaron de pronto con mis razonamientos y se me paró el corazón. Me volví y vi, recortada en el último destello rojo del cielo, una silueta negra con alas que se cernía sobre mí.

Eché a correr camino abajo. El sonido de las alas se hizo más fuerte y traté de dar las zancadas más largas. Al final del camino había una luz de seguridad sobre uno de los teléfonos rojos de emergencia del campus. No sabía lo que iba a conseguir con una llamada en aquella situación, pero fue lo único que se me ocurrió. Corrí hacia la luz como si pudiera hacer desvanecer esa cosa que me perseguía, una cosa que mi instinto me decía que no era solo un pájaro. Diversas historias de vampiros que se convertían en murciélagos me revoloteaban por la cabeza. Estiré el brazo para coger el teléfono y mis pies resbalaron en la nieve recién caída. Al caerme se me escurrió el libro de hechizos al suelo, el cual se quedó abierto hacia arriba a centímetros de mi nariz.

«Para frustrar un ataque desde el aire —leí—, pronuncia las siguientes palabras a la vez que imaginas un cielo azul despejado y agitas una pluma en el aire.»

«Perfecto», pensé, a medida que el aleteo se acercaba. ¿De dónde iba a sacar una pluma? Pero entonces caí a en la cuenta de que llevaba puesto un abrigo de plumón, uno bastante viejo del que a veces se escapaba alguna pluma...

Lo palpé de arriba a abajo hasta que di con algo que pinchaba... y estiré. Empecé a agitar la diminuta pluma en el aire al tiempo que imaginaba un cielo azul despejado y pronunciaba (esperaba que correctamente) las tres palabras indicadas:

—*Vacuefaca naddel nem!*

Algo me golpeó la espalda. Hasta ahí llegaban mis poderes mágicos. Me volví, levantando las manos para cubrirme la cara... y me encontré mirando a Liam Doyle.

—¿Estás bien? —preguntó, tuteándome por primera vez con voz ronca de preocupación—. Te he visto correr como si algo te persiguiera.

Levanté la mirada en busca de la criatura alada, pero solo había cielo azul. El pelo oscuro del poeta tenía adheridos copos de nieve como si fueran estrellas en un cielo nocturno, pero en el cielo de verdad no se veía ni rastro de las nubes tormentosas que había unos instantes antes.

—Sí, he oído algo que me perseguía. —Omití que aquel sonido procedía del cielo. Me ayudó a levantarme y ambos nos volvimos para echar un vistazo al camino que conducía al pabellón Bates. Solo se veían huellas en la nieve recién caída—. Quizás han sido imaginaciones mías —añadí, sintiéndome idiota.

—También puede ser que hubiera alguien en el bosque —comentó Liam—. Un estudiante fumando hierba o bebiendo cerveza que no quería ser descubierto por una profesora.

Me dio la sensación de que me estaba siguiendo la corriente, pero me dio igual. Y tampoco me importaba que todavía me estuviera cogiendo del brazo. Me alegraba de que estuviera allí.

—Supongo... O quizás ha sido algún animal del bosque. —Cuando dimos media vuelta para caminar hacia la zona principal del campus, me pasó el brazo por debajo de su codo—. No me había dado cuenta de lo aislada que está esta parte del campus. ¿Y tú qué hacías por aquí? —pregunté, tuteándole también.

—Quería ir al pabellón Bates para hablar con el profesor Demisovki de un proyecto para Flonia Rugova. Esa chica está escribiendo unos poemas preciosos en albanés y he pensado que si pudiera leer poesías de su país natal tal vez encontrara su propio estilo. Me han dicho que Rea Demisovski es uno de los mayores expertos del mundo en poesía eslava.

—Te preocupas mucho por tus alumnos —dije.

Me miró, los labios formando una especie de sonrisa.

—Nunca sé si te estás burlando de mí.

Suspiré.

—Y no te culpo. Me oíste burlarme de tu poesía y no sabes lo mucho que lo siento. Además, no sé qué mosca me picó. Me gusta ese poema, especialmente los últimos versos: «El verano convertirá al viento en embustero, pero yo ya no seré capaz de entrar en calor, pues tú eres todo lo que en este mundo anhelo.»

Se paró en seco. Habíamos llegado al centro del campus donde los cuatro arces japoneses marcaban las esquinas de los dos caminos que se cruzaban en diagonal. Las ramas desnudas formaban un arco por encima y nos protegían de la nieve que volvía a caer. Liam se sacó las gafas para limpiar los cristales y sacudió la cabeza para quitarse los copos del pelo.

—Te has aprendido de memoria esos versos. Me siento halagado. A menos que los hayas memorizado para burlarte con Frank Delmarco, claro.

—¡Nada de eso! —dije, tocándole el brazo. Levantó la vista, sorprendido por la urgencia en mi voz, y nuestros ojos se toparon por primera vez sin la barrera de sus gafas. Eran oscuros, pero tenían una luz, una chispa blanca que destellaba como la nieve que caía del cielo. Al mirarlos sentí un poco de vértigo—. Los memoricé porque la primera vez que los leí tuve que releerlos de inmediato... y luego otra vez y otra. De modo que no pude evitar aprendérmelos de memoria.

Se quedó callado unos instantes, supuse que valorando si podía confiar en mis palabras. Si Doyle hubiera decidido que estaba volviendo a burlarme de él y se marchaba disgustado, tampoco lo hubiera culpado.

—Así que te gustaron, ¿eh? —dijo, llevándose la mano al corazón—. Me alegro. Supongo que eso tiene más sentido que memorizarlos para reírte de ellos. Gracias.

Tendió la mano hacia mi rostro y se acercó un poco. Por un momento pensé que iba a besarme (y puede que hasta yo me inclinara un poco hacia delante). Solo me sacudió un poco de nieve del cabello, pero cuando su mano me rozó la cara me estremecí.

—Vamos, será mejor que te vayas a casa antes de que te conviertas en una de las doncellas de hielo de los poemas de Nicky Ballard.

Dimos media vuelta y empezamos a caminar hacia la salida sudeste; nuestros brazos ya no estaban entrelazados.

—Solo he leído algunos —comenté, en un intento de disimular la vergüenza que sentía por haberme inclinado para recibir un beso imaginario. ¿Se habría dado cuenta?—. Son bastante buenos, ¿verdad?

—¡Son estupendos! Nicky se ha inventado toda una mitología de esas mujeres heladas que viven dentro de las paredes de un palacio de hielo. Para que la heroína pueda liberarse tiene que escuchar la historia de cada uno de sus guardianes de hielo. Y cuando estos les cuentan sus historias se derriten, pero cada relato forma un cristal de hielo en el corazón de la heroína. La cuestión es si conseguirá la libertad antes de que su corazón se hiele por completo.

—Brrr. —Me envolví con los brazos y me estremecí—. Siento frío solo de pensarlo. Pobre Nicky. No debería tener que lidiar con todo eso a su edad.

—¿A lidiar con qué? —preguntó Liam, mientras salíamos del campus por la puerta sudeste.

No podía contarle nada de la maldición, pero sí que podía hablarle de la familia de Nicky. Nos paramos en medio de la calle, a una distancia equidistante de mi casa y de la posada. Eché un vistazo a la Dulce Posada Hart, que estaba decorada alegremente (Diana la había llenado de luces de colores, colgantes de acebo y pino y varios renos iluminados), y sentí una punzada de culpabilidad por haberlo condenado a pasar las Navidades en Juguetelandia.

—Es una larga historia. ¿Te apetece tomar una copa? —ofrecí, intentando que mi voz sonara casual—. ¿Algo que no sea de chocolate y que no tenga azúcar?

Liam rio.

—Vamos allá. —Y, entonces, acercándose lo suficiente para que pudiera sentir su cálido aliento en la oreja helada, susurró—: Pero tienes que prometerme que tampoco me darás galletas ni pasteles. Ya empiezo a sentirme como Hansel, engordado por una bruja perversa que quiere meterlo en el horno.

Entre risas le prometí que no le ofrecería ningún dulce y le aseguré que, al menos, Diana no era una bruja. Pero omití que después de mi primer hechizo exitoso estaba empezando a dudar de que quizá yo sí que lo fuera.

23

Por suerte, todavía me quedada una botella de Jack Daniel's que había sobrado del alijo de Phoenix. Mientras servía dos copas, Liam encendió el fuego en la biblioteca.

—¡Me encanta esta habitación! —exclamó entusiasmado—. Nunca he vivido lo suficiente en ningún lugar para poder tener todos mis libros juntos.

—¿En serio? —comenté inocentemente; no pensaba revelarle lo mucho que sabía sobre su estilo de vida trotamundos gracias a mis búsquedas en Internet—. Supongo que un escritor residente debe de pasarse la vida saltando de un lado a otro.

—Sí, esa es mi excusa —contestó, sonriendo con pesar al tiempo que alzaba su copa de bourbon hacia mí—. Pero a veces me pregunto si no utilizo el trabajo como una excusa para huir. Es como si estuviera bajo una maldición que no me deja quedarme en un mismo lugar demasiado tiempo. Puede que esa sea la razón por la que los poemas de Nicky Ballard me conmueven tanto; parece que los haya escrito una chica que cree que está condenada.

Lo miré, preguntándome si sabría algo acerca de la maldición de los Ballard, pero entonces comprendí que solo había desviado el tema de su propia historia a la de Nicky. Y precisamente lo había invitado a entrar en casa para hablar de la pobre Nicky, ¿no?

—Pues la verdad es que casi se podría decir que sí que está maldita —dije, rodeando el sofá y sentándome en el sillón junto al fuego.

Él se sentó delante de mí y empecé a hablarle de lo que había oído acerca de la familia Ballard, evitando los elementos sobrenaturales y centrándome en el legado de pérdidas de fortunas, mujeres desilusionadas, embarazos adolescentes y alcoholismo.

—Pobre Nicky —comentó—. He pasado junto a esa casa y desde la calle ya se ve que la familia está arruinada. Debe de pensar que es inevitable acabar como su madre y su abuela. Tenemos que impedir que cometa los mismos errores.

—¿Nosotros?

—¿Acaso no sabes lo mucho que te admira Nicky, Cailleach? —Era la primera vez que decía mi nombre y me pilló por sorpresa. La mayoría de gente no lo pronunciaba bien a la primera.

—Creo que a quien admira es a ti... Liam. Venga, no disimules, seguro que ya sabes que todas las chicas de tu clase están locas por ti.

—Estoy hablando en serio. Nicky se pasa el día hablando de ti. Creo que para ella el sol gira a tu alrededor. Y admira en especial tu gran independencia, por ser una mujer que vive sola y todo eso.

—Bueno... De hecho, tengo novio, ¿sabes?

Liam hizo una mueca y apartó la mirada. El reflejo del fuego destellaba en sus gafas, de manera que no pude distinguir su expresión.

—No, la verdad es que no lo sabía, pero me alegro. ¿Y cómo se llama? ¿Y dónde está? —preguntó, mirando alrededor como si yo tuviera a un hombre escondido debajo del sofá.

—Se llama Paul y está acabando un doctorado en economía en la UCLA. La semana que viene iré a visitarlo a California. Y si todo va bien, el año próximo conseguirá un trabajo en la Costa Este.

—¿Y si no lo consigue?

Me encogí de hombros.

—Ya se nos ocurrirá algo... ¿Y qué me dices de ti? Debe de ser difícil mantener una relación con tanto viaje. —Levanté el vaso para beber otro trago de bourbon pero me percaté de que ya estaba vacío.

Liam cogió la botella y se inclinó para servirme otra copa.

—Sí, y creo que precisamente por eso lo hago. No he tenido... Bueno, en la universidad me pasó algo y desde entonces no he querido comprometerme en ninguna relación.

—¿Una mala separación?

Hizo una mueca.

—No exactamente. Es...

—¿Complicado? —sugerí al intuir que no pensaba acabar la frase. Solo pretendía alegrar el ambiente, pero cuando se apartó del fuego y se quitó las gafas para secarse los ojos me arrepentí de inmediato.

—Supongo que se podría decir así. Verás, ella... Jeannie, mi novia de la infancia... murió.

—Era mi primer año en Trinity —empezó Liam después de rellenar las copas—. Yo venía de un pequeño pueblo del Oeste. Mi padre era entrenador de caballos y la familia de Jeannie tenía una mercería, que en Irlanda es una tienda en la que se venden todo tipo de productos de tela. Nos conocíamos desde pequeños y no recuerdo ningún momento en que no estuviera planeando pasar mi vida con ella. Pero también me encantaba leer y escribir... y la verdad es que se me daba bastante bien. A los diez años empecé a ganar algunos premios de poesía, y Jeannie estaba muy orgullosa de mí. De hecho, fue ella quien me convenció para que solicitase la beca en el Trinity y me animó a aceptarla cuando me la concedieron. Me dijo que ya pasaríamos juntos las vacaciones y que cuando tuviéramos suficiente dinero ahorrado se vendría a vivir conmigo a Dublín.

—Tuviste suerte de tener una novia que creía en ti y no envidiaba tu éxito.

—Sí —repuso, y bebió el último sorbo de su vaso—. Tenía

mucha suerte, pero no era consciente de ello. Y tampoco lo fui de lo mucho que cambié. Estaba tan contento de vivir en la gran ciudad rodeado de gente fantástica... mis profesores, claro, pero también los otros estudiantes; chicos que habían crecido rodeados de libros y conversaciones cultas. Congenié en especial con un grupo de alumnos angloirlandeses que habían estudiado juntos en un internado: Robin Allsworthy, su amigo Dugan Scott y la prima de Robin, Moira. Me parecían muy glamurosos, y todo el mundo los admiraba y hablaba de ellos. Y, claro, cuando se hicieron amigos míos, yo no podía creerlo. Creo que estaba enamorado de los tres, pero, como era de esperar, Jeannie no lo veía así.

—¿Cómo se enteró de lo de Moira?

—Vino a verme la semana antes de las vacaciones de Navidad; más o menos por esta época del año, ahora que lo pienso. Se suponía que tenía que ser una sorpresa. Jeannie había reservado una habitación en un hotel de lujo... —Se sonrojó—. No habíamos... ya sabes, no habíamos estado juntos de aquella manera y creo que ella pensaba que por eso nos habíamos distanciado. Pero cuando llegó yo había salido con Robin, Dugan y Moira para celebrar que habían acabado los exámenes finales. La pobre Jeannie fue de bar en bar, siguiendo nuestro rastro. Cuando al fin nos encontró, me vio con Moira. No fue más que un beso de borrachera... Ni siquiera recuerdo cómo sucedió, pero nunca olvidaré la cara de Jeannie.

Se quedó callado, con la mirada clavada en el fuego como si pudiera ver el rostro de su novia en las llamas.

—¿Se lo intentaste explicar? —pregunté tras unos instantes.

Sacudió la cabeza.

—No pude, se fue corriendo. Las calles estaban atestadas de estudiantes delante de los bares y la perdí. La busqué por todas partes, pero al final Robin, Dugan y Moira me convencieron para que regresara a mi habitación y llamase al hotel. Cuando la recepcionista me dijo que había dejado la habitación, mis amigos dijeron que debía de haberse marchado a casa y que ya podría arreglar las cosas cuando volviera al pueblo por vacaciones.

Se quedó callado de nuevo, mirando ahora el fondo vacío de su vaso. Esta vez no lo animé a seguir; no deseaba oír el final de la historia.

—Pero no se había ido a casa. Tres días después encontraron su cuerpo en el río Liffey —explicó.

—¿Y crees que se...?

Levantó los ojos antes de que pudiera terminar la pregunta.

—No lo sé —dijo con tristeza—. ¿Que si se mató? ¿O si se cayó? ¿O si alguien la empujó? Nunca lo sabré. Pero ¿qué más da? Es como si yo mismo la hubiera empujado al río. Murió por mi culpa.

Sacudí la cabeza.

—No puedes culparte. No fue culpa tuya.

Él hizo una mueca de dolor.

—Eso mismo me dijo Moira. Dijo que Jeannie había sido débil.

Me estremecí y, al ver mi reacción, Liam asintió.

—Sí, lo sé, no debería haberla escuchado. Pero lo hice, porque quería olvidar a Jeannie desesperadamente. Me pasé los siguientes tres años y medio con Moira, aprendiendo a beber, a colocarme y adquirir vicios caros y peligrosos. En mis peores momentos me encontraba pensando que era una suerte que Jeannie hubiera muerto... Y entonces bebía para olvidar que hubiera podido pensar tal cosa. Acabé la universidad de milagro, pero de algún modo me las arreglé para seguir escribiendo. Había un profesor que creía en mí, a pesar de mi vida desenfrenada, y me consiguió una beca de investigación en Oxford. Pensé que Moira estaría encantada pues siempre hablaba de salir de Irlanda, pero resultó que ya tenía otros planes. Ella y Dugan pensaban irse juntos a París para estudiar pintura. Me dijo que no me preocupara, que nos veríamos en vacaciones, que ya se nos ocurriría algo...

Eso era justo lo que yo había dicho acerca de mi relación con Paul unos minutos antes.

—Comprendí que yo no significaba nada para ella —continuó Liam—. Solo había sido un entretenimiento. Recobré la sobriedad, tanto en sentido literal como figurado, y empecé a escribir sobre Jeannie, con la esperanza de encontrarme de nuevo con ella a través de la poesía.

—¿Y desde entonces no has estado con nadie más?

Depositó su vaso vacío en la mesilla, se inclinó con los codos apoyados en las rodillas y me miró. A pesar de que había bebido, tenía la mirada nítida.

—Nada serio. Me cansé de las chicas como Moira, y cuando encuentro a alguien que me recuerda a Jeannie... pues me acuerdo de lo que le hice. Veo su rostro... Así que mis relaciones no suelen durar mucho.

—¿Y no se te ha ocurrido que no solo hay dos tipos de mujeres? ¿Que no todas las mujeres son inocentes como Jeannie ni cabronas como Moira?

Se rio.

—Sí, tienes razón. Quizás... —Se inclinó más, con las manos en las rodillas. Por segunda vez esa misma noche pensé que iba a intentar besarme, pero solo se estaba levantando—. Debería considerarlo cuando no haya bebido tanto. Gracias por contarme la historia de Nicky Ballard —dijo, dirigiéndose a la puerta—. Creo que me será de gran ayuda. Y puede que entre los dos podamos evitar que siga los pasos de su madre y su abuela.

—Ahora entiendo por qué te preocupas tanto por tus alumnos —dije, acompañándolo—. Por lo que le pasó a Jeannie.

—Me gustaría pensar que me importarían igual si ella estuviera viva. Como tú. Te preocupas por tus estudiantes y no te ha pasado nada horrible. Todavía tienes a Paul.

—Sí, eso es verdad —admití, abriéndole la puerta. Liam se tambaleó hacia delante, pero esa vez no tuve la ilusión de que me fuera a besar. Solo estaba achispado. Le di un pequeño empujón hacia fuera y pregunté—: ¿Conseguirás cruzar la calle?

—Eso está hecho —aseguró—. Solo espero que logre subir la escalera sin romper ningún adorno ni destrozar las ramas de acebo que cuelgan de la barandilla.

Cuando se volvió para marcharse le deseé buena suerte. Me pareció que se tambaleaba un poco al pie de los escalones del porche, pero enseguida comprendí que estaba observando uno de los colgantes de hielo obra de Brock, el que tenía la piedra mágica en el interior. Tras contemplarlo unos segundos, empezó a atravesar el jardín, dejando tras él un serpenteante rastro de huellas en la nieve recién caída. Me quedé observándolo mientras cruzaba la calle y subía al porche de la casa de huéspedes. Entonces se volvió y se despidió con la mano, como sabiendo que yo lo estaba mirando.

Cuando entré en casa fui en busca del teléfono para llamar a Paul. Me sentía culpable por no haberlo llamado esa noche, pero tampoco me apetecía hacerlo ahora. Mientras le daba algo de comer a *Ralph* (había estado escondido durante la visita de Liam), me pregunté si debía contarle a Paul que había pasado la tarde con el nuevo escritor residente, un rompecorazones irlandés; ya le había comentado que todas las chicas estaban locas por él. Quizá sería mejor que le dijera que había estado ocupada corrigiendo exámenes.

—¿Tú qué crees, *Ralph*? —le pregunté al ratoncillo al tiempo que lo subía a mi mano para llevármelo escaleras arriba—. ¿Una mentirijilla piadosa? ¿O quizás iría bien que lo pusiera un poco celoso para que valorara más lo que tiene?

Ralph tenía los mofletes repletos de queso, de manera que no respondió. Aunque la verdad es que hasta el momento tampoco había demostrado tener ningún talento para la comunicación, por muy mágico que fuera.

Paul me ahorró la elección entre mentirle o provocarle, pues cuando subí a mi habitación y abrí la tapa del teléfono, vi que me había enviado un mensaje:

«Todavía no hemos hablado y m tengo q ir a dormir pronto. Cambio de planes: vengo a NY para una entrevista. He reservado hab. en Ritz-Carlton d Battery Park y he cancelado tu vuelo a LA. Ya t explicaré.»

Le contesté para preguntarle con quién se iba a reunir. Era extraño que una universidad realizase entrevistas de trabajo durante las vacaciones de Navidad, y todavía más extraño que Paul hubiera reservado en un hotel tan caro como el Ritz-Carlton. No me respondió el mensaje, de manera que tendría que esperar al día siguiente para enterarme de lo que sucedía.

Me quedé dormida enseguida, gracias sin duda al bourbon, pero me desperté sobresaltada en plena noche. ¿Y si Paul había reservado una habitación en un hotel de cinco estrellas porque planeaba sorprenderme con la noticia de que al fin había conseguido un trabajo en Nueva York? ¿Y si pensaba celebrarlo pidiéndome que me casara con él? Siempre habíamos dicho (aunque no recordaba quién de los dos había abordado el tema primero) que nos casaríamos en cuanto él encontrara trabajo en la ciudad y viviéramos juntos. ¿Por qué sino habría escogido un hotel tan lujoso? ¿Y por qué me latía con tanta fuerza el corazón? Me senté en la cama con la mano apoyada en el pecho izquierdo y miré por la ventana. Esa noche el claro de luna no se colaba en la habitación y no había ni una sombra en el suelo. Me levanté y fui descalza hasta la ventana, y enseguida comprendí por qué. Estaba nevando de nuevo; una nieve blanda y plumosa que absorbía la luz de la luna y cubría de silencio el mundo exterior.

Pasé los siguientes días ocupada con los exámenes finales, las evaluaciones y las tutorías. Intenté llamar a Paul, pero siempre me saltaba el buzón de voz. Le envíe un SMS y me respondió que ya me lo explicaría todo cuando nos viéramos en la ciudad el día 22. No se le daba muy bien guardar secretos. Lo más seguro es que supiera que si hablábamos acabaría explicándome con quién se entrevistaba y por qué había reservado habitación en el Ritz-Carlton. Cuando me di cuenta de que una parte de mí deseaba que no consiguiera el trabajo, comprendí que tenía un problema, pero me quité esa idea de la cabeza y me centré en mi última tutoría del semestre, con Nicky Ballard.

No había visto a Liam Doyle desde la noche del bourbon, pero me había enviado un e-mail. «Tengo una idea para el problema de Nicky», había escrito, y a continuación detallaba el plan que había ideado para que Nicky no se desviara del buen camino. Y se suponía que yo tenía que implementar la primera parte de aquel plan el último día del semestre. La mayoría de estudiantes ya se habían ido a sus casas, pero como Nicky vivía en el pueblo se había ofrecido voluntaria para la última hora de tutoría. Esa tarde había una fiesta de profesores, de manera que acudí a la reunión más arreglada de lo normal.

—¡Caray! —exclamó Nicky cuando me quité el abrigo—. ¡Está guapísima!

—Gracias, Nicky. —Me había puesto un vestido plateado que había comprado las Navidades pasadas en Barney's y los pendientes de diamantes que mi tía me regaló cuando cumplí los veintiuno—. Y que conste que tengo pensado cambiarme los zapatos —añadí, mostrándole un par de zapatos de tacón, también plateados, que sustituirían a las botas de piel de borrego que llevaba puestas en ese momento.

—Ya hace bien en llevar las botas —comentó Nicky—. Dicen que esta noche podemos llegar a diez grados bajo cero.

—Brrr, ¿te acostumbras alguna vez a este frío? —pregunté fingiendo un escalofrío.

Nicky soltó una risita.

—Pues la verdad es que no. A veces me pregunto cómo sería vivir en un lugar caluroso.

—Deberías probarlo algún día. Podrías cursar un año de intercambio en España, o hacer un semestre de excavación arqueológica en México, o incluso estudiar un posgrado en la Universidad de Texas, en Austin. Tienen un programa de escritura excelente.

Los ojos de Nicky se iluminaron con mis sugerencias, pero se apagaron enseguida.

—No podría hacerlo —dijo—. Mi abuela me necesita y creo que mi beca solo cubre mis estudios aquí.

—Mmm... Se lo preguntaré a la decana Book. Pero mientras tanto quería hablar contigo de una idea para una proyecto que combinaría la poesía que estás escribiendo con la investigación de los temas que aparecen en tus poemas. Por ejemplo, sueles escribir sobre el tema de la doncella cautiva, un tema que aparece en cuentos como *Rapunzel* y *La bella durmiente*, y en la ficción gótica, como...

—¿Como Emily St. Aubert atrapada en el castillo de Udolfo? ¿O Bertha Rochester encerrada en el desván de Thornfield Hall?

—Exacto —repuse, aunque no estaba pensando exactamente en Bertha Rochester, quien muere al final de *Jane Eyre*. La idea era que Nicky se identificara con aquellas heroínas cautivas de los mitos y la literatura que al final de la historia lograban escapar. Liam pensaba que si Nicky fuera capaz de trazar un plan de escape para su alter ego ficticio, podría evitar caer víctima del destino de las mujeres Ballard. Por supuesto, Liam no sabía nada de la maldición, pero cuando fui a explicarle la idea a Soheila, esta pensó que el plan no haría daño a nadie. Y valía la pena hacer algo. Había ojeado el libro de hechizos en busca de algún modo de acabar con la maldición, pero todos requerían conocer los nombres de las dos brujas que podrían haber maldecido a los Ballard. De manera que por el momento eso era lo único que podía hacer por Nicky—. Así que ¿te gusta la idea?

—Sí. ¿Trabajaré con vosotros dos juntos o por separado?

—Pues todavía no hemos hablado de eso, pero supongo que podríamos hacerlo de las dos maneras. ¿Qué prefieres?

—Me gustaría que nos reuniéramos los tres a la vez. Me gusta mucho el profesor Doyle, pero siempre que estoy a solas con él me pongo tan nerviosa que casi no puedo hablar. Será más fácil si usted también está.

Le sonreí indulgentemente, como si hiciera años que no experimentaba ese tipo de nervios.

—Bien, decidido pues. Hablaré con el profesor Doyle para ver qué hora nos va bien a todos cuando le vea en la fiesta. —Eché un vistazo al reloj—. Y será mejor que me ponga en marcha.

—Sí, claro, no querrá llegar tarde. Esa fiesta es toda una tradición en Fairwick. Aunque, claro, los estudiantes no podemos asistir. Se supone que tenemos que estar todos fuera del campus antes del atardecer, y cierran las puertas con llave una hora después de que caiga el sol.

—¿En serio? —Nunca había visto la puerta sudeste cerrada y mucho menos con llave—. Bien, pues será mejor que tú también te pongas en marcha. No me gustaría que te quedaras encerrada en el campus todas las vacaciones.

Ambas reímos al imaginar esa posibilidad, pero caí en la cuenta de que era exactamente el tipo de cosas que sucedían en las novelas góticas que habíamos analizado en clase.

24

Cuando llegué al pabellón Briggs me dirigí al guardarropa del vestíbulo para deshacerme del abrigo de plumón y cambiarme las botas por los zapatos de fiesta. Mientras intentaba abrocharme la hebilla del zapato izquierdo oí unos susurros procedentes del fondo del guardarropa. Me quedé helada, balanceándome sobre una pierna, y agucé el oído.

—Si algo no anduviera bien me lo contarías, ¿verdad? —rogó una voz de mujer lastimera.

No me gustaba estar escuchando a escondidas lo que parecía una discusión de pareja, pero temía que si me movía me descubrirían. Así que continué escuchando, esperando una respuesta que no llegó nunca.

—Después de todo, tú la conoces desde hace más tiempo que yo y sé que la quieres mucho —añadió la misma voz.

Mmm... no era una discusión de pareja. ¿Quizás un *ménage a trois*? Tenía que admitir que me picaba la curiosidad. Aparté con cuidado la cortina de abrigos... y vi que Diana Hart estaba ahí, aferrada al abrigo de piel de Liz Book.

—¿Diana? —pregunté, demasiado asombrada para intentar mantener mi presencia en secreto—. ¿Estás bien?

Esta levantó los ojos con expresión de culpabilidad; los tenía llorosos e inyectados en sangre.

—Sí, estoy bien —respondió, aunque le temblaba la barbilla—. Pero estoy preocupada por Lizzie. Se está apagando y no sé por qué. Se lo estoy preguntando a Ursuline, pero no quiere contármelo.

El abrigo de piel, el mismo que había visto moverse para proteger a su propietaria cuando Phoenix se abalanzó sobre ella, estaba colgado en una de las perchas y se veía bastante deslustrado.

—¡Y mira! —Diana deslizó la mano por la solapa del abrigo y me la mostró; se le había llenado la palma de largos cabellos castaños—. Está mudando el pelo en pleno invierno, y eso no es normal. Ella también debe de estar enferma.

—¿Por eso Liz no tiene buen aspecto últimamente? Si un familiar suyo enferma, ¿ella también?

Diana frunció el ceño y hundió la cara en la piel.

—No lo sé. Las brujas están interconectadas con sus familiares, y normalmente éstos se debilitan cuando la bruja se pone enferma, pero supongo que también podría ser al revés. Pero, entonces, ¿qué es lo que está haciendo enfermar a Ursuline?

Acaricié el abrigo de piel con cautela, recordando que cuando lo cogí la noche de la tormenta de hielo rebosaba electricidad estática, aunque ahora se veía mustio e inerte. Estaba claro que algo no andaba bien.

—Uff, ni idea. ¿Hay veterinarios que atiendan a los familiares? Quizá podrías llevárselo a los Goodnough.

—¡Oh, no, ni hablar! Abby y Russell llevan una pegatina de la Sociedad Protectora de Animales en el coche. ¡Seguro que están en contra de los abrigos de piel! Así que tendría que persuadir a Ursuline para que adoptase la forma del oso.

Ambas miramos al abrigo con recelo. Quizá Diana se estaba preguntando cómo podía lograr que el abrigo se transformara en oso, pero yo me estaba acordando de lo grande y feroz que me había parecido la criatura que había visto en mi porche, así que inicié una retirada estratégica.

—Bueno, ya me explicarás qué tal te va —dije, saliendo del guardarropa—. Creo que voy a entrar en la fiesta.

—Sí, cielo, ve tirando —contestó Diana distraídamente—. Yo iré enseguida. Solo quiero pasar unos minutos más con Ursuline.

Dejé a Diana charlando con el abrigo y me dirigí al salón Principal, a la vez que me sacudía unos pelos marrones del vestido plateado. Estaba tan concentrada en esa tarea que hasta que llegué a la entrada y levanté la vista del vestido no me percaté de lo mucho que se había transformado la sala. La primera vez que entré me había impactado su majestuosidad, pero entonces las pesadas cortinas ocultaban las ventanas. Esa noche, en cambio, habían retirado las cortinas a un lado, dejando al descubierto una pared de cristal con vistas a las montañas. El sol flotaba a escasos centímetros de la cumbre más elevada y teñía el cielo de un rojo vivo y ardiente, y las montañas de un violeta oscuro. A través del cristal entraban unos rayos rojizos que intensificaban los colores de la alfombra persa y coloreaban las vigas y los paneles de roble de un dorado meloso. Aún así, la pintura del tríptico era lo que más cambiaba con esa luz; era como si las figuras representadas cobrasen vida. El dorado de las bridas y las monturas brillaba como si fuera oro de verdad; la hierba y las hojas centellaban como cubiertas de rocío, y los rostros de los hombres y mujeres resplandecían como si la sangre corriera por sus venas, todos menos el de la Reina Hada, que permanecía pálida y gélida.

Estaba tan distraída admirando el cuadro que apenas presté atención a los asistentes a la fiesta hasta que Soheila Lilly apareció a mi lado con una copa de champán.

—Está precioso con esta luz, ¿verdad? Solo corremos las cortinas una vez al año, de lo contrario los colores se irían apagando.

—Pues es una pena, porque parece que esté hecho justo para exponerse con esta luz. Me encantaría ver las pinturas del interior.

—Descuida, lo harás. Pronto abrirán el tríptico. —Soheila miró por la ventana y comprobó que el sol ya se estaba escondiendo detrás de las cumbres—. Siempre esperamos hasta unos minutos después del ocaso para que los nocturnos tengan la oportunidad de unirse a nosotros... Mira, aquí están. Deben de haber venido en su limusina para protegerse del sol.

Soheila inclinó su copa hacia la entrada del salón, donde estaban los tres profesores de estudios rusos: el alto y rubio Anton Volkov, que por lo visto ya había vuelto de su conferencia, la menuda Rea Demisovski, y el bajo y calvo Ivan Klitch.

—¿De verdad son..?

—Shh... No les gusta la terminología moderna. Prefieren que les conozcan como «los nocturnos».

—Pero ¿beben sangre? —pregunté con un susurro apenas audible.

Anton Volkov estiró la cabeza y miró en mi dirección, clavándome sus fríos ojos azules. Estaba al otro lado de la sala, pero habría jurado que me oyó. Dio un paso, pero Rea Demisovski apoyó la mano en su brazo y señaló el suelo, donde un fino rayo de luz rojiza se extendía desde la ventana hasta la parte inferior del tríptico. Entonces Volkov retrocedió un paso, sin quitarme los ojos de encima.

—Mierda —exclamé, volviéndome hacia Soheila para preguntarle si creía que Volkov me había oído, pero ya no estaba a mi lado, sino a un metro de mí, con Elizabeth Book; las dos tenían las cabezas bien juntas y hablaban en susurros. La decana parecía disgustada por algo y la preocupación se reflejaba en su rostro. Cuando levantó la cabeza para mirarme, me alarmó lo mucho que había envejecido en los pocos días transcurridos desde la última vez que la visité. Sus ojos, fijos en mí, estaban enrojecidos y un párpado le colgaba ligeramente.

No obstante, se acercó a mí con decisión. Temí que me reprendiera por ofender a los vampiros residentes, porque no cabía duda de que eso eran. Mirando de reojo hacia la entrada, donde seguían plantados detrás del rayo de luz roja, casi podía sentir la sed de sangre de Volkov. Me estaba mirando como si quisiera comerme.

—Callie, cielo... —dijo la decana, pero en un tono más débil de lo que me tenía acostumbrada y tuve que mirarla para comprobar que realmente era ella... pero no era la misma. Habría jurado que cuando la conocí medíamos lo mismo, mas ahora ella parecía unos cinco centímetros más baja. Incluso teniendo en cuenta que yo llevaba zapatos de tacón muy altos, seguía siendo una pérdida de altura demasiado exagerada para una osteoporosis en apenas un par de meses—. Callie, cielo —repitió con voz temblorosa—. Quiero pedirte un favor.

—Mis excusas si he ofendido al Departamento de Estudios Rusos, decana Book. Pero, francamente, ¿cómo pudiste enviarme a su despacho sabiendo qué tipo de criatura es en realidad?

La decana pareció confundida.

—¿Te refieres al profesor Volkov? ¿Por qué? Es un perfecto caballero.

—¡Creo que se transformó en murciélago e intentó atacarme! —dije entre dientes.

Liz sonrió y sacudió la cabeza.

—Eso no puede ser, cielo. Anton nunca...

Soheila nos interrumpió.

—No tenemos mucho tiempo, Liz. Debemos abrir la puerta antes de que desaparezca el último rayo de sol.

—Sí, por supuesto, eso es precisamente lo que estoy intentando organizar —repuso la decana de mala gana. Y entonces, se volvió hacia mí, se irguió hasta casi alcanzar su altura anterior y me preguntó—: ¿Te gustaría hacer los honores este año, Callie? Me parece lo más adecuado, pues ya has demostrado tener talento para abrir la verdadera puerta. Esta no es más que un símbolo, pero de todos modos... los símbolos son importantes.

—¿Quieres que abra yo el tríptico?

—Sí, por favor. Bueno, el lado derecho. Fiona siempre abre el izquierdo. Normalmente me encargo yo, pero... es que hoy no me encuentro muy bien.

Me sorprendió que reconociera su débil estado.

—Por supuesto —contesté—. Será un honor.

Deposité mi copa en una mesa y caminé hasta el lado derecho del tríptico. Fiona Eldritch, vestida con un impresionante vestido de seda verde, ya estaba en el izquierdo con la mano en uno de los tiradores dorados que había en el centro de la puerta. Estaba justo debajo de la figura de la Reina Hada, una colocación que no podía haber sido casual. Le sonreí, reprimiendo el impulso de hacer una reverencia, y cogí el tirador derecho. Me sentía como la presentadora de *La ruleta de la fortuna* a punto de mostrar un premio.

—Te queda muy bien ese color —comentó Fiona—. Mejor que el verde.

«Es un poco aburrido vestir siempre del mismo color», pensé para mis adentros; pero cuando vi que Fiona torcía los labios con desagrado comprendí que mis pensamientos no eran solo míos en su compañía.

Ya había cabreado a un vampiro y a la Reina de las Hadas, así que me pregunté a qué otra criatura sobrenatural irritaría antes de que terminase el día. Recorrí la sala con la mirada. Los invitados habían formado un semicírculo alrededor del tríptico, excepto «los nocturnos», que seguían sin moverse de la entrada. Y todos habían cambiado sus copas de champán por una vela. Era el tipo de velas utilizadas en memoria de los difuntos, envueltas con unos conos de papel para evitar que la cera se derrame en la mano de quien la sostiene. Observé los rostros expectantes, y pesqué sonrisas de Casper Van der Aart y su novio Oliver, en busca de una cara en particular. Todavía no había visto a Liam, y eso que me había dicho que nos encontraríamos en la fiesta. Justo cuando estaba a punto de darme por vencida lo vi entrar y pasar junto a los rusos. Al verlo, Anton Volkov enarcó una ceja y Rea Demisovski se relamió.

¡Qué asco! Tendría que decirle a Liam que se mantuviera alejado de ellos.

El poeta, ajeno a la reacción de los nocturnos, se colocó en el semicírculo y aceptó la vela que le ofreció Oliver. Entonces me miró y me guiñó un ojo.

Me sonrojé y aparté la mirada... y reparé en que Fiona también estaba observando a Liam. Del mismo modo que la vampira lo miraba como si fuera un tentempié muy apetecible, la Reina Hada lo contemplaba como si fuera la última gota de agua en el desierto.

—¿Quién es ese? —preguntó Fiona sin quitarle los ojos de encima.

—El nuevo escritor residente, Liam Doyle. Qué raro que no lo hayas conocido todavía. Lleva dos semanas aquí.

Fiona empezó a decir algo, pero el discurso de Liz Book la interrumpió.

—Amigos y compañeros —empezó la decana con una voz tan fina como el último rayo de sol que se colaba por la ventana—, hoy lamentamos la muerte del Sol y recordamos a aquellos que ya se fueron más allá de la luz. —Hizo una pausa y miró alrededor—. Pues ¿quién de nosotros no ha perdido a alguien frente a la oscuridad? —Recorrí el círculo de rostros y me detuve cuando llegué a Liam. ¿Estaría pensando en su novia de la infancia, Jeannie, en aquel momento? Estaba de espaldas a la ventana y los últimos rayos de sol lo dejaban a contraluz, con los ojos a la sombra, de manera que no podía distinguir su expresión—. Pero cuando el Sol vuelve a salir y los días se hacen más largos, los recuerdos de los ausentes permanecen y reafirmamos nuestra fe en el amor hallando nuevos objetos de cariño. —Liz miró alrededor hasta llegar a Diana y sonrió—. Así que hoy no celebramos la muerte del Sol, sino su retorno. Abrimos nuestros corazones a amores nuevos del mismo modo que abrimos este tríptico.

Liz se volvió hacia nosotras y vi que Fiona ya estaba tirando del tirador. «Me podía haber avisado», pensé, imitándola. El panel era más pesado de lo que imaginaba y las bisagras chirriaron. Por un momento me vino a la cabeza la espantosa imagen del tríptico rompiéndose en mis manos. Eso sí que sería estar de mala racha; cabrearía a toda una audiencia de seres sobrenaturales de un tirón.

En ese momento recordé haber leído un hechizo que servía precisamente para abrir el libro de hechizos. Quizá también pudiera ayudarme a abrir aquella puerta.

—*Ianuan sprengja* —musité.

De pronto el panel se volvió ligero y se abrió por voluntad propia, a tal velocidad que me quedé aprisionada entre el panel y la pared. Se oyó una exclamación ahogada del público, que pensé que era de preocupación, pero cuando logré salir vi que nadie me miraba. Todos estaban contemplando la pintura... Me volví para admirar el cuadro, pero me encontré mirando a otro mundo a través de una ventana: unas praderas verdes salpicadas de flores diminutas se extendían hasta un lago azul cristalino rodeado de montañas, las cuales pasaban del índigo al violeta y del rosa pálido al lavanda. Retrocedí un paso al frente y, en lugar de desvanecerse, la ilusión se acentúo. Yo estaba al borde de un bosque oscuro, bajo un arco de ramas, y contemplaba, a través de los árboles, las praderas verdes y el lago que había más allá. La escena perdió nitidez y advertí que tenía lágrimas en los ojos. Un débil zumbido llegó a mis oídos, como el susurro de mil voces o como si un enjambre de insectos batiera las alas al mismo tiempo.

A medida que las figuras se acercaban crecían, hasta casi adquirir tamaño y facciones prácticamente humanas. Una gran cantidad de figuras brillantes y diáfanas se apiñaron a mi alrededor y empezaron a olisquearme con sus narices afiladas, moviendo sus orejas puntiagudas. El zumbido se hizo más fuerte; era el mismo sonido que había oído cuando me quedé dormida en la biblioteca... Y entonces los reconocí: era la multitud con que viajaba en mis sueños. Mis compañeros.

«¡Nuestra guardiana!» Sus voces agudas resonaban mientras daban vueltas a mi alrededor con entusiasmo. Aquellos que tenían alas las abrieron y comenzaron a revolotear por encima de mí, rozándome la cara con sus alas.

«¡Has vuelto a nosotros! —gritaron al unísono—. ¡Has venido para dejarnos entrar!»

Pero ya se estaban desvaneciendo, tal como sucedía en el sueño. Tendí la mano para tocar a una joven con cara de corazón y la piel a manchas como un cervatillo y mi mano pasó a través de ella. Otro rostro ocupó su lugar, emergiendo de la oscuridad como un cráneo que flota en un agua negra.

—¿Cómo has hecho eso? —La voz de aquel hombre disipó la ilusión.

Las luces se transformaron en velas sujetadas por mis compañeros; el cuadro era un paisaje bucólico enmarcado por dos paneles pintados que parecían árboles, cuyas ramas se encontraban en el centro del panel. El hombre del cráneo blanco era Anton Volkov, su rostro delgado y angular y su cabello rubio ceniza teñidos de blanco por la vela que sostenía.

—No lo sé —contesté, acercándome al cuadro, que ya no tenía vida, y alejándome de la presencia desalentadora de aquel ruso—. Creo que he utilizado un hechizo de apertura.

—Un hechizo nunca lograría abrir la puerta. —Bajó la voz y se aproximó para que solo yo pudiera oírle. Era como estar junto a un bloque de hielo; parecía irradiar oleadas de frío—. Ni siquiera un guardián podría abrir una puerta donde no la hay. Este tríptico no es más que un símbolo de la verdadera puerta, y tú ya has conseguido abrir la que conduce al Reino de las Hadas. La del cuadro ha estado abierta solo unos instantes, pero sospecho que la puerta real, la que hay en el bosque, está abierta ahora y así permanecerá hasta la víspera de Año Nuevo. Parece que... —Inclinó la cabeza hacia mi cuello y me olisqueó con delicadeza—. Creo que reúnes las cualidades de un hada y una bruja.

—No lo sé. —Eché un vistazo alrededor para ver si alguien nos miraba. ¿Qué habían hecho el resto de los invitados durante esa breve apertura de la puerta? Si alguien se había percatado, actuaban como si nada hubiera sucedido. La mayoría de los asistentes se habían ido hacia el bufet, donde habían servido más comida y más champán. Vi que Frank Delmarco hablaba con Soheila y Liz; que Brock y Dory, que habían venido con algunas personas del pueblo, comían canapés y contemplaban el cuadro y, por último, que Liam estaba de pie delante de la ventana charlando con una mujer alta.

—Quería hablar contigo —dijo Volkov—. Me han dicho que fuiste a mi despacho pero que te marchaste sin dejar ningún mensaje.

—Sí, pero no estabas —respondí, preguntándome quién le habría informado de mi visita. Aquel día no había visto a nadie en el edificio—. Ya sé que todo el mundo está muy ocupado corrigiendo exámenes. Pero sí, quería hablar contigo de Nicky Ballard. La decana Book me explicó que habías identificado a dos brujas que podrían ser las responsables de la maldición. ¿Has localizado a sus descendientes?

—Todavía no he podido comprobar el registro en la ciudad. Este tipo de investigación debe llevarse a cabo con total discreción. Si alguno de sus descendientes pensara que pretendemos acusar a sus antepasados de mala conducta se podrían... enfadar.

—Pero Nicky cumplirá los dieciocho en mayo.

A pesar de que Anton ya estaba demasiado cerca de mí, todavía se acercó más y tendió la mano hacia la mía.

—Tu pasión es... vigorizante. Te hace brillar.

Resoplé y di un paso atrás, pero Anton tenía las yemas de los dedos apoyadas en mi mano. Solo me estaba rozando, pero desprendía una corriente helada que me recorrió todo el cuerpo. Me quedé petrificada, con la mirada clavada en sus ojos azules. Tenían un tono precioso; el color del hielo glacial.

—No tengas miedo. Nunca le haría daño a una guardiana. Quiero ayudarte con la señorita Ballard. Podría darte los nombres de esas dos brujas... y estoy seguro de que algún día me devolverás el favor.

Moví los labios y me di cuenta de que podía hablar, aunque el sonido que salió de mi boca entumecida fue tan débil como el de un cubito de hielo que se sumerge en un vaso de agua.

—¿Devolverte el favor? ¿Cómo?

—No tenemos que decidirlo ahora mismo. —Inhaló profundamente y su nariz afilada tembló como si yo fuera una copa de un vino muy caro—. Nunca te pediría nada que fuera en contra de tus... deseos.

Tragué saliva con dificultad; se me había estrechado la garganta. ¿Me estaba pidiendo que le dejara beberse mi sangre?

—¿Y si el favor que me pides es algo que no quiero hacer? —pregunté.

—Si de verdad no quieres darme lo que te pida, no insistiré. Confío en ti.

—¿Por qué? Nos acabamos de conocer.

—Eres una guardiana, y las guardianas siempre son honorables.

Pensé unos segundos. Era cierto que nunca había hecho trampas en un examen ni había engañado a ningún hombre, a no ser que se considere un engaño practicar el sexo con un íncubo, cosa que tampoco había hecho porque entonces no sabía que era real. Aunque también era cierto que había estado pensando en Liam Doyle, estando casi prometida con Paul. Por cierto, ¿dónde estaba Liam? ¿Por qué no había acudido a rescatarme de aquel vampiro? Moví los ojos (lo único que era capaz de mover) hacia la ventana y comprobé que seguía hablando con la mujer alta. Ahora la reconocía: era Fiona Eldritch. Liam parecía absorto en ella, por eso no había venido a rescatarme.

—¿Me prometes que si es algo que no quiero hacer no me... forzarás? —insistí.

—Nunca forzaría a una dama.

—¿Y tampoco me hipnotizarás? —pregunté, recordando una escena de un libro de vampiros que había leído.

Volkov soltó una carcajada.

—No; te lo prometo. Soy un caballero, nada de trucos hipnóticos. Eso sería juego sucio.

Recordé que Liz Book me había dicho que Anton era un caballero. A primera vista parecía que ambos salíamos ganando. Yo tendría la información que necesitaba para ayudar a Nicky y, a cambio, no tendría que hacer nada que no deseara. ¿Qué podía salir mal?

—Vale, trato hecho. Te daría la mano, pero creo que me has hechizado; no me puedo mover.

Anton me liberó tan súbitamente que caí en sus brazos. Me cogió de la mano y me dio un apretón, a la vez que inclinaba la cabeza y me susurraba los dos nombres al oído: Hiram Scudder y Abigail Fisk. Y entonces se fue, desapareciendo en una ráfaga glacial que me abanicó la cara. Miré alrededor para ver si alguien se había percatado de su precipitada retirada, pero nadie estaba mirando en mi dirección. Y Liam y Fiona ya no se hallaban frente a la ventana, ni en ningún otro lugar de la sala.

Yo ya no estaba de humor para fiestas, de modo que me abrí paso hasta la salida, esquivando a algunos compañeros alegres que me deseaban felices fiestas y buenas vacaciones. En el vestíbulo me topé con Diana Hart, que estaba delante del guardarropa cruzada de brazos. Empezó a decirme algo, pero la corté.

—Feliz Navidad para ti también, Diana, y feliz Año Nuevo.

Pero cuando apoyé la mano en la puerta del guardarropa, Diana chilló:

—¡No entres ahí! Está... cerrado.

Efectivamente, la puerta parecía cerrada con llave. Pero, qué diablos, acababa de abrir la puerta del Reino de las Hadas, y aquella solo conducía a un guardarropa. No debería costarme mucho abrirla. Giré el pomo y apoyé el hombro contra la hoja a la vez que murmuraba:

—*Ianuam sprengja*.

Se abrió tan repentinamente que caí dentro de la habitación, apenas iluminada, encima de un montón de pieles... que se movían.

Retrocedí de un brinco, recordando la criatura feroz que había visto en mi porche. La piel se hinchó y saltó... y entonces cayó a un lado de un modo inofensivo. Debajo de ella estaban Fiona y Liam, con la ropa retorcida y las piernas enredadas.

Abrí la boca, pero comprendí que no tenía nada que decir. Los ojos de Liam, rebosantes de culpabilidad, se cruzaron con los míos, pero antes de que pudiera decir algo agarré mi abrigo y salí corriendo.

Cuando estaba a medio camino de la salida del campus reparé en que había olvidado las botas. La nieve me estaba empapando los pies a través de las suelas finas de mis zapatos de fiesta, pero prefería echar a perder todos los zapatos de mi armario que regresar a Briggs para enfrentarme a Liam Doyle.

Sabía que no tenía derecho a enfadarme con él. Yo tenía novio, uno que en esos momentos estaba cruzando el país, probablemente con un anillo de diamantes en el bolsillo. «No estoy enfadada con Liam —me dije cuando llegué al camino que conducía a la salida sudeste—; estoy enfadada conmigo misma.»

Ese camino no estaba tan despejado como los otros y era más oscuro debido a los árboles que lo rodeaban. Debería haber habido una luz de seguridad junto a la puerta, pero no era así; podía ser que todavía no hubieran ajustado los temporizadores al cambio de estación, o que estos se hubieran estropeado. Al menos la puerta estaba abierta y desde allí alcanzaba a ver mi calle e incluso el débil destello de la luz de mi porche. Me apresuré en esa dirección. Lo que más deseaba era estar en mi casa para lamerme las heridas en privado.

—¡Soy una idiota! —refunfuñé mientras caminaba colina abajo. No solo me había encaprichado como una colegiala de Liam Doyle, ¡sino que además había hecho un trato bastante impreciso con un vampiro! Y todo por dos nombres que me hubiera podido dar la decana Book.

Un ruido a mi espalda interrumpió mis pensamientos. Era el mismo ruido que había oído en el pabellón Bates: el mismo aleteo. ¿Podría ser Anton Volkov, transformado en murciélago, que venía a cobrarse su deuda? Corrí hacia la puerta. ¿Podía el hierro detener a un vampiro? ¿O eran las hadas las que no soportaban el hierro? Me daba igual... Estaba corriendo, alentada por el aleteo que me perseguía, intentando recordar el hechizo para prevenir un ataque desde el aire. ¿Era *Vox Faca naddel nem*? ¿O *Va fadir nox nim*?

—¡Al diablo! —grité a unos dos metros de la puerta—. *Faca vadum negg!*

Entonces el suelo se tambaleó debajo de mí y caí en un agujero que no había estado ahí un momento antes. Me golpeé las rodillas y las manos y algo pesado y plumoso me dio un golpe en la cabeza. Me agaché e intenté cubrirme la cara. Unas garras se clavaron en mi piel y una mano me cogió. Alcé la vista y vi a Liam Doyle agachado a mi lado. El pájaro, un cuervo negro gigante todavía más grande que la silueta que había visto fuera del pabellón Bates, le golpeó la cara una vez y se fue volando, graznando mientras desaparecía en la oscuridad.

—Callie, ¿estás bien? —Empezó a palparme el cuerpo en busca de alguna herida, pero solo tenía un corte en la mano. Se arrancó la manga de la camisa (no llevaba abrigo) y me envolvió la mano a modo de un vendaje.

—Estoy bien —mentí. Estaba temblando de modo incontrolable. Liam me acercó y me rodeó con los brazos. Y yo tenía demasiado miedo y frío para resistirme. Me hundí en sus brazos como un pájaro se hunde en su nido. Alrededor el bosque se veía oscuro y frío. Quién sabe qué otras criaturas horribles podía albergar. Miré a Liam y vi que tenía sangre en la mejilla. Le acaricié el rasguño, que no le había alcanzado el ojo por centímetros—. ¡Te podría haber sacado un ojo! —exclamé.

—No podía dejar que te hiciera daño —repuso.

Entonces, se inclinó hacia mí y me besó. Sus labios estaban tan calientes que con el frío y la oscuridad que nos rodeaba eran como una vela ardiendo en el gran bosque oscuro. Me incliné hacia ese calor, ansiosa. Sus labios separaron los míos y sentí que aquel calor entraba en mí, inundándome, abriendo algo en mi interior, como si sus labios hubieran girado una llave en la base de mi columna y abierto una puerta que no sabía que estaba cerrada.

Pero justo cuando sentía esa apertura recordé el momento en que lo había visto revolcándose con Fiona Eldritch en el guardarropa.

Lo aparté de un empujón.

—Cal...

—No, ni se te ocurra. —Me puse de pie a pesar del dolor; los rasguños de las rodillas me escocían. Me tambaleé y él tendió la mano para sujetarme, pero me agarré a la puerta y paró—. No me debes ninguna explicación. Estoy casi prometida... y tengo que irme.

Me alejé de él, todavía apoyándome en la puerta. No estaba segura de poder sostenerme en pie sin ese apoyo, pero cuando llegué al otro lado me solté. Liam me estaba mirando, le ardían los ojos, pero no se volvió a acercar, ni intentó detenerme. Eso me dio fuerzas. Eché a andar hacia mi casa. Agucé el oído para ver si oía ruido de pasos (o alas) detrás de mí, pero lo único que oí fue el sonido metálico de la puerta del campus que se cerraba.

25

Había planeado salir por la mañana para evitar conducir de noche, pero al final decidí marcharme de inmediato.

—Lo siento, compañero —le dije a *Ralph* mientras hacía la maleta—. Si te llevara conmigo a Nueva York, correrías el riesgo de ser devorado por una rata.

Ralph se sentó en su tacita y meneó la nariz.

—Pero no te preocupes —añadí, yendo a buscar unas botas de invierno que quería meter en la maleta—. Brock sabe que estás aquí, ¿y quién mejor para cuidarte que el mismo tipo que te creó?

Cuando me volví hacia el escritorio, *Ralph* ya no estaba en la tacita, ni en la cesta, ni en las zapatillas de piel de borrego, ni en ninguno de sus sitios favoritos. «Se ha enfurruñado porque no puede venir conmigo», pensé. ¿Cómo iba a saber yo que un tope de hierro con forma de ratón podría ser tan tiquismiquis?

Apagué todas las luces, bajé la temperatura de la calefacción a dieciocho grados y le escribí una nota rápida a Brock para que le diera a *Ralph* el resto de *brie* que quedaba en la nevera. A continuación, cerré con llave la puerta de la Casa Madreselva y me marché.

La conducción a través de aquellas carreteras oscuras y sinuosas que llevaban a la autopista requirió toda mi concentración, y gracias a ello no tuve ocasión de pensar en lo sucedido. No obstante, cuando llegué a la Interestatal 17 empecé a recordar algunas escenas de la fiesta y de lo que sucedió después. ¿Cómo había podido hacer un trato con Anton Volkov? Ni siquiera sabía si los nombres que me había dado me servirían de algo. Nunca había oído hablar de Abigail Fisk, pero sí que sabía quién era Hiram Scudder; era el socio de Ballard, cuya mujer se había suicidado después del Gran Choque del 93 y de su consiguiente bancarrota. Me parecía una buena razón para maldecir a alguien, pero si los descendientes de Scudder fueran fáciles de localizar alguien ya lo habría hecho. E incluso si los encontraba, ¿qué probabilidad había de que lograra convencerlos para que liberaran a Nicky de la maldición? En aquel momento lo veía clarísimo: me había puesto en una situación comprometida por una información que básicamente no me servía de nada. Además, ese no era el único modo en que me había comprometido esa noche. ¿Por qué me había afectado tanto descubrir a Liam y Fiona dándose el lote? Si querían echar un polvo, no era asunto mío. De hecho, parecía que estaban hechos el uno para el otro..., ambos tan irresistibles para el sexo opuesto.

Pero, entonces, ¿por qué me había besado Liam en la puerta del campus?

Al recordar el beso me flojearon las piernas y a punto estuve de ocupar el carril contrario delante de un camión. Conmocionada, aferré el volante y clavé los ojos en las líneas blancas de la carretera. Ese beso no significaba nada, me dije. Al menos para él. Liam me había explicado una triste historia de por qué nunca volvería a enamorarse, pero no había dicho nada sobre aventuras ocasionales. Era obvio que Fiona era el mismo tipo de mujer que Moira. Pero ¿y yo? No encajaba ni en el perfil de Moira ni en el de Jeannie. Le había sugerido a Liam la posibilidad de que encontrara a alguien que no fuera como ninguna de las dos; ¿habría pensado que me refería a mí misma? ¿Y por eso me había besado? Pero ¿de verdad me había besado? Ya había imaginado dos veces que me iba a besar, y me había equivocado. Quizás era yo quien le había besado a él.

Esa idea me mortificó tanto que me desvié de mi carril y tuve que enderezar el volante de nuevo. ¿Qué mosca me había picado últimamente? Primero, había mantenido relaciones sexuales con un íncubo. Aunque, bueno, la verdad es que no había tenido opción... ¿O sí? Debía de haber alguna razón para que el íncubo hubiera logrado seducirme. Después de todo, Matilda Lindquist había vivido décadas en la Casa Madreselva sin yacer con él. Quizás había algo en mí que lo atraía; algo relacionado con mi insatisfacción.

Bueno, eso tampoco era de extrañar. Mi novio vivía a cinco mil kilómetros de distancia y solo nos veíamos un par de veces al año. Era comprensible que me sintiera insatisfecha y me dedicara a seducir a íncubos, vampiros y poetas irlandeses. Me estaba convirtiendo en «una mujer libertina», tal como diría mi abuela Adelaide, quien nunca utilizaría una palabra tan vulgar como «guarra», ni siquiera cuando era obvio que a eso se refería. «No estás satisfecha —añadiría ella— por culpa de todos esos cuentos estúpidos que tus padres te leían de pequeña.» Y tendría razón. Todavía estaba esperando que mi príncipe azul apareciera y me robase el corazón. Por ese motivo no me había comprometido más con Paul. Y por esa misma razón seguíamos viviendo en extremos opuestos del país.

Bueno, pues había llegado la hora de dejar de esperar. Si Paul realmente había encontrado un trabajo en Nueva York y de verdad quería casarse conmigo, no tenía sentido continuar con esa tontería de la larga distancia. Tendría que trasladarme de nuevo a la ciudad, incluso si ello significaba aceptar trabajar como profesora auxiliar hasta que encontrara algo a jornada completa. Pondría a la venta la Casa Madreselva y emplearía lo que quedaba del fondo fiduciario para que Paul y yo nos compráramos un piso decente en Brooklyn (o en Queens, o en Westchester, o incluso en Nueva Jersey). Cuando llegué al puente George Washington ya me había decidido y estaba segura de que había tomado la decisión correcta. Me moría de ganas de contárselo a Paul.

La entrada en la ciudad hasta el Battery Park y el Ritz-Carlton ocupó toda mi capacidad intelectual durante el resto del trayecto. Cuando le entregué el coche al mozo del hotel, que iba vestido de negro con un gorro peludo (que me recordó a uno de los guardias de la Bruja Mala del Oeste), estaba exhausta. Y estuve a punto de llorar de alegría cuando el botones me acompañó hasta mi habitación *club deluxe* en el piso 11, que tenía unas vistas espectaculares del puerto de Nueva York. En cuanto me quedé sola, llené la enorme bañera de agua caliente y añadí un gel de baño con aroma de limón, cortesía del hotel. Me desnudé, me sumergí en el agua caliente y jabonosa y empecé a pasarme la esponja con cuidado por las rascadas que tenía en las rodillas. Contra toda lógica, el dolor me trajo a la memoria el beso de Liam, el calor de su boca...

«¡No, no, no!», me reprendí, zambullendo la cabeza en el agua caliente. Contuve la respiración hasta que la imagen se disipó, entonces me lavé el pelo y me froté con la esponja, también cortesía del hotel, hasta que me quité el rostro de Liam de la cabeza. Después me envolví en la gran bata del Ritz-Carlton y llamé a la compañía aérea para comprobar si el avión de Paul había llegado en hora. Me dijeron que había aterrizado hacía diez minutos, de modo que todavía tardaría una hora en llegar.

El plan que habíamos acordado era que él llegaría al hotel y dormiría un rato, y que yo aparecería a la mañana siguiente. Esperaba que encontrarme en la cama fuera una buena sorpresa de bienvenida. Llamé al servicio de habitaciones y pedí una botella de champán (aunque me estremecí al ver el precio). En la habitación ya habían dejado una cesta de fruta y un plato de quesos, así que no pedí comida. Me sequé el pelo y me puse el camisón de seda rosa que Paul me había regalado por San Valentín el año anterior. Nunca vestía nada de ese color, pero sabía que a él le gustaba como me quedaba.

Miré el reloj: todavía disponía de media hora. Intenté colocarme en una posición sensual en la cama, pero solo conseguí sentirme ridícula... y muerta de frío. Todas esas ventanas que daban al puerto hacían que la habitación estuviera fría. Me levanté para correr las cortinas, pero acabé quedándome de pie delante de la ventana, contemplando los barcos que titilaban en el agua negra. Me senté en una silla ante la ventana, me tapé de nuevo con la bata de felpa que me había quitado y observé las luces del puerto. Me recordaban a algo... a los fuegos fatuos flotando a través de un bosque oscuro, velas en un amplio salón, copos de nieve cayendo del cielo negro... Me dejé llevar por el vaivén de la marea de la bahía...

Estaba en un bosque oscuro, el mismo al que fui a parar cuando abrí el tríptico del pabellón Briggs, pero en lugar de estar rodeada de criaturas diáfanas, solo había una figura frente a mí. Era él, el íncubo, mi amante demonio. Brillaba como iluminado por la luna, pero ahí no había ninguna luna, ni ningún sol; no existía el tiempo.

—Solo una noche eterna —dijo él, acercándose a mí—, para que la pasemos haciendo el amor.

—Te pedí que te marcharas —repuse, mientras me rozaba la mejilla con la mano. La tenía helada, pero me apoyé en su palma como contra un fuego. Un hormigueo me recorrió de la cabeza a los pies como si una cascada, fresca y deliciosa, me cayera encima. La mano que tenía en la mejilla me acarició la garganta, los pechos... Se me endurecieron los pezones y sentí un latido entre mis piernas. Alcanzó mis nalgas con la otra mano y me apretó contra su fría y tiesa erección. Lo envolví con los brazos y las piernas, ansiosa por amoldarme a su cuerpo, fusionarme con él... y eso era lo que estaba sucediendo. Cuando me penetró noté que una luz blanca y fría se extendía dentro de mí. Me estaba llenado de luz de luna líquida... y yo me estaba desvaneciendo en él...

Desperté sobresaltada, dando manotazos para agarrarme a algo sólido, y lo hice: me aferré a un brazo.

—Cal, soy yo, Paul.

Miré su rostro y pensé: «No, no es él.» En ese momento acabé de despertarme.

—Me he quedado dormida —dije—. Te estaba esperando...

—Ya lo veo. —Se sentó en la silla que había delante de la mía—. Pensaba que vendrías mañana.

Me incorporé y me envolví con la bata para ahuyentar ese frío helado, un frío que había deseado que se corriera dentro de mí, y me concentré en Paul.

—Al final decidí venir hoy.

—Pensaba que detestabas conducir de noche.

—Sí, pero tenía ganas de verte...

Lo miré con más detenimiento. Se había puesto un traje. Qué raro; normalmente viajaba en vaqueros y camiseta. ¿Por qué se habría puesto un traje para un vuelo nocturno? También se había cortado el pelo, más corto de lo habitual. Y estaba más delgado; la grasita que solía llenarle la cara y la barriga había desaparecido. Tenía buen aspecto, se le veía un poco más mayor y también un poco tenso, pero bien. No obstante, él no me estaba mirando. Estaba mirando alrededor y por la ventana, y cuando sus ojos se cruzaban con los míos, apartaba la mirada.

—¿Qué te pasa? —pregunté, ciñéndome el cinturón de la bata—. ¿Ha ido bien el vuelo? Debe de dar miedo subirse a un avión después de...

—Ha ido bien. Es solo que... pensaba que hablaríamos por la mañana. —Sus ojos volvieron a esquivarme y esa vez su mirada recayó en la botella de champán que había en la cubitera y en el cesto de fruta y el queso, y entonces me miró de nuevo. No a la cara, sino a la bata y a mis piernas desnudas y al trozo de tela rosa que asomaba por debajo. Por un momento, temí que hubiera percibido la excitación que había sentido en el sueño.

—¿Que hablaríamos de qué? —pregunté, con un nudo en el estómago.

Se inclinó hacia delante y se cubrió la cara con las manos.

—Callie... Yo... tengo que explicarte una cosa... y no me resulta nada fácil. Ya llevo tiempo preguntándome si las cosas entre nosotros marchaban bien. Este otoño parecías distraída...

—Me he estado adaptando a un trabajo nuevo —repuse a la defensiva, pero no seguí. Podía ver la angustia en su rostro. Parecía estar sufriendo un dolor físico. «Oh, Dios mío», pensé. «No ha venido para pedirme matrimonio, ha venido para romper conmigo»—. Hay otra persona, ¿verdad? —pregunté, maldiciendo al instante lo tópica que sonaba esa pregunta.

Hizo una mueca, tragó saliva y se mesó el pelo como si quisiera arrancárselo de raíz.

—Sí. Rita, la mujer que conocí en el avión el mes pasado...

Y todo fue saliendo poco a poco: cómo se habían cogido de la mano cuando el avión estuvo a punto de estrellarse, cómo habían pasado el fin de semana en casa de los padres de ella en Binghamton («Pensaba que era ella quien vivía en Binghamton», balbuceé. «No, vive aquí, en la ciudad», respondió Paul), cómo Rita le había dicho que debería dedicarse a las finanzas en lugar de limitarse a estudiarlas (resultaba que Rita era una analista de inversiones en una importante empresa de Wall Street), y cómo empezaron a hablar y escribirse e-mails y enviarse mensajitos. Paul me explicó que ella le consiguió una entrevista en Los Ángeles, y más tarde otra en Nueva York, que no había sido más que una formalidad porque ya le habían ofrecido un puesto en esa gran empresa de Wall Street donde trabajaba Rita. Y finalmente me confesó que incluso habían hablado de vivir juntos en el *loft* que ella tenía en Tribeca.

—Pues supongo que yo soy el último cabo suelto que te queda por solucionar —espeté cuando acabó.

—No te lo tomes así, Cal. No quería hablarlo por teléfono y tampoco podía hacerte ir hasta California y decírtelo entonces. Pensé que todo sería más fácil si estabas en la ciudad rodeada de tus amigos y tu familia...

Solté una carcajada.

—¿Familia? ¿Se te ha olvidado que mi abuela vive en Santa Fe? Bueno, aunque tampoco sería muy probable que fuera corriendo a llorar en sus brazos.

—Me refería a Annie —repuso—. No sabía si ya habías intimado con alguien en Fairwick, aunque me preguntaba si...

—¿Si me estoy acostando con alguien? Supongo que de ser así todo esto te resultaría más fácil, ¿no? Pues no, siento decepcionarte. No me estoy acostando con nadie. —Eso era técnicamente cierto y si intentaba explicarle a Paul la historia del íncubo me habría considerado un caso perdido. De todos modos, me sentía un poco culpable por esa mentira a medias.

—De hecho, es un alivio... Ya sé que no tengo derecho a decirlo, pero tenía la sensación de que me ocultabas algo.

Aunque me dolía en el alma ver que Paul iba en serio con Rita, no podía culparle por haber sentido una falta de honestidad por mi parte, cuando la verdad era que le había ocultado una ristra de sucesos sobrenaturales, y también un beso muy natural. Suspiré.

—Supongo que quizá me he enamorado del nuevo profesor de escritura.

—¡Lo sabía! Ese Liam, ¿verdad? Lo busqué en Google y pensé que era justo tu tipo.

—¿En serio? A mí no me lo parecía... Y tampoco creo que esto nos lleve a ninguna parte. No hemos... No es nada serio.

—Ah —dijo Paul, claramente aliviado.

—Así que lo buscaste en Google, ¿eh?

—Sí —reconoció con una sonrisa tímida—. Y también miré su página de Facebook. Joder, ese tío es como un héroe; da clases en barrios marginales, trabaja para Amnistía Internacional y su poesía no está nada mal.

El hecho de que Paul hubiera llegado a leer los poemas de Liam me conmovió. Lo observé con atención. Se había relajado lo suficiente para reclinarse en la silla. Tenía el pelo alborotado y volvía a parecer más joven, como el Paul que había conocido en la universidad. En ese momento supe que si me esforzaba podría recuperarlo y hacer que olvidara a Rita. Él había planeado hablar conmigo por la mañana porque no se fiaba de que no acabara acostándose conmigo. Y si dormía conmigo se sentiría obligado a contárselo a Rita y discutirían... Tampoco sería tan difícil. Le podía explicar a Paul mis planes de dejar el trabajo que tenía en Fairwick y de mudarme de nuevo a la ciudad. Con su nuevo empleo en Wall Street lo más seguro es que nos pudiéramos permitir un piso en Manhattan. Y tenía que admitir que Paul sería más feliz trabajando en Wall Street que dando clases a estudiantes exigentes. Y estar con un Paul más feliz también sería más fácil... siempre y cuando yo también lo fuera.

Pero de pronto tuve la certeza de que mi felicidad no dependía de Paul y que nunca lo había hecho. Quizá si no hubiera reprimido una parte de mí misma las cosas habrían sido diferentes, pero era demasiado tarde. Me levanté.

—Será mejor que me vaya —dije—. Dormiré en casa de Annie, en Brooklyn.

—¡Ni hablar! —exclamó Paul, levantándose—. Tenía pensado dejar que te quedaras con la habitación. La empresa ha hecho la reserva para cinco días. Yo puedo ir a dormir a casa de... —Se atrancó en el nombre de Rita y mi determinación también titubeó. Una cosa era aceptar que la relación se había acabado y otra muy distinta era lanzarlo a los brazos de otra mujer.

Pero lo único que conseguiría sería retrasar ese momento una noche, a no ser que lo quisiera de vuelta.

—Pues entonces será mejor que te vayas —dije—. Pero te advierto: en cuanto asimile todo esto, puede que abuse un poco del servicio de habitaciones.

26

La verdad es que a lo largo de los siguientes dos días encargué bastante comida al servicio de habitaciones, sintiendo, sobre todo al principio, un placer perverso al ver los precios tan desorbitados de aquel hotel. ¡Treinta y cuatro dólares por una tarrina de Häagen-Dazs! El segundo día me encontré a *Ralph* comiéndose los cacahuetes del minibar. Le solté un buen sermón. ¡Podría haberse asfixiado dentro de mi maleta! ¡Y si lo veían, nos echarían del hotel! ¿Sabía cuánto costaban aquellos cacahuetes? No obstante, fue una agradable compañía durante esas largas noches, cuando el viento soplaba con fuerza en el exterior del hotel.

Después de un par de días de pasear por el Battery Park con vientos huracanados y de comer helados caros, me cansé de sentir lástima de mí misma. El día 24 llamé a Annie y le pregunté si podía pasar la Nochebuena con ella y Maxine.

—Si no te importa salir a repartir pan —me dijo.

Había olvidado que en Navidad ella y Maxine donaban pan a los albergues.

—Claro —contesté—. No se me ocurre mejor manera de pasar las fiestas.

Una hora después Annie me vino a recoger al hotel. La furgoneta de la panadería estaba caliente y olía a pan recién hecho. Annie me dio tal achuchón que me dejó cubierta de harina y fundió el hielo de mi corazón por primera vez en dos días. Me eché a llorar de inmediato.

—¡Desembucha! —exigió mi amiga, incorporándose al tráfico.

Le expliqué lo de la ruptura, lo de Rita, lo del trabajo en Wall Street y lo de aquellos días que había pasado sola en la habitación del hotel. Cuando acabé, volví a sentir lástima de mí misma.

—Pero hay algo que no me estás contando —afirmó Annie.

—¿De lo de Paul? —pregunté con inocencia—. Creo que te he contado todo lo que me dijo...

—No, no de Paul, sino de lo que desencadenó lo de Paul.

—Ya te explicado lo del accidente y la tormenta y esa Rita...

—No me refiero a eso —dijo, perdiendo la paciencia y sacudiendo la cabeza. Llevaba el cabello rizado recogido en una coleta que meneaba con enfado. Me percaté de que algunas manchas que había creído de harina eran canas—. Paul nunca se habría enamorado de otra si tú no lo hubieras dejado antes.

—Así que es mi culpa, ¿eh? —repuse enfadada, recordando lo sentenciosa que Annie podía llegar a ser—. No sabía que te gustaba tanto Paul.

—Nunca he tenido nada en su contra pero, tal como te he dicho muchas veces, nunca me ha parecido que fuese el chico adecuado para ti. Y sigo pensando lo mismo. Si tú le hubieras dejado a él te estaría diciendo «ya era hora», pero que haya sido él significa que no te has esforzado mucho, ¿me equivoco? Si has estado tan desconectada de él como de mí desde septiembre, puedo entender por qué se permitió enamorarse de la primera chica que le cogió la mano en un vuelo movido.

—Oye, ¡eso no es justo! —protesté—. Cuando tú empezaste a salir con Maxine yo apenas te vi en seis meses.

Annie enarcó una de sus cejas oscuras, pero no apartó la vista del tráfico mientras tomaba la calle Canal.

—Cierto —admitió—. ¿Así que por eso apenas me has llamado en estos últimos tres meses? ¿Has estado practicando sexo con alguien nuevo?

Resoplé para negarlo, pero Annie me silenció con una sola mirada. Con Paul había sido capaz de aferrarme al detalle técnico de que acostarme con un íncubo (y un beso con Liam Doyle) no había sido como ponerle los cuernos de verdad, pero no conseguiría engañar a Annie.

—Más o menos —respondí—. Todo depende de cómo definas sexo.

—¡Mírala! ¡No sabía que fueras Bill Clinton! —sonrió—. ¿Y me lo has estado ocultando por lo conservadora y sentenciosa que soy?

—No, no te lo he contado porque hubieras pensado que estoy loca.

Nos habíamos detenido delante de la Misión Bowery. Annie se volvió hacia mí y sacudió la cabeza.

—Cielo, ¿a quién acudí cuando a los trece años descubrí que me gustaban más las chicas que los chicos? ¿Y quién me dijo que no estaba loca, que solo era gay?

Le devolví la sonrisa.

—Me temo que es un poco más complicado, pero si estás segura de que quieres oírlo...

Annie me miró y se puso bizca.

—Sexo complicado, loco e increíble. Venga, cielo, desembucha.

Y eso fue lo que hice.

Repartimos pan a más de una docena de albergues y comedores de beneficencia, pasando por Bowery, Chelsea, Hell's Kitchen y el Upper West Side; y entre reparto y reparto le conté todo lo que me había sucedido en Fairwick, desde la primera visita del íncubo hasta su destierro, y todo acerca de las criaturas que había conocido (brujas, hadas, *brownies*, gnomos, vampiros y ratones mágicos), y el tentador vistazo que había echado al Reino de las Hadas a través de la puerta del tríptico el día del solsticio. Ella escuchó en silencio, con los labios fruncidos y los ojos concentrados en el tráfico de la ciudad, y solo abrió la boca para soltarle una sarta de insultos a un coche con matrícula de Nueva Jersey que le bloqueó el paso. Acabé justo cuando llegamos a nuestra última parada, el albergue para hombres de la catedral de San Juan el Divino.

Annie apagó el motor y se volvió hacia mí. Esperaba que me dijera que necesitaba una camisa de fuerza. Y conociéndola, seguro que se ofrecía para conseguírmela. Pero lo único que me dijo fue:

—Ven conmigo. Hay algo que quiero enseñarte.

Les pidió a dos voluntarios del comedor benéfico si podían descargar el pan de la camioneta y me condujo por una escalera de servicio hasta la catedral. Cuando estaba estudiando el posgrado en la Universidad de Columbia, adopté la costumbre de visitar la enorme e inacabada catedral episcopal. No me consideraba religiosa, pero me gustaba la paz de ese espacio abovedado y silencioso y la belleza de la vidriera. También me gustaba la política de la catedral de interactuar con el mundo moderno. En una visita turística nos explicaron que cada una de las vidrieras de las naves laterales estaba dedicada a un aspecto de la gesta humana, como las artes y la comunicación. Esas ventanas presentaban detalles laicos y, a menudo, sorprendentemente modernos, como un panel en el que aparecía el comediante Jack Benny tocando el violín delante de un micrófono, en la Vidriera de las Comunicaciones. También me gustaba el cometido de la catedral. Cuando se construyó en 1893, el mismo año que las edificaciones de la isla Ellis, la catedral se dedicaba a ayudar a los inmigrantes. Defendía los valores de la inclusión y la tolerancia, simbolizados de forma más notable por las enormes *menoráhs* de oro y los jarrones sintoístas que flanqueaban el altar, pero también por las capillas de las Siete Lenguas que rodeaban el ábside, cada una de ellas dedicada a una colonia diferente de inmigrantes. Annie me llevó hasta la capilla italiana, la de San Ambrosio.

—¿Sabías que cuando íbamos al instituto solía venir a rezar aquí? —me dijo mientras entrábamos en la ornamentada capilla de estilo renacentista.

—Vaya —contesté, sentándome a su lado en una silla plegable—. Pensé que habías dejado la Iglesia en octavo.

—La Iglesia católica —repuso. Juntó las manos y alzó la vista al altar—. Pensaba que no tenía sentido seguir yendo a una iglesia que me decía que iría al infierno por ser lo que era. Pero después de un tiempo eché en falta algo, una sensación que había sentido en misa alguna vez. ¿Sabes a qué me refiero?

Annie me miró dubitativa, algo no muy propio de ella, y comprendí que le daba vergüenza. Habíamos hablado sin tapujos de nuestras vidas sexuales, pero nunca de religión.

—Sí —contesté—, creo que sé a qué te refieres. Yo solía venir a esta catedral entre clases, por razones culturales y artísticas, me decía a mí misma, pero también por lo que sentía cuando me sentaba aquí.

—Así que las dos veníamos en secreto a la misma iglesia y nunca lo supimos. —Sonrió, recobrando la expresión de confianza de la Annie que conocía—. Venía a esta capilla en concreto porque está dedicada a un santo italiano. Y una cosa era dejar de ser católica, pero otra muy distinta dejar de ser italiana.

—*Dio mio!* —exclamé en tono burlón. Y con voz más seria pregunté—: ¿De verdad pensaste que tendrías que dejar de ser italiana porque eras gay?

—Ya sé que suena ridículo, pero no sabía de qué ni de quién tendría que prescindir. Fue un alivio no perder a mi mejor amiga... —Me dio un apretón en la mano—. Pero ya sabes que no se lo conté a mi madre hasta cumplir los dieciséis. El día que iba a explicárselo, vine antes aquí. Recé para que mi madre no se disgustara mucho y para que yo no perdiera los nervios si lo hacía, y sobre todo para que no dejara de quererme. —Annie se emocionó. Estiré el brazo, le cogí la mano y seguí agarrándola mientras continuaba—: Así que mientras estaba aquí sentada entró una mujer mayor y se sentó a mi lado. Parecía la típica *nonna* italiana: vestido negro, pañuelo negro, una joroba del tamaño de una pelota de baloncesto y ningún diente en la boca. Cuando entró estaba murmurando algo en voz baja. Alguna oración, pensé, aunque no parecía italiano, ni inglés, ni siquiera latín. Bueno, pues estábamos las dos aquí sentadas y después de unos minutos apoyó una mano encima de la mía, igual que tú haces ahora, y me dijo:«No tengas miedo, Anne Marie, tu madre te quiere por ser quién eres y siempre te querrá.» Le pregunté cómo sabía mi nombre y de qué me conocía, pero entonces una luz que venía de detrás suyo me cegó. Pensé que procedía de la ventana, pero ese día estaba nublado. Podía ver la silueta de aquella mujer recortada a contraluz, pero ya no estaba encorvada ni vieja, y vi que tenía el cabello largo, blanco y brillante. Entonces, aparté la vista un instante y cuando quise mirarla de nuevo ya no estaba, pero en la silla donde se había sentado encontré esto...

Sacó del bolsillo una piedra blanca, pequeña y redonda. Estaba un poco desgastada por el centro, de manera que si la mirabas de perfil tenía forma de media luna.

—La cogí y la sostuve en la mano mientras le decía a mi madre que era gay. Y ya sabes lo que me contestó, ¿no?

—Mejor que te gusten las mujeres a que seas una *puttana* como tu prima —dije, repitiendo la frase que Annie me había dicho años atrás.

—Sí, y luego me abrazó y me regañó por no habérselo dicho antes. Aquella mujer tenía razón: mi madre nunca me quiso menos por eso... —Se secó los ojos. Sylvana Mastroanni, su madre, había muerto a causa de un cáncer de mama cuando Annie tenía dieciocho años—. Esa anciana me dio el valor para enfrentarme a mi madre y si no lo hubiera hecho y ella hubiera muerto antes... —Hizo una pausa, incapaz de terminar la frase. Continuó—: Siempre he creído que esa mujer era una especie de ángel... o quizás, después de oír lo que me has explicado, un hada o una diosa antigua. De manera que me creo que hayas acabado en una universidad para brujas y hadas. —Sonrió—. Maldita sea, ni siquiera me sorprende tanto. Tú siempre has sido un poco... diferente.

—¡Gracias! —dije pellizcándole el brazo—. Ahora sí que me siento como una chiflada.

—No, no me malinterpretes. Es solo que tu historia, tus padres muertos, tu abuela, siempre distante y severa...

—Oye, mi abuela no lo hizo tan mal —la interrumpí, pensando con culpabilidad que debía llamar a Adelaide al día siguiente. No había hablado con ella desde el día que la llamé para decirle que me habían ofrecido trabajo en Fairwick, pero había reaccionado con tal insolencia que no había querido volver a telefonearle en una temporada—. Lo hizo lo mejor que pudo, teniendo en cuenta que era una mujer de sesenta años a quien acababan de endilgarle una adolescente insoportable.

—Vale, vale, no quería faltarle al respeto a Adelaide. Solo estoy diciendo que siempre has tenido las circunstancias para convertirte en la heroína de uno de esos romances góticos que lees... y ahora lo has hecho.

—No soy una heroína —señalé, intentando disimular el gran alivio que sentía al ver que Annie me creía—. Solo soy una profesora adjunta. Ni siquiera me han hecho fija todavía.

Me pasó el brazo por la espalda.

—Oye, por lo que me cuentas, eres importante para esa gente... hadas, brujas... o lo que sean. ¡Eres la guardiana de la puerta! ¡Tendrán que hacerte fija!

27

Con ratón o sin ratón, despertarme sola en una habitación de hotel el día de Navidad me pareció un auténtico infierno. *Ralph* dormía tranquilamente en la cubitera, tapado con un trapo para lustrar los zapatos que le servía de manta. Su compañía aderezaba mi soledad con ese toque de gracia victoriano que hacía que mi situación fuera realmente patética; como Cenicienta, que solo contaba con la compañía de sus pequeños amigos animales.

Para animarme, decidí pedir un opíparo desayuno en la habitación, me importaba un bledo el precio. Y después hice lo que había estado pensando la noche anterior: llamé a mi abuela a Santa Fe. Me saltó el contestador, de modo que le deseé feliz Navidad y le dije que la noche anterior había estado pensando en ella en la catedral. Colgué con la sensación de que había cumplido con mi deber sin haber tenido que hablar con ella, pero diez minutos después sonó el teléfono.

—Así que estás en la ciudad, ¿eh? —dijo mi abuela, sin un «hola» ni un «felices fiestas»—. ¿Ya has entrado en razón y te has marchado de esa universidad de poca monta?

—No, Adelaide. —Cuando tenía diez años me pidió que no la llamase abuela porque le hacía sentirse vieja—. Solo he venido a pasar unos días...

—Bien —me interrumpió—. Yo también. Estoy alojada en

mi club. Si no tienes otros planes para hoy, podríamos tomar el té juntas.

Por un momento me planteé decirle que pensaba pasar el día en casa de Annie. Odiaba tener que admitir que iba a pasar sola el día de Navidad, pero entonces comprendí que ella también lo estaba y me reprendí por mi egoísmo.

—Sí, iré encantada.

—Ven a la una —respondió con sequedad—. Y recuerda que en el Club de la Arboleda no se permiten los vaqueros.

Colgué sintiéndome como una adolescente malhumorada a la que tenían que recordarle que se vistiera adecuadamente para las entrevistas en las universidades, y recordé por qué siempre había procurado que las interacciones con mi abuela fueran breves. No obstante, cuando la defendí la noche anterior delante de Annie era porque lo sentía de verdad; mi abuela no lo había hecho tan mal. Podría haberme enviado a un internado, pero en cambio me abrió las puertas de su pequeño piso de dos habitaciones, pequeño y ordenado, renunció a su despacho para que pudiera convertirlo en mi dormitorio (aunque muchos de sus libros y papeles nunca salieron de mi armario), y supervisó mi educación diligentemente hasta que me fui a la universidad. Es cierto que me disgusté un poco cuando decidió jubilarse en Santa Fe justo la misma semana en que yo acababa el instituto, porque aquello significaba que tendría que pasar las vacaciones en la residencia o en el sofá de alguna amiga. Pero tampoco podía culparla por ello; al menos había esperado a que acabara el instituto para mudarse. Además, ya llevaba años quejándose de los inviernos en Nueva York y hablando de su intención de irse a vivir a Santa Fe, donde tenía una casa heredada de una tía suya. Me sorprendía que hubiera regresado a la Gran Manzana en pleno invierno.

Aquel día me vestí con esmero —una falda de lana y un jersey de cachemir— y me recogí el pelo, recordando que siempre que me lo dejaba suelto Adelaide comentaba lo largo que lo llevaba. Salí temprano del hotel, pensando que el metro iría más lento el día de Navidad, pero cuando llegué a Midtown todavía faltaba una hora para nuestra cita. Paseé por la Quinta Avenida y miré los escaparates navideños de Lord & Taylor, y me acordé de unas Navidades en que mi madre me había llevado a mirar escaparates.

—¡Mira, son hadas! —había dicho, señalando a un grupo de figuras con alas hechas de seda y gasa suspendidas encima de una maqueta del Central Park nevado—. Ojalá fueran así.

Siempre había pensado que mi madre había querido decir «Ojalá existieran», pero ahora me pregunté si mi madre conocía lo suficiente sobre las hadas como para saber que no siempre eran tan dulces y adorables. Diana Hart me había dicho que yo tenía sangre de hada, pero ¿de quién? ¿De mi padre o de mi madre? Podría preguntárselo a mi abuela, pero formularle una pregunta así a Adelaide Danbury era impensable.

Cuando pasé frente a la sede central de la biblioteca pública sentí una punzada de culpabilidad al recordar que había otras cuestiones genealógicas bastante más urgentes. Mi intención había sido aprovechar esos días en Nueva York para buscar a los descendientes de Hiram Scudder y Abigail Fisk, pero había estado tan sumida en mi propio drama que no me había ni acercado a la biblioteca. Ahora era demasiado tarde. Era obvio que la biblioteca estaría cerrada el día de Navidad, a no ser que...

Hurgué en mi monedero, saqué la tarjeta del IPM que Liz Book me había dado y leí lo que ponía en el dorso: ACCESO A COLECCIONES ESPECIALES Y HORAS DE CONSULTA EXCLUSIVAS.

Pero ¿tenía que solicitar una cita previa? No cabía duda de que tenía que pedirle a Liz que buscara mi *pack* de orientación y me impartiese una formación práctica sobre cómo utilizar los hechizos. Todavía me escocían las rodillas de la caída que había sufrido al equivocarme de hechizo en el solsticio... No obstante, podía probar si con esa tarjeta lograba entrar en la biblioteca.

Sintiéndome bastante ridícula, subí las escaleras de granito, pasando junto a Paciencia y Fortaleza, los dos leones, que estaban resplandecientes con sus coronas navideñas. Cuando llegué a las puertas, que obviamente estaban cerradas con llave y con verja, todavía me sentí más ridícula. ¿Qué pensaba? ¿Que agitaría mi tarjeta delante de la cerradura y las grandes puertas de latón se abrirían de golpe?

En ese momento me percaté de que entre la filigrana de acantos había grabadas dos lunas crecientes mirando en direcciones opuestas, idénticas a las que aparecían en mi tarjeta del IPM. Sintiéndome todavía más tonta, deslicé la tarjeta por encima de aquellas lunas.

Oí un clic.

Me quedé observando la puerta hasta que, para mi sorpresa, oí otro clic. Tiré del tirador, pero no se movió. Y entonces recordé lo sensible al tiempo que era el interfono de mi piso y volví a intentarlo. Esa vez, en cuanto oí el clic tiré del tirador enseguida. Y la puerta se abrió.

Me quedé en el umbral unos instantes hasta que una voz me llamó desde el interior.

—¿Vas a entrar o no? Hay mucha corriente de aire.

Cerré la pesada puerta y entré en el gran vestíbulo de mármol. Los enormes candelabros y las lámparas que colgaban del techo estaban apagados y la única luz que había procedía de los arcos de los lucernarios. En uno de los rincones más oscuros había un hombre joven y esbelto enfundado en un grueso abrigo de lana y una gran bufanda sentado en una silla plegable. Había estado leyendo con la ayuda de una de esas pequeñas lámparas de libro con pinza, pero ahora me estaba mirando y tendía una mano huesuda en mi dirección.

—Tarjeta, por favor.

Le entregué mi tarjeta IPM, con la esperanza de no estar violando ningún protocolo académico al irrumpir en la biblioteca el día de Navidad. El hombre levantó la tarjeta hacia un débil rayo de luz y la inclinó adelante y atrás. Las lunas crecieron hasta llenarse y luego menguaron hasta recuperar la forma de medialuna.

—Vale —dijo, levantándose con un suspiro y un crujido de huesos. Aunque no aparentaba más de treinta años, el cabello rubio rojizo se le estaba empezando a caer. Se comportaba como un anciano y también vestía como tal. Debajo del abrigo llevaba un chaleco de cuadros escoceses, corbata y un reloj de bolsillo.

—Justin Plean —se presentó, tendiéndome su mano huesuda—. Colecciones Muy Especiales. ¿En qué puedo ayudarte?

—Estoy intentando localizar a los descendientes de dos... eh... personas.

—¿Qué clase de personas?

—Pues... no estoy segura... ¿Te refieres a...?

—¿Hadas, brujas, demonios o misceláneos?

—Brujas —contesté, preguntándome que incluiría la categoría «misceláneos».

—Está bien —dijo sin más rodeos—. Ven conmigo.

Echó a caminar a buen paso, lo que contrastaba con su atuendo anticuado. Enseguida comprendí por qué iba tan abrigado: en la biblioteca hacía un frío de muerte.

—¿No te encienden la calefacción? —pregunté cuando lo alcancé delante del ascensor.

—Recortes de presupuesto —contestó sacudiendo la cabeza—. Tienes suerte de haberme encontrado aquí hoy. El IPM no se puede permitir pagar horas extras, pero a quienes nos tomamos el trabajo en serio no se nos ocurriría dejar la biblioteca desatendida.

—Todo un detalle por tu parte —comenté mientras entrábamos en el ascensor.

Justin Plean se encogió de hombros, pero pareció satisfecho con mi comentario.

—Es mi trabajo. ¿Necesitas ayuda con los registros genealógicos?

—Lo más seguro es que sí. Nunca los he consultado.

—Pues son un poco... complicados —admitió—. Has dicho que querías buscar a dos brujas, ¿verdad? Te enseñaré cómo buscar a una y veré que puedo encontrar yo de la otra.

Encantada de haber encontrado a alguien tan amable, escribí los dos nombres en una libreta que Justin extrajo del bolsillo de su abrigo.

La puerta del ascensor se abrió a la oscuridad total. Por un momento se me pasó por la cabeza la espantosa idea de que Justin Plean, amable y libresco, era un asesino en serie psicótico que me había llevado al sótano de la biblioteca para descuartizarme. Pero cuando salimos del ascensor, las luces detectoras de movimiento se encendieron y revelaron hileras y más hileras de estanterías, altas hasta el techo, que se extendían hasta donde alcanzaba la vista.

—¡Caray! ¿Y todos estos libros son de magia y brujería?

Justin se volvió para dedicarme una sonrisa, que le concedió el aspecto de un niño de doce años.

—Es increíble, ¿verdad? Aquí están los grimorios —explicó, deslizando los dedos por una hilera de libros encuadernados en cuero—, y aquí los bestiarios. Los registros genealógicos están en la parte trasera. —Caminaba tan deprisa que me costaba seguirle el ritmo. Me hubiera encantado pararme y explorar, pero no quería llegar tarde a la cita con mi abuela.

Justin me condujo hasta un rincón polvoriento iluminado por un fluorescente parpadeante. Cogió de un estante un libro grande con el típico encuadernado de biblioteca y me lo entregó.

—De la R a la T del RCSS, que es el...

—El Registro Central de Seres Sobrenaturales —completé, sintiéndome orgullosa de saber algo.

Justin me dedicó una sonrisa condescendiente.

—Solo tienes que buscar a tu Scudder. Los descendientes más actuales tendrían que aparecer listados ahí. Yo empezaré a buscar los de Abigail Fisk.

Le di las gracias, me senté y abrí el libro. Unas nubes de polvo se desprendieron de sus páginas, delicadas y repletas de nombres. No parecía muy actual, pensé, mientras me esforzaba por leer las diminutas letras. ¿De verdad aparecerían ahí los últimos descendientes de Hiram Scudder?

Pero a medida que pasaba las páginas hasta llegar a la «S» me percaté de que había una tipografía más moderna que se alternaba con la antigua. De hecho, había al menos media docena de tipografías notablemente diferentes. Supuse que cada vez que actualizaban el libro empleaban una letra distinta. Comencé a leer hasta que las líneas de la página parecieron vibrar con el parpadeo de la luz. Notaba que los músculos de los ojos se me contraían por el esfuerzo. Y cuando llegué a la «Sc» ya no veía con claridad.

«Scales, Scanlon, Scarlett», leí.

«Scott, Scott, Scott.»

«Scu...»

Mi dedo se topó con una mancha de tinta negra que aumentaba de tamaño en mi visión borrosa. Quizá necesitara gafas de leer, pensé, inclinándome hacia atrás y cerrando los ojos un momento. Cuando los abrí de nuevo la mancha había crecido unos quince centímetros y le habían salido patas.

Chillé y salté hacia atrás, y del brinco tiré la silla al suelo.

La mancha tembló y saltó en el aire directamente hacia mi cara. Chillé de nuevo y me agaché. Oí un *paf* detrás de mí y me volví, con la esperanza de que aquella cosa estuviera muerta, pero la masa gelatinosa se estaba preparando para saltar de nuevo. Cuando brincó esa segunda vez, cogí un libro de la estantería y lo utilicé como un bate de béisbol. La mancha se aplastó contra él como un tomate podrido, pero no me molesté en comprobar si estaba muerta. Eché a correr, pidiéndole ayuda a Justin Plean y tirando libros detrás de mí para impedir que la mancha avanzara. Oí que chapoteaba detrás de mí; seguía viva. Desesperada, intenté recordar algún hechizo útil. Esa cosa no me estaba atacando desde el aire, así que aquel no funcionaría. Recordaba que había uno para prevenir las chinches, pero esa cosa no parecía una chinche... ¿O sí? Decían que la ciudad estaba invadida de esos bichos. ¿Y si se trataba de una versión mágica mutada? ¡Qué asco! Intenté recordar el hechizo lo mejor posible y me volví para enfrentarme a esa criatura... Al verla, me arrepentí de inmediato. La mancha se había hinchado hasta alcanzar el tamaño de un pitbull, ¡y le habían crecido pinzas! Horrorizada, vi que se preparaba para un nuevo ataque. Me protegí la cara alzando las manos y empecé a recitar el hechizo, pero entonces oí que otra persona recitaba las palabras *Pestis sprengja!*». Y a continuación un chillido que sonó como si algo estuviera agonizando. Aparté las manos de la cara y vi a Justin Plean de pie encima de un charco de fango viscoso y con un libro abierto en las manos.

—¿Qué demonios era eso? —pregunté boquiabierta, apoyándome contra una estantería para aguantar el temblor de mis piernas.

Justin sacó un pañuelo del bolsillo de su chaleco y se limpió unas salpicaduras amarillentas que tenía en las gafas.

—Una *lacuna* —contestó—. Es un biblioparásito que anida en los libros y crece cuando huele sangre. —Cerró el libro que sostenía y limpió la tapa con el pañuelo. Aquel tomo también tenía el encuadernado liso de biblioteca, y varios papelitos que marcaban algunos capítulos.

—¡Qué asco! ¿Y os encontráis muchas?

Justin sacudió la cabeza.

—Casi nunca. Quitamos el polvo con un repelente especial dos veces al año y siempre comprobamos que las nuevas adquisiciones no presenten indicios de contaminación. —Se metió el libro de hechizos en el bolsillo y me miró—. ¿Dónde la has encontrado?

—En el libro que me has dado... en la «S». Acababa de llegar a Scudder cuando vi esa... mancha. —Me estremecí al recordar que la había tocado. Me limpié la mano en la falda y me percaté de que tenía salpicaduras amarillentas en el jersey.

Justin asintió.

—Ya me lo temía. Alguien debió de poner la *lacuna* ahí para ocultar el linaje de los Scudder y para disuadir a quien intentara buscarlo. Uno de sus descendientes, supongo, que no quiere que le relacionen con Hiram Scudder.

—Eso podría significar que Hiram Scudder fue el responsable de la maldición.

—Puede ser —dijo Justin, sacando la libreta del bolsillo—, pero también he averiguado algo interesante sobre los descendientes de Abigail Fisk. Uno de ellos trabaja como profesor en Fairwick.

—Bueno, eso no tiene nada de raro. Allí trabajan muchas brujas.

—Sí, pero nadie sabe que este es una bruja. Está ahí con un pretexto falso.

Me mostró la libreta. Debajo de «Abigail Fisk» había un nombre que conocía: Frank Delmarco.

28

No tuve mucho tiempo para digerir la noticia de que Frank Delmarco, el Frank proletario, directo y fan de los Jets, era una bruja. Y una bruja que era descendiente de otra que había conocido a Bertram Ballard y, de alguna modo, había resultado perjudicada por él. Llegaba tarde a la cita con mi abuela y no quería que montara en cólera. Y encima tenía el jersey mojado del Oxi-Clean que me había puesto Justin para limpiar los restos gelatinosos de la *lacuna*.

Llegué sin aliento al Club de la Arboleda, que estaba situado en una casa solariega en el centro de Manhattan, cerca del Club Williams y del Century. En las pocas ocasiones en que Adelaide me había invitado a tomar el té allí, apenas había podido llevarme una impresión de los otros miembros del club, siempre escondidos detrás de los elevados respaldos de sus sillas. Lo único que había vislumbrado de ellos, y de modo fugaz, era un tobillo grueso embutido en unas medias de compresión y unos zapatos hechos a mano; una muñeca con una pulsera de colgantes que se estiraba para coger una taza de té de porcelana; una extraña voz de hombre (el club era solo para mujeres) murmurando algo en voz baja, como si temiera que le echaran si su voz varonil hacía vibrar el delicado mobiliario del siglo XIX, los retratos con los marcos dorados y las finas tazas de porcelana. Puesto que mi abuela era una mujer soltera y pudiente con intereses en genealogía, novelas del siglo XIX y arte popular americano, supuse que los otros miembros también serían mujeres mayores, igual de sobrias, con un pasado similar e intereses parecidos. No obstante, ese día cuando pasé junto a la barra de paneles de roble del bar, que estaba debajo de una pintura mural en la que aparecían varias mujeres vestidas con atuendos clásicos bailando en un bosque, vi a dos mujeres jóvenes muy bien vestidas bebiendo martinis y riendo.

Quizás ahora los miembros del club ya no eran mujeres ni tan mayores ni tan sobrias.

Una de las mujeres vestía unos ceñidos pantalones negros metidos por debajo de unas botas de montar y una estilosa chaqueta de lana, también de montar. Me sonaba de algo, pero estaba de espaldas a mí y llevaba un sombrero de piel enorme que ocultaba el color de su cabello. La otra mujer era rubia y lucía un vestido de punto Missoni, mallas y botas de ante de color claro. «Modelos», pensé mientras subía la majestuosa escalera que conducía a la primera planta. Tal vez el club prestaba sus habitaciones para algunas sesiones de fotos de moda. No cabía duda de que sería imposible encontrar en la ciudad un facsímile mejor de uno de esos clubs ingleses aburridos y pasados de moda.

El salón Laurel estaba exactamente como la primera vez que tomé el té allí cuando tenía doce años: los mismos sillones con los respaldos altos tapizados de verde oscuro y los mismos óleos de ancianas de cabello gris que me miraban con desaprobación por encima del hombro, o al menos eso me había parecido a los doce años, vestida con un áspero vestido de terciopelo y encaje que mi abuela me había comprado en Bergdorf's.

Mientras recorría con la mirada las islas de butacas en busca de mi abuela, intenté zafarme de esa incómoda sensación de la infancia.

«Nadie puede hacer que te sientas inferior sin tu consentimiento», solía decir Adelaide, citando a Eleanor Roosevelt, cuando me quejaba de lo incómoda que me sentía en algunos ambientes. El efecto de su amonestación me hacía sentir todavía peor, como si yo fuera cómplice de mi degradación. Pero aquel día me obligué a caminar con la barbilla bien alta y la espalda erguida. Tenía veintiséis años (no doce), me había doctorado y tenía un buen trabajo. El hecho de que Adelaide despreciara el puesto que había conseguido en Fairwick no significaba nada. ¿Qué sabía ella del mercado de trabajo académico?

—¿Señorita McFay? —Un hombre asiático con un traje gris perla se había plantado a mi lado deslizándose sobre la gruesa alfombra persa—. La señora Danbury le está esperando —anunció, y movió una mano enfundada en un guante blanco, como un mago haciendo uno de sus trucos, hacia un grupo de butacas junto a la chimenea.

Lo seguí a través de la sala, consciente de los ojos que me observaban desde la comodidad de los grandes y lujosos sillones. ¿Era imaginación mía o el murmullo de las conversaciones había cesado de pronto? Tuve la desconcertante sensación de que unas aves rapaces me acechaban desde las ramas de los árboles y me vi intentando escuchar, asustada, el susurro de sus plumas. Cuando llegamos a las butacas junto a la chimenea, mi escolta hizo una reverencia y se retiró, deslizando las suelas de los zapatos en la alfombra con la misma destreza que Michael Jackson en el videoclip de *Thriller*.

—¿Adelaide? —pregunté al respaldo de la butaca.

Una mano nudosa se agarró al brazo de madera, que estaba tallado con formas de garras de pájaro, y empezó a incorporarse.

—No te levantes —dije, colocándome delante e inclinándome para darle un beso en la mejilla.

El tacto de su piel fría y el aroma del Chanel n.º 5 me transportaron a mi infancia, pero cuando me incorporé y contemplé a mi abuela pensé que realmente había viajado en el tiempo hasta mi doceavo cumpleaños. No había visto a Adelaide desde que había asistido a mi graduación cuatro años atrás, de manera que me había estado preparando para encontrarla más mayor. Después de todo, rondaba los ochenta y la mano que había visto era la de una anciana. Pero a excepción de la mano, que seguía aferrada a las garras talladas, no parecía más mayor que la mujer de sesenta y pico años que me había adoptado. Tenía el mismo cabello negro azulado (mantenido gracias a visitas semanales a la peluquería), con el mismo peinado elegante pero anticuado, corto hasta la barbilla; los mismos ojos penetrantes y juntos, y la misma nariz aguileña. Incluso me parecía haber visto antes el conjunto que llevaba (un traje de lana rojo cereza, una blusa de seda beige y el collar de perlas). «Albert Nipon», pensé. Incluso el broche de ónix era el mismo que siempre había llevado.

—Estás estupenda —dije sinceramente—. Está claro que el clima del sudoeste te sienta bien.

Meneó la mano para descartar mis halagos.

—El aire seco es bueno para mi artritis, pero en cuanto pongo el pie en esta ciudad, rebrota. Venga, siéntate. Me pones nerviosa ahí plantada.

Me acomodé en la butaca que había delante de la suya, pero me quedé sentada en el borde para no hundirme en sus profundidades. El asiático reapareció con una bandeja cargada con una tetera de hierro y dos tazas de porcelana decoradas con dibujos de ramas (cuando era pequeña me habían parecido manos de esqueleto) y la depositó encima de la mesita que teníamos delante. Colocó un colador encima de mi taza y vertió un chorro de té con aroma de jazmín. Después repitió el procedimiento con la taza de Adelaide, hizo una reverencia y se marchó. Durante todo el ritual noté que mi abuela no me quitaba ojo de encima.

—Tienes buen aspecto —admitió de mala gana—. Aunque no entiendo cómo le puede sentar bien a nadie ese clima tan frío y húmedo del norte del estado.

—No me molesta el frío. Además, el campus está muy bonito con la nieve... —Me vino a la mente una fugaz imagen de Liam besándome en el camino nevado junto a la puerta del campus—. Y tengo una casa victoriana preciosa. Deberías visitarme...

—No soporto esas viejas casas victorianas; siempre tienen corrientes de aire —repuso, haciendo caso omiso de mi invitación—. Y las universidades de pueblo... —Se estremeció y las clavículas se le marcaron en el cuello. Me di cuenta entonces de que aunque no tenía arrugas, la piel que le cubría los huesos más marcados parecía muy fina, como una seda delicada y desgastada en las costuras—. Debe de ser como vivir en una pecera; todo el mundo se entera de todo.

En ese momento recordé que mi abuela siempre había mantenido una meticulosa cortina de privacidad entre los diferentes compartimentos de su vida. Nunca se relacionaba con los vecinos de nuestro edificio, ni invitaba a nadie a casa. Solía almorzar en el club, asistía a las reuniones de los diversos comités en que participaba y también acudía a las fiestas anuales de las instituciones artísticas a las que apoyaba, pero nunca oí que se refiriera a nadie como un amigo.

—Me gusta esa parte —comenté—. Todos cuidan los unos de los otros. Cuando tuvimos la tormenta de hielo, por ejemplo, fuimos casa por casa con Dory Browne para asegurarnos de que todos estaban bien...

—¿Dory Browne? ¿Es una de tus compañeras de trabajo?

—No —contesté, llevándome la taza a los labios—, es la agente inmobiliaria que me vendió la Casa Madreselva y es muy amiga de la decana, Liz Book...

—¿Elizabeth Book? ¿Todavía trabaja ahí? Ya debe de ser una anciana. ¿Qué tal te llevas con ella?

Levanté la vista de la taza, sorprendida.

—¿De qué conoces a Liz? No me dijiste nada cuando te expliqué que me habían dado el trabajo. —«Una universidad de segunda con un personal de segunda», había dicho entonces.

—Nuestros caminos se han cruzado un par de veces. Siempre me ha parecido un poco... difusa. Y peligrosamente ingenua. Toda esa filosofía que defiende de reclutar a estudiantes de todo el mundo, cuando en casa tenemos jóvenes cualificados de sobra... —Dio un golpecito al brazo de la butaca como si se refiriese a «en casa» en sentido literal. Miré alrededor, al silencioso salón, como si los candidatos fueran a saltar de las profundidades de sus sillones.

—Vaya, no sabía que conocías tan bien la Universidad de

Fairwick... —Dejé la taza en la mesa y me incliné hacia delante—. Pero ¿cuánto de bien la conoces?

Mi abuela me miró con los ojos bien abiertos y se reclinó todavía más en su sillón, pero entonces sonrió y sus labios pintados de rojo dejaron al descubierto unos dientes amarillentos.

—Pues bastante bien. Ya veo que te han iniciado en su culto. Dime, ¿te han prometido que te entrenarán para ser una bruja?

—¿Estás al corriente de todo eso? —pregunté; mi voz se me antojó estridente en la silenciosa sala. Normalmente me habría esforzado por mantener la compostura delante de mi abuela, pero esa mañana me había atacado un parásito chupasangre y acababa de descubrir que uno de mis compañeros de trabajo más normales era un brujo encubierto.

Mi abuela pareció satisfecha con mi reacción.

—Por supuesto, querida. ¿Qué crees que es La Arboleda? —Meneó una mano en el aire para referirse al sombrío salón en el que estábamos.

—¿Sois... brujas? —susurré.

—«La Arboleda» es un nombre antiguo que se utilizaba para designar un aquelarre, de la época en que nuestros antepasados se reunían en el bosque. Pero solo porque ellos tuvieran que esconderse entre la oscura espesura de los árboles, no significa que nosotras también debamos hacerlo. Los miembros de La Arboleda practicamos una versión más refinada del Oficio.

Pensé en el ritual que Soheila, Liz y Diana habían llevado a cabo para echar al íncubo de mi casa. No había sido muy refinado, pero había funcionado. Aunque también era cierto que no todas eran brujas...

—¿Y también sabes lo de las hadas?

Adelaide chasqueó la lengua en señal de desaprobación.

—En La Arboleda no se admiten hadas, gnomos, elfos ni enanos. Consideramos que la dependencia en esas criaturas es signo de una falta de disciplina en el Oficio. Además, esos seres pueden ser muy perjudiciales. Y peligrosos. Espero que no hayas entablado relación con ninguna de esas criaturas en Fairwick. Esa era mi mayor preocupación cuando aceptaste el trabajo.

—¿Así que no era el prestigio académico de la universidad lo que te preocupaba?

—Bueno, eso también. No lograron situarse entre las cien mejores universidades en el ránking del *U.S. News & World Report*, lo que atribuí a su liberal política de admisión que daba entrada a refugiados de todo este mundo... y del otro. Quiero decir, ¿te gustaría que tu hija se sentara en clase al lado de un duende? ¿O que compartiera habitación con un *puka*?

—Estoy encantada con mis alumnos —repuse, sorprendida por el veneno que percibía en su voz—. Y no he visto ningún duende.

—Que tú sepas. Lo que oímos aquí en La Arboleda es que Elizabeth Book permite que seres del otro mundo asistan a clase, e incluso las impartan, con apariencia humana. ¡Quién sabe la clase de criaturas que tendrás en tus clases! Es muy irresponsable que la gente no pueda ni saber con qué está tratando. Quise advertirte cuando aceptaste el puesto, pero nunca me haces caso.

—Pero ¡si ni siquiera me dijiste que yo tenía sangre de hada!

Adelaide se inclinó hacia delante y me agarró la mano con tal urgencia que se me escapó un gritito. Me apretó los dedos.

—Pues claro que no te dije que estabas contaminada. Tu madre, a pesar de que nunca eligió practicar el Oficio, descendía de un largo linaje de distinguidas brujas. Y deshonró su herencia al casarse con un hombre que tenía sangre de hada.

—¿Qué herencia? —pregunté, ignorando la alusión a mi padre. A mi abuela nunca le había gustado, pero pensaba que se debía a que era escocés.

—La herencia de La Arboleda. Uno de sus principios es que no nos relacionamos con hadas.

Resoplé.

—Pero las brujas han sido víctimas de prejuicios y persecuciones durante siglos. ¿Por qué ibais a ser intolerantes con las hadas?

—Fue precisamente esa relación entre las brujas y los demonios (que no deja de ser otro nombre para lo que tú llamas hadas) la que causó esas persecuciones. Además, sabemos que la sangre de hada neutraliza el poder de una bruja, por lo que pensé que era comprensible que no mostraras signos de talento para la brujería. —Me miró con los ojos entornados—. Aunque puede que tanto tu madre como yo te juzgáramos de modo precipitado... En todo caso, ahora que estás al corriente de la verdadera naturaleza de Fairwick será mejor que dimitas.

Me apoyé en el respaldo del sillón, recuperando mi mano de las garras de Adelaide, y la observé. Le habían aparecido unas finas líneas blancas alrededor de la boca, donde apretaba los labios para controlar su expresión, pero aún así podía sentir la rabia que irradiaba; como si desprendiera olas de calor, con la diferencia de que su ira te podía dejar helada. También me percaté de que en el salón Laurel reinaba el más absoluto silencio. Escondidas en sus sillones profundos y oscuros, las integrantes de La Arboleda nos estaban escuchando.

—¿Y si no renuncio a mi puesto en Fairwick? —pregunté en voz alta para que mi pregunta se oyera en toda la sala—. ¿Qué me hará el club?

—Siempre has sido muy melodramática, Callie. —Mi abuela sacudió la cabeza y sonrió casi con cariño, como si sonriera ante la mala conducta de un cachorrillo—. La Arboleda no te hará nada... —Su sonrisa se esfumó de pronto—. Pero tampoco te ayudará si te pones en peligro. Y créeme, tarde o temprano eso sucederá.

Pensé en el íncubo que casi destruye mi casa, en el vampiro que me había hecho aceptar un dudoso trato y en Frank Delmarco, que estaba ocultando su identidad de brujo. Lo que siempre había detestado de las discusiones con mi abuela era que la mayoría de las veces acertaba y el tiempo le acababa dando la razón.

Aunque no siempre. Había intentado disuadirme para que no entablara amistad con Annie («esa chiquilla italiana») y también me dijo que no escribiera un libro sobre vampiros, «porque los vampiros están pasados de moda desde Anne Rice». De modo que tenía la esperanza de que también se equivocara con

Fairwick, porque a pesar de que me había planteado dimitir mientras conducía hacia la ciudad, sabía que era lo último que deseaba hacer. De hecho, me moría de ganas de volver.

—Siempre me dijiste que confiara en mí misma —dije, poniéndome de pie—. Y eso es lo que pienso hacer. Confiar en mí misma y en los buenos amigos y vecinos que tengo en Fairwick. Y si tú o algún otro miembro del club cambiáis algún día de opinión, estoy segura de que encontraréis la puerta abierta.

Solo había pretendido transmitir un mensaje de tolerancia (algo que no sentía en absoluto en ese momento), pero en cuanto pronuncié las últimas cuatro palabras, ella se quedó pálida.

—¿La puerta está abierta? —preguntó con voz quebrada.

De manera que había algo que mi abuela no sabía.

—Sí —contesté con una sonrisa—. La abrí yo.

Me volví y me fui, pasando junto a los sillones tapizados y sintiéndome como un ratoncillo de campo indefenso que se abría paso a través de un bosque poblado de lechuzas con las garras afiladas que lo observaban desde las ramas.

29

—Quién lo iba a decir —le solté a *Ralph*, malhumorada, mientras arrojaba la ropa dentro de la maleta—. Mi abuela es una bruja y Frank Delmarco también. Sí, ese Frank brusco, amante de la cerveza y fanático del fútbol americano. ¿Te lo puedes creer?

Ralph, que estaba sentado encima del televisor para que no lo aplastara mientras hacía la maleta a toda prisa, soltó un chillido.

—Y está claro que Frank oculta algo, porque nadie en la universidad sabe que es un brujo. Quizás esté allí para ver cómo la pobre Nicky sucumbe a la maldición.

Ralph se incorporó apoyado en sus patas traseras y chilló de nuevo.

—Sí, ya sé que no sabemos con certeza que fuera él quien maldijo a los Ballard. También podría ser que el descendiente de Scudder hubiera metido la *lacuna* en ese libro, pero, entonces, ¿qué hace Frank Delmarco trabajando de incógnito en la universidad? Me parece demasiada coincidencia.

Fui a cerrar la maleta, pero *Ralph* se metió dentro de un salto; un impresionante brinco de más de un metro que le hizo parecer una ardilla voladora.

—No me olvidaba de ti, pero esta vez no tienes que ir de polizón en la maleta —dije, mostrándole una bolsa de la tienda

Century 21 que todavía tenía el papel de seda de las compras navideñas de última hora que había hecho dos días atrás—. Métete aquí dentro de momento y después ya te sentarás en el asiento delantero.

Ralph miró la bolsa; no parecía muy convencido. Y a continuación, pegó otro brinco impresionante hasta mi ordenador portátil, que estaba abierto en el escritorio.

—¡No, ahí no! ¡Ya te dije que te mantuvieras alejado de eso! —Cogí a *Ralph*, que no dejaba de chillar, y lo metí en la bolsa—. ¿O solo querías recordarme que no me lo olvidara? Gracias, chiquitín.

Guardé el portátil en su funda y me lo colgué al hombro junto con el bolso. Eché un último vistazo a la habitación para asegurarme de que no me olvidaba nada, pues pensé que si me dejaba algo el hotel llamaría a Paul (la habitación estaba reservada a su nombre) y entonces él tendría que llamarme y...

Cuando comprobé el lavabo, vi que el camisón seguía colgado detrás de la puerta. Lo cogí y lo metí en la bolsa del Century 21 con *Ralph*.

—Ya podemos irnos —le dije a mi pequeño compañero, y cerré la puerta detrás de mí.

Tuve que esperar otros veinte minutos hasta que el aparcacoches me trajo el coche. Repartí unas generosas propinas y, sin demora, me perdí en el laberinto de calles de sentido único que rodeaban la Zona Cero. Cuando llegué a la autopista, ya eran las cuatro pasadas y el sol empezaba a descender al otro lado del río, por encima de Nueva Jersey. Una vez más me tocaría conducir de noche.

—No pasa nada —le dije a *Ralph*, que se había acurrucado encima de mi bufanda en el asiento del pasajero—. Hice bien en venir aquí.

No obstante, no había contemplado la posibilidad de que nevase. Estaba demasiado preocupada por las sorprendentes revelaciones del día para escuchar los informes del tiempo y el tráfico en la radio. Si lo hubiera hecho, habría seguido por la autopista en lugar de coger el atajo por la montaña. Estaba solo a unos treinta kilómetros de Fairwick cuando empezó a nevar. Encendí las luces antiniebla, pero a los pocos minutos la nieve caía con tanta fuerza que casi no podía distinguir la línea amarilla que dividía los dos carriles. Me planteé pararme, pero los campos que flanqueaban la carretera se extendían hasta las oscuras sombras del bosque; unas sombras que parecían moverse cuando las veía con el rabillo del ojo. Me daba la sensación de que si me detenía, la nieve cubriría el coche y me moriría de frío, o peor aún, que una de esas sombras podría salir disparada hacia mí. Estaba en los linderos del bosque que rodeaba Fairwick, el mismo bosque que albergaba la puerta que conducía al otro mundo. Yo misma había alardeado de haber abierto esa puerta y Anton Volkov había asegurado que no se volvería a cerrar hasta Año Nuevo. Eso significaba que todavía estaba abierta. ¿Quién sabía las criaturas que podrían haber entrado y que quizá rondaban por el bosque y los campos en busca de alguna presa?

De manera que seguí conduciendo... o más bien arrastrándome por la carretera a veinte kilómetros por hora. Aferraba con tanta fuerza el volante que tenía los nudillos blancos, y me inclinaba hacia delante para distinguir la línea divisoria. Incluso con el aire al máximo, el parabrisas no cesaba de empañarse. *Ralph* saltó al salpicadero y desempañó un trocito de cristal con las patas. Luego se quedó mirando preocupado la nieve que caía y sacudiendo la cabeza con tal ímpetu que parecía uno de esos muñequitos con la cabeza de muelle que se colocan en el salpicadero. Me alegraba tenerlo ahí.

Cuando atravesamos Bovine Corners busqué una gasolinera o un restaurante donde parar, pero las granjas y las casas de madera estaban a oscuras. Me pregunté por qué estarían durmiendo todos tan temprano, pero cuando me detuve en el único semáforo del pueblo me percaté de que todos los postigos estaban cerrados. ¿Por la tormenta, quizás? ¿O porque los habitantes de Bovine Corners tenían miedo de las criaturas que atravesaban la puerta en esa época del año? Mientras cruzaba el pueblo, muy despacio, también me di cuenta de que encima de todas las puertas habían colgado coronas redondas, o eso me parecieron a primera vista. Pero cuando me fijé, comprendí que eran símbolos antimaldición. Supuse que tampoco era tan raro, teniendo en cuenta que aquella era una zona agrícola con una gran cantidad de habitantes de origen holandés, pero a pesar de que aquellos símbolos se parecían ligeramente a los de los holandeses de Pensilvania, había sutiles diferencias. En lugar de pájaros y tulipanes, esos símbolos tenían pintados ojos y caras de gárgola; eran símbolos apotropaicos para repeler el mal. Y en el último granero del pueblo, justo cuando la carretera empezaba a subir hacia Fairwick, habían pintado un símbolo enorme con la cara sonriente de una gorgona que miraba con ojos amenazantes al bosque que separaba los dos pueblos. «¿De qué tendrán miedo?», me pregunté mientras ponía segunda para subir la empinada colina. ¿Qué criaturas habrían visto salir de aquel bosque?

Bueno, al menos los habitantes de Bovine Corners no eran los únicos que tenían acceso a la magia. Recordé un hechizo que servía para regresar de forma segura a casa, y solo requería repetir la palabra «hogar» en tres idiomas distintos: *Home, heima, teg*. No me parecía muy difícil; aunque, tal como mi madre le dijo a mi abuela, no mostrara signos de tener ningún talento para la brujería, y a pesar de que estuviera «contaminada» con sangre de hada.

¿Se habría sentido decepcionada mi madre al ver que yo no tenía poderes? Esa idea me llenó los ojos de lágrimas (empañando aún más la borrosa visión) y me trajo un recuerdo.

Cuando tenía cinco o seis años me escondí en el armario de mi madre porque no quería ir a casa de la abuela. Mis padres solían llamarme intentando convertirlo en un juego: él gritaba «¡Kay!» y ella añadía «¡Lex!». Pero esa vez se quedaron callados a medio nombre y oí que mi padre decía:

—Detesto que vaya a verla tanto como ella. Uno de estos días, Adelaide se dará cuenta...

—No se percatará de nada porque no hay nada de lo que

percatarse. Le he dicho que no muestra ningún indicio de ningún poder, y así es como seguirá, ¿vale?

Mis padres continuaron discutiendo hasta que ya no pude más y salí del armario gritando: «¡Estoy aquí! No me he perdido.»

—No me he perdido —le dije a *Ralph*.

Y seguí repitiendo esas palabras mientras me concentraba en mantener una presión constante sobre el acelerador. Si me paraba, no tendría suficiente tracción para seguir subiendo. Además, en aquel tramo los árboles se acercaban más al arcén; una gran cantidad de pinos que se doblaban hacia la estrecha carretera. De manera que si me desviaba lo más mínimo, me daría de bruces contra un tronco. Cuando llegué a lo alto de la colina, suspiré hondo y la ventana se empañó de nuevo.

—¡Uff! Ahora sí que he pasado miedo, *Ralph*. Menos mal que a partir de aquí es todo cuesta abajo.

Ralph me miró nervioso y apretó la nariz contra el parabrisas. Miré al frente y enseguida comprendí lo que le preocupaba: la bajada era muy empinada y la carretera estaba nevada. Respiré hondo y empecé a conducir por el despeñadero con un pie en el freno, pero cuando cogí un poco de velocidad comprendí que si pisaba el freno demasiado fuerte, el coche patinaría. Aunque todavía había árboles en el lado izquierdo, a la derecha la ladera de la montaña caía en vertical hacia el valle. En aquel momento vislumbré las luces de Fairwick al pie de la colina, que parecían hacernos señas como un puerto seguro. «Mi hogar —pensé—. *Home, heima, teg.*» De pronto las ruedas traseras colearon y el coche empezó a patinar. Por un espantoso momento vi que las luces de Fairwick brillaban frente a mí entre la nieve que caía. ¿Habría fracasado mi hechizo? Quizás Adelaide y mi madre tenían razón cuando decían que no tenía talento para la brujería. ¿Acaso el hechizo me estaba llevando de vuelta a Fairwick por la ruta más directa? Oí que *Ralph* chillaba... y entonces, no sé cómo, el coche se enderezó en el último instante y nos deslizamos por el último tramo de pendiente hasta la calle Main.

Me temblaba tanto el cuerpo que tuve que detener el coche. Solté el volante, cerré los ojos y recité una pequeña oración de gratitud. Cuando los abrí de nuevo me percaté de que estaba delante de la cafetería Fair Grounds.

—Nos merecemos un chocolate caliente —le dije a *Ralph*. Pero cuando salí del coche reparé en que la cafetería estaba cerrada. Un alegre letrero decorado con dibujos de piñas y copos de nieve anunciaba: ¡CERRADO POR VACACIONES! ¡NOS VEMOS EN AÑO NUEVO!

Eché un vistazo a la calle y comprobé que todas las tiendas, incluso aquellas que solían estar abiertas hasta tarde para los universitarios, estaban cerradas. Supuse que era normal, puesto que los estudiantes se habían ido a pasar las fiestas en familia, pero me decepcionó ver una imagen tan deprimente del pueblo. «Bueno —pensé, subiendo de nuevo al coche—, seguro que Diana está en la casa de huéspedes, y Liam también estará allí.» No me había dicho que pensara pasar las vacaciones fuera, pero lo cierto es que nuestro último encuentro había acabado de forma brusca. Seguro que las primeras veces que nos volviéramos a ver todo sería un poco incómodo... De modo que pensé que sería mejor que Liam se hubiera marchado, pero de no ser así, me limitaría a actuar como si nada hubiera sucedido.

Conduje hasta el final de la calle Main. Todas las tiendas estaban cerradas con sus letreros de ¡CERRADO POR VACACIONES!; era como si todo el mundo hubiera decidido marcharse de Fairwick entre Navidades y Año Nuevo.

Tomé la colina que conducía a la Casa Madreselva y me percaté de que la mayoría de las casas también estaban a oscuras. Aunque, sorprendentemente, el bosque que había a la derecha de la calle no estaba oscuro del todo, sino que se veían unas luces que parpadeaban entre los árboles como si alguien hubiera decorado las ramas con luces navideñas. Y estaba contemplando el bosque cuando un enorme ciervo con astas salió disparado justo frente a mi coche. Pisé el freno a fondo y empecé a patinar por segunda vez esa noche, y ya no pude arreglármelas. El coche giró por completo hacia el bosque y derrapó hasta quedarse parado en la cuneta. Los faros trazaban un sendero sinuoso a través del bosque nevado. Me quedé mirándolo anonadada, demasiado nerviosa para moverme, mientras la nieve caía ante las luces largas. Entonces me acordé de *Ralph*.

Lo encontré en el suelo del asiento trasero, con el pelo alborotado como una cabeza de diente de león y un pósit arrugado pegado a la pata derecha, pero por lo demás parecía estar bien.

—Gracias a Dios no nos hemos hecho daño —dije—, pero creo que tendremos que hacer el resto del camino a pie.

Apagué el motor y las luces. La oscuridad nos envolvió y estuve tentada de encenderlas de nuevo, pero entonces pensé que tendría que añadir una batería nueva a la lista de reparaciones del mecánico. Hurgué en la guantera en busca de una linterna, pero no había ninguna. Me metí a *Ralph* en el bolsillo y salí del coche.

La luz de la puerta iluminó lo cerca que habíamos estado de chocar contra un árbol. La cerré y volví a quedarme a oscuras, aunque no del todo; la nieve que caía parecía contener su propia luz, suave y plateada, pero en realidad no iluminaba nada. No obstante, sí que había una luz que venía de alguna parte. Supuse que sería de alguna farola, pero la zanja a la que había ido a parar era tan profunda que no alcanzaba a ver ninguna. Y tampoco podía subir a la carretera de nuevo porque la pendiente era demasiado inclinada. Así que lo único que podía hacer era caminar en paralelo hasta que la pendiente disminuyera y, tarde o temprano, me toparía con mi casa, que estaba en lo alto de la colina a ese mismo lado de la carretera.

Cerré el coche con llave y empecé a caminar con dificultad colina arriba, agachando la cabeza para protegerme de la nevada. Llevaba unas botas de piel de borrego bastante calientes, así que no sentí el frío enseguida, pero después de unos diez minutos descubrí que mis bonitas y caras botas no eran ni siquiera impermeables. En cuanto la nieve empezó a filtrarse por las suelas se me helaron los pies. Me planteé regresar al coche para coger las botas de goma que había metido en el maletero hacía un mes, pero decidí que era una tontería porque ya debía de estar muy cerca de casa.

Levanté la cabeza y miré a través de los copos de nieve con los ojos entornados. Sí, veía unas luces que centellaban un poco más allá. ¿Me había dejado las luces de Navidad encendidas? ¿O quizá Brock había ido a comprobar que todo iba bien y las había dejado encendidas para darme la bienvenida? *Home, heima, teg.*

Apreté el paso, dando patadas en el suelo a cada paso para entrar en calor, con los ojos fijos en las luces. No estaban tan cerca como había pensado; de hecho, parecían alejarse a medida que me aproximaba, flotando entre la nieve que caía... Me detuve y miré alrededor. Las luces se estaban moviendo; se mecían con el viento en las ramas de los árboles. Entorné los ojos y observé que lo que colgaba de aquellas ramas eran los adornos de hielo que la gente del pueblo había hecho durante la tormenta de hielo: ángeles, elfos, renos y perdices. Y podía distinguir los pequeños amuletos que había dentro del hielo porque este brillaba. Cuando el viento los mecía chocaban los unos contra los otros como gotas de cristal de una lámpara de araña y producían un bonito tintineo. Nunca había sentido magia antes, pero en aquel momento la sentí, moviéndose a mi alrededor al ritmo del poder de todos los deseos, las esperanzas y los sueños que contenían aquellos adornos que intentaban romper sus caparazones de hielo. Sentí que algo en mi interior también intentaba salir de un caparazón duro. Era una sensación de ilusión, tan cortante como el roce del viento helado, que crecía hasta alcanzar el punto de rotura. Cuando esa sensación empezaba a ser insoportable algo atravesó la maleza y se plantó justo detrás de mí. Me volví y a punto estuve de perder el equilibrio en la nieve. Tenía delante a un ciervo enorme, el mismo que había pasado frente a mi coche un rato antes. Me miró con los ojos bien abiertos y conscientes, y sus astas proyectaron sombras con forma de ramas en la nieve. El animal resopló y creó una nubecilla de vaho en el aire frío. A continuación, bajó la cabeza muy despacio hacia el suelo y me percaté de que tenía las puntas de las astas plateadas y que llevaba un collar de plata y cuero alrededor del cuello.

—¿Eres del... del otro lado? —pregunté.

Pero el ciervo se limitó a hurgar el suelo con la pata. Entonces levantó la cabeza, olfateó el aire moviendo las orejas y se fue saltando de forma tan repentina como había aparecido. Agucé el oído para intentar escuchar lo que le había asustado, pero lo único que oí fue el tintineo de los adornos de hielo.

Me volví y continué caminando. Enseguida llegué a un claro: ¡era el jardín de mi casa! La Casa Madreselva estaba a unos veinte metros y la luz del porche brillaba a través de la nieve. «Lo ves —me dije—. No me he perdido.» Eché a correr hacia la casa, aunque con cierta torpeza porque la nieve me llegaba hasta el tobillo, y justo en ese momento algo me golpeó la cabeza. Me volví y me topé con los ojos amarillos de un enorme pájaro negro con las garras listas para atacarme. Me agaché y agité el brazo para protegerme la cara. El pájaro pegó un chillido espantoso cuando lo golpeé y batió el aire con sus gigantescas alas negras, como un nadador que intenta mantenerse a flote. El bicharraco me miraba fijamente; su odio atravesaba los copos de nieve con más fuerza que las luces largas de mi coche.

Y empezó a prepararse para otro ataque.

Me agaché de nuevo y me cubrí la cara, segura de que quería arrancarme los ojos, y me preparé mentalmente para recibir sus picotazos y arañazos. No obstante, oí el ruido de un porrazo, seguido del chillido colérico del pájaro y su fuerte aleteo. Levanté la mirada hacia la figura que se alzaba encima de mí, de espaldas. De los hombros le colgaban plumas negras, como si llevara una capa. Cuando se dio la vuelta, las plumas se soltaron y cayeron a la nieve delante de mí, manchando el blanco con salpicaduras de sangre. Levanté la vista de nuevo, esperando y temiendo que aquellos ojos amarillos siguieran ahí, que el pájaro se hubiera transformado en aquel hombre plumado y ensangrentado. Pero los ojos que me devolvieron la mirada fueron los dulces ojos castaños de Liam Doyle.

—¡Maldición, Callie! —exclamó, poniéndose en cuclillas a mi lado—. ¿Qué narices has hecho para cabrear tanto a ese pájaro? —Le temblaba la voz. Me percaté de que seguía aferrando el palo que había utilizado para defenderme y que se veía salpicado de sangre y plumas.

—Liam, ¿cómo sabías que...? ¿Qué hacías aquí?

—Estaba sentado en mi habitación mirando cómo nevaba y vi a alguien en el bosque. Cuando apareciste en el jardín te reconocí, y entonces vi que ese cuervo enloquecido había salido del bosque detrás de ti. Creo que era el mismo que te atacó el día que te marchaste... aunque parece que ha crecido.

Titubeó y me pregunté si él también estaría recordando lo que había pasado la última vez que me rescató de ese pájaro; cómo nos habíamos besado y cómo me había apartado yo después. Liam estiró el brazo y me acarició la cara, y yo empecé a temblar.

—Estás helada —constató, al tiempo que me cogía de la mano y me ayudaba a levantarme—. Será mejor que entres en casa. ¿Tienes la llave?

Hurgué en los bolsillos y comprendí que no solo había perdido la llave, sino que *Ralph* tampoco estaba conmigo.

—¡Oh, no! —exclamé, mirando la nieve manchada de sangre a mi alrededor. ¿Cuándo se había caído? ¿Se lo habría llevado aquel espeluznante cuervo?

—No te preocupes, seguro que tienes una copia escondida en alguna parte. He descubierto que casi todo el mundo de por aquí lo hace. Deja que lo adivine; ¿debajo de ese gnomo, quizás?

Liam me ayudó a llegar hasta el porche y me sentó en los escalones. Luego movió el gnomo de piedra, que ya estaba en la casa cuando la compré.

—¡Ja! ¡Lo sabía! —exclamó, alzando la llave en el aire—. Venga, no llores. No ha sido más que un susto.

No estaba llorando del susto, o al menos no solo de eso, sino porque había perdido a *Ralph*. Incluso si el pájaro no se lo hubiera llevado consigo, el pobrecillo se moriría de frío si no entraba pronto en casa. Tenía que encontrarlo.

Me levanté y empecé a caminar en dirección al coche, pero solo logré avanzar un par de metros antes de que el mareo me venciera y me hundiera en la nieve. Oí los pasos de Liam bajando los escalones del porche y sentí que sus brazos me ayudaban a ponerme en pie.

—¿Adónde crees que vas, Callie?

—Es que... me he olvidado una cosa en el coche... Tengo que volver.

—Estás delirando, chica, y ese es uno de los síntomas de la hipotermia. Te voy a llevar dentro.

Me acompañó escalones arriba y entramos. Empecé a explicarle lo de *Ralph*; me importaba un bledo si pensaba que estaba como una cabra.

—¿Un ratón como mascota? Eres una mujer muy rara, Cailleach McFay. Pero no te preocupes, los animales saben cuidar de sí mismos. Tu ratón se esconderá bajo tierra hasta que deje de nevar y entonces vendrá a casa.

Me sentó en el sofá de la biblioteca y se acuclilló junto a la chimenea, que ya tenía leña preparada para un fuego. Seguidamente, encendió una cerilla y avivó la llama mientras me hablaba con una voz muy dulce (un sonido parecido al de las gotas de lluvia que caen sobre un tejado de zinc) para que me relajara, pero yo no podía parar de llorar, ya no solo por *Ralph*, sino por todo lo que me había pasado: Paul había roto conmigo, había descubierto que mi abuela era una bruja y que Frank Delmarco no era quién decía ser, mi coche se había estrellado en el bosque, un pájaro gigante me había atacado... Todo empezó a revolverse dentro de mí, transformándose en unos sollozos largos y sentidos. Le expliqué a Liam parte de la historia, lo de Paul y lo del coche... y de alguna manera me las ingenié para incluir la sorpresa de habérmelo encontrado a él con Fiona en el guardarropa.

—Menuda fresca —dijo, envolviéndome los hombros con un echarpe de punto—. Me pidió que la ayudara a coger algo de una estantería demasiado alta para ella y entonces se me echó encima. No te preocupes por Fiona ni por el idiota de tu ex novio, ahora ya estás en casa. —Se arrodilló delante de mí y me sacó las botas y los calcetines empapados y empezó a frotarme los pies. Noté sus manos increíblemente calientes en contraste con mi piel helada—. Está bien —susurró con una voz tan cálida como sus manos—, lo has pasado mal, pero ahora ya está, estás en casa.

Deslizó las manos por debajo de mis vaqueros para frotarme las pantorrillas; enseguida sentí que la sangre circulaba de nuevo por mis piernas. Liam tenía manos grandes y fuertes. Podía cubrir el ancho de mi pantorrilla con una sola. Noté que su calor me subía por las piernas.

Entonces se sentó a mi lado y me acarició el cabello enmarañado desde la frente hacia atrás y me secó las lágrimas de las mejillas. Sus ojos eran del color del brandy caliente, un marrón leonado con manchas doradas. Si los miraba fijamente me mareaba, tal como me había sucedido un poco antes en el jardín nevado. Se inclinó y me besó la mejilla. Cuando se incorporó tenía los labios mojados con mis lágrimas. Se inclinó de nuevo y me besó la oreja, y luego la mandíbula. No me moví ni un centímetro, sintiendo cómo su aliento se deslizaba por mi rostro, mi cuello y hasta mi clavícula. El calor de sus labios se extendía por todo mi cuerpo. Me desabrochó los dos primeros botones de la blusa y me rozó los pechos con los labios. Cuando empecé a temblar, Liam levantó la cabeza y me miró a los ojos.

—Ya está —dijo, acariciándome la cara—. Ya estás en casa.

Me besó y me abrió los labios con los suyos. Sentí su lengua, y su aliento, y el calor de su cuerpo hundiéndome en el sofá. Sus piernas separaron las mías con la misma destreza con que sus labios habían abierto los míos. Así es como sentía sus besos, como una apertura. Sus manos se deslizaron por dentro mi blusa, bajaron por debajo de la cintura de mis tejanos, y comenzó a acariciarme la entrepierna.

—Oh, Liam... —gemí.

Se colocó a un lado del sofá y retiró la mano, pero la dejó apoyada en mi vientre.

—¿Sí, Callie? —dijo, como si estuviéramos en medio de una conversación y nos conociéramos de toda la vida.

—Creo que... —la voz me salió ronca y jadeante— vamos...
demasiado deprisa.

—¿Demasiado deprisa? —preguntó, ladeando la cabeza y
sonriendo—. Lo siento. Iré más despacio. ¿Qué tal así?

Bajó la cabeza a mi clavícula y deslizó la lengua por mi cuello hasta mi oreja con la misma lentitud insoportable con que
retiró los dedos de mis partes íntimas. Entonces exhaló sobre
la humedad de mi oreja al mismo tiempo que deslizaba los
dedos de nuevo entre mis piernas. Tiró de mi lóbulo con los labios, rozándome con los dientes y lamiéndome mientras sus dedos me penetraban.

—¿Qué tal así? —me susurró al oído—. ¿Todavía demasiado deprisa?

—No —admití, volviéndome hacia él y rodeándole las caderas con las manos para acercarlo a mí—. Eso ha sido perfecto.

30

Fiel a su promesa, la primera vez que hicimos el amor fue larga, deliciosa y exasperadamente lenta. Cuando acabamos me dio la sensación de que había recorrido cada milímetro de mi cuerpo con la boca o los dedos, y no podía distinguir con qué me había tocado en cada lugar. Pero lo que recordaba mejor de aquella noche fue despertarme en la cama y ver que me estaba mirando, su cuerpo tallado en mármol a la luz de la luna y sus ojos plateados. En cuanto abrí los ojos me penetró y se corrió casi de inmediato, como si hubiera retenido ese exceso de deseo y ya no pudiera esperar más.

Pero nunca lo volvió a hacer. Siempre se comportaba como el amante más generoso y considerado del mundo. Me daba placer a mí primero y se contenía hasta que yo estuviera satisfecha. Pero siempre que recordaba ese segundo encuentro sexual apresurado, dondequiera que estuviera (delante de mis alumnos o recorriendo un pasillo del supermercado), me flaqueaban las rodillas al evocar la ansia de mí que Liam había mostrado. Fue el momento que nos unió y la única vez en que él antepuso su deseo al mío.

Cuando nos despertamos a la mañana siguiente, Liam ya estaba pensando en nuevos modos de complacerme. Se coló en la Dulce Posada Hart, que estaba vacía (Diana se había ido a casa de Liz para cuidarla), y regresó cargado de provisiones para preparar un gran desayuno a base de creps de plátano, fruta, huevos y café. Y me lo trajo a la habitación en una bandeja junto con una rosa.

—¿También has robado la flor? —quise saber.

—No; la he encontrado en un bosque encantado. Era la última rosa que crecía en el jardín de un castillo en ruinas.

—Mmm —dije, oliendo la flor. No olía a flor de invernadero; olía a verano—. Como en *La bella y la bestia*. A mí también me encanta la versión de Cocteau... —Me callé de pronto, avergonzada por haber desvelado que había estado investigándolo en internet.

Liam sonrió.

—Ya lo sé. También la tienes en tu lista de películas favoritas. Veámosla después.

Yo no me habría atrevido a pronunciar la palabra «después»; no quería dar por sentado que pasaríamos nuestros «después» juntos, pero Liam no disimulaba su deseo de pasar todo el tiempo conmigo. Ese primer día lo pasamos juntos en la cama, utilizando la pertinaz nevada como excusa para no movernos. Aunque en realidad creo que a pesar de que el sol hubiera estado brillando en el cielo, hubiéramos encontrado cualquier excusa para quedarnos ahí tumbados. No obstante, al día siguiente me desperté en una cama vacía, excepto por las largas franjas de luz solar que se retorcían entre las sábanas. Sentí una punzada de pérdida tan afilada como la luz cristalina que se reflejaba en los carámbanos que colgaban de las ventanas, y por un momento me pregunté si había soñado ese último día y medio. Lo cierto es que parecía un sueño, incluso más increíble que las noches que había pasado con el íncubo. ¿Quizás el amante demonio había sido real y Liam no era más que un sueño?

Pero entonces oí el ruido de una pala procedente de la parte delantera de la casa. Fui hasta una de las habitaciones que daban a la fachada y por la ventana vi que Liam estaba quitando la nieve del camino de entrada. Al oír que abría la ventana, levantó la vista y me saludó con la mano. Tenía las mejillas sonrojadas del frío y del ejercicio, y una nubecilla de aire condensado flotaba por encima de su cabeza. ¿Cómo podía haber pensado que era un sueño? Parecía más real que cualquier cosa que pudiera imaginar.

Ese día preparé el desayuno, y más tarde nos pusimos las botas de montaña y caminamos colina abajo para reunirnos con los de la asistencia en carretera junto a mi coche. Resultó que el propietario de la grúa era el primo de Brock, Alf, y que cuando Brock se enteró de que había llamado para pedir asistencia, había insistido en venir con él para echar una mano. Brock pareció sorprenderse al verme con Liam, pero este le explicó que me había visto salir hacia el coche y se había ofrecido para hacerme compañía mientras esperaba a la grúa. Brock lo miró con recelo y sus ojos saltaron de Liam a mí un par de veces, como si sospechara que me tenía secuestrada.

—Pensaba que iba a hacerme un placaje —comentó Liam después de que hubieran sacado el coche de la zanja y se lo llevaran con la grúa.

—Solo era su vena protectora —dije. Pero yo también me preguntaba por qué Brock se había mostrado tan desconfiado de Liam.

Como no teníamos coche, caminamos hasta el Stop & Shop, la única tienda abierta del pueblo, y compramos algunas provisiones. Más tarde, cogimos dos pares de esquís de fondo de la casa de huéspedes y esquiamos a través del bosque, dejando nuestras huellas en la profunda nieve virgen. No había pasado mucho tiempo desde que aquel cuervo gigante me atacara y todavía me daba miedo el bosque, pero con Liam abriendo el camino me convencí de que nada malo sucedería. Y así fue. El bosque estaba tranquilo, silenciado por el manto de nieve. Todas las criaturas que pudieran haberse movido a sus anchas entre los dos mundos debían de haberse escondido en sus madrigueras.

Al igual que nosotros. Los días siguientes, durante la tranquilidad que envolvía el período entre Navidad y Año Nuevo, nos recluimos en la Casa Madreselva. Fuera no dejaba de nevar y la nieve echaba una cortina blanca y tupida entre nosotros y el resto del mundo. El calor que emanábamos empañaba las ventanas del dormitorio y más tarde el vaho se congelaba, dejándonos encerrados dentro.

—Es como si estuviéramos en la Edad del Hielo y fuéramos las únicas dos personas que quedáramos en el mundo —comenté una noche con la cabeza apoyada en el pecho de Liam. Estábamos tumbados en la cama observando la nieve que caía a través de las ventanas casi opacas.

—¿Y eso te parecería malo? —preguntó.

Me reí y levanté la vista para comprobar si hablaba en serio, pero Liam estaba mirando hacia la ventana y su rostro, un perfil blanco contra las sombras, no expresaba más emociones que un busto tallado en mármol.

—Bueno, no podemos pasarnos la vida así —respondí, procurando que mi voz sonara suave.

Se volvió hacia mí; sus ojos parecían dos pozos oscuros.

—Pues yo sí que podría —repuso con voz seria. Movió las caderas y se colocó encima de mí con un movimiento rápido y sutil. Me sorprendió; hacía menos de una hora que habíamos hecho el amor, y ya estaba erecto de nuevo. Aunque esta vez no me penetró. Me estiró los brazos por encima de la cabeza y me sujetó las manos alrededor del poste de la cama—. Espera —susurró, al tiempo que me besaba las manos. Su aliento era como una cinta de seda que me amarraba las muñecas al poste del cabezal—. Te podría atar a este lecho y hacerte el amor toda la eternidad —me susurró en la clavícula, y comenzó a recorrerme el pecho con unos besos excitantes. Sentí que me hundía en el colchón y me aferré al poste para no hundirme. Me lamió la entrepierna y se me arqueó la espalda, como si tirara de ella con un hilo. Parecía estar tejiendo una red a mi alrededor con sus labios, como si cada una de sus palabras y besos me envolviesen—. Te podría devorar —comentó, respirando entre mis piernas.

«Lo dice en serio —pensé, arqueando las caderas para recibir su boca—. Me podría devorar.» Pero a medida que su lengua se deslizaba dentro de mí, comprendí que no me importaba. Podía amarrarme a la cama, lamerme hasta dejarme seca y machacarme los huesos hasta convertirlos en polvo, y yo seguiría pidiendo más, tal como hacía ahora, gritando en una casa vacía donde la nieve silenciaba los sonidos y nos apartaba del resto del mundo.

Por la mañana desperté con los brazos doloridos y esa sensación irritante de haber hecho algo vergonzoso, pero que no lograba recordar; una sensación que conocía por las noches de borrachera en la universidad. Liam yacía dormido a mi lado con una expresión angelical en el rostro, un ángel que la noche anterior me había confesado que quería atarme a la cama y devorarme.

«Pero no me ató de verdad», pensé, frotándome las muñecas. Y aunque lo hubiera hecho, no tendría nada de malo. Eran muchos los adultos que por propia voluntad se enzarzaban en juegos mucho más salvajes. Yo nunca lo había hecho, pero había algo en el abandono que había sentido y en el deseo de entregarme por completo que hizo que sintiera un nudo en el estómago. Salí de la cama con sigilo para no despertar a Liam y me escabullí escaleras abajo. Sentía que debía reconectar con el mundo de algún modo, así que encendí el portátil y comprobé el correo mientras ponía en marcha la cafetera.

Tenía 283 e-mails no leídos.

—Mierda —protesté, revisando la bandeja de entrada. ¿Cuándo había sido la última vez que había pasado tantos días sin comprobar el correo? ¿Cuánto tiempo había pasado desconectada? ¿Y en qué día estábamos?

Miré la fecha del mensaje más reciente y me quedé boquiabierta al ver que era del 31 de diciembre.

Casi todos los mensajes eran fácilmente desechables, pero había uno de Paul. Antes de abrirlo, me serví una taza de café.

«Solo quería asegurarme de que estabas bien —había escrito—, y desearte Feliz Año Nuevo.»

—¿Qué significa ese símbolo?

La voz de Liam me sobresaltó. Estaba de pie justo detrás de mí.

—¡Me has asustado! —grité—. No te he oído bajar.

—Estabas bastante absorta —repuso, inclinando la barbilla hacia la pantalla—. ¿Qué significa? ¿Es un símbolo matemático? Paul es una persona de números, ¿verdad?

—Es de mala educación leer el correo de los demás, ¿sabes? —repuse, con más irritación de la que pretendía.

Liam se estremeció.

—Pensaba que no teníamos secretos. Pensaba que... —Miró la pantalla de nuevo y enseguida pareció comprenderlo. Apretó el músculo de la mandíbula—. Ah, ahora lo pillo. Se supone que representa un corazón, ¿no? ¿Es esa su idea del romanticismo? ¿Enviarte un corazón formado por signos y números?

—Paul solo quería asegurarse de que estoy bien —dije, ignorando su crítica del corazón. Lo cierto es que siempre había pensado que ese emoticono era un poco cursi, pero no me gustaba reírme de Paul, y me parecía bastante mezquino por parte de Liam.

—¿Y lo estás? —preguntó mirándome con los ojos entornados—. ¿Que si estás bien, quiero decir?

—Pues claro que sí. Supongo que solo necesito un poco de... espacio.

Liam palideció y apartó la mirada.

—¿Espacio? Vale, pues supongo que yo puedo dártelo.

Abandonó la habitación tan deprisa como si se hubiera desvanecido, aunque lo oí subir la escalera. Si hubiera hecho el mismo ruido cuando había bajado... Pero tampoco tenía por qué esconder un correo de mi ex novio. Liam estaba siendo ridículo, me dije cuando lo oí bajar de nuevo a toda prisa. Y si se mostraba tan posesivo después de pasar una semana juntos, ¿cómo sería en una relación de larga duración?

El sonido de la puerta principal abriéndose hizo que me diera un vuelco el corazón. ¿De verdad pensaba irse hecho una furia sin siquiera despedirse?

«Menudo crío», me dije, aferrándome al asiento de la silla para no salir corriendo tras él.

Seguía pendiente del ruido de la puerta al cerrarse cuando

Liam apareció en la puerta de la cocina. Suspiré aliviada y solté las manos de la silla para secarme una lágrima que no quería que viera, pero antes de que mi mano alcanzara mi cara, él ya estaba a mi lado, de rodillas, secándome la lágrima con un beso y diciéndome que lo sentía.

—Soy un idiota —dijo, levantándome de la silla y subiéndome a la mesa de la cocina, al tiempo que cerraba el ordenador con el inadecuado corazón de Paul formado por signos y números.

Liam se pasó el resto del día arrepentido. Desapareció un rato, diciéndome que me estaba dando mi «espacio». Cuando regresó, justo antes del anochecer, anunció que tenía una sorpresa para la víspera de Año Nuevo. Sacó los esquís que habíamos tomado prestados y me pidió que lo siguiera. En lugar de llevarme por uno de los caminos por los que ya habíamos esquiado, se deslizó en dirección contraria, hacia el matorral de madreselva. Nunca habíamos ido hacia allí, ni nosotros ni nadie. La nieve estaba intacta y la capa superior crujió cuando Liam rompió la superficie con sus esquís. Seguí sus marcas, mirando nerviosa los matorrales que flanqueaban el camino. En algún lugar de aquella espesura estaba la puerta que conducía al Reino de las Hadas y todavía estaba abierta, aunque solo fuera una pequeña grieta, y así permanecería hasta medianoche. ¿No regresarían esa noche todas las criaturas que habían entrado durante el solsticio? ¿Qué pasaría si nos interpusiéramos entre ellos y la puerta? ¿Y si, de algún modo, nosotros mismos cruzábamos al otro lado?

—Oye —dije—, está oscureciendo. ¿No crees que deberíamos regresar? Nos podríamos perder.

—Eso es imposible —contestó por encima del hombro sin detenerse—. Solo tenemos que seguir nuestras huellas hasta casa.

De modo que continuamos. Liam iba tan rápido que me costaba seguirlo. Lo último que quería era perderlo de vista y quedarme sola en ese bosque en plena oscuridad, pero a medida que la luz empezó a desvanecerse del cielo, tiñéndolo antes de azul lavanda y malva, la belleza del paisaje me distrajo. La nieve, que reflejaba la debilitada luz, adoptó un brillo opalescente y el último rayo de luz se posó en una maraña de madreselva y se quedó ahí colgado como un racimo de uvas violetas en una red. Podía sentir el peso de esa luz violeta, pendiendo al filo de la noche y extendiéndose, proyectando unas sombras moradas en la capa helada de nieve. Cuando esa última luz se apagó, llegamos a un claro que había al final del camino. Liam se movió a un lado, deslizando sus esquís en paralelo, para que yo pudiera pararme al borde del claro sin pisar la superficie de la nieve.

Era un círculo perfecto. Las ramas de los matorrales que nos rodeaban formaban una cúpula encima de nuestras cabezas. Y delante había dos árboles que se inclinaban el uno hacia el otro, formando un arco estrecho. Como una entrada.

—Encontré este sitio antes de la tormenta y pensé que cubierto de nieve estaría precioso. Mira... —Señaló hacia la entrada que formaban aquellos dos árboles y por un momento pensé que algo salía de ahí.

Y así fue. El hueco que había entre los árboles se llenó de una luz blanca, fría y pura como la luz de la luna que había llevado al íncubo por el suelo de mi habitación hasta mí. De pronto sentí miedo, más por Liam que por mí. Me volví hacia él. Tenía el rostro tan tranquilo y pálido que por un momento tuve el presentimiento de su muerte. Ese sería su aspecto cuando estuviera muerto, pensé, y sentí un dolor lacerante.

Estiré el brazo para tocarlo... y me percaté de que mis manos también estaban pálidas.

Me volví y vi que algo había atravesado la puerta. La luna llena se estaba alzando entre el hueco que separaba los dos árboles, derramando su luz en el claro y convirtiendo el círculo de nieve en un disco plateado, un espejo en el que la luna se miraba y se enamoraba de su propio reflejo.

—Qué bonito... —comenté, mirando de nuevo a Liam, pero al ver su expresión me callé—. ¿Qué sucede?

—Quería traerte aquí porque estaba seguro de que esta noche este lugar estaría precioso con la nieve y la luna llena, que sería tan perfecto como esta última semana hasta que me comporté como un estúpido esta mañana. Pero sé que todo cambiará en cuanto empiece el nuevo año y volvamos al trabajo y todo el mundo regrese a Fairwick. Ya no será lo mismo.

Quise decirle que sí, que sería lo mismo y que nada cambiaría, pero sabía que Liam tenía razón.

—Yo también lo he pensado —dije al fin.

—¿Sí? —Me cogió la mano.

Asentí y me rodeó la espalda con el brazo, del mejor modo que pudo pues ambos estábamos encima de los esquíes.

—Menuda mierda —refunfuñó.

Reí, y me sorprendió el eco de mi risa en el claro redondo.

—Sí, pobrecillos de nosotros. Hemos disfrutado de un sexo increíble una semana entera y ahora tenemos que volver al mundo real. ¿Cómo nos las arreglaremos para sobrevivir? —Lo dije en broma, pero él respondió en tono serio.

—Supongo que recordándolo. Por eso quería traerte aquí, para que pudiéramos evocar una imagen perfecta cuando pensáramos en esta semana.

Contemplé el claro. La luna se había alzado hasta el centro del hueco, tan grande y tan llena que parecía que pudiera colarse a través de los árboles y venir rodando hasta nosotros. Entonces sentí la presencia de otras cosas, extrañas y hostiles, que estaban esperando al otro lado de la puerta para atravesarla. Recordé la visión del Reino de las Hadas y el anfitrión diáfano que me había rogado que los liberase. ¿Acaso me estaban esperando a mí? ¿Tirarían de mí a través de aquella puerta si me acercaba demasiado?

—Es precioso —dije, con ganas de irme, pero sin querer alarmar a Liam. ¿Cómo iba explicarle que me daba miedo?—. Pero hace un frío que pela. Volvamos a casa.

—¿A casa? —preguntó, la luz de la luna reflejada en sus ojos.

Comprendí que me preguntaba si también era su casa y en ese momento me di cuenta de que aquello era lo que deseaba. La Casa Madreselva nunca me había parecido más hogar que durante esa última semana, con Liam a mi lado. ¿Debía pedirle que se mudara conmigo? Pero cuando recordé el modo en que se había comportado esa mañana y su reacción ante el correo de Paul, vacilé. Una sombra cubrió el rostro de Liam. Apartó la mirada y empezó a girar los esquís, pisando la nieve impoluta. Nos colocamos de nuevo encima de nuestras propias huellas, que el aire frío había congelado en los pocos minutos que habíamos permanecido en el claro. Liam iba delante, deslizando los esquís por las resbaladizas marcas. A pesar de que no me gustaba quedarme atrás, eché un último vistazo al claro. Seguía vacío, pero la luna ya se había elevado bastante y proyectaba las sombras de los árboles en la nieve blanca. Me pareció ver otras formas entre las sombras de las ramas, unas siluetas con cuernos, alas y colas; criaturas del otro lado de la puerta que intentaban atravesarla. «Seres del otro mundo», los había llamado mi abuela. Ella también había dicho que no había ninguna diferencia entre un hada y un demonio, pero aquellas criaturas de la sombra parecían más demonios que hadas.

Me volví y fui tras Liam, esquiando todo lo rápido que podía sobre las huellas heladas. A medida que la luna ascendía en el cielo, las sombras se extendían más y más en el bosque, a ambos lados del estrecho camino. Me dio la impresión de que nos estaban persiguiendo y temí que si nos adelantaban nunca lograríamos regresar a casa. Esquié todavía más rápido, intentando no mirar a ninguno de los lados, aunque no me pude resistir. Con el rabillo del ojo me pareció vislumbrar que una sombra se movía libremente en la nieve, desplazándose de lado como un cangrejo, rascando la superficie de la nieve con sus pinzas. Aceleré el ritmo. Las sombras caían sobre el sendero como si fueran hojas que el viento bamboleara, pero no soplaba nada de viento. Una sombra aterrizó justo frente a mí, gorda como un sapo. Sin pensármelo dos veces, la pinché con uno de los bastones al tiempo que recitaba el hechizo contra insectos que había oído a Justin Plean:

—*Pestis sprengja!*

La sombra reventó como una ampolla hinchada y se partió

en dos. «Mierda», quizás el hechizo de Justin no funcionara con esas criaturas, o quizá mi abuela tenía razón en cuanto a mi falta de talento para la magia. Puede que los hechizos no me funcionaran porque yo era el producto de dos líneas de descendencia que no deberían haberse mezclado. Una de las mitades fue a parar al surco izquierdo. Levanté el esquí y lo pisé con fuerza. Oí que reventaba de nuevo y algo pegajoso se enganchó a mi esquí izquierdo. A punto estuve de tropezarme, pero logré recuperar el equilibrio y seguir esquiando por el sendero helado más rápido que nunca. Veía a Liam más adelante; ya había llegado al jardín trasero de la Casa Madreselva. ¿Debería pedirle ayuda? ¿Qué vería si se volvía hacia mí? ¿A mí golpeando las sombras? ¿Podría ayudarme, o aquellos cangrejos asquerosos arremeterían contra él?

Temí que sucediera esto último, de manera que aporreé a uno de los cangrejos con mi bastón derecho y aceleré el paso para alcanzar a Liam en el jardín sin sombras. En ese momento, una bola con púas se lanzó a mis pies y se aferró a mi tobillo. Levanté la pierna para sacudírmela y me quedé perpleja. No tenía nada en el tobillo... porque no tenía tobillo derecho, solo un agujero en blanco, como si aquella sombra se hubiera tragado mi carne.

Sentí que me desplomaba, pero si lo hacía los cangrejos me devorarían. Me apoyé en el bastón derecho y utilicé el izquierdo para arrancarme esa cosa del tobillo antes de que me comiera toda la pierna. Pero antes de que pudiera llevar a cabo esa maniobra complicada, otra cosa salió disparada del bosque hacia mí. Pensé que sería otro cangrejo, pero este se asemejaba más a una ardilla voladora.

—¡*Ralph!* —grité.

Este aterrizó encima del cangrejo que tenía enganchado al tobillo y le clavó los dientes. El bicho chilló y se soltó, y mi tobillo tomó forma de nuevo. *Ralph* y la sombra rodaron por el suelo hasta hundirse en la nieve.

—¿Callie? —oí que Liam me llamaba. No podía permitir que viniera a buscarme, pero tampoco podía abandonar a *Ralph*.

—Ya voy —respondí.

Me quité los esquís, me arrodillé y hundí las manos en el montón de nieve, sabiendo que quizá tirara del bicho, pero, por fortuna, saqué a *Ralph*. Estaba tieso en mi mano, pero no tenía tiempo para comprobar si respiraba, de manera que me lo metí en el bolsillo y corrí hacia la luz de la luna, dejando atrás las sombras y lanzándome a los brazos de Liam.

—¿Qué haces? ¿Qué sucede?

Miré alrededor. Las sombras no habían llegado al jardín. De hecho, parecían retroceder hacia el bosque.

—He encontrado a *Ralph* —dije, sacándolo del bolsillo—. Le ha atacado un... búho.

—Pobrecillo. —Liam se acercó para mirarlo, pero no llegó a tocarlo—. Parece que respira. Llevémoslo a casa, y a ti también. Estás cojeando.

—Creo que me he torcido el tobillo —contesté, apoyándome en su brazo.

—¿Quieres que vuelva y recoja tus esquís?

—¡No! —dije con brusquedad—. Ya vendré a buscarlos mañana. Entremos antes de que *Ralph* se muera de frío.

Metí a *Ralph* en su antiguo cesto, lo envolví con una manta y lo coloqué cerca de la chimenea, en la biblioteca. Respiraba, pero seguía inconsciente. Quizás aquella sombra con forma de cangrejo le había hecho algo. Yo tenía el tobillo hinchado y amoratado, pero no me dolía; lo tenía dormido y apenas lo sentía. Liam me ayudó a apoyarlo en los cojines del sofá y me puso una bolsa de hielo.

—Menuda Nochevieja... —comentó—. Supongo que tendré que cancelar el baile. Y suerte que al menos tenemos champán.

Liam trajo una botella de Moët & Chandon y dos copas y luego, para mi sorpresa, organizó un picnic de pan, queso y fruta. Me dio de comer como si me hubiera lesionado las dos manos, no solo el tobillo. Me bebí dos copas antes de dejar de temblar. Liam pensaba que era del frío, pero yo sabía que era del miedo que me habían dado esos asquerosos cangrejos. Mi abuela había estado en lo cierto cuando había dicho que tarde o temprano correría peligro en Fairwick. Odiaba que Adelaide tuviera razón.

Bebí otra copa y dejé que Liam me fuera alimentando de fresas con nata. Una pizca de nata acabó en la punta de mi nariz. Liam se inclinó y me la lamió. Reí y le dibujé un bigote de nata. Él contraatacó hundiendo su boca cubierta de nata entre mis pechos. Entonces me desabrochó la camisa y dibujó una línea de nata desde mi plexo solar hasta la cintura de mis pantalones de esquiar. Cuando me alcanzó la entrepierna con la lengua acepté la derrota con un largo gemido. Intenté acercarlo a mí, pero Liam me cogió en brazos y me levantó. Miró el cesto donde yacía *Raph* y dijo:

—Lo siento, es que aquí me da la sensación de que tu amigo nos está mirando.

Me llevó escaleras arriba.

—Puedo caminar, ¿sabes? —dije con voz ronca.

—No, lo siento, no creo que puedas. De hecho, creo que estás totalmente indefensa. A mi merced, para que te haga lo que más me apetezca.

—¿Y qué te apetece? —pregunté mientras me tumbaba en la cama.

Y me lo enseñó.

Horas después desperté de una deliciosa languidez poscoital.

—Oye, ¿nos hemos perdido la entrada del Año Nuevo? —pregunté.

Pero Liam estaba dormido. Me levanté y cojeé hasta mi escritorio para mirar la hora. Las 23.58. Debería despertarlo para darle un beso de Año Nuevo, pero se le veía tan a gusto que no quise molestarlo. Además, ya me había besado lo suficiente en las últimas horas. Sí, de hecho, me sentía besada a conciencia.

Me senté a mi mesa y me incliné para mirar por la ventana. La luna había ascendido por encima del techo de la casa y estaba en la parte occidental del cielo, proyectando todas las sombras hacia el este, hacia el bosque. Me pareció que algunas de esas sombras se movían entre la espesura; escondiéndose entre los árboles, revoloteando entre las ramas, escabulléndose antes de que la puerta se cerrara a medianoche. ¿Lo conseguirían? ¿O algunas se quedarían encerradas a este lado? Me estremecí al pensar en aquellos cangrejos y deseé que al menos esos bichos sí lograran cruzar el umbral. En Fairwick ya había suficientes monstruos, pensé mientras me metía de nuevo en la cama junto a Liam. Me acurruqué contra su espalda, cobijándome en el calor de su cuerpo, pero pasó mucho tiempo hasta que dejé de temblar.

31

Liam tenía razón cuando dijo que las cosas serían diferentes a partir de Año Nuevo. A pesar de que las clases no empezaban hasta la segunda semana de enero, el pueblo empezó a recobrar vida esa primera semana. Se notaba por el ruido de las palas y los alegres gritos de «¡Feliz Año Nuevo!», a medida que mis vecinos regresaban de las vacaciones y se encontraban la entrada de sus casas bloqueada por la nieve. Se evidenciaba también en el cambio de letreros en las tiendas del pueblo, que pasaron de ¡CERRADO POR VACACIONES! a ¡OFERTAS ESPECIALES DE AÑO NUEVO! Nuestro idilio estaba llegando a su fin.

También percibí un cambio en Liam. Al principio supuse que estaba intentando compensar su arrebato de posesividad concediéndome el espacio que había exigido, pero más tarde comprendí que él era quien estaba inquieto y precisaba ese espacio. Por la mañana, salía a dar largos paseos solo, en busca de inspiración para escribir un nuevo poema, me dijo. Pero cuando regresaba parecía todavía más agitado que antes. Un día, mientras lo observaba desde la ventana de mi despacho, vi que regresaba a casa con el ceño fruncido, como enfadado con el bosque por no darle el material para su poema. Y otro día, cuando entró en la cocina y lo saludé, me miró con los ojos de sorpresa de un zorro al que hubieran pillado robando un pollo. Pensé que lo único que sucedía era que necesitaba un poco de tiempo para él mismo. Yo empecé a pasar más tiempo en mi despacho y en la «habitación de Dahlia LaMotte», para intentar ponerme al día con mi libro, pero estaba demasiado distraída. Quizás era porque *Ralph* seguía inconsciente; había empezado a temer que nunca despertaría, de manera que cuando Brock me trajo el coche del taller de su primo, se lo mostré.

—Si todavía fuera de hierro, podría volver a soldarlo —dijo con pesar—. Pero no se me dan tan bien las cosas de carne y hueso. Deberías llevárselo a Soheila; ella tiene más mano para estas cosas.

Le dije que lo haría.

Hacia el final de esa semana recibí unos correos de Soheila Lilly y de Frank Delmarco en los que anunciaban que el viernes tendrían horas de visita disponibles. Decidí llevar a *Ralph* ante Soheila y luego hablar con Frank respecto a lo que había descubierto para averiguar si Abigail Fisk era la responsable de la maldición. El viernes, después de desayunar, le dije a Liam que tenía que ir a buscar unos papeles a la universidad. Temí que se ofreciera a acompañarme, pero me dijo que le apetecía quedarse escribiendo y me preguntó si me importaba que trabajara en mi escritorio. Le gustaba la vista desde aquella ventana y me aseguró que tendría cuidado en no desordenarme los papeles. Le contesté que no me molestaba en absoluto y él me dio un beso antes de desaparecer escaleras arriba, pero lo cierto es que ese intercambio me dejó un tanto incómoda. Parecía ridículo que tuviera que pedirme permiso para utilizar un pequeño espacio en una casa enorme, y también era una estupidez que tuviera que irse a cambiar de ropa a la posada cuando había tres o cuatro armarios vacíos en el piso de arriba. Pero si le sugería que se trajera algunas de sus cosas a casa, ¿pensaría que le estaba pidiendo que se instalara conmigo? ¿Era eso lo que deseaba Liam? ¿Y yo? Salí de casa y me prometí que lo hablaríamos esa noche.

Todavía me dolía el tobillo, pero me sentaba bien moverme al aire libre. Entré en el campus por la puerta sudeste, que estaba abierta, y subí por el camino hasta el patio central. Vi algunos estudiantes que habían regresado antes por sus trabajos en el campus o para prepararse para el nuevo semestre. Uno de ellos era Mara Marinka.

—Buenos días, profesora —me dijo—. Feliz Año Nuevo. Veo que va un poco coja. ¿Se ha lesionado?

—Sí, es que la noche de fin de año acabé en una fiesta *rave* bastante loca —bromeé, pero la mirada atónita de la muchacha me hizo arrepentirme de aquel sarcasmo—. Es broma, Mara. Me torcí el tobillo esquiando. ¿Qué tal las vacaciones?

—Muy productivas, gracias. He estado trabajando en la oficina de admisiones, revisando las solicitudes. Le sorprendería comprobar la cantidad de estudiantes que quieren estudiar en Fairwick. ¡Personas muy cualificadas e interesantes! Me siento muy afortunada de estar aquí.

El hecho de despertarme sola el día de Navidad en una habitación de hotel me había parecido patético, pero las vacaciones de Mara parecían todavía más deprimentes.

—Espero que no hayas trabajado todos los días.

—¡No, no! La decana Book fue muy amable y me invitó a su casa para celebrar las fiestas.

—¿Sí? ¿Y qué hicisteis?

—Bebimos ponche de huevo, decoramos el árbol de Navidad y ellas cantaron villancicos. Fue divertido. La decana Book es muy amable y la señorita Hart prepara unas tartas y unas galletas deliciosas. —Mara se frotó el estómago—. Me temo que he ganado peso durante las vacaciones.

—Eso está bien, Mara, lo necesitabas. Tienes muy buen aspecto.

Era cierto, Mara estaba un poco regordeta, incluso hinchada. Tenía la piel sonrojada como si se hubiera ensanchado demasiado, o demasiado rápido. La pobre chica no debía de haber comido tanto en toda su vida. No cabía duda de que los dulces de Diana habían sido una invitación al exceso.

—Y usted también, profesora McFay —contestó Mara, acercándose como si quisiera verme mejor. Quizá necesitaba gafas; solía acercarse demasiado. O puede que en su país tuvieran una concepción diferente del espacio personal—. Está radiante. Debe de haber tenido unas vacaciones muy satisfactorias.

Me sonrojé al recordar en cuán satisfactorias habían sido esas últimas semanas y en el motivo concreto de mi buen aspecto, y algo en el modo que Mara me miraba me hizo pensar que ella también lo sabía. ¿Habría corrido la voz por el campus de que Liam y yo estábamos liados? ¿Estaría Mara tomándome el pelo a propósito? Decidí no ser paranoica y descarté esa posibilidad. Era su torpe uso del idioma lo que hacía que sus comentarios parecieran provocativos. De todos modos, di un paso atrás.

—Bueno, tengo que ir a buscar una cosa a mi despacho...

—¿Necesita ayuda? —se ofreció, dando un paso al frente y achicando de nuevo el espacio que nos separaba—. No le resultará fácil cargar peso con esa lesión. Y a la decana Book no le importará que llegue un poco tarde al trabajo...

—No, Mara —aseguré, quizá con demasiada brusquedad—. No tengo que coger nada pesado, me las arreglaré. Vete a trabajar. Estoy segura de que la decana te necesita más que yo.

—Ya. Estos días no se ha encontrado demasiado bien. Pero si en algún momento necesita algo...

—Gracias. Lo tendré en cuenta.

Me volví y continué caminando hacia el pabellón Fraser, un tanto preocupada por haberme enterado de que Liz no se encontraba bien. Debería pasarme por su casa más tarde para ver si necesitaba algo, ella o Diana, que debía de estar preocupadísima. Después de ver a Soheila y a Frank, iría a visitarlas.

A pesar de que había planeado ir primero a hablar con Soheila, cuando entré en Fraser cambié de idea. Si la veía a ella antes, me sentiría tentada a explicarle lo que había descubierto acerca de Frank, y entonces perdería la única herramienta de negociación con que contaba: la ventaja de ser la única persona que conocía su secreto.

También me hubiera gustado contar con la ventaja de sorprenderlo, pero mi progreso a la pata coja escaleras arriba anunció mi llegada mucho antes de que entrara en el despacho de Frank.

—¿Qué tal, McFay? ¿Te metiste en una pelea en la gran ciudad?

Permanecí en el umbral un instante, observándolo. Tenía los pies apoyados encima del escritorio, una gorra de los Jets que le cubría los ojos y un *New York Times* delante, de manera que no veía su expresión.

—No —respondí—; me atacó una *lacuna* mientras realizaba una investigación genealógica en la biblioteca pública.

Frank bajó el periódico y me miró con los ojos entornados. Quizás estaba evaluando si podía fingir no saber de qué le hablaba, pero entonces preguntó:

—¿Te encuentras bien? Esas cosas son asquerosas.

Me hundí en la silla; de pronto me flaqueaban las rodillas. Una parte de mí había estado esperando que Frank negara formar parte de ese mundo. Después de todas las sorpresas que había recibido ese otoño y de descubrir que las brujas y las hadas existían, había confiado en que ese hombre de carácter brusco pero natural fuera exactamente lo que parecía ser.

—Sobreviví —respondí—, y descubrí que eras un descendiente de Abigail Fisk.

—Mi abuelita —repuso con cariño—. Abbie Fortino.

—Era una bruja.

—Entre otras cosas. También era una cocinera excepcional y, además de ser una encantadora madre y abuela, era una increíble jugadora de bridge. —Sonrió, pero recuperó la seriedad al ver que yo no le devolvía la sonrisa—. Pero sí, era una bruja.

—¿Y tú? ¿También lo eres?

Se encogió de hombros.

—Soy un profesional de la magia, que es el término políticamente correcto utilizado hoy en día, aunque me parece que «brujo» tiene más salero. Pero, por favor, nunca me llames *Wiccan*.

—¿Y la decana Book lo sabe? —inquirí.

—No. Solo me contrataron por mi cualidades académicas, como a ti. Apuesto a que la decana se sorprendió mucho al descubrir que eras una guardiana de la puerta.

—Pues tengo el presentimiento de que todavía le sorprenderá más saber que tú eres un brujo —repuse, sin darle la satisfacción de mostrar sorpresa alguna—. No tiene ni idea, ¿verdad? Has mantenido tu identidad en secreto. ¿Lo has hecho para presenciar con tus propios ojos cómo Nicky Ballard sucumbe a la maldición de tu abuela?

—¿La maldición de mi abuela? —Su voz retumbó en el edificio vacío. Se levantó, cerró la puerta del despacho y se volvió hacia mí, apoyándose contra la puerta con el rostro encendido. A pesar de que ese hombre solía gritarme, nunca lo había visto tan enfadado—. ¿Crees que mi abuela maldijo a los Ballard? La pobre no habría podido ni maldecir a una mosca. Y no porque no tuviera motivos. ¿Lograste avanzar en tu investigación lo suficiente para descubrir quién era?

—No; tuve que irme...

—Pues si lo hubieras hecho habrías averiguado que mi abuela estaba casada con el jefe del equipo de seguridad. Mi abuelo, Ernesto Fortino, le dijo a Bertram Ballard que las vías no eran seguras porque el hierro se había desgastado; el hierro de Ballard & Scudder era de baja calidad. Pero Ballard dejó que los trenes siguieran circulando. El día del accidente mi abuelo estaba intentando avisar al maquinista de Kingston que detuviera el tren. Y cuando los trenes colisionaron, murió intentando rescatar a las víctimas.

—Sí, lo leí en un periódico. Se metió en uno de los vagones que colgaban del puente y rescató a todos los pasajeros que estaban allí antes de que el vagón se precipitara al vacío y él muriese. Fue un héroe. Y parece que tu abuela tenía razones suficientes para maldecir a la familia Ballard.

Frank sonrió.

—Excepto por el hecho de que la mujer de Ballard era la hermana de mi abuela. Hubiera sido como echar una maldición sobre su propia familia.

—Ah —dije, reclinándome en la silla—. Y, entonces, ¿por qué estás aquí?

Frank cruzó la habitación y abrió uno de los cajones del archivador, extrajo una carpeta y la lanzó a la mesa delante de mí.

—Reclamaciones presentadas contra Fairwick a través del IPM. Abarcan desde alteraciones del tiempo no autorizadas, hasta acosos a la población civil por parte de criaturas sobrenaturales. Por ejemplo, te vi muy pegada a Anton Volkov durante la fiesta de profesores; tanto si te pidió que le dieras sangre a cambio de información, como si intentaba conquistarte, él ha violado tus derechos y debería ser acusado.

—No lo sabía...

—Pero deberías haberlo sabido. En cuanto fuiste consciente de la verdadera naturaleza de Fairwick, Elizabeth Book debería haberte formado e informado de tus derechos.

—Bueno, hace unas semanas me entregó unos formularios y folletos —mentí. Lo cierto era que Liz no los había encontrado y yo le dije que no se preocupara. No mencioné el libro de hechizos, porque, dadas mis últimas experiencias con él, estaba empezando a sospechar que no me lo debería haber dado sin un poco más de formación, ya que todos mis hechizos parecían fracasar—. Pero todavía no he tenido tiempo de leerlos.

—Era responsabilidad suya repasar todo el material contigo.

—Últimamente no se ha encontrado muy bien —la excusé. De algún modo, mi encuentro con Frank Delmarco se había convertido en un interrogatorio acerca de mí. Tenía que darle la vuelta—. Y seguro que por eso no se ha dado cuenta de que eres un brujo. Todo muy oportuno para ti...

—Decir que no se encuentra bien es el eufemismo del año. Se está desvaneciendo. Para una bruja como ella, que ha utilizado sus poderes para prolongar su período de vida, eso puede ser mortal. Alguien, o algo, le está chupando la vida. Primero pensé que eran los vampiros, pero no tiene marcas de mordiscos. De modo que ahora estoy considerando otras posibilidades, pero es crucial para mi investigación poder mantener mi identidad en secreto.

—¿Investigación? ¿En secreto?

Frank suspiró y sacó la cartera del bolsillo trasero. Era de cuero, estaba desgastada y había adquirido una curva que sin duda concordaba con la forma de su trasero. Extrajo una tarjeta del interior y me la entregó. Reconocí la insignia del IPM, dos lunas crecientes flanqueando un orbe, pero debajo del logotipo había las iniciales IPMAI.

—¿Qué quiere decir IPMAI? —pregunté.

—Instituto de Profesionales Mágicos, Asuntos Internos —me aclaró.

—Quieres decir que eres...

—Un investigador secreto. Y uno de los asuntos que estoy investigando es la maldición de los Ballard. Estoy intentando localizar a los descendientes de Hiram Scudder, el socio de Ballard. Mi abuela decía que era un brujo extremadamente poderoso.

Asentí.

—Justo estaba consultado la genealogía de Scudder cuando me atacó la *lacuna* —expliqué.

—No me extraña. Sus descendientes se han estado escondiendo con astucia. Te sugiero que dejes la investigación en mis manos. Si los Scudder colocaron una *lacuna* para ocultar su identidad, cosa que va radicalmente en contra de las normas del IPM, quién sabe lo que podrían hacerle a alguien que estuviera a punto de descubrirlos.

—Puedo cuidar de mí misma —espeté, ofendida por su tono paternalista.

Frank se encogió de hombros.

—Como quieras. Pero prométeme que no me desenmascararás. Si lo haces, no podré seguir buscando a la bruja Scudder, ni descubrir qué está debilitando a Liz Book.

—Está bien —asentí—. Siempre y cuando te comprometas a informarme de lo que descubras.

—Hecho —contestó, tendiéndome la mano—. Serás la primera en saberlo.

No estaba segura de si estaba siendo sarcástico o no, pero le estreché la mano de todos modos. Ese trato no parecía tan dudoso como el que había acordado con Anton Volkov.

Mientras bajaba las escaleras hacia el despacho de Soheila me pregunté si era ingenuo confiar en Frank. No tenía manera de comprobar si me había dicho la verdad, puesto que además no podía hablar con nadie de su identidad real; pero mi instinto me decía que podía fiarme. Frank era brusco, obstinado y a veces francamente insoportable, pero me parecía un buen hombre. Aunque, por supuesto, mi intuición había fallado bastante esos últimos meses.

Soheila me recibió con un cariñoso beso en la mejilla y me ofreció té y galletas de almendra.

—Las ha hecho mi abuela, que vive en Long Island. Fui a visitarla durante las vacaciones.

—Me alegro.

Soheila se encogió de hombros, cubriéndose el pecho con la rebeca roja que llevaba.

—Me encanta estar con mi abuela, pero mis tías no dejan de preguntarme cuándo voy a casarme. Y mis primas se pasan el día en la peluquería y de compras. La verdad es que ya tenía ganas de volver.

—Yo también tuve un sorprendente encuentro con mi abuela —comenté, y le expliqué mi visita a La Arboleda.

—Madre mía, en ese club son unas intolerantes. Uno de los miembros exorcizó a una de mis primas en 1890.

—Pues cabría esperar que después de todas las persecuciones que han sufrido las brujas fueran más tolerantes, ¿no crees?

Soheila sacudió la cabeza.

—Con frecuencia sucede justo lo contrario. Cuando un grupo perseguido al fin encuentra su lugar en una cultura, sus miembros dibujan una línea alrededor de ellos mismos para mantenerse a salvo. En la Edad Media se perseguía a las brujas por su conexión con los espíritus de la naturaleza y las antiguas divinidades, que la Iglesia calificaba de demonios. Y mientras que las brujas que fundaron Fairwick continuaron defendiendo su conexión con los dioses de la antigüedad, las de La Arboleda eligieron distanciarse y repudiar a los demonios y las hadas. La ruptura fue profunda. En 1600 hubo una batalla conocida como «la Gran División» que dividió a las brujas en dos grupos antagónicos. Muchas murieron y se desvanecieron. Me imagino que a tu abuela no le hizo mucha gracia que trabajaras aquí.

—Creo que en cierto modo ya se esperaba algo así de mí. Por lo visto, fue una gran decepción que mi madre se casara con un hombre que tenía sangre de hada. Mi abuela dijo que eso podía haber anulado mis poderes de bruja.

Soheila frunció el ceño.

—Sí, he oído esa teoría antes, pero no estoy segura de que haya nada de verdad en ella. Podría ser una leyenda falsa para intentar evitar dichas uniones. Cuando un brujo y un hada se casan, siempre hay mucho revuelo, incluso fuera de La Arboleda. Mis tías, por ejemplo, estarían horrorizadas si yo saliera con un brujo. Ya se disgustaron bastante cuando me enamoré de un mortal...

—¿De Angus Fraser?

—Sí, de Angus. —Su voz se suavizó al decir su nombre y sus ojos de color caramelo destellaron como el ámbar pulido—. Eso sí, no tienen reparos en casarse con mortales, pero enamorarse de uno... Lo consideraban una estupidez para alguien de nuestra especie.

—¿De qué especie? Lo siento, Soheila, no quiero ser indiscreta, pero no estoy segura de a qué grupo perteneces. Recuerdo que Elizabeth me dijo que eras un espíritu del viento de Babilonia...

Soheila sonrió.

—Bueno, me temo que eso es más bien un eufemismo, aunque es cierto que mi especie desciende de los espíritus del viento de Babilonia. Dadas las circunstancias, Elizabeth y yo acordamos que sería mejor que no supieras el nombre más común. Verás, soy descendiente de Lilith, uno de los *lilitu*, a veces más conocidos como súcubos.

—¡Un súcubo! ¿Te refieres a la versión femenina del íncubo que entró en mi casa? Yo pensaba que siempre eran...

—¿Egoístas? ¿Destructivos? ¿Malvados? Sí, efectivamente así se les ha caracterizado en los mitos y la religión occidental.

Y tengo que admitir que la mayoría de mis hermanas y primas son más bien... digamos, ¿oportunistas? O incluso un poco interesadas, pero no es solo culpa suya. Cuando mi especie entró en contacto con los humanos por primera vez, apenas éramos conscientes y, sin duda, no éramos de carne y hueso. Cabalgábamos el viento... Éramos el viento. A veces tomábamos posesión de alguna criatura alada por un breve período. Los búhos eran nuestros huéspedes preferidos, y de ahí nuestra identificación con ellos. —Inclinó la cabeza hacia el póster que tenía en la puerta del despacho—. Pero cuando nos topamos con los hombres, nuestra interacción con ellos nos hizo encarnar. Adoptamos la forma con la que ellos soñaban, y al convertirnos en carne, comenzamos a ansiar esa carne... La necesitábamos para preservarnos. —Se estremeció y se ciñó la rebeca. Recordé que Dory me había explicado que las hadas intercambiaban su magia por sexo, pero lo que Soheila describía parecía un intercambio totalmente distinto: sexo a cambio de existencia carnal. Y me costaba imaginarme a alguien tan refinado como ella entablando un trato tan sórdido.

—Así que para seguir... como estáis... tenéis que...

Soheila sonrió al percatarse de que me daba vergüenza decirlo.

—Bueno, yo ya no tengo que alimentarme de hombres de ese modo. Pero eso solo es posible porque fui amada.

—¿Angus?

—Sí, incluso después de que descubriera que yo era de la misma raza que aquel demonio que había acabado con su hermana, igual me amó. Y yo a él. Pensé que como no tenía que alimentarme de él, podríamos estar juntos. No me di cuenta de que nuestro... contacto lo estaba debilitando hasta que fue demasiado tarde. Me ocultó su enfermedad hasta que ya estaba muy avanzada... Y cuando se enfrentó al Ganconer ya se encontraba demasiado débil para luchar. Murió en mis brazos. Desde entonces me he jurado no volver a tener un amante humano. —Se estremeció de nuevo—. Por mucho que ansíe el calor del contacto humano, no podría correr ese riesgo de nuevo.

Ahora entendía por qué siempre parecía tener frío.

—Lo siento —dije—. Debe de ser muy duro. Y todavía más si te gusta alguien...

—No me puedo permitir ese tipo de sentimientos —repuso, tan deprisa que supe que debía de querer mucho a alguien—. Pero ya basta de hablar de mí. Has venido aquí para pregúntame algo, ¿verdad?

—Sí —contesté, aliviada por el cambio de tema. Metí la mano en el bolsillo del abrigo, saqué a *Ralph* y se lo mostré—. La víspera de Año Nuevo atacó a una criatura de las sombras y desde entonces ha estado en esta especie de coma. ¿Puedes hacer algo para ayudarlo?

Soheila me tendió las manos y le pasé el ratón. Lo sujetó con suavidad e inclinó la cabeza para que su oído quedara encima de su pecho. Luego, lo colocó encima de la mesa y orientó la lámpara de escritorio para que lo iluminara.

—¿Lo ves? —dijo, repiqueteando los dedos en la madera—. No proyecta ninguna sombra. Significa que está viajando en la oscuridad de las Tierras Fronterizas. ¿Has traído tu libro de hechizos?

—Sí —afirmé, sacando el libro del bolso. Había decidido llevarlo siempre encima—. Pero me temo que no he tenido mucha suerte utilizándolo.

—Se necesita práctica y formación. Hablaré con Liz para que te apunte a la clase de Introducción a la Brujería y la Magia este verano. Pero de momento, busca «Viaje por las sombras: cómo traer a un viajero de vuelta».

Ojeé el libro repasando los títulos de diversos hechizos como «Arenas movedizas», «Sesión de espiritismo» y «Repelente de sombras» (este habría sido muy útil la noche de Año Nuevo) hasta que encontré el que buscaba.

—Dice que para mantenerlo a salvo en sus viajes debería dibujar su sombra en un trozo de papel y después quemarlo al tiempo que repito las palabras *intra scath hiw*...

—*Hiwcuolic.* —Soheila pronunció aquella difícil palabra por mí—. Es una palabra islandesa antigua para el término «familiar». Y esa es la razón por la que debes buscar el hechizo en tu propio libro. El libro ha intuido que la criatura que estás intentando ayudar es pariente tuyo.

—¿Quieres decir que el libro cambia el hechizo en función de quién lo usa?

—Sí, y cuanto más lo utilices, más te conocerá y mejor te podrá ayudar. Seguro que ni siquiera sabías que *Ralph* era pariente tuyo.

—No —admití, mientras acariciaba al pequeño roedor con la mano—. Pensaba que solo era amigo mío. El libro también dice que para traerlo de vuelta tengo que atrapar la sombra que lo arrastró hasta las Tierras Fronterizas. Pero ¿cómo lo hago? Puede que esa criatura se escabullera por la puerta aquella misma noche.

—Lo dudo. Apuesto a que sigue merodeando alrededor de tu casa esperando la oportunidad de hacerse con la última chispa de vida de tu pequeño amigo. Créeme, te lo dice alguien que se pasó siglos alimentándose de esa chispa de vida humana: en cuanto la pruebas, es difícil pasar sin ella. De manera que tendrás que vigilar a *Ralph* y cuando veas a esa criatura... Bueno, será mejor que te preste algo para atraparla. Empieza a dibujar su sombra mientras yo lo busco.

Soheila fue a rebuscar en su armario y yo cogí un folio de la impresora y lo coloqué al lado de *Ralph*. Esbocé la sombra del pobrecillo lo mejor que pude y entonces, utilizando la caja de cerillas que Soheila tenía junto al samovar, quemé el papel en el platillo de cobre al tiempo que repetía el hechizo. El humo se elevó adoptando la forma de un ratón y se desvaneció. Justo en ese momento reconocí una silueta que me resultaba familiar en el patio del campus, a través de la ventana del despacho de Soheila. Parecía Liam... pero no me había dicho que iba a venir a la universidad.

Un repique me hizo mirar el escritorio de Soheila, detrás de mí. Eché un vistazo a su portátil antes de ser consciente de que estaba fisgoneando. Había un buzón de correo instantáneo en una esquina de la pantalla; era un icono del logotipo de los Jets junto a una línea de texto: «¿Comemos juntos?» Entonces comprendí qué mortal le gustaba a Soheila. Aunque en realidad no era un mortal, sino un brujo, y por esa razón la última persona que aprobaría su familia. Pero Soheila no lo sabía. La oí salir del armario y me escurrí rápidamente al otro lado de la mesa para que no se diera cuenta de que había leído el mensaje.

—Está un poco viejo y anticuado. No lo he utilizado desde que capturé a un *kelpie* en un día de pesca hace más de cincuenta años, pero creo que todavía funcionará —dijo.

La nasa de mimbre que me entregó parecía hecha para meter truchas, no demonios, pero le di las gracias de todos modos y me colgué su cinta de cuero al hombro. A continuación, Soheila me explicó cómo podía destruir al cangrejo de sombra cuando lo hubiera atrapado. Antes de irme, me volví para preguntarle una cosa más, pero ella estaba mirando la pantalla del ordenador con una sonrisa tan encantadora que no quise molestarla.

De regreso a casa, a través del aire frío y húmedo, pensé en la historia de Soheila. Angus Fraser había muerto unos cien años atrás. ¿Cómo debía de sentirse uno viviendo solo todo ese tiempo? ¿Y cómo debía de ser enamorarse de alguien pero saber que si hacías realidad tu deseo de estar con él pondrías su vida en peligro? Mi dilema de si Liam y yo íbamos demasiado rápido parecía insignificante en comparación con aquello, y mis dudas más bien tontas. ¿Acaso no había hecho lo mismo con Paul? ¿Mantenerlo a distancia porque no estaba a la altura de una fantasía de la infancia?

Cuando abrí la puerta de la Casa Madreselva, el aroma de la canela y la bergamota me envolvió. Liam estaba en la cocina preparando una tetera de Earl Grey y hojaldres de canela recién hechos, mi merienda preferida. Con la tetera todavía en las manos, se inclinó para besarme. Tenía la piel caliente y un poco de harina en el cabello. Olía a levadura y mantequilla. Debía de haberme confundido, Liam no podía haber estado en el campus; no cabía duda de que había pasado el día en casa.

—Me voy un momento al otro lado de la calle para cambiarme de ropa —dijo—. Estoy lleno de harina.

—¿Por qué no traes todas tus cosas? —sugerí impulsivamente—. Quiero decir... que me parece ridículo que te pases el día de aquí para allá... Esta casa es tan grande y... —Levanté la mirada y vi que me estaba mirando con sus ojos castaños bien abiertos—. Lo que quiero decir es que si tú quieres, a mí me gustaría que vivieras aquí.

Liam depositó la tetera en la encimera y me rodeó con sus brazos. Notaba el calor de su piel a través de la camisa de franela que llevaba, que me envolvía y se llevaba el frío que había cogido en el camino de regreso a casa.

—Claro que sí —me susurró al cuello—. Me encantaría.

32

Era la primera vez que vivía con un hombre. Cuando Paul y yo nos conocimos vivíamos en residencias con compañeros de habitación, y cuando me mudé a mi apartamento él se fue a vivir a California. Habíamos pasado largos períodos de vacaciones juntos, pero nunca habíamos mezclado nuestras pertenencias en un mismo lugar.

Liam no tenía muchas cosas (llevaba años viajando ligero, me dijo), pero su presencia impregnó la casa: un olor a limpio y salado como el mar, la fragancia penetrante del whisky irlandés que tomaba mientras contemplaba la puesta de sol desde el porche cuando daba por terminada la jornada, y algo dulce y evasivo, como el aroma de la madreselva con la brisa de verano. Las repisas de las ventanas, los boles y los cestos vacíos se llenaron de los tesoros que encontraba durante sus paseos: una ramita retorcida de madreselva que parecía un trozo de madera erosionado por el mar, unas piedras grises y redondas, un nido de pájaro; el tipo de cosas que coleccionaría un niño de doce años o un naturalista del siglo XIX... o, tal como pensaba a veces, el tipo de cosas que un animal salvaje llevaría a su guarida.

No quería que sintiera que estaba viviendo en casa de alguien en lugar de en su propia casa, de manera que el fin de semana antes del inicio de las clases le pedimos prestada la camioneta a Brock y salimos a rastrear los anticuarios de la zona para convertir uno de los dormitorios vacíos en su despacho. En Bovine Corners encontramos una silla de Stickley Morris y un secreter de estilo victoriano. El pueblo todavía me asustaba un poco después de aquella noche en que lo crucé con el coche, pero la verdad es que tenían algunas antigüedades preciosas y una tienda tradicional en la que vendían quesos artesanales, pan recién hecho, mermeladas y confituras caseras. Seguramente podríamos haber comprado todo lo que necesitábamos allí, pero hacía un día soleado, la temperatura estaba por encima de los cero grados por primera vez en semanas y las colinas más allá de Bovine Corners parecían llamarnos.

Continuamos conduciendo hacia el este, por el condado de Delaware, a través de campos cubiertos de nieve y montañas resplandecientes por el sol, que según Liam le recordaban a su casa. Pasamos junto a tierras de labranza y pequeños y solitarios pueblos cuyas casas de estilo victoriano y neogriego estaban descoloridas y ruinosas. Muchas de las granjas que había en las afueras de aquellos pueblos se veían abandonadas. Los techos de los establos estaban curvados como el lomo de un caballo al que se ha montado durante mucho tiempo con demasiada dureza; algunos se habían derrumbado por completo y parecían enormes esqueletos de mastodonte que se pudrían en los campos.

En el camino de regreso nos detuvimos en otro anticuario.

—Es muy bonito —dijo Liam cuando me vio mirando un precioso anillo antiguo de diamantes y esmeraldas.

La anciana que llevaba la tienda aprovechó la oportunidad para abrir la vitrina.

—Sí, desde luego el caballero tiene muy buen ojo. Esta es mi mejor pieza. La adquirí en la finca Trask, en la zona de Glenburnie. Es un anillo de la época victoriana, con montura de plata y una esmeralda de un quilate flanqueada por dos diamantes de medio quilate. —Extrajo el anillo de su caja de terciopelo y se lo entregó a Liam. Este levantó el anillo hacia la débil luz del sol invernal y lo movió en el aire hasta que desprendió unas chispas de brillo en la polvorienta tienda. A continuación, me cogió la mano y deslizó el anillo en mi dedo anular. Era justo de mi talla.

—Es precioso —comenté, levantando la mano hacia la luz. Las antiguas piedras destellaron como si contuvieran una chispa de vida olvidada. Entonces eché un vistazo a la etiqueta del precio—. Pero es muy caro. —Empecé a quitarme el anillo, pero Liam ya le había susurrado algo a la anciana, que sonreía como una colegiala. Me cogió la mano de nuevo y volvió a colocarme el anillo en el dedo.

—Es tuyo —dijo—. Quiero que lo tengas.

Me miré la mano. Me lo había puesto en la derecha, no en la izquierda, de manera que no era una alianza de compromiso. De todos modos, era un anillo de diamantes.

—Liam, es precioso, pero no estoy segura...

Me hizo levantar la mano hacia la luz y una chispa de brillo de los diamantes le iluminó los ojos.

—Los diamantes me recuerdan a la nieve iluminada por la luna la víspera de Año Nuevo —dijo, y se inclinó para susurrarme algo al oído—: y la esmeralda es del color de tus ojos cuando hacemos el amor.

Sentí la calidez de su aliento recorrerme la espalda.

—Pues entonces será mejor que me lo quede —dije, con voz temblorosa de deseo—. No puedo dejar que nadie más lleve consigo esos recuerdos.

Esa noche, cuando hicimos el amor deslicé las manos alrededor del poste de la cama, del mismo modo que había hecho la noche antes de Año Nuevo. La luna iluminó el anillo y proyectó un ramillete de luces de diamantes y esmeraldas en el rostro de Liam. Le hizo parecer insustancial, como si pudiera disolverse en tropecientos átomos y desvanecerse ahí mismo. Solté el poste de la cama y me agarré a sus brazos, sus sólidos y fuertes bíceps, y recordé lo que me había dicho aquella noche.

«Espera», había dicho.

Y eso hice.

Por supuesto, mis alumnos se percataron del anillo enseguida.

—Profesora, ¿se ha prometido durante las vacaciones? —preguntaron Flonia y Nicky a la vez.

—Lo lleva en la otra mano —intervino Mara, colándose entre Flonia y Nicky y estirando el brazo para tocarme la mano—. Si estuviera prometida lo llevaría en la izquierda, ¿verdad, profesora?

—Sí —admití, sorprendida de que Mara supiera una cosa así. Por lo visto, a Nicky también le extrañó.

—¿Cómo sabes eso, Mara? —preguntó.

—Lo leí en una revista de la decana Book. «La mano izquierda indica que ya estás ocupada.» —Mara movió su mano para tocarme la izquierda, y luego la volvió a colocar en la derecha y ahí la dejó—. «Y la mano derecha indica que estás al mando.» —Reconocí el eslogan de una campaña publicitaria que habían lanzado unos años atrás. En ese momento me molestó, porque a pesar de que el anuncio parecía promover una imagen de mujer independiente y capaz, también sugería que las mujeres que no se podían permitir comprar un anillo caro no contaban con esas cualidades. Aunque también me habían entrado ganas de salir a comprar un anillo. Y todavía recordaba otra de las frases del anuncio: «Tu mano izquierda cree en el príncipe azul. Tu mano derecha cree que los príncipes son para los cuentos de hadas»—. Así que debe de habérselo comprado usted misma, ¿verdad, profesora?

Debería haberme alegrado por aquella oportunidad de escabullirme de las preguntas entrometidas de mis alumnas, pero cuando vislumbré la decepción en sus ojos sonreí con misterio y, sacando mi mano de debajo de la de Mara, moví los dedos en el aire para que los diamantes y la esmeralda se iluminaran con la luz.

—Puede que sí, puede que no —contesté. Mis alumnas me miraron embelesadas mientras les indicaba que se sentaran con una gesto exagerado que hizo que el anillo destellase de nuevo—. Y ahora, a trabajar. Teníais que leer *Drácula* durante las vacaciones.

Las exclamaciones de asombro pronto dieron paso a las protestas de mis alumnos, que se quejaron de la pasividad de Lucy Westenra en la novela. Y esa era precisamente la reacción que esperaba.

Quería que perdieran la paciencia con la indefensión de las heroínas de las novelas góticas para que pudieran apreciar y valorar a los personajes del género de vampiros moderno, como Buffy Cazavampiros y Sookie Stackhouse. También deseaba que dejaran de preguntarse quién me había regalado el anillo, pero no lo conseguí, saboteada también por Liam, quien se presentó al final de la clase con un libro que me había olvidado «en casa».

Creo que la noticia de que «estaba viviendo con» y «casi prometida con» Liam Doyle no tardó más de cinco minutos en propagarse por el campus.

—No sabía que querías mantenerlo en secreto —dijo Liam más tarde, cuando le comenté el tema en casa—. Yo, en cambio, quiero proclamarlo a los cuatro vientos. ¿Por qué quieres mantenerlo en secreto?

No tenía respuesta para su pregunta y no me apetecía discutir. De pronto me sentía cansada del estrés y de la emoción de volver al trabajo después de unas largas vacaciones.

—No sé, puede que tengas razón y que eso sea lo correcto —dije, ladeando la cabeza y frotándome el cuello. Además de cansada, me dolía todo. Quizás estaba tan irritable con Liam porque estaba cayendo enferma.

—Lo que es correcto es lo nuestro, tú y yo. Nos complementamos perfectamente. ¿Cómo iba alguien a lamentar nuestra felicidad cuando todo el mundo puede ver lo bien que estamos juntos? —Me masajeó la nuca—. Tienes los músculos agarrotados. ¿Por qué no te das un buen baño mientras yo preparo la cena?

Me pareció tan buena idea que seguí su consejo. A pesar de que la discusión había sido breve, me pareció que Liam todavía se sentía inquieto, pues mientras estaba en la bañera vino y se ofreció a enjabonarme el pelo.

Se sentó en el borde de la bañera y me frotó el cuero cabelludo con un champú de lavanda y me masajeó la nuca y los hombros. A continuación, cogió el jabón y comenzó a frotarme la espalda.

—Mmm... Creo que lo haría mejor si estuviera dentro de la bañera.

Oí que su ropa se deslizaba hasta el suelo y enseguida se metió en la bañera detrás de mí, rodeándome con sus piernas. Me masajeó el cuero cabelludo y el cuello, y sus dedos fueron eliminando la tensión como por arte de magia, y nunca mejor dicho. Me enjabonó la espalda, trazando anchos arcos en mis omóplatos.

—Mmm —ronroneé, recostándome en su pecho. El jabón que tenía en la espalda me hacía resbaladiza.

Me rodeó entonces con los brazos y me enjabonó los pechos, al tiempo que me pellizcaba suavemente los pezones. Gemí y deslicé el trasero hacia atrás, entre sus piernas, y sentí su súbita erección. Me levantó las caderas, inclinándome hacia delante, y me penetró desde atrás, a tal velocidad y tan profundo que sentí despertar una parte de mí que nunca nadie había alcanzado. Solté un grito, una especie de gañido que nos sorprendió a los dos.

—¿Te he hecho daño? —me jadeó al oído.

—No... —contesté, aunque no estaba completamente segura de si lo que sentía era placer o dolor. Solo sabía que deseaba más.

Al día siguiente me levanté temprano; quería ir al despacho de la decana antes de clase para asegurarme de que era yo, y no uno de los estudiantes, quien le explicaba que Liam y yo estábamos viviendo juntos.

—Me alegro por ti, cielo —dijo sonriendo, al tiempo que aceptaba la taza de té que Mara le ofrecía. Esta la estaba ayudando a clasificar las solicitudes de admisión—. Parece un buen hombre. Tuvimos mucha suerte de que nos enviara su solicitud justo cuando perdimos a la pobre Phoenix. —Se estremeció y se cubrió los hombros con un chal. Se la veía mayor; había perdido peso y tenía el cabello tan fino que le podía ver parte del cuero cabelludo. «Se está desvaneciendo», había dicho Frank. Y lo cierto era que parecía que la decana pudiera fundirse con el tono apagado del papel de pared de su despacho—. Supongo que tú también has tenido suerte.

—¿Suerte? —pregunté.

—Sí, si Phoenix no se hubiera ido, no hubieras conocido a tu nuevo chico.

Me quedé mirándola, sorprendida de que insinuara que había sido una suerte que la pobre Phoenix hubiera sufrido una crisis nerviosa.

—Creo que lo que la decana quiere decir —intervino Mara, apoyando la mano en el frágil hombro de Liz—, es que todos somos muy afortunados por haber conseguido a un profesor tan competente para sustituir a la pobre señorita Phoenix, mientras ella descansa y se recupera.

—Sí, eso es exactamente lo que quería decir, Mara. Gracias, querida —afirmó la decana, dándole unas palmaditas en la mano—. También fue una suerte que estuvieras aquí para ayudarme durante las vacaciones con las solicitudes para el año que viene. Normalmente las leo todas yo misma y las envío al departamento de admisiones con mis recomendaciones, pero este año no me sentía con fuerzas, así que Mara me las ha leído. Tiene una voz muy relajante.

Intenté no mostrarme incrédula, pero no pude evitar preguntarme lo que el acento de Mara podría haber hecho con esas solicitudes.

Y también procuré disimular lo mucho que me sorprendía que la mano de la muchacha continuase apoyada en el hombro de la decana. Quizás en su país ese tipo de contacto físico entre una joven y una señora mayor era más común, y quizá Mara viera a la decana como una especie de abuela, pero yo había crecido en la era del acoso sexual y el contacto físico fácil me incomodaba.

—Ya casi hemos revisado todas las solicitudes, ¿verdad? —Liz alzó la vista y la miró esperanzada, como una niña que pregunta si todavía tiene que tomar la desagradable medicina.

—Casi, decana Book. Nos quedan unas pocas, pero creo que podremos acabar de revisarlas hoy.

—Perfecto, Mara. Pero a partir de entonces ya no tendré suficiente trabajo para ti. Puede que alguien más necesite una ayudante...

—¿Qué me dice de usted, profesora McFay? —preguntó la joven—. Está escribiendo un libro, ¿verdad? Debe de resultarle difícil en combinación con sus responsabilidades docentes.

—Es verdad, Callie, estás escribiendo un libro sobre Dahlia LaMotte, ¿verdad? ¿Qué tal va?

—Ah, muy bien... —mentí. La verdad es que llevaba varias semanas sin trabajar en él—. Hay bastante material por organizar.

—Bien, Mara podría ayudarte. Te la asignaré como ayudante de investigación, ¿vale?

La decana me sonrió y después a Mara; era la primera expresión animada que veía en su rostro desde que había entrado en su despacho. No cabía duda de que la alegraba poder matar dos pájaros de un tiro.

Y, francamente, hube de admitir que me vendría muy bien un poco de ayuda. Era el segundo día del semestre y las redacciones que les había encargado en clase a mis alumnos el día anterior ya llenaban mi bolsa. Quizá pudiera pedirle a Mara que las corrigiera. Aunque su manera de hablar no era muy fluida, su dominio de la lengua escrita era excelente, y se mostraba muy disciplinada y rigurosa con la gramática y la ortografía. Además, también podría pedirle que catalogara los manuscritos de Dahlia LaMotte.

—Eso sería fantástico —contesté—. Si le parece bien a Mara, claro —añadí, mirando a la muchacha. Habíamos estado hablando de ella como si fuera una prenda intercambiable.

No obstante, Mara parecía casi tan satisfecha como la decana Book.

—Será un honor trabajar para usted —dijo, con su acento formal y acartonado—. Me alegra poderle servir de ayuda.

Todavía me preocupaba un poco que algunas de mis alumnas, en especial aquellas que se sentían atraídas por Liam, pudieran tener celos de nuestra relación, pero no detecté nada de eso en clase. Ese mismo día, después de clase, Nicky Ballard se acercó para decirme que se alegraba de que ya no estuviera sola en «esa casa» y que pensaba que el profesor Doyle era perfecto para mí.

—Los dos han sido muy amables conmigo. Tengo muchas ganas de empezar el proyecto con ustedes dos. He escrito mucho durante las Navidades. —Nicky, que parecía descansada y feliz, no mostró ningún indicio de celos, a pesar de que yo sabía que se había encaprichado de Liam.

La única persona que no vio con buenos ojos mi nueva relación romántica fue Frank Delmarco, que me acorraló en el despacho del departamento a finales de semana.

—Me he enterado de que estás viviendo con el señor Poesía. Ha sido una decisión bastante rápida, ¿no te parece? ¿No acabas de romper con otro tipo? ¿Crees que es buena idea empezar a vivir con otro hombre tan pronto? Además, casi no lo conoces.

—¿Y tú quién te crees que eres? ¿Mi madre? —repuse enfadada, en parte para cubrir mi incapacidad de responder a sus preguntas.

Era consciente de que Liam y yo íbamos demasiado rápido. A veces me daba la sensación de que me había subido a una de esas cintas transportadoras que mueven a los pasajeros a través de los aeropuertos. ¿Cómo habíamos llegado hasta ahí tan pronto?, me preguntaba cuando regresaba a casa y me encontraba a Liam encendiendo la chimenea en la biblioteca y ofreciéndome una copa de vino mientras él acababa de preparar la cena. (Sabía que debería ofrecerme a cocinar de vez en cuando, pero había empezado a trabajar con Mara por las tardes y siempre llegaba a casa agotada). Después de cenar, nos acurrucábamos en el sofá delante del fuego y pensaba: «¿Qué más da? ¿Por qué cuestionar la felicidad?» Y cuando más tarde, ya en la cama, observaba el rostro de Liam encima de mí, pálido a la luz de la luna que se colaba por las ventanas cubiertas de hielo, pensaba: «Lo único que tenemos es el ahora, este momento, así que nunca debería ser demasiado pronto para ser feliz, ¿no?»

33

Fue un enero inusualmente frío en todo el país, con récord de bajas temperaturas en la mayoría de ciudades, desde Nueva York hasta Florida. Las cosechas de cítricos se echaron a perder, los manatís se acurrucaban alrededor de las corrientes calientes procedentes de los tubos de las centrales eléctricas y tuvieron que alojar a las tortugas marinas que estaban anidando en habitaciones de hotel para que no se congelaran. No obstante, en Fairwick el frío era glacial. Durante la mayor parte del mes la temperatura no sobrepasó los diez grados bajo cero. ¿Quién no querría invernar? Todos los días dibujaba la sombra de *Ralph* y quemaba el papel mientras repetía el hechizo para un viaje seguro, pero él seguía totalmente dormido. Cuando lo dejaba de nuevo en su cesta, me venían ganas de acurrucarme otra vez en la cama, en lugar de arrastrarme por la nieve para impartir una clase a un grupo de universitarios adormilados en una aula sobrecalentada.

Me decía que era normal que quisiera meterme en la cama cuando regresaba a casa del campus y que los fines de semana solo tuviera ganas de tumbarme en el sofá de la biblioteca con Liam. No nos pasábamos el día haciendo el amor; a veces leíamos y él preparaba té y tostadas de canela a las cuatro de la tarde. Y otras veces veíamos películas antiguas. A Liam, tal como había supuesto por su página de Facebook, le encantaban las mismas comedias románticas que a mí, clásicos como *La fiera de mi niña*, *Sucedió una noche* e *Historias de Filadelfia*. Y también sus homólogas modernas como *Annie Hall*, *Algo para recordar* y *Tienes un e-mail*. Se las sabía casi de memoria y, aun así, todavía parecían sorprenderle.

—Al principio no se gustan, pero luego se enamoran. Aunque no dejan de discutir ni cuando se están enamorando. ¿Por qué? ¿De verdad tienen que empezar no gustándose para acabar juntos? —preguntó.

—Bueno, así el argumento es más interesante —contesté—. Sería demasiado fácil si se gustaran desde el principio y las cosas que les molestan del otro... Pues, quizás eso sea lo que buscan en realidad, pero les asusta comprobar que existe.

—¿Y por eso siempre salen con otras personas al principio? ¿Por qué han dejado de buscar a la persona correcta y se han acostumbrado a estar con la equivocada?

—Puede ser —contesté, preguntándome si estaría pensando en mi relación con Paul, o en la suya con Moira.

Cuando llegamos a la parte de *Tienes un e-mail* justo antes de que Tom Hanks aparezca en Riverside Park y Meg Ryan descubra que su amigo secreto es en realidad el hombre que ha puesto en peligro su negocio, Liam me preguntó:

—Si te mintiera sobre algo importante y pretendiera ser alguien que no soy, ¿serías capaz de perdonarme?

—Ostras, no me digas que eres un espía de la Sociedad de Adoradores de Dahlia LaMotte y que has estado practicando sexo apasionado y salvaje conmigo solo para tener acceso a sus manuscritos —bromeé.

Esperaba que la referencia al «sexo apasionado y salvaje» lo distrajera o incluso lo animase, pero en lugar de eso se puso todavía más nervioso. Se levantó y empezó a caminar de un lado a otro delante de las estanterías.

—Todos estos libros que lees y sobre los que escribes, tus romances, ¿crees que dicen la verdad sobre el amor? —Cogió una copia de *Evelina* de la estantería y añadió—: ¿Podría alguien leerlos para aprender a estar enamorado?

—No son manuales de instrucciones —repuse, empezando a enfadarme. No tenía energías para un debate filosófico sobre la naturaleza del amor, o puede que me hubiera tocado el punto débil. A veces me preguntaba si el verdadero motivo por el que leía romances era para descubrir qué significaba estar enamorada, pero otras veces me preocupaba que el hecho de leer todas esas historias románticas me hacía sentirme insatisfecha con el amor en la vida real—. No hay ningún manual. La gente aprende con la experiencia. Se precisa tiempo. No se puede estudiar como si fuera economía o aprendieras a tocar el piano...

Puede que mi mención a la economía con el correspondiente recordatorio de Paul fuera lo que le sacó de quicio.

—¿Y entonces de qué sirven? —preguntó, lanzando *Evelina* por los aires. Y se marchó furioso de la biblioteca.

—¡Oye! ¡Es una edición de 1906! —protesté. Pensé salir tras él, pero de pronto me sentía demasiado cansada; cansada de los arrebatos de Liam y agotada físicamente.

Me acurruqué en el sofá y me tapé con la manta de alpaca que Phoenix había comprado. Todavía olía a Jack Daniel's y Shalimar. Pensar en Phoenix me hizo sentir lástima de mí misma. Todo el mundo me abandonaba: Phoenix, Paul, y ahora Liam. Y ya había empezado a sollozar cuando este regresó, arrepentido y oliendo a aire libre. Cuando apoyó su frente contra la mía, noté que la tenía helada.

—Lo siento —se disculpó—. ¿Quieres que acabemos de ver la peli?

—No —contesté, pasándole los brazos alrededor del cuello—. Creo que necesitas un poco más de experiencia en el arte del amor.

—¿Sí? —dijo, levantándome en brazos y dirigiéndose a las escaleras—. ¿Así?

—Curso básico de Rhett Butler. Sí, justo así.

A medida que enero daba paso a febrero, tenía que admitir que mi fatiga constante no se podía deber únicamente a los efectos de mucho sexo. Me pasaba algo. Puesto que todavía no tenía un médico de cabecera en la zona, decidí acudir a la enfermería de la universidad antes de clase. Me encontré con una sala de espera abarrotada, repleta de estudiantes con los ojos llorosos que se sorbían la nariz y una enfermera agobiada.

—¿Qué sucede?—pregunté al registrarme. Reconocí los nombres de algunos chicos en la hoja de registros: Flonia Rugova, Nicky Ballard y también Richie Esposito, a quien recordaba de la clase de Escritura Creativa—. ¿Es gripe porcina?

La enfermera, Lesley Wayman, según su identificación, levantó un dedo para indicarme que me esperara mientras estornudaba.

—No —contestó—. Esta ya casi ha pasado. Es otra cosa. La doctora Mondello cree que se trata de mononucleosis infecciosa, aunque de momento las pruebas han dado negativo.

—¿Cuáles son sus síntomas? —quise saber.

—Fatiga, sudores nocturnos, anemia...

—Yo estoy muy cansada, pero no he notado sudores nocturnos... —comenté, y me sonrojé levemente al recordar lo mucho que sudaba en realidad debido a mis actividades nocturnas. Y no sabía si estaba anémica o no, aunque nunca lo había estado antes.

—Tome asiento —dijo la enfermera Wayman—. La doctora le atenderá lo antes posible.

Me senté en una incómoda silla de plástico, la única libre, y saqué una pila de redacciones pendientes de corrección. En aquella sala había suficiente silencio para trabajar tranquilamente; de hecho, el único ruido que se oía era el zumbido de la calefacción por aire y el débil susurro de los MP3 que varios estudiantes llevaban conectados a los oídos. Corregí dos redacciones, sumando el chirrido de mi bolígrafo rojo al silencioso ambiente, antes de darme cuenta de algo muy extraño: estaba en una sala repleta de universitarios y nadie estaba hablando. Lo más normal sería que en un grupo de chicos entre dieciocho y veinte años, que estudiaban en la misma universidad, alguien tuviera algo que decir, ¿no?

Levanté la vista y los observé. Justo delante de mí, repantigado en una silla demasiado pequeña, había un muchacho con el cabello greñudo, perilla y un *piercing* de plata en la nariz. Lo reconocí de la clase de Liam, pero no recordaba su nombre. ¿Wes? ¿Will? ¿Waylon? Era un nombre que empezaba por W, o quizá la W que llevaba tatuada en el cuello me confundía. Tenía los ojos cerrados y movía la cabeza al ritmo de la música que se escapaba tenuemente de sus auriculares de plástico... No; meneaba la cabeza porque se había quedado dormido. Cada vez que su cabeza se inclinaba hacia delante la levantaba por reflejo y emitía un sonido ahogado. Dolía ver aquellos movimientos, pero también era un tanto gracioso. Miré alrededor para comprobar si alguien más se había percatado de sus meneos, pero todos los demás dormían o tenían la mirada perdida u observaban la nevada por la ventana con expresión distraída. Aparte de que nadie hablaba, tampoco leían ni escribían ni dibujaban. La única persona que tenía un libro en el regazo era Flonia Rugova, que estaba sentada en el único sofá de aspecto cómodo que había en aquella sala de espera. Me levanté y me acerqué a ella. Le toqué el hombro y se estremeció.

—Profesora McFay, ¿de dónde sale? No la había visto.

—Pues llevo quince minutos aquí, pero yo tampoco te había visto. Estaba corrigiendo unos trabajos. Diría que no me has visto porque estabas absorta en tu libro, pero aunque no soy una experta en checo, sé que no se lee del revés.

Flonia bajó la vista al libro que tenía en el regazo: *Poemas* de Czeslaw Milosz.

—Ah —dijo—. Lo estoy leyendo para un estudio independiente que estoy haciendo con el profesor Doyle y el profesor Demisovski. Es muy bueno, pero de algún modo leo dos líneas y me quedo mirando al vacío. —Bostezó—. No sé qué me ocurre, pero me paso el día durmiendo y tengo unos sueños muy raros que...

—¿Flonia Rugova?

Pensé que Flonia se había interrumpido a media frase porque la enfermera Wayman la había llamado, pero no hizo ningún ademán de levantarse ni de haber reconocido su nombre. Y cuando bajé la vista vi que se había quedado frita.

—¿Flonia? —Le toqué el antebrazo. Tenía la piel fría—. Creo que es tu turno.

—¡Ay! —exclamó, despertando sobresaltada. El color de sus mejillas se había oscurecido y me miró como si no me reconociera.

—¿Señorita Rugova? —La enfermera se había acercado—. La doctora Mondello ya puede recibirla.

Flonia me sonrió y se levantó. El libro de poemas cayó al suelo. Lo recogí y se lo di.

—¡Czeslaw Milosz! —exclamó, como si fuera la primera vez que lo veía—. Me encanta. ¡Muchas gracias!

La doctora Mondello, una mujer alta de pelo muy corto y ojos grandes de mirada profesional, me escuchó atentamente mientras le describía mis síntomas y ella me auscultaba el corazón y los pulmones. Me examinó la garganta y los oídos, me palpó las glándulas y me sacó una muestra de sangre. Después me formuló las preguntas habituales.

—¿Dificultad para respirar?

—No —respondí, recordando mis jadeos cuando hacía el amor con Liam.

—¿Palpitaciones cardíacas?

—No creo. —Aunque en ese momento el corazón me latía con fuerza al pensar en Liam.

—¿Mareos?

—Tampoco. —No creía que la sensación de desvanecimiento que sentía cuando miraba a Liam a los ojos fuera relevante clínicamente.

—¿Pérdida de peso?

—¡Ojalá! Últimamente como tanto como un camionero.

—¿En serio? Me ha parecido que los pantalones le van un poco holgados. ¿Se ha pesado?

Negué con la cabeza y me pidió que me subiera a la báscula.

Pesaba dos kilos y medio menos que la última vez que me había pesado, que fue justo antes de Navidad.

—¿Suele comer en la cafetería?

—No. ¿Por qué? ¿Cree que podría ser algún tipo de intoxicación alimentaria?

—No, nadie ha tenido problemas digestivos, pero estoy recibiendo muchos casos de anemia. Me preguntaba si en el campus servían alguna comida que absorba el hierro de la sangre. Algunos alimentos son inhibidores de la absorción de hierro, como el vino tinto, el café, el té, las espinacas, las acelgas, los boniatos, los cereales integrales y la soja. ¿Últimamente ha consumido grandes cantidades de alguno de ellos?

—No, creo que no —contesté.

La doctora suspiró.

—Y tampoco ninguno de los pacientes que presentan anemia. Me temo que era una idea un tanto loca. —Se rio de sí misma con naturalidad—. Pero no tan loca como la primera.

—¿Y esa cuál fue? —quise saber.

—Vampiros —respondió, arqueando las cejas en expresión burlona—. Cuando empecé a ver tantos pacientes con anemia lo primero que pensé fue que a todos estos chicos les estaban chupando la sangre.

34

Salí de la enfermería sintiéndome peor que antes de entrar. A pesar de que la doctora Mondello había bromeado (era obvio que no conocía el secreto de Fairwick), no pude evitar plantearme si estaría en lo cierto. ¿Se estarían alimentando los profesores de Estudios Rusos de la sangre del alumnado? No parecía muy probable; si pudieran suponer un peligro para los estudiantes, no se les permitiría la entrada al campus. No obstante, Frank había dicho que en el pasado habían recibido quejas similares de la universidad. Tenía que comentarle mis sospechas a alguien... Pero ¿a quién? Liz Book no estaba en condiciones de tomar medidas al respecto. Quizá los vampiros habían pensado aprovecharse de los estudiantes viendo que la decana estaba demasiado débil para plantarles cara. Incluso cabía la posibilidad de que fueran ellos los culpables del estado de la decana.

En clase apenas podía concentrarme. Por suerte, ese día vimos una película, *Drácula*, de 1931, con Bela Lugosi. Aunque la verdad es que no fue la mejor elección para una mañana nevosa y gris como aquella. Cuando llegamos a la parte en que el conde logra llegar a Inglaterra, la mitad de los estudiantes ya se habían quedado dormidos y no me vi con fuerzas para despertarlos. De manera que en lugar de ver la película, me dediqué a estudiar los rostros somnolientos de mis alumnos, que parecían, a la luz parpadeante de la película en blanco y negro, tan pálidos y débiles como la pobre Lucy Westenra tumbada en su gran cama de estilo victoriano, totalmente consumida por el conde. No veía ninguna marca de mordiscos en sus cuellos, pero muchos llevaban jerséis de cuello alto o bufandas. Además, había leído suficientes novelas de vampiros para saber que el cuello no es el único lugar donde suelen morder.

Cinco minutos antes de que terminara la clase, justo antes de que Van Helsing y Jonathan Harker salvaran a Mina, paré la película y encendí la luces del aula. Los alumnos parpadearon y se taparon los ojos como una banda de vampiros jóvenes expuestos al sol, pero en lugar de carbonizarse, bostezaron y empezaron a comprobar a escondidas si tenían mensajes en el móvil o el portátil.

—¿Qué creéis? ¿Lograrán salvar a Mina? —les pregunté, a ver si al menos alguno se había leído el libro entero.

Pero Nicky Ballard, de quien me constaba que sí que lo había leído, respondió con otra pregunta:

—¿Y cuál sería la diferencia? Drácula ya la ha contaminado. Nunca volverá a ser la misma.

Me sorprendió tanto su tono ansioso que le pedí que se quedara después de clase. Había visto su nombre en la hoja de registros de la enfermería y me pareció que estaba pálida y cansada, pero hasta que la miré de cerca no me percaté del mal aspecto que presentaba. Tenía la tez del blanco azulado de la leche desnatada, ojeras oscuras y el cabello grasiento, que le colgaba en mechones alrededor del rostro. Apenas dos semanas antes la había visto feliz y descansada.

—Nicky, ¿qué te pasa? ¿Estás enferma?

Se encogió de hombros.

—Me han hecho un montón de pruebas en la enfermería, pero no han encontrado nada, salvo una carencia de vitamina B_{12}. Me están poniendo unas inyecciones, pero creo que no me sirven de nada. —Bostezó.

—¿Y duermes bien?

—No —contestó Nicky, sacudiendo la cabeza—. Estoy durmiendo de nuevo en la residencia. —Se sonrojó, pero eso no le aportó vida a su rostro; solo le concedió un aspecto febril y resaltó el sarpullido que tenía en la frente y alrededor de la boca—. Pero ahora somos muchas en la habitación, ya que Mara le pidió a Flonia que se instalase con ella porque el semestre pasado yo pasaba la mayor parte del tiempo con Ben. Pero la semana pasada Ben y yo tuvimos una discusión muy fuerte y hemos roto. Así que he vuelto a instalarme en la residencia.

—Lo lamento, Nicky. Sé lo duro que es.

—Usted también rompió con su novio, ¿verdad?

No me gustaba hablar de mi vida privada con mis alumnos, pero Nicky me estaba mirando con tal ansiedad que no tuve el coraje de eludir su pregunta.

—Sí, y fue muy duro, pero después comprendí que no estábamos hechos el uno para el otro.

Nicky asintió y se mordió el labio.

—Y entonces empezó a salir con el profesor Doyle. Así que se podría decir que la separación fue positiva. Flonia dice que un clavo saca otro clavo.

—Bueno, es un poco más complicado que eso... —empecé, pero al ver su expresión hice una pausa. Tenía frente a mí a una chica de diecisiete años (casi dieciocho) pidiéndome consejo. Hasta el momento le había ofrecido un modelo de mujer que saltaba de una relación a otra con apenas una pausa para respirar. ¿Era eso lo que quería que hiciera Nicky? La imaginé metiéndose en la cama con el primer chico que se le cruzara por delante. ¿Quién sabe? Quizás así se quedaría embarazada y echaría a perder su vida, cumpliendo la maldición. De manera que en lugar de salvarla, mi ejemplo daría lugar a su perdición—. No es buena idea meterse en otra relación cuando todavía estás sufriendo por la anterior, pues una no está en condiciones para tomar decisiones y podría acabar haciéndose daño a sí misma y a la otra persona.

—Pero usted y el profesor Doyle...

—Somos más mayores y las circunstancias son diferentes... Y aun así, ¿quién sabe cómo nos irá juntos? Pero al menos somos lo suficientemente maduros para lidiar con las consecuencias de nuestros errores. Creo que ahora deberías concentrarte en tus estudios y en hacer realidad tus sueños...

—¿Mis sueños? —exclamó Nicky, sonrojándose de golpe—. Tengo unos sueños horribles. Sueño que estoy perdida en un bosque helado y veo unos carámbanos colgando de los árboles que se parecen a los adornos que prepara la gente del pueblo, pero dentro de cada uno de ellos hay uno de mis sueños: ser escritora, ser amada, viajar, hallar mi lugar en el mundo... Y todos se están derritiendo. Corro de un carámbano a otro para rescatar mi sueño antes de que se derrita y se derrame en el suelo del bosque, pero todos se me escurren entre los dedos. Así que al despertar sé que ninguno de mis sueños se hará realidad. Acabaré como mi madre y mi abuela. Y viviré sola en esa casa vieja hasta que me muera.

—Todos nos preguntamos en algún momento si lograremos hacer realidad nuestros sueños —le dije, recordando algunos momentos en la universidad en los que pensaba que mi abuela tenía razón acerca de mí y que nunca llegaría a nada—. Pero eso es a causa del miedo; se acerca a ti cuando estás cansada y triste y te susurra historias pesimistas al oído.

Nicky se sobresaltó y me miró.

—Eso es exactamente lo que siento, profesora. Cuando despierto por las mañanas me da la sensación de que alguien ha pasado la noche susurrándome cosas horribles al oído. Y por eso estoy tan cansada siempre. Esos susurros no me dejan dormir.

—Quizá deberías dormir con tapones —sugerí, medio en broma—. Y por las noches cierra la puerta con llave —añadí, temiendo que el susurrador nocturno de Nicky pudiera ser un vampiro que se colaba en su habitación.

Ella se secó los ojos y sonrió.

—Puede que eso de los tapones sea buena idea. Mara y Flonia se quedan despiertas charlando hasta tarde y me cuesta dormir. —Consultó su reloj—. Oh, llego tarde a la clase del señor Doyle. Será mejor que me vaya. Gracias por escuchar mis ridículos problemas, profesora. Significa mucho para mí tener alguien con quien hablar.

—Cuando quieras, Nicky. De verdad. Si hay algo más que te preocupa... algo que te dé miedo...

—Gracias. Por cierto, una cosa más. Seguiré su consejo en lo de no meterme en la cama con otro chico enseguida, pero no creo que se haya equivocado al empezar a salir con el señor Doyle. Me parecen la pareja ideal.

Nicky se marchó y me quede en el aula vacía unos minutos intentando decidir qué hacer. Normalmente me iba a la biblioteca una hora y después me reunía con Mara en mi despacho para repasar las redacciones que había corregido. Pero últimamente le pedía que viniera a la Casa Madreselva por las tardes para catalogar los manuscritos de Dahlia LaMotte. Mara, que había resultado una ayudante de investigación diligente y organizada, había ideado un sistema para indexar las cartas y los manuscritos de la escritora. Puesto que los escritos no podían salir de allí, la había invitado a trabajar en casa. De manera instintiva, evité que viniera cuando Liam rondaba por casa. Parecía haber cierta antipatía entre ambos, que atribuí a la decepción de Mara por haber perdido el protagonismo que Phoenix le concedía en la clase de Escritura Creativa. Había elegido las horas en que Liam impartía sus clases de la tarde y dirigía el estudio independiente de Nicky, que la mayoría de días realizaba él solo. No obstante, resultaba agotador mantenerlos separados, aparte de que yo no tenía ni un minuto para mí misma durante el resto de la tarde. De manera que si quería hablar con Frank Delmarco sobre el gran número de estudiantes que habían caído enfermos, sería mejor que lo hiciera en aquel momento.

Bajé por las escaleras traseras para no pasar por delante de la clase de Liam. Sabía que era ridículo y que aunque él me viera solo pensaría que iba a mi despacho, pero sospechaba que se pondría celoso si supiera que iba a ver a Frank. No sé en qué se inspiraba esa sospecha. De hecho, había sido Frank quien se había mostrado celoso de Liam, no a la inversa, pero recordé con cierta culpabilidad la primera tarde que nos conocimos (¿de verdad solo habían pasado dos meses y medio?) y me pilló burlándome de él con Frank. Cuando le pedí disculpas, Liam se limitó a reír y dijo, en tono formal, que ya me había perdonado, pero nunca dijo que también hubiera perdonado a Frank.

Frank estaba en su despacho en su postura habitual: los pies encima de la mesa y el periódico abierto tapándole el rostro. Sin embargo, no quedaba rastro de la parafernalia de los Jets, pues el equipo había perdido unas semanas antes en el campeonato de la AFC.

—Siento que los Jets perdieran —dije para ablandarlo antes de exponerle mi teoría.

Él se encogió de hombros.

—Me lo esperaba. Están gafados. Uno de estos días encontraré al culpable de su racha de mala suerte y entonces los Jets ganarán tres Super Bowls seguidas.

—¿Lo dices en serio? ¿Crees que alguien los ha...?

—¡Ni lo digas! —Dejó el periódico en el escritorio y alargó los brazos con las palmas por delante—. Cada vez que alguien lo duda, la mala suerte se acrecienta. No me mires así. ¿De veras crees que fue una casualidad que Bill Belichick solo fuera el primer entrenador de los Jets durante una hora?

—Ah. —Sí, tenía su lógica, pero no estaba allí para hablar de deporte—. Por cierto, ¿has visto cuántos estudiantes han caído enfermos?

Frank bajó los pies de la mesa y se inclinó sobre su escritorio.

—Sí, lo sé, pero las universidades son un criadero de gérmenes. Seguro que casi todas las enfermerías de las universidades del noreste están ahora mismo abarrotadas.

—¿Abarrotadas de casos inexplicables de fatiga, anemia y pérdida de peso? —repliqué.

—Bueno, esos síntomas podrían estar causados por las largas trasnochadas, la comida basura y la baja autoestima respecto a la propia imagen física... pero espera. —Me miró de la cabeza a los pies de un modo que me hizo sonrojar—. Tú también has perdido peso, ¿verdad? Y pareces cansada.

—Estoy cansada, aunque me paso el día en la cama. ¿Podría ser que...? —Me ruboricé más—. ¿Podría ser que a una persona la mordiera un vampiro y no se diera cuenta?

Frank se levantó y se acercó. Me apartó el cabello a un lado y de repente me examinó el cuello. Soltó un juramento y su aliento me hizo cosquillas detrás de la oreja.

—Con esta luz no veo nada...

Me cogió del brazo, me hizo sentar en el borde de la mesa y enfocó la lámpara hacia mi cuello. A continuación, me inclinó la cabeza a un lado y otro, y me palpó la piel con sus ásperos dedos, a la vez que me explicaba con voz formal el *modus operandi* de los vampiros:

—Es posible que un vampiro beba la sangre de una víctima sin que esta se dé cuenta. Lo haría por la noche, por supuesto, pero tendrían que haberlo invitado previamente. ¿Ha estado alguno de los profesores de Estudios Rusos en tu casa?

—No —respondí, y solté un chillido cuando deslizó la mano por debajo de mi blusa.

—Perdón. No veo ninguna marca, pero tendrás que comprobar la arteria femoral. ¿Sabes dónde está?

—Sí —asentí, sonrojándome todavía más.

—¿Duermes sola? —preguntó.

—Pues... no. —La sangre me ardía en el pecho. Esperaba que Frank no pensara que era una reacción a su roce. Porque no lo era.

—Entonces lo más seguro es que no se trate de un ataque vampírico. De todas maneras, lo investigaré.

Lo único que estaba investigando en ese momento era mi escote.

—Oye, no creo que los vampiros muerdan ahí —protesté.

La boca de Frank se curvó para formar una sonrisita.

—¿No? —preguntó, arreglándome el cuello de la blusa. Y justo cuando se estaba apartando, oí un paso detrás de él.

Miré por encima del hombro y vi a Liam, plantado en el pasillo, pálido y con los ojos como platos.

Abrí la boca para llamarlo, pero desapareció en un abrir y

cerrar de ojos, tan rápido que casi pensé que lo había imaginado. Ojalá.

Intenté apartar a Frank de un empujón, pero su pecho era un obstáculo sólido.

—¿Liam? —preguntó, apretando los labios para disimular una sonrisa—. Vaya. Vista desde la puerta, no debíamos de ofrecer una imagen tranquilizadora.

—Tengo que ir a buscarlo. —Intenté empujar a Frank de nuevo y esta vez se apartó.

—Seguro que se te ocurre una buena explicación para justificar por qué tenía la mano dentro de tu blusa —sonrió, sin disimular que aquella situación le hacía gracia—. Ya me dirás lo que le cuentas. Estaré encantado de respaldar tu versión.

Abrí la boca para contestarle, pero no podía perder el tiempo con él.

—Limítate a descubrir por qué nuestros alumnos están cayendo enfermos como moscas —espeté mientras salía de la habitación—. Y ya me ocupo yo de Liam.

No miré atrás, pero oí la risa de Frank mientras me apresuraba escaleras abajo. Esperaba que Liam hubiera regresado a su aula puesto que todavía le quedaban veinte minutos de clase. ¿Y para qué había subido al despacho de Frank? ¿Quizá para coger algún libro? Su aula estaba vacía, a excepción de un chico rubio que parecía dormir con la cabeza apoyada en los brazos.

—Oye. —Le sacudí el hombro. Cuando me miró lo reconocí por el tatuaje de la «W»: era el chico que había echado la cabezadita en la enfermería por la mañana—. ¿Qué ha pasado con la clase de Escritura Creativa?

—Sí, asisto a esa clase, tía. Estoy aquí. Ya he llegado.

—Me alegro por ti, pero ¿dónde están el resto de los estudiantes y el profesor Doyle?

—¿Liam? Es un tío guay... —Se frotó los ojos y miró alrededor—. Oye, ¿dónde se han metido todos?

Suspiré con frustración y me volví para marcharme, pero el muchacho me agarró del brazo y señaló a la pizarra.

—Mira, me han dejado una nota. ¿A que mola?

Había una frase escrita con la letra elegante de Liam: «Wilder, he cancelado la clase por baja asistencia. Vuelve a tu habitación y duerme un poco.»

Al leerla noté un nudo en la garganta. Liam debía de haberla escrito minutos antes de subir y encontrarme con Frank en situación más que comprometida a sus ojos.

—¿Cuánto hace que...? —empecé a preguntarle a Wilder, pero al darme la vuelta vi que el chico se había quedado dormido otra vez.

Salí del pabellón Fraser y crucé el campus mirando en todas direcciones en busca de Liam, pero era difícil distinguir los rostros de los peatones, que se encorvaban para protegerse de la nieve que en ese momento caía con fuerza. Me detuve en la biblioteca para comprobar si estaba ahí, pero la sala donde solía sentarse estaba vacía, salvo por unos pocos estudiantes que leían o dormían. Todavía faltaba una hora para que se reuniese con Nicky para el estudio independiente, de manera que debía de haber vuelto a casa.

Empecé a bajar a toda prisa por el sendero que conducía a la salida sudeste, pero después de cruzar la puerta reduje el paso. Distinguí las pisadas de Liam en la nieve en dirección a casa, pero ninguna en sentido opuesto. La luz del dormitorio que había convertido en su estudio estaba encendida. De manera que sí estaba allí. Me llevé la mano al pecho, consciente por primera vez de lo rápido que me latía el corazón y del miedo que había pasado temiendo que pudiera haberse marchado. Pero la incertidumbre sustituyó rápidamente a mi sensación de alivio. ¿Qué le iba a decir? ¿Cómo le iba a explicar lo que había visto en el despacho de Frank? Podía intentar convencerle de que Frank me estaba quitando una garrapata del pelo, pero ¿por debajo de la blusa? No, nunca podría decir semejante trola sin que se me escapara la risa.

También podía contarle la verdad: que había ido a ver a Frank porque sospechaba que los vampiros residentes de la universidad se estaban alimentando de la sangre de los estudiantes, y quizá también de la mía. «¿Por qué no?», pensé con actitud desafiante. Nadie me había dicho que tuviera que guardar el secreto. Y podría llevar a Liam ante Liz y Soheila para que respaldaran mi historia...

Me detuve a medio camino. Aunque lograra convencerlo de que en Fairwick había brujas y hadas, solo podría explicar lo que había sucedido en el despacho de Frank revelando su verdadera identidad; primero a Liam y más tarde a todas las personas que pudieran confirmar mi historia. Y si descubrían quién era Frank en realidad, este no podría investigar qué nos estaba haciendo enfermar a los estudiantes y a mí. Y aunque Frank me pareciera arrogante y fastidioso, también sospechaba que era la persona más competente y eficiente para descubrirlo. No podía comprometer su capacidad de maniobra.

Acabé de cruzar la calle y subí despacio los escalones del porche. Cuando abrí la puerta, todavía sin saber qué iba a decirle a Liam, me tropecé con algo que había en el suelo del recibidor. Era un nido de pájaro con un huevo azul agrietado. Lo contemplé, preguntándome cómo había ido a parar allí y recordé entonces que era uno de los «hallazgos» que Liam había traído a casa después de uno de sus paseos inspiradores y que lo había dejado en la mesa del recibidor. Eché un vistazo a la mesa: los demás objetos que solía haber encima (un bol de madera para las llaves, la calderilla y la bandeja con los menús de restaurantes de comida a domicilio) estaban desperdigados por el suelo. Con la llave en la mano (no sabía dónde dejarla en medio de aquel desorden), seguí los escombros escaleras arriba, sin lograr esquivar los trozos de cristal azul de una botella que solía estar en la repisa del rellano. Me detuve en el umbral del estudio de Liam. Él estaba sentado a su escritorio, que estaba vacío salvo por las piedras lisas y redondeadas que había recogido y que utilizaba como pisapapeles, mirando a través de la ventana con expresión ausente. La luz fría y gris le decoloraba la cara; estaba blanco como la camisa de algodón que yo misma había lavado y planchado. Su cabello negro y sus ojos, hundidos en las cuencas, parecían formar parte de las sombras de la tarde, al igual que los pliegues de su abrigo oscuro. Bajo esa cruda luz invernal, parecía que pudiera desvanecerse al mínimo pestañeo.

—Liam... —empecé.

Levantó la mano sin volverse hacia mí.

—No digas nada. No tienes que darme explicaciones. Lo entiendo.

—¿En serio? —Entré despacio en la habitación y me senté en el brazo de la silla que habíamos comprado en Bovine Corners unas semanas atrás.

—Sí. Sé que hemos ido demasiado rápido... y que nunca te di tiempo para recuperarte de la ruptura con Paul. Es normal que tengas dudas.

—¡No las tengo! —exclamé, poniéndome en pie—. Lo que has visto... no es lo que piensas. Frank estaba...

Al oír ese nombre hizo una mueca de dolor y levantó la mano de nuevo. En ese momento advertí que Liam estaba temblando.

—Me da igual. No me importa lo que puedas haber hecho o no con Frank Delmarco. Lo que me entristece es lo que le has dicho a Nicky Ballard.

—¿Lo que le he dicho a Nicky Ballard? —Me senté en la silla sin saber a qué se refería—. Hable con Nicky de su ruptura con su novio... —Y entonces lo recordé—. Ella creía que encontrar un novio nuevo era la mejor cura para el dolor porque pensaba que eso había hecho yo.

—¿Y es así? —Se volvió hacia mí. Tenía los ojos enrojecidos, el único toque de color en su rostro—. ¿Por eso estás conmigo? ¿Porque un clavo quita otro clavo?

—No. Sé que desde fuera puede parecerlo, pero nuestra relación... Sé que no tiene nada que ver con Paul.

—Pero dijiste que lo nuestro podía ser un error.

—¿Eso te contó Nicky?

—Escribió sobre ello en el trabajo que me ha entregado hoy.

—Ah —dije, intentando recordar cuáles habían sido mis palabras exactas—. Creo que lo que le dije es que tú y yo somos lo suficientemente mayores para lidiar con las consecuencias de nuestros errores. No quería decir que nuestra relación fuese un error.

Ladeó la cabeza y entornó los ojos.

—Por lo que he visto hoy en el despacho de Frank, parece que tienes tus dudas.

—¡Oye, hace un minuto has dicho que eso no te importaba! De todos modos, no era lo que parecía.

Liam rio, sorprendiéndome.

—Eso es lo que el infiel suele decir en las películas cuando le pillan con otra.

—Liam, por favor, ¡esto no es un peli! —Empezaba a exasperarme—. A veces creo que todo lo que sabes del amor lo has aprendido viendo películas. —Lamentablemente, en ese instante recordé a Jeannie y las cosas que Liam había aprendido de su relación con Moira, pero era demasiado tarde, ya lo había dicho. Y él ya se había levantado y estaba cogiendo el petate que tenía a los pies, del que no me había percatado antes.

—¡Liam! —grité, cogiéndolo del brazo—. No quería...

Pero él apartó el brazo de golpe, como si mi tacto quemara, y levantó la mano apretando el puño, mirándome con sus ojos oscuros y salvajes en su rostro pálido. Entonces se volvió y se fue, tan deprisa que sentí el revuelo del aire que sacudió su abrigo cuando se dio la vuelta. Me quedé mirándolo hasta que un dolor agudo en mi mano captó mi atención. Bajé la vista y comprobé que me había deslizando el canto dentado de la llave entre los dedos, tal como Annie me había aconsejado que hiciera cuando pensara que alguien me estaba siguiendo. Una parte de mi cerebro se había asustado tanto por la brusca reacción de Liam que yo misma me había preparado para atacarlo.

35

No tuve mucho tiempo para pensar en la discusión, ni en el sorprendente destello de violencia que había vislumbrado en los ojos de Liam, porque quince minutos después de que este se marchara Mara se presentó en casa. Cualquier otro estudiante de primer curso habría aprovechado mi ausencia en la universidad para tomarse la tarde libre, pero Mara no.

—Supuse que usted querría avanzar un poco más con los manuscritos de Dahlia LaMotte. Son tan fascinantes... —explicó.

Normalmente le hubiera dicho que tenía razón, pero esa tarde lo que menos me apetecía era catalogar las fantasías románticas de una solterona ermitaña, y todavía menos con Mara, que siempre acababa topándose con los fragmentos más eróticos de las novelas. No era mi intención que la muchacha leyera los pasajes más eróticos de los manuscritos; solo le había pedido que tomara nota de cuántas páginas escribía LaMotte cada día. Quería averiguar si escribía más a medida que el libro progresaba, si a veces se bloqueaba y cuánto tiempo se tomaba entre libro y libro. Pero era imposible evitar que Mara leyera con avidez y casi siempre elegía las escenas más picantes para leerlas en voz alta y me pedía explicaciones embarazosas de algunos términos sexuales. Siempre que se topaba con una palabra que desconocía, se sentaba a mi lado, demasiado cerca, y me señalaba el término en cuestión. A veces me parecía que intentaba incomodarme a propósito, como si quisiera insinuarse. Mara hacía que las tardes se hicieran largas e incómodas, pero ese día descubrió algo muy interesante.

—Me he dado cuenta —empezó, levantando la vista de su cuaderno de hojas amarillas en el que llevaba la cuenta de la páginas— de que hay una correlación entre el rendimiento de la señorita LaMotte y las escenas de sexo.

—¿En serio? —pregunté, impresionada por su uso de «correlación».

—Sí, mire... —Se acercó y se arrodilló a mi lado. Me puso el cuaderno amarillo en el regazo y me señaló lo que había encontrado, rozándome con el brazo—. He marcado con asteriscos los fragmentos en que se produce una interacción romántica: un asterisco para una mirada sugerente, dos para un beso y tres para el acto sexual en sí...

—Vale, ya lo entiendo. ¿Y cuál es exactamente la correlación que ves?

—Eche un vistazo al recuento de páginas. Entre las escenas de miradas sugerentes y las de besos, la señorita LaMotte escribía entre diez y quince páginas al día. Y la secuencia se repite en todas sus novelas, ¿lo ve? Las he catalogado todas con el mismo método.

Mara comenzó a pasar las páginas del cuaderno, todas marcadas con varios asteriscos. «Eso son muchísimos besos», pensé, intentado recordar la última vez que Liam me había besado. ¿Habría sido la última de verdad?

—Y entre el primer beso y el acto sexual escribía entre veinte y treinta páginas al día —continuó la joven—. El número aumenta a veces hasta las sesenta páginas diarias a medida que se acerca la escena de sexo.

—¿En serio? —pregunté. Aquel descubrimiento hizo que dejara de pensar en los besos de Liam. Cogí el cuaderno y me moví un poco para que Mara no estuviera tan cerca de mí—. Eso es interesante...

—Lo que de verdad es interesante es que después de la escena de sexo el recuento de páginas disminuye de nuevo. A veces incluso pasaba unos días sin escribir, como si estuviera exhausta.

Hojeé las páginas, cada una de las cuales analizaba una de las novelas de Dahlia LaMotte. Mara tenía razón: había un patrón repetido. Era como si la autora se motivara a medida que aumentaba la tensión sexual entre sus personajes y como si después de hacer el amor esta sufriera una especie de bajón poscoital.

—Mara, has hecho un descubrimiento muy importante. Muchas gracias.

La muchacha me dedicó una sonrisa extraña y las mejillas se le ruborizaron. Casi estaba guapa. «Pobre chica —pensé—, necesita que le den ánimos. Debería esforzarme un poco más con ella... Invitarla un día a cenar a casa con algunos estudiantes más...» Pero esa noche no; esa noche solo me apetecía meterme en la cama y dormir.

—Me gustaría revisar todo esto y pensar en lo que has descubierto —dije, poniéndome en pie—. Ahora demos por terminada la jornada.

Mara pareció decepcionada, pero inmediatamente recobró el ánimo.

—¿Podemos seguir trabajando mañana? —preguntó.

—Claro —contesté, a pesar de que el día siguiente tocaba libre. Quizá fuera mejor que me volcara en el trabajo para distraerme y dejar de torturarme con la discusión con Liam.

Después de que Mara se marchara, me preparé una sopa y me la llevé arriba para tomarla en mi habitación. La casa se me antojaba vacía sin Liam. Fui a su estudio y miré por la ventana al otro lado de la calle para comprobar si había luz en la habitación que Liam solía ocupar en la posada. No estaba iluminada. ¿Se habría ido a otro lugar? ¿O habría pedido otra habitación? ¿O puede que estuviera allí durmiendo a pierna suelta, nada perturbado por nuestra discusión?

Antes de salir del estudio me percaté de que Liam había apilado sus piedras redondeadas en un montón, como si hubiera estado diseñando una tumba. Me pareció tan espeluznante que esparcí las piedras y me llevé una a mi dormitorio; redonda y fría, me resultaba relajante en la palma de la mano.

A pesar de lo cansada que estaba, esa noche me costó dormir. Incluso el manuscrito subido de tono de *El asaltante vikingo* no logró distraerme. Había llegado a la parte en que pagan el rescate y la heroína regresa con su prometido de la realeza. Pero la noche antes de su liberación, su raptor vikingo entra en su habitación por última vez...

... Como una tormenta en el mar que llegaba para hacer zozobrar mi decisión.

—¿Te hará esto tu joven noble? —gruñó, hundiendo su rostro hirsuto entre mis senos y lamiéndome los pezones hasta endurecérmelos—. ¿Y esto? —Me agarró las caderas y apretó su hombría contra mí, pero enseguida retrocedió, mofándose de mí.

Me adelanté hacia él, ansiosa por sentirlo al fin dentro de mí. Él siempre había evitado esta última intimidad entre nosotros, para preservar mi doncellez para mi futuro esposo. Pero poco me importaba ya lo que este pudiera pensar en nuestra noche de bodas. Le rodeé las caderas con las piernas y tiré de él hacia mí, rogándole que me penetrara.

—Ay, muchacha —gimió cuando al fin entró en mí—. Me has vencido. Ahora soy yo tu prisionero.

Y a pesar de que sabía que, según la lógica de esas novelas, el vikingo y la joven irlandesa acabarían juntos en la última página, las lágrimas acudieron a mis ojos cuando el raptor le entrega la llave de su celda como regalo de despedida y ella lee la nota atada a ella con una cinta escarlata.

Te entrego la llave de tu libertad, muchacha, pero ¿puedes tú devolverme la llave de mi corazón?

Cuando apagué las luces, el lado de la cama de Liam (¿cómo podíamos habernos adjudicado lados tan deprisa?) pareció separarse como la grieta de un glacial donde podía caer al mínimo descuido. Permanecí tumbada, tensa, repasando una y otra vez la discusión, intentando hallar la manera de que terminara de un modo diferente, pero siempre arribaba al mismo resultado: dudaba de que Liam y yo estuviéramos bien juntos, le decía a Nicky que mi relación con él podría ser un error y acababa en el despacho de Frank permitiendo que me metiera la mano en el escote. Podía intentar explicarle a Liam que solo pretendía descubrir por qué estaba tan cansada y delgada, pero ¿acaso el motivo de mi insomnio y mi pérdida de peso no podía ser que había cometido un error? Quizás habíamos ido demasiado rápido. ¿Qué sabía de Liam en realidad? Siempre había una parte de él que se guardaba para sí mismo. Al principio lo había atribuido a la tristeza que sentía por la muerte de Jeannie, o a su parte de poeta atormentado, pero cuando apartó el brazo esa tarde y levantó el puño pensé que iba a pegarme. ¿Habría intuido esa violencia desde el principio? ¿Acaso estaba buscando el modo de finiquitar mi relación con Liam? ¿Por ese motivo había acudido a Frank con la idea de los vampiros? Porque estaba claro que yo misma podría haber mirado en mi escote para comprobar si tenía marcas de colmillos.

Pateé las sábanas, que se habían enredado tanto como mis pensamientos, y estas cayeron al suelo y quedaron esparcidas a la luz de la luna como un montón de nieve. ¿Seguía nevando? Me levanté y fui hasta la ventana. No. Ya no nevaba y había salido la luna, cuyo resplandor había convertido los árboles nevados en esqueletos; sus sombras se extendían por la extensión blanca del patio trasero en dirección a la casa.

Una de las sombras se soltó del borde del bosque y se escabulló por el jardín. Un cangrejo de sombra, pensé. Corrí escaleras abajo, me puse el abrigo por encima del camisón y me calcé las botas de piel. La cesta de pesca que Soheila me había dado estaba en la cocina, colgada en la puerta trasera.

Abrí la puerta con cautela y observé las sombras en busca de algún movimiento. Aquella criatura podría estar merodeando por ahí cerca, intentando hallar el modo de entrar para acabar con *Ralph*. Podría haberse escondido en la sombra en forma de cuña que proyectaba la propia puerta, que se extendió por el suelo de la cocina en cuanto la abrí. Deslicé la nasa de mimbre por encima de la sombra y cuando estuve segura de que no había entrado nada, salí y cerré la puerta.

El patio trasero estaba cubierto de una capa de nieve virgen cuya superficie congelada destellaba al claro de luna, salvo en las zonas ensombrecidas. En un extremo del jardín veía las sombras de los árboles, otras que llegaban hasta el centro junto a la fuente de los pájaros, otras con forma alargada a sotavento de un viejo muro de piedra, a unos pasos de la puerta de la cocina, y un enredo de siluetas que proyectaba un arbusto que había junto a la pared. Estudié todas aquellas sombras con detenimiento, comparándolas con el objeto que las proyectaba en busca de algún bulto o movimiento sospechoso. No había nada.

El viento sopló en el patio, hizo que la nieve suelta se deslizara por la superficie helada y meneó las ramas de los árboles. Me pareció que una de las siluetas alargadas que proyectaba el arbusto se hinchaba. Di un paso, pisando la sombra del muro de piedra, y sentí que algo me rozaba el tobillo.

Bajé la vista y descubrí al cangrejo escabulléndose hacia la puerta. Me lancé sobre él con la cesta abierta en las manos... y fallé. El cangrejo me esquivó y corrió de nuevo hacia el bosque. Me levanté y salí tras él, pero tropecé en la nieve. Aquella criatura era lo suficientemente ligera para moverse por la superficie, pero mis pies se hundían con torpeza. Si el cangrejo llegaba al bosque nunca lo pillaría y *Ralph* languidecería y se moriría en las Tierras Fronterizas. Vi entonces que ya estaba casi en el linde del bosque, a punto de fundirse con una gran sombra en forma de hombre...

Al ver que la sombra se acercaba a mí, retrocedí y solté la cesta.

Levanté la vista, temiendo encontrarme con algún monstruo horrible, pero para mi sorpresa lo que vi fue el rostro de Liam, pálido y oculto entre las sombras.

—¡Liam! ¿Qué haces aquí?

—No podía dormir sin ti, así que salí a dar un paseo por el bosque. Entonces oí un ruido procedente de la casa y pensé que alguien estaba intentando entrar. ¿Y tú? ¿Qué estás haciendo?

—¿No podías dormir sin mí? —repetí, ignorando su pregunta—. Pues yo tampoco podía dormir sin ti.

Liam dio otro paso hacia donde acababan las sombras. La luna le iluminaba el cabello y los hombros de su jersey de color crema, pero su rostro permanecía en la penumbra y un tanto difuso, como si estuviera bajo el agua o disolviéndose, pero enseguida advertí que ese efecto se debía a las lágrimas que asomaban a mis ojos.

—Ay, Liam, lo siento mucho. No creo que nuestra relación sea un error. No me interesa Frank Delmarco ni nadie más. Solo me interesas tú.

Se acercó, quedando totalmente iluminado por la luna, y su cuerpo adquirió una forma nítida. Me abrazó y noté que tenía los brazos helados, pero cuando deslicé las manos por debajo de su jersey y le besé sentí que una chispa de calor se encendía en su interior. Él gimió y comenzó a acariciarme la espalda por debajo del abrigo. Cuando se topó con mi piel, jadeó y me levantó. Le rodeé las caderas con las piernas. A continuación me empujó contra un pino, que nos espolvoreó de nieve y proyectó algunas sombras sobre Liam. Cuando me penetró, olí el fuerte aroma a pino. El árbol se bamboleó a nuestro ritmo, uniéndose a nuestro gemidos y jadeos, como si el propio árbol, el bosque y la noche entera participasen en nuestro éxtasis.

Después entramos en casa, Liam me llevó a la cama y nos quedamos tumbados bien pegados uno al otro. No podía quitarle las manos ni los ojos de encima, como si tuviera que convencerme de que era real. Cuando cerraba los ojos lo veía disolverse entre las sombras y los abría sobresaltada, como si fuera yo quien estaba cayendo en la oscuridad.

Cuando desperté por la mañana me dolía todo el cuerpo,

pero en cuanto Liam se pegó a mi espalda, me volví excitada e hicimos el amor otra vez.

Llegué tarde a clase y tan dolorida que estaba segura de que caminaba raro.

—¿Te has reconciliado con el poeta? —me preguntó Frank cuando pasé por delante de su despacho.

Miré a un lado y otro del pasillo antes de contestarle para asegurarme de que Liam no andaba por ahí; no quería que me viera de nuevo con Frank.

—Todo bien. Solo tuvo un arrebato de celos, pero le aseguré que no había motivo para sentirse celoso y nos reconciliamos —respondí con una ancha sonrisa, intentando reprimir una mueca de dolor; me dolían hasta los labios de tanto besuqueo.

—Perfecto —dijo Frank—. Entonces no le importará que entres y te sientes aquí un momento, ¿no? Tengo que hablarte de algo importante.

Me volví para echar otro vistazo al pasillo y vi que Frank sonreía cuando lo miré de nuevo. Entonces entré en su despacho y me dejé caer en la silla delante de su mesa, deseando de inmediato haberme sentado con más delicadeza.

Frank fue a cerrar la puerta.

—Creo que no es buena idea —objeté.

—No podemos arriesgarnos a que alguien nos oiga —repuso, sentándose en el borde de la mesa—. Nos estamos jugando mucho más que los delicados sentimientos de tu novio.

Abrí la boca para protestar de nuevo, pero comprendí que acabaríamos antes si no le llevaba la contraria.

—¿De qué se trata?

—Ayer hice algunas averiguaciones sobre nuestros vampiros residentes y no creo que sean ellos quienes se estén alimentando de los alumnos.

—¿Por qué? ¿Porque te lo dijeron ellos?

—No. Porque los estuve vigilando toda la noche y la única sangre que bebieron era importada.

—¿Importada?

—Vaya, que no era local. Anoche tres personas fueron a su

casa, todas mayores de veintiún años, y ofrecieron sus servicios voluntariamente.

—Pero... ¿por qué iba a hacer alguien una cosa así?

—Una era una mujer de mediana edad de Woodstock que está escribiendo una novela romántica paranormal. Se considera la persona más afortunada del mundo por haber encontrado unos vampiros tan caballerosos; eso fue lo que me dijo cuando salió de la casa, casi al amanecer. Los otros dos eran una pareja de Manhattan que están buscando darle un poco de chispa a su matrimonio...

—Vale, vale, creo que no quiero saber más.

Frank sonrió.

—Te entiendo. Hay algunas imágenes que yo también prefiero olvidar.

—Pero solo porque los vampiros no acecharan a ningún estudiante anoche no significa que no lo hagan nunca.

—No, pero también me pasé por la enfermería y estuve charlando con la enfermera del turno de noche. Ningún alumno presenta marcas de mordiscos, y cuando hablé con Flonia Rugova no recordaba ningún ataque de vampiro, ni de modo consciente ni inconsciente.

—¿Cómo está Flonia? —quise saber.

—Está muy débil y parece que sufre pérdida de memoria inmediata, pero se está recuperando. Le dije a la enfermera que sería mejor que no recibiera más visitas.

—Pero si no es cosa de los vampiros, ¿quién...?

—No lo sé. Voy a hacer un seguimiento del progreso de Flonia. ¿Y tú cómo te encuentras?

—Bien, bien. Creo que no era más que un virus, pero ya lo he pasado. —Me levanté y le dediqué una sonrisa mecánica para evitar estremecerme del dolor que sentía entre las piernas—. Estoy mejor que nunca.

No obstante, no podía dejar de preguntarme: si no era un vampiro, ¿quién o qué estaba consumiendo a los estudiantes? ¿Un súcubo?

36

Consideré la posibilidad de comentarle a Frank mi sospecha, pero si lo hacía también tendría que decirle que Soheila era un súcubo. Y no quería revelar su secreto, sabiendo lo que ella sentía por Frank. A no ser, por supuesto, que Soheila fuera la que estaba consumiendo a los estudiantes.

Empecé a hacer un seguimiento de los jóvenes que enfermaban y comprobé si mantenían algún contacto con Soheila. Tanto Nicky como Flonia estaban en la clase de Introducción a la Mitología de Oriente Medio que ella impartía, y también Scott Wilder, quien se puso tan enfermo que tuvo que pedir la excedencia. Y, por supuesto, la decana también estaba en contacto constante con Soheila. Pero cuando acudí a Liz para compartir con ella mis sospechas, la encontré totalmente recuperada.

Tenía la mirada nítida de nuevo, la piel suave y sonrosada y el cabello canoso recogido en un moño impecable. Vestía un traje de *tweed* verde manzana y una blusa rosa para celebrar que se aproximaba la primavera, pero su abrigo de piel todavía colgaba del respaldo del sofá en que solía sentarse y de vez en cuando Liz tendía la mano para acariciarlo.

—¿Está mejor Ursuline? —pregunté, mirando el brillante abrigo con cierta inquietud.

—¡Sí, sí! Fingió que era un perro y la llevamos a la clínica de los Goodnough. Se lo pasó tan bien que he accedido a dejarla pasar unas horas a la semana en el parque para que pueda ver a Abby y Russel con su rottweiller *Roxy*, siempre y cuando se comporte, claro. —Liz inyectó una nota de severidad en su voz, pero le dio unas palmaditas cariñosas al abrigo.

Me pregunté si Ursuline disfrutaría de las horas que pasaba en forma de abrigo, pero pensé que sería grosero mencionarlo. De modo que le expliqué que sospechaba que la «gripe» que asolaba el campus podía estar causada por un súcubo.

—Supongo que sería posible, pero el único súcubo que hay en el campus es... ¿No estarás pensando en Soheila? ¡Ella nunca haría algo así! ¡Y mucho menos a los estudiantes!

De pronto me sentí culpable por haber sugerido esa posibilidad, pero insistí.

—Si no es Soheila, ¿podría ser que hubiera un súcubo o un íncubo en el campus del que no tuviéramos constancia? O sea, no siempre sabéis quién es una criatura sobrenatural y quién no, ¿verdad?

Liz frunció el ceño.

—No; me temo que no siempre podemos saberlo. En tu caso, por ejemplo, sospechamos algo cuando nos explicaste que habías rescatado a un pájaro del matorral. No obstante, si alguien realmente quisiera ocultar su verdadera naturaleza... Dios mío, sería espantoso que yo hubiera contratado a un súcubo o un íncubo que estuviera consumiendo a los estudiantes. ¡Jamás me lo perdonaría! —Parecía muy afligida—. Voy a revisar meticulosamente el historial de las últimas contrataciones. Le pediré a Mara Marinka que me ayude... si no la necesitas.

—Claro —dije. A pesar de que Mara me era de gran ayuda, las sesiones con ella resultaban incómodas y agotadoras, y más ahora que se estaba centrando en los pasajes eróticos de Dahlia LaMotte. Además, me iría bien volver a tener las tardes libres.

Cuando se lo dijimos a Mara y esta se ofreció a llevar a cabo ambas tareas, no me hizo mucha ilusión, pero me dije que estaba siendo mezquina. Era obvio que la joven necesitaba el dinero que pudiera conseguir con aquellos trabajos.

A medida que el semestre avanzaba se fue reduciendo el número de estudiantes que caían enfermos y muchos de los convalecientes se empezaron a recuperar. Las excepciones fueron Nicky, que se había puesto tan enferma que se había instalado de nuevo en casa de su abuela, y Mara, que no asistió a clase el último día antes de las vacaciones de primavera. Me envió un mensaje de texto desde la enfermería diciéndome que sentía haberse perdido la clase y que ese día no podría ir a trabajar en los manuscritos de LaMotte. Mi primera reacción fue sentirme aliviada; podría irme a casa y aprovechar para echar una cabezadita. Pero después me sentí tan culpable por esa reacción que fui a visitarla a la enfermería al terminar la clase. Lesley Wayman estaba en la habitación de Mara, sacudiendo las almohadas y estirando las sábanas.

—Pobrecilla —dijo la enfermera Wayman, al tiempo que apoyaba una mano maternal en la frente pálida de la muchacha—. Cuando llegó ayer por la noche estaba tan débil como un gatito. Debería haber venido antes.

—Es que no quería faltar a clase ni al trabajo —intervino Mara, moviendo sus labios azulados—. Podría perder la beca y ser deportada.

La enfermera Wayman chasqueó la lengua.

—Qué tontería, cielo. Nadie te va a quitar ninguna beca porque estés enferma. ¿Verdad, profesora?

—Por supuesto que no —respondí, dándole unas palmaditas en la mano a Mara.

—Pero estábamos progresando tanto en la catalogación de los libros de Dahlia LaMotte... Podría seguir yendo a su casa durante las vacaciones para recuperar el tiempo perdido.

—No te preocupes por eso, Mara. Los manuscritos seguirán allí después de vacaciones, y deberías aprovecharlas para descansar.

—Sí, eso también quiero hacer yo —comentó Lesley Wayman, acompañándome a la puerta—. Me voy a pasar toda la semana tumbada en el sofá.

—Supongo que ha sido bastante duro para usted que tantos estudiantes hayan caído enfermos a la vez.

La enfermera Wayman bostezó y arqueó la espalda, masajeándose el sacro con una mano. Ese gesto me hizo sentir dolor en mi propia espalda.

—Al menos no ha sido una gripe intestinal y la gran mayoría de jóvenes se han recuperado con un poco de descanso. Aunque me han dicho que Nicky Ballard está bastante mal. Seguro que la idiota de su madre la tiene todo el día ocupándose de su abuela en lugar de dejarla descansar.

—Sí, quizá debería pasarme por su casa para ver cómo evoluciona —dije, viendo esfumarse la posibilidad de echar una cabezadita esa tarde.

—Si lo hace, ¿le importaría llevarse estos complementos de hierro? Los pedí para Nicky y llamé a JayCee para que viniera a recogerlos, pero me dijo que estaba demasiado ocupada. —La enfermera resopló—. ¿Se lo puede creer? ¿Demasiado ocupada para venir a buscar las vitaminas de su hija enferma? Fui al colegio con JayCee, que por entonces era una chica muy maja, y odio tener que hablar mal de ella, pero... —Sacudió la cabeza y cerró la boca como si quisiera reprimir sus críticas.

Accedí a llevarme las vitaminas y le deseé unas buenas vacaciones.

—Lo mismo le digo —contestó—. Descanse un poco y ponga un poco de carne en sus huesos. Todavía está bastante paliducha.

Antes de salir del campus le envié un mensaje a Liam para avisarle que llegaría a casa más tarde. Me respondió que tenía una cita con la decana y que él llegaría sobre las cinco. Salí por la puerta sudeste, pasé de largo por mi casa intentando no pensar en las ganas que tenía de echarme una siesta y enfilé la calle Elm. Al sol, la casa de los Ballard se veía más destartalada que nunca, a pesar de que algunos alegres azafranes asomaban a través de los restos de nieve que quedaban frente a la casa. Me pregunté quién los habría plantado. Estaba claro que en algún momento alguien se había preocupado de alegrar un poco la casa. También me percaté de que pilas de periódicos viejos, bien atadas con cordel, estaban fuera preparadas para la furgoneta del reciclaje. Puede que Nicky hubiera hecho un poco de limpieza mientras estaba allí; un esfuerzo encomiable, pero seguramente no era el mejor modo de recuperarse.

Llamé a la puerta y esperé. Oí una radio encendida en la casa (WFAI, la emisora de la universidad) y de vez en cuando un golpazo. Volví a llamar y oí que alguien maldecía. Entonces la puerta se abrió de golpe y JayCee Ballard, con un cigarrillo sin encender entre los dedos, frunció el ceño al verme.

—A ver si lo adivino: ha venido para ver cómo está Nicky. ¿Es que no tenéis más estudiantes de los que preocuparos en esa maldita universidad?

—¿Por qué lo dice? ¿Ha venido alguien más a visitarla?

Encendió el pitillo y entre el humo vi que entornaba los ojos y sonreía con malicia. A continuación, cruzó los brazos encima del descolorido logo de Phish estampado en su ajustada camiseta de tirantes.

—Por lo que veo, aún no sabe que su novio se ha pasado por aquí esta mañana como si nada. ¡Hasta ha traído magdalenas! ¿Se lo puede creer? ¡Un hombre en la cocina! Si no me hubiera mirado tanto las tetas habría dicho que era gay.

—Ah, ¿Liam ha estado aquí? —pregunté, intentando disimular mi sorpresa—. Me dijo que intentaría pasarse, pero no sabía que ya lo había hecho. A mí también me gustaría ver a Nicky. Le he traído unas vitaminas. —Extraje el frasco del bolsillo y JayCee me lo arrebató de un manotazo.

—Ya se las doy yo. Ahora está durmiendo. La visita de su novio la ha dejado agotada. Si descubro que hay algo raro entre ellos, demandaré a la universidad por acoso sexual.

—Liam nunca se aprovecharía de una alumna —repuse—. Le importan demasiado para...

—Usted lo has dicho, «demasiado». Se ha pasado media hora en la habitación de Nicky. Ella dice que han estado hablando de sus poemas, pero pude verlo en sus ojos. Ese Liam tiene mirada hambrienta, ya me entiende.

Muy a mi pesar, me sonrojé.

—Sí, está claro que me entiende —se burló JayCee—. Le

aconsejo que mantenga a su hombre satisfecho para que no venga por aquí en busca de carne más joven.

Y tras darme ese sabio consejo, JayCee me cerró la puerta en las narices. Estuve a punto de volver a llamar, pero decidí que no valía la pena. Bajé los escalones del porche y crucé el patio para salir de la casa. En aquel momento me percaté de que había unas huellas bastante grandes que concordaban con la talla 48 de las botas de nieve de la marca L.L. Bean que tenía Liam. De manera que JayCee no había mentido. Bueno, no había nada malo en visitar a una alumna enferma. Era justo el tipo de acto considerado propio de Liam, incluso la parte de las magdalenas. ¿Y entonces por qué me sentía rara? Desde luego no me tomaba en serio los insinuaciones obscenas de JayCee. Liam nunca se aprovecharía de una alumna de ese modo. No obstante, había algo acerca de aquella visita que me inquietaba...

—¡Hey! ¡Hey!

Ese grito, que bien podría haber sido el graznido de un ave migratoria, me trajo los pies al suelo mientras recorría la calle Elm. Me volví y vi que una mujer menuda de mediana edad, vestida con un jersey rojo chillón y tejanos, me saludaba desde el porche de una casa de madera. Reconocí la casa como una de las que visitamos el Día de Acción de Gracias con Dory para comprobar las tuberías porque sus propietarios pasaban el invierno en Florida. La autocaravana que había en el camino de entrada demostraba que ya habían regresado.

—¡Hola! —dije, sosteniendo la mano encima de los ojos para que no me deslumbrara la luz—. ¿Se dirige a mí?

La mujer bajó los escalones con sus pantuflas rojas y miró consternada la nieve que cubría el sendero.

—Ay, cielo —dijo, avanzando con cautela—. Hemos vuelto antes de lo previsto y nos olvidamos de decirle a Brock que nos despejara el camino y encendiera la calefacción. ¡Y acabamos de descubrir que alguien ha entrado a robar! Harald está hablando por teléfono con el sheriff. ¿Te lo puedes creer? ¿Aquí en Fairwick? Soy Cheryl Lindisfarne, por cierto, pero todo el mundo me llama Cherry. —Se detuvo ante mí y me tendió la mano.

—Callie McFay. Trabajo en la universidad. Y, de hecho, estuve en su casa con Dory Browne después de la tormenta de hielo de Acción de Gracias para comprobar que las tuberías estuvieran bien. Todo parecía correcto entonces.

—Oh, cielo, odio tener que decirte esto, pero por las fechas de los cargos fraudulentos a nuestra tarjeta de crédito, ¡el intruso ya estaba en casa en Acción de Gracias! En diciembre hallamos unos cargos extraños en nuestra American Express y cancelamos todas las tarjetas. Pero ¡quién sabe qué otra información se puede haber llevado! ¡Puede que nos haya robado la identidad!

La mujer miró recelosa a un lado y a otro de la calle, como si unos clones de Cheryl y Harald Lindisfarne pudieran estar transitando a sus anchas y a plena luz del día por la calle Elm.

—Menudo disgusto —comenté, sin estar segura de qué quería que hiciera yo con su problema—. Pero si no han recibido ningún cargo fraudulento más, puede que el problema ya esté solucionado...

—¿Tú crees? —preguntó, apoyando una mano en mi brazo—. Ese sinvergüenza se comió todo el jamón y las conservas de melocotón que preparé el verano pasado. Pero fue muy limpio; lavó todos los frascos y volvió a poner en su sitio los DVD de la colección de Harald. Mi marido es muy cinéfilo...

—¿Volvió a poner las películas en su sitio? —pregunté—. ¿Y entonces cómo saben que las cogió?

—Pues porque ya no están en orden alfabético... Ay, cielo, ¡quizás era un ladrón analfabeto! Puede que se haya hecho delincuente porque nunca recibió una educación adecuada. Yo colaboro como voluntaria en un programa de alfabetización, ¿sabes? —añadió—. En Florida trabajo con inmigrantes recién llegados, y aquí con trabajadores extranjeros. Dios, ¿crees que podría haber sido uno de los hombres a los que doy clase?

Afortunadamente la nueva conjetura quedó interrumpida por la aparición en el porche de un hombre rechoncho, bajo y calvo, vestido con *shorts* caquis, unos tirantes rojos y una camiseta que proclamaba «Jubilado migratorio y orgulloso de ello».

—El sheriff está de camino, cariñín —anunció mientras se dirigía hacia nosotras—. Dice que tenemos que hacer una lista de todo lo que ha desaparecido. Tú tendrás que encargarte de la despensa, ¿de acuerdo, cariñín?

—Ay —dijo Cherry, apretándome el brazo—. Será mejor que ponga manos a la obra. Gracias por escucharme. ¡Tenía que contárselo a alguien! Y me alegro de haberte conocido. Dory me dijo que teníamos a una profesora nueva muy amable. Tendrías que unirte a nuestro club de lectura y al cine club de Harald. Vemos tanto clásicos como películas modernas. Mis favoritas son las comedias románticas...

Estaba buscando un modo educado de despedirme, pero las palabras «comedias románticas» captaron mi atención.

—¿Qué películas vio el ladrón? —pregunté, interrumpiendo la crítica que Cariñín estaba haciendo de la nueva película de Nancy Meyers.

A ella le sorprendió mi grosería, pero se recuperó y se volvió hacia su marido.

—¿Tú te acuerdas, Harald?

—He redactado una lista para la policía —respondió él, sacando un papel doblado del bolsillo de sus *shorts*—. Veamos... —Mientras se ajustaba las gafas a la nariz bronceada, reprimí el impulso de decirle que se diera prisa—: *La bella y la bestia*, la francesa, no la de Disney, *Sucedió una noche*, *Historias de Filadelfia*, *Tienes un e-mail* y *Cuando Harry encontró a Sally*.

—Vaya. ¡Por lo visto le gustan las comedias románticas! —exclamó Cariñín—. Seguro que sufre de mal de amores e intentaba descubrir cómo recuperar a su novia. ¡Esas películas son manuales de instrucciones en el arte del amor!

—Sí, pueden extraerse valiosas enseñanzas de ellas —asentí. Por ejemplo, cómo mentir a tu novia, pensé con amargura—. Y los cargos en la tarjeta de crédito, ¿recuerdan de qué empresas eran?

—Y tanto —respondió Cherry—. L. L. Bean, Lands' End y J. Peterman. Son las marcas preferidas de Harald, así que al principio no nos dimos cuenta. Pero cuando revisamos los recibos vimos que los pantalones eran de un par de tallas más pequeñas de cintura que los de Harald, y los zapatos mucho más grandes...

—¿De qué talla? —inquirí.

—¡Un cuarenta y ocho!

—Ah —dije, sintiendo que me daba un vuelco el corazón—. Eso es... muy grande. Supongo que no hay muchos hombres con esa talla de zapato.

—¡Desde luego que no! Será una buena pista para la policía. Pero, pobrecita, ¡te has quedado pálida! Seguro que saber que el ladrón estaba en la casa cuando viniste no te hace ninguna gracia. No te culpo por ello, ¿sabes? De algún modo, te hace sentir violada, ¿no?

—Así es —le dije a Cherry con franqueza—. Creo que... que será mejor que me vaya a casa.

—Sí, cielo. Vete a casa y prepárate una taza de té bien azucarado. Y cierra la puerta con llave. Quién sabe, ese sinvergüenza podría seguir merodeando por la zona.

Emprendí el camino de vuelta a casa, repasando lo que me habían dicho los Lindisfarne. El día después de que yo echara al íncubo de mi casa, alguien se coló en su casa y utilizó su tarjeta de crédito para comprarse ropa de la misma marca que usaba Liam, y menos de dos semanas después Liam Doyle se presentó en Fairwick.

Cuando doblé la esquina para tomar mi calle vi que había tres mujeres sentadas en mi porche. Dos de ellas eran las mismas que habían venido la noche de la tormenta de hielo: Diana Hart y Soheila Lilly. La tercera era Fiona Eldritch.

Al subir los escalones del porche sentí que las piernas me pesaban. Llevaba días sintiéndome cansada, ¿verdad?

—No es necesario que hagáis una intervención —dije—. Sé lo que habéis venido a decirme. Liam Doyle es el íncubo.

37

—¡Mira qué lista! —dijo Fiona—. Has tardado lo tuyo en darte cuenta.

—Eso no es justo —intervino Diana—. Tú tampoco lo sabías.

—Bueno, porque no me dejaba acercarme a él y era tan sólido que pensé que era imposible que se tratara de mi íncubo —repuso Fiona—. Hiciste que se encarnara, Callie. Y eso es bastante impresionante. Para que un íncubo se convierta en humano el objeto de su amor debe tener una mente fuerte y deseos muy firmes. Debiste de anhelar que se encarnara.

—Intenté derrotarlo —protesté sacudiendo la cabeza—. ¡Y vosotras me visteis! —añadí, volviéndome hacia Soheila y Diana.

Soheila, que todavía no había pronunciado palabra, parecía afectada pero permaneció callada. Diana también parecía disgustada pero respondió a mi pregunta:

—Te vimos llevar a cabo el ritual, Callie, y estoy segura de que querías que saliera bien, pero no veíamos lo que había en tu corazón. Nadie puede verlo... —Diana miró nerviosa a Fiona—. Aunque, claro está, nadie pretende decir que lo ayudarás a cobrar vida a propósito.

Fiona le devolvió la mirada a Diana y casi a regañadientes añadió:

—No, supongo que no lo hiciste adrede.

—Pero si albergabas la mínima duda cuando realizaste el ritual... —continuó Diana, que se había quedado tan pálida ante la desaprobación de Fiona que las pecas le resaltaban todavía más—. Si una pequeña parte de ti quería que el íncubo se quedara, podría haber sido suficiente para permitirle que se encarnara.

Observé a Diana, pensando en la noche antes de Acción de Gracias, cuando desterramos al íncubo. ¿Acaso había sentido una pizca de deseo de que se quedara conmigo?

—Pero, ¿cómo lo hizo? —repuse, detectando una expresión de triunfo en Fiona y una de gran tristeza en Soheila—. Liam tiene prestigio profesional (títulos de Trinity y Oxford, publicaciones en revistas) y hasta una página de Facebook, ¡cielo santo! ¡Lo busqué en Google! —Y me enamoré locamente de la persona que había creado. Me lo creí todo.

Diana y Soheila intercambiaron una mirada y Fiona se limitó a reír.

—Sí, yo también —admitió—. Ha sido muy astuto, ¿verdad? Los títulos, las residencias, las conferencias... ¿A alguien se le ocurrió llamar para comprobarlo? Y su poesía; es encantadora, ¿verdad? Lo cierto es que siempre se le dieron bien las palabras.

—Creó una web virtual utilizando el ordenador de los Lindisfarne —explicó Diana—, tal como haría un ladrón de identidad...

—Pero ¡todo esto no puede haber sido virtual! —salté.

—¿Acaso has visto sus poemas editados en alguna revista impresa? —repuso Fiona con aire de suficiencia—. No, no lo creo. Y me temo que la decana Book tampoco.

—Estaba enferma —intervino Diana en defensa de Liz—. Seguro que la hechizó para que no revisara su currículum a fondo.

—¿Estás diciendo que no llamó a ninguna de sus referencias? —pregunté.

Diana se estremeció al oír mi tono airado, pero yo no podía evitarlo; era más fácil enfadarme con alguien que afrontar mi propia ceguera.

—Leyó su currículum, las cartas de recomendación y luego se reunió con él. También le escribió a un profesor de una de las universidades donde Liam había trabajado e intentó contactar con otro, pero no lo logró. Liz me ha confesado que todas sus credenciales eran digitales y que, por tanto, podrían haber sido falsas. Debería haberse dado cuenta, por supuesto, pero la había hechizado, y como se alegraba tanto de haber conseguido un sustituto para Phoenix no lo investigó lo suficiente.

—Y tú... —dije volviéndome hacia Fiona—. Has sugerido que Liam es el íncubo que conoces desde hace cientos de años. Así pues, ¿cómo es que no lo reconociste?

—Sospechaba que podía ser él, pero no estaba segura. Para saberlo con certeza, tengo que mantener contacto físico, pero cuando lo engatusé para que se metiera en el guardarropa conmigo para besarlo y así comprobarlo, tú nos interrumpiste.

—Pero él no quería besarte, ¿verdad?

—No. Seguro que sabía que eso lo delataría.

—O puede que no quisiera besarte porque yo le gustaba más.

Los ojos de Fiona ardieron y pareció crecer unos centímetros.

—Recuerda que Callie sigue bajo los efectos de su poder —le dijo Diana a Fiona con voz suave—. No es responsable de lo que dice.

—Sé perfectamente lo que estoy diciendo. No tenéis ninguna prueba que demuestre que Liam es su íncubo, ¿verdad?

Fiona y Diana no respondieron a mi arrebato, pero Soheila al fin habló:

—No, Callie, no tenemos pruebas, pero sabemos que es una criatura similar a un íncubo lo que les está arrebatando la fuerza vital a los estudiantes. Todas sus víctimas (la decana Book, Flonia Rugova, Scott Wilder, Nicky Ballard y Mara Marinka) presentaban los mismos síntomas: fatiga, sueños perturbadores y anemia. Debería haberme dado cuenta antes, pero no es agradable imaginar que alguien de mi especie pueda actuar tan... indiscriminadamente. ¡Alimentarse de jóvenes estudiantes, Dios

Santo! —Soheila hizo una mueca—. Incluso mis hermanas tienen más principios... Pero cuando fui a visitar a Nicky Ballard y la cogí de la mano, sentí la impronta del íncubo.

—Antes has dicho «similar a un íncubo» —señalé.

—Hay diversas criaturas que se alimentan de la fuerza vital de los humanos: íncubos, súcubos, conquistadores, lamias, *lidercs*, *undinos*... Todos están relacionados. Yo puedo sentir la presencia de una criatura que absorbe la fuerza vital... —Soheila estiró el brazo para cogerme la mano, pero retrocedí un paso... y me topé con Fiona; fue como chocar con una pared de hielo.

Soheila intentó cogerme la mano de nuevo. Quise apartarme, pero Fiona me retuvo dándome un breve y firme apretón en el brazo. Me dejó incapaz de moverme. Soheila me cogió entonces la mano, cerró los ojos y empezó a acariciarme el dorso. Sus ojos se movían de un lado a otro detrás de sus párpados, como si estuviera soñando... Cuando por fin los abrió, un lágrima se deslizó por su mejilla.

—Siento al íncubo, Callie. Su presencia es muy fuerte en ti. Percibo su amor...

—Un íncubo es incapaz de amar —refunfuñó Fiona—. Y si la amara, ¿por qué iba a fastidiar a todos esos estudiantes? ¿Acaso también los ama a ellos?

Aparté la vista de los ojos apenados de Soheila para mirar a Fiona.

—Puedo creerme que Liam sea un íncubo y que se haya estado alimentando de mí, pero no creo que les hiciera lo mismo a sus alumnos.

—Si tú no le satisficieras, tendría que hacerlo.

Tenía la mano en el aire, dispuesta a abofetear la sonrisa burlona de Fiona, antes siquiera de ser consciente de ello, pero Soheila y Diana me impidieron hacerlo. Un ráfaga de viento nos empujó a las tres contra la pared y una luz blanca me cegó. Oí la voz de Fiona dentro de mi cerebro, perforándome el oído como un piolet: «No vuelvas a desafiarme nunca, pequeña guardiana, o te convertiré en polvo. Te perdono la vida ahora solo para que puedas enviar a tu demonio de nuevo a las Tierras Fronterizas.

Quiero que sepa lo que se siente cuando la persona que deseas te rechaza.»

Un grito agudo resonó en mi cerebro y temí que la cabeza fuera a estallarme. Pero al punto desapareció y solo me quedó un pitido en los oídos y un regusto a cobre en la boca. Caí de rodillas y vomité. Diana me sujetó el cabello hacia atrás y Soheila murmuró:

—Tranquila, ya se ha ido. Está enfadada porque él te eligió a ti en lugar de a ella, pero sabe que no puede destruirte. Incluso la Reina de las Hadas necesita a un guardián para abrir la puerta del Reino.

—Ha dicho que me perdonaba la vida para que pudiera enviarlo a las Tierras Fronterizas y así aprendiera lo que se siente cuando alguien que amas te rechaza... Pero ella misma ha afirmado que un íncubo es incapaz de amar... y si Liam es realmente el íncubo... —Al intentar asimilarlo, otra náusea me subió desde el estómago. Liam, cuyo cuerpo conocía tan bien en la intimidad, no era de carne y hueso, sino que era una criatura de las sombras y de la luz de luna, un gólem que había adoptado la forma de mi deseo—. Si Liam es un íncubo, si me ha mentido y se ha nutrido de sus alumnos... entonces no me ama. No puede amar a nadie.

Soheila se estremeció. Diana me apartó el cabello de la frente húmeda y dijo:

—Creo que te quiere lo mejor que puede. Pero eso no importa. Tienes que echarlo. Si no lo haces, te consumirá hasta matarte.

—Diana tiene razón —asintió Soheila—. Él no puede evitarlo. Es su naturaleza.

—¿Y cómo se supone que voy a lograr que se vaya?

Ambas se miraron y por un momento pensé (o deseé) que levantarían las manos y me dirían que no tenían ni idea: «Vaya, lo sentimos, pero una vez que el íncubo se ha convertido en humano ya no hay manera de desencarnarlo. Estás atrapada para siempre. Solo puedes intentar obtener lo mejor de esta situación.» Pero, en lugar de eso, después de que Soheila asintiera, Diana cogió su móvil y marcó un número.

—Está preparada —dijo sin preámbulos. Y colgó sin despedirse.

Al otro lado de la calle, se abrió la puerta de la Dulce Posada Hart y Brock salió cargado con una caja. Cruzó la calle sosteniéndola delante, como un camarero que lleva la bandeja del té a un cliente.

—Ni Soheila ni yo podemos ayudarte con esta parte, Callie, porque no toleramos el hierro. Brock te explicará lo que tienes que hacer.

—Un momento —dije, cuando vi que las dos se disponían a marcharse—. Si un íncubo no tolera el hierro, ¿por qué a todas sus víctimas les absorbe el hierro?

Diana sacudió la cabeza.

—Buena pregunta. Todavía no se tiene mucha información al respecto, pero, por lo que parece, entre el íncubo y su víctima se crea una especie de relación simbiótica que hace que la víctima se deshaga del hierro para que el íncubo pueda seguir alimentándose de ella. Y creemos que esa es la causa de que la víctima se debilite y acabe muriendo. Si tuviéramos más información, los íncubos... y los súcubos —añadió mirando a Soheila— podrían mantener relaciones normales con los humanos.

Soheila le dedicó una sonrisa, pero meneó la cabeza.

—Casper Van der Aart lleva décadas estudiando el problema. Y me temo que no hay mucha esperanza de dar con una solución. Mientras tanto... —Se volvió hacia Brock, que se había parado en medio del sendero de entrada—. Tenemos que irnos. El hierro que ha forjado Brock es especialmente potente y Diana y yo no podemos estar cerca de él. —Soheila me tomó de la mano—. Buena suerte, Callie. Recuerda que Liam no puede evitar ser quien es, pero si de verdad te ama no querrá destruirte. A la larga estará mejor en las Tierras Fronterizas que viviendo con tu muerte pesándole sobre la conciencia. —Me dio un último apretón en la mano y se levantó para irse. Diana se despidió dándome unas palmaditas en el hombro y la siguió. Yo también me incorporé, más que nada para alejarme del sitio donde había vomitado, y me reuní con Brock en el porche.

—Lo siento mucho, Callie. Debería haberte protegido mejor. Tendría que haberlo reconocido, pero es que nunca pensé que pudiera encarnarse; nunca lo hizo en todo el tiempo que visitó a Dahlia.

—Creo que ella lo mantenía a raya con su escritura —dije, pensando en el patrón que Mara había descubierto en los manuscritos—. De alguna manera, cuando él se hacía demasiado fuerte, Dahlia dejaba que se encarnara en su ficción y después se liberaba de él unos días. Debía de tener un incentivo muy fuerte para mantenerlo alejado. Creo que tenía a su lado a un hombre de carne y hueso que le bastaba.

Brock me miró con los ojos bien abiertos e iluminados por las lágrimas contenidas.

—Eres muy generosa, Callie. Creo que Dolly lo consideraba una especie de musa, pensaba que escribía gracias a él. Pero se equivocaba; eran precisamente sus relatos lo que le trajeron hasta ella. Aunque no creo que él la amara, al menos no del modo que te ama a ti. De todas maneras... —Abrió la caja. Encima de un retal de lino blanco bordado había dos pulseras de hierro fundido trenzadas formando dos nudos. En el centro de cada nudo había una cerradura y entre los dos brazaletes, una cadena con una llave de hierro—. Tendrás que ponerle esto en las muñecas —explicó Brock, mostrándome cómo se abrían y cerraban—. Y luego tendrás que girar la llave en cada una de las cerraduras. Mantén la llave colgada del cuello y él no podrá tocarte.

—¿Y crees que se quedará mansamente quieto para que lo haga?

—Una vez que tenga el hierro en las muñecas no podrá moverse. Pero asegúrate de que giras la llave hacia la derecha. Si lo haces hacia la izquierda, abrirás las pulseras y él quedará libre. Y entonces... Bueno, seguro que estará enfadado y ya viste lo que hizo la última vez que se enfadó.

Me estremecí al recordar la destrucción causada por la tormenta de hielo: las hectáreas de bosque arrasado, el avión de Paul cayendo en picado... ¿De verdad podría haber hecho Liam todo aquello? Una parte de mi mente, y de mi corazón, todavía se resistía a creerlo, pero las pruebas eran aplastantes. Aunque tenía mis dudas... Pero, claro, Diana había dicho que seguía bajo los efectos del poder que él ejercía sobre mí, de manera que no podía confiar en mis instintos.

—¿Dónde está? —pregunté.

—La decana aceptó retenerlo en su despacho hasta que yo la llamara. Si estás preparada, la llamo ahora mismo.

—Espera. Solo una cosa más. Si hago esto... si le pongo estas cosas, ¿qué le pasará?

—Será desterrado a las Tierras Fronterizas que separan este mundo del Reino de las Hadas. El hierro evitará que pueda materializarse en este mundo, y tampoco podrá entrar en el Reino de las Hadas. Ningún hierro puede cruzar la puerta.

—¿Y... duele? —quise saber.

Brock no respondió enseguida, sin duda considerando si mentirme, pero le sostuve la mirada y al final asintió.

—Sí, le hará daño. Pasará la eternidad sintiendo dolor, confinado con todas las almas torturadas que se han perdido entre los dos mundos. Mi gente llama a ese lugar Niflheim, o Mundo de la Niebla, donde vive una diosa cuya casa se conoce como La Humedad; su plato, el Hambre; su cuchillo, Famélico; su umbral, Escollo; su cama, Lecho de Enfermo, y sus cortinas, Desgracia. Del nombre de dicha Diosa, Hel, procede vuestro infierno, *hell* en inglés. Pero no tienes opción. Si no lo destierras, te consumirá y morirás.

Brock me entregó la caja y se marchó sin decir nada más. Y yo me quedé sola con las herramientas para torturar a mi amante durante toda la eternidad.

38

Me llevé la caja dentro y la deposité encima de la mesa de la cocina, pero tras repensarlo acabé escondiéndola en una estantería de la despensa, junto con los productos de limpieza y las trampas para ratones que había comprado y que nunca había tenido el valor de utilizar. «Estupendo —pensé—, no me atrevo ni a utilizar una ratonera, y ¿ahora voy a ser capaz de condenar a mi amante para toda la eternidad?» ¿Cómo iba a poder valerme de una trampa para íncubos con el hombre al que...?

¿Amaba?

¿Amaba a Liam? Nunca se lo había dicho. Le había dicho que lo deseaba, pero jamás «te quiero».

¿Verdad?

Abrí la despensa de nuevo y saqué un cubo, unos guantes de goma y una botella de amoníaco. Llené el cubo con agua caliente y jabón y salí al porche. Era obvio que no quería pensar en nada, pues limpiar el vómito me pareció una actividad preferible.

Froté el suelo hasta que los tablones del porche empezaron a desconcharse y hube vertido una buena ración de lágrimas en el agua sucia. Llevé de nuevo el cubo y la esponja a la cocina, los limpié en la pica y volví a colocarlos en la despensa. Recogí entonces la caja que Brock me había entregado, la puse en la mesa de la cocina y la abrí. Me metí las pulseras de hierro en los bolsillos delanteros de los vaqueros y me colgué la cadena con la llave al cuello, deslizándola bajo la blusa, donde se apoyó sobre mi esternón, fría y pesada como mi corazón. Después, me senté en el sofá del salón (no en la biblioteca, donde Liam y yo habíamos visto pelis y hecho el amor tantas veces) y esperé a que él regresara a casa.

En cuanto me quedé quieta, mi mente se activó de nuevo. «¿Y si todo esto es un error?», protestó una voz ansiosa en mi cabeza. Incluso si era cierto que un íncubo rondaba por el campus, no había ninguna prueba concluyente de que fuese Liam. Podía ser otro cinéfilo con la talla 48 de zapato y una camisa de J. Peterman, uno que no fuera mi Liam.

Oí el clic de la llave en la cerradura. ¡Allí tenía otra prueba de su inocencia! La cerradura y la llave de casa eran de hierro, de manera que si Liam fuera un íncubo no las podría tocar, ¿no? Emocionada por mi razonamiento, me levanté de un salto y salí corriendo a recibirlo en la puerta. Él estaba en el recibidor, tenía la cabeza gacha y un mechón de pelo le cayó encima de los ojos mientras cerraba la puerta. Vi que deslizaba la llave de nuevo en su cartera (una cartera de cuero con el logo de Eddie Bauer estampado en la solapa). A continuación se quitó los guantes de cuero forrados de cachemir (de la marca Lands' End), los dobló con cuidado y los metió en el bolsillo de su abrigo (L. L. Bean). Y entonces lo comprendí: sus dedos nunca tocaban la llave, ni la cerradura ni el pomo.

—¡Callie! No te había visto. ¿Qué sucede? Cualquiera diría que acabas de ver a un fantasma.

Dio un paso al frente y yo retrocedí.

—Oye... —dijo con su voz ronca—. ¿Estás enfadada porque llego tarde? ¿Has recibido mi mensaje?

—Sí —respondí, metiéndome las manos en los bolsillos—. ¿Qué quería la decana?

—Ni idea. En serio, creo que empieza a chochear... o al menos todavía no se ha recuperado del todo. Primero quería proponerme empezar un programa de lectura de poesía; tenía una lista de poetas y quería saber mi opinión sobre su obra y sus personalidades. Le expliqué que no conocía a muchos poetas americanos personalmente. Entonces la llamaron y me hizo esperar mientras respondía al teléfono. Y después quería que llamásemos a algunos de esos poetas. Ha sido muy raro... pero no tanto como el modo en que me estás mirando ahora mismo.

Dio otro paso al frente y tendió el brazo hacia mí; un rayo de luz que se colaba por la claraboya proyectó una cortina lívida en sus facciones. Sabía que si permitía que me tocara todo habría acabado: flaquearía, dejaría que me besara y haríamos el amor ahí mismo, en el suelo del recibidor. ¿Y cuál era el problema si de verdad era un íncubo? Era mi íncubo.

Saqué las manos de los bolsillos y cuando se acercó con los ojos llenos de deseo y preocupación, con un movimiento rápido le puse los brazaletes en las muñecas.

El efecto fue instantáneo. Liam cayó de rodillas como una marioneta a la que acaban de cortarle los hilos, y sus muñecas, rodeadas de hierro, golpearon estrepitosamente el suelo de madera. Pronunció mi nombre como un grito de agonía.

—Bien —dije con frialdad—. Todavía puedes hablar. Creo que me debes una explicación.

Liam levantó la cabeza poco a poco y con dolor, y me miró a través de las fosas oscuras en que se habían convertido sus ojos. Su piel, siempre pálida, estaba casi translúcida. El único color en su rostro procedía de la luz que entraba a través de la claraboya, que se extendía por el suelo a su alrededor como una candileja.

—Ya sabes... lo que soy... ¿Qué más... quieres saber? —jadeó, apretando los dientes.

Me arrodillé para mirarlo directamente a los ojos.

—Quiero saber por qué me elegiste a mí y qué pretendías hacer conmigo. Después de consumirme hasta matarme, ¿te hubieras ido a buscar otra víctima?

Sacudió la cabeza despacio, como un animal herido.

—Yo no te... escogí. Tú... me escogiste a mí. Me... deseabas. —Respiró hondo y sus palabras parecieron salir con mayor facilidad—. Me deseabas lo suficiente como para encarnarme...

A pesar de que me dijiste que me fuera, sentí la pena que albergabas por lo que me había sucedido y oí que contestabas a mi pregunta...

—¿Qué pregunta?

—Te pregunté qué más querías de mí y entrelíneas me dijiste... me dijiste que querías decencia y comprensión y un hombre que realmente se tomara la molestia de conocer a la mujer a quien intenta seducir. —Me miró—. ¿Acaso no te he dado todo eso, Callie? Me importas. E intenté ser todas esas cosas que pedías.

Sacudí la cabeza.

—Yo no pedí mentiras. Todo lo que me has explicado de tu vida es mentira. Toda esa historia de Jeannie y Moira... ¡Te lo has inventado todo!

—Tenía que ser otra persona para poder conocerte mejor. Y en cuanto a la historia de Jeannie... Eso es lo que me pasó a mí, con los detalles cambiados para adecuarla a los tiempos actuales. Es cierto que me enamoré de una chica de mi pueblo que tenía un toque de hada en su interior y que podía abrir la puerta del Reino de las Hadas, pero una mujer seductora me engatusó. La conoces. Y ya has visto lo poderosa que es.

—¿Fiona? ¿La Reina de las Hadas?

—Sí, ella.. Me secuestró y me convirtió en su prisionero. Me retuvo tanto tiempo en el Reino de la Hadas que perdí mi humanidad... Me convertí en una sombra... Y ahora solo el deseo de un humano puede encarnarme, y solo el amor de un humano puede darme un alma. Pero de todos modos escapé... Cuando exiliaron a las hadas del Viejo Mundo y juntos nos dirigíamos hacia la puerta, me escapé y vine a buscarte, Cailleach...

Recordé el sueño: la larga marcha, mis compañeros desvaneciéndose a mi alrededor, el jinete oscuro en el caballo blanco acercándose a mí, sus manos... Levanté la vista y miré a Liam. Sus ojos oscuros eran los mismos y las manos también. Sentí la llave de hierro, caliente ahora, quemándome la piel. «Si la giras hacia la derecha lo desterrarás a las Tierras Fronterizas, si la giras hacia la izquierda lo liberarás.»

—¿Estás diciendo que... que soy la reencarnación de aquella chica que amaste hace siglos? ¿Y por eso me deseas? ¿Porque te recuerdo a ella?

Liam sacudió la cabeza.

—Su espíritu vive en tu interior... Y sí, al principio esa fue la razón por la que vine hasta ti, pero entonces te conocí... conocí a la persona que eres ahora, Callie McFay. En tu interior tienes una parte de la antigua Cailleach, pero eres mucho más. Te he estado observando desde que eras una niña. Te visitaba cuando estabas triste y te sentías sola y te contaba historias para aliviar tu dolor. Lo único que he hecho es intentar ser lo que tú querías que fuese para que me amaras y así pudiera ser humano de nuevo.

—Pues entonces está claro que no te amo —dije, señalando los brazaletes de hierro en sus muñecas—. De lo contrario esos no te afectarían.

La ira asomó a sus ojos y le arrebató la fachada de humanidad. Sentí que la fuerza reencarnada que había acudido a mí como una criatura de las sombras y la luz de la luna ardía con furia.

—No, no me amas... todavía no... Pero estás a punto. Lo siento. —Liam levantó una mano. Era evidente que le costaba, pero de todos modos la levantó y la acercó a mi rostro.

«No podrá moverse», había dicho Brock. De manera que si se estaba moviendo significaba que aquel hierro no le hacía tanto efecto... y quizá la razón fuera que yo casi lo amaba. ¿Tan duro sería amarle de verdad? Si lo hiciera, él recuperaría su humanidad y podríamos estar juntos.

Me acercó a él, con la mano temblorosa por el esfuerzo, y cuando sus labios rozaron los míos sentí que le ardían; me quemaron la piel como un hierro caliente, pero no me importó. Separé los labios y noté que su calor me inundaba. Me estaba abriendo poco a poco, del mismo modo que un niño arranca los pétalos de una flor de madreselva para chupar el néctar del estambre. Estaba absorbiendo mi fuerza vital...

—¡No! —grité, empujándolo—. Me mentiste. —Yo misma

percibía la duda en mi voz y mi determinación se tambaleaba—. ¿Cómo voy a confiar en nada de lo que me digas?

—¿Tan malas son las mentiras cuando se dicen por amor?

Sonreí con tristeza y le toqué la mano. En ciertos puntos el hierro le había quemado la piel, donde no había hueso, solo oscuridad; la sombra de la que procedía y a la que regresaría si yo no hacía algo pronto. Extraje la llave de la blusa. Si lo liberaba podríamos estar juntos y cuando lo amase se convertiría en mortal. Y podríamos estar juntos sin que me consumiera...

Ya había introducido la llave en la cerradura de la pulsera izquierda, pero me detuve y miré los fosos oscuros en que se habían transformado sus ojos.

—Los estudiantes —dije—. Y Liz. Te has estado alimentando de ellos.

Liam se estremeció.

—¡No! —gritó—. Yo nunca...

—Y, entonces, ¿por qué han enfermado todos? Flonia, a quien ves cada día; Nicky, a quien fuiste a visitar; incluso el pobre Scott Wilder... —Sentí un escalofrío al recordar el primer día que fui a la enfermería—. Todos los estudiantes que estaban enfermos iban a tu clase y tenías tutorías en privado con ellos. Les estabas consumiendo. —Se me retorció el estómago. Intenté hallar algo en sus ojos que me convenciera de que estaba equivocada, pero no había nada en ellos salvo oscuridad, y cuando intentó protestar su voz no fue más que un débil crujido de ramas secas.

—Jamás he hecho algo así, Callie, te lo juro. No me he aprovechado de ninguno de mis alumnos.

¿Cómo iba a creerle? Ya me había mentido lo suficiente.

Giré la llave hacia la derecha. Chilló y su grito me dolió, pero me obligué a encajar la llave en el brazalete de su otra mano. No obstante, antes de que lo hiciera, me aferró la muñeca y sentí el mismo dolor frío que había sentido cuando el cangrejo de la sombra me atacó. Ambos estaban hechos de lo mismo. Lo miré a la cara y vi que las sombras se estaban extendiendo desde sus ojos, devorándole la piel. Se estaba disolviendo, convirtiéndose de nuevo en la oscuridad de la que estaba hecho. ¿Cómo podía amar yo a esa oscuridad?

Pero mientras lo veía disolverse supe que era precisamente esa oscuridad lo que me atraía, lo que deseaba incluso más que la criatura civilizada en que se había convertido para ganarse mi amor. Lo había reprendido por haberme mentido, pero de pronto fui consciente de que yo tampoco había sido sincera. Todo aquello que le había dicho que quería eran mentiras. Lo deseaba tal como era ahora mismo: una criatura de la oscuridad. ¿Y en qué me convertía eso sino en otra criatura de la oscuridad? Bajé la vista a mi mano, a la que seguía aferrado. Mi propia piel se disolvía bajo su contacto, fundiéndose con él. Sentí que tiraba de mí, como una resaca que me arrastrara hacia el mar. Puede que no fuera capaz de amar al hombre en que se había convertido, pero quizá sí que podría amar a la criatura que era en realidad. Tal vez aquello no sería suficiente para mantenernos juntos en la luz, pero quizá bastaría para mantenernos unidos en la oscuridad.

Y todo lo que tenía que hacer para lograrlo era... nada. Si no giraba la llave en la segunda cerradura me disolvería con él.

Bajé la mano... y esperé, con los ojos fijos en él, que comprendió la decisión que había tomado. En lo poco que quedaba de sus ojos vislumbré sorpresa y oí un grito ahogado que salía de lo que restaba de su boca. Entonces me soltó la muñeca y tendió los brazos hacia mí. Cerré los ojos y dejé caer la llave para agarrarme a él... Cuando nos abrazamos sentí que la oscuridad me rodeaba acompañada del sonido del aleteo. Abrí los ojos y vi un páramo de sombras; sin color, sin luz, sin calor. Unas formas fantasmagóricas revoloteaban a mi alrededor como murciélagos, pero todas tenían un rostro humano o casi humano. Eran mis compañeros de la larga marcha. Ahí era donde se desvanecían antes de alcanzar la puerta que conducía al Reino de las Hadas. Habían contado conmigo, su guardiana, para que les abriera la puerta al Reino, pero yo les había fallado. En lugar de acompañarlos, me había marchado al bosque con mi amante demonio. Y ahora había regresado para unirme a ellos. Parecía lo correcto.

Un tirón me trajo de vuelta al mundo real, al recibidor de la Casa Madreselva. Estaba agachada junto a Liam, que todavía no se había disuelto por completo en las sombras. Sostenía la llave en la cerradura de la segunda pulsera, la introdujo... y la giró a la derecha.

—¿Por qué? —chillé.

—No puedo permitir que te destruyas por mí.

Esas fueron sus últimas palabras antes de que sus labios se disolvieran. Intenté abrazarlo, pero ya se había ido; no quedó más que una sombra que se fundió en el rayo de luz azulada que se extendía por el suelo.

39

No sé cuánto rato me hubiera quedado allí echada, viendo los últimos vestigios de luz escurrirse en las sombras del suelo, si Brock y Dory no hubieran ido a visitarme. Oí el sonido de la cerradura de casa, pero parecía venir de muy lejos. Por un momento pensé que era el eco de la llave que Liam había girado en la pulsera y tendí la mano para detenerlo.

—Puede que todavía esté por aquí —les expliqué a Brock y Dory cuando me encontraron arrastrándome—. En las sombras.

Brock movió la mano en las sombras para demostrarme que no había nada. Dory encendió la luz y las sombras se escurrieron hacia los rincones. Le pedí a gritos que la apagara y chillé de nuevo cuando Brock intentó llevarme escaleras arriba, a mi habitación.

—Allí no —rogué—. No puedo dormir en esa cama.

Me llevaron a la habitación trasera de la planta baja, al antiguo dormitorio de Phoenix, que antes también había sido el de Matilda. Liam nunca había entrado allí, ni siquiera la vez que le pedí que fuera a buscar una manta. Y ahora sabía por qué. La estructura de hierro de la cama impregnaba la habitación del olor del metal. Sentí frío en la muñeca; tenía las huellas dactilares de Liam marcadas en mi piel como si fueran cinco astillas de hielo clavadas en mi carne. Brock me preparó un bálsamo para la herida mientras Dory me desvestía y me metía en la cama.

—No te preocupes, cielo —me tranquilizó una y otra vez—, ahora estás a salvo.

Pero después de que me vendara el brazo y me diera unas cucharadas de un té amargo, oí que susurraban algo en la cocina:

—Me temo que las sombras le han penetrado la piel —dijo Brock.

—¿Y se extenderán? —preguntó Dory.

—No lo sé —respondió—. Tendremos que vigilarla.

De manera que eso era lo que sentía debajo de la piel, era como una droga que corría por mis venas. Caí entonces en la oscuridad que había bajo mis párpados. Sentí que esta se esforzaba en ahogarme, envolverme. Cuando era pequeña mis padres me llevaron a una playa en Montauk y una ola me absorbió y me revolcó como si fuera una lavadora hasta que ya no supe dónde estaba la superficie. La oscuridad en que me sumergía ahora era similar, pero más profunda que el océano. ¿Estaba Liam en algún lugar de aquella oscuridad esperando para ahogarme por haberlo rechazado? Nadé, cada vez más hondo, pasando junto a los rostros fosforescentes de otros nadadores ahogados; rostros medio devorados de cuyas cuencas oculares salían cangrejos, y las anguilas se retorcían donde antes habían estado sus lenguas. Pero no vi a Liam.

Cuando salí a la superficie, en la habitación de Phoenix, las olas chocaron contra la gran cama de hierro como una marea que retrocede. Dory estaba ahí, intentando que bebiera un poco de té o caldo. Liz Book también vino a verme y me dijo que todos los que habían enfermado ya se encontraban bien (Flonia, Nicky y los demás estudiantes de la clase de Liam); hecho que demostraba que Liam había sido la causa de su enfermedad. La única que seguía recuperándose era Mara.

—Debía de absorber su fuerza vital cuando venía a trabajar en los manuscritos de LaMotte —comentó Liz—. Pobrecilla, después de todo lo que ha pasado... Me siento tan responsable... ¡No puedo creer que yo misma me haya dejado seducir por un conquistador a mi edad! —Me acarició la mano y, a pesar de que estábamos solas en la habitación, se inclinó para susurrarme algo al oído. Quizá Liz sospechaba que las sombras nos estaban escuchando—. Era encantador, cielo. Nadie puede culparte por haberte enamorado de él. Nadie te culpa en absoluto, te lo aseguro.

Pero Liz se equivocaba. Las sombras sí que me culpaban. Las oía susurrar. Sus voces cobraban volumen a medida que el día hacía crecer sus lenguas, y su aliento salado me lamía los oídos. Eran ásperas como lengua de gato. «Tú le diste vida —susurraban—. Eres una criatura de la oscuridad. Aquí está tu hogar. Entre nosotros.»

—No —gimoteé, pero ya me estaba hundiendo de nuevo en las aguas negras que había debajo de mis párpados, donde los cadáveres putrefactos de los ahogados esperaban para recibirme.

«Ahora somos tus amantes demonios», susurraron. Se abalanzaron sobre mí estirando sus tentáculos cubiertos de ventosas y sus bocas hambrientas, y yo me entregué, contenta de satisfacer su avidez.

No obstante, una de las veces, en lugar de sumergirme en la oscuridad me encontré de pie en una pradera verde y vi que el sol del amanecer acariciaba el rocío en las briznas de hierba. Yo llevaba un vestido largo, cuyo dobladillo estaba empapado a causa del rocío. Delante de mí, donde el sol todavía no había penetrado la bruma, había un hombre joven, cuyas piernas emergían de la neblina como dos juncos saliendo del agua; su holgada camisa blanca parecía el ala de un cisne que intentaba disipar la bruma. Se volvió hacia mí con el rostro borroso a causa de la niebla, pero en ese instante un rayo de sol lo alcanzó y perfiló las facciones de Liam en la bruma blanca. Él abrió los brazos y yo salí corriendo para abrazarlo. Por un momento sentí la fuerza de sus brazos estrechándome y la calidez de sus labios, pero de pronto ya no estaba, Liam había desaparecido de nuevo. Desperté aferrada a las sábanas y sollozando. Por primera vez me levanté de la cama y corrí al patio trasero; mis pies descalzos se hundieron en la nieve medio derretida. El jardín y el bosque estaban cubiertos de una neblina blanca que parecía ascender de la nieve fangosa, como si la tierra estuviera exhalando un aliento largamente contenido. Liam estaba ahí en el bosque, lo sabía. No estaba en la oscuridad, sino vagando por algún lugar de las Tierras Fronterizas. Estuve a punto de echar a correr hacia el bosque, pero Brock me retuvo y me arrastró de nuevo a la casa. Yo estaba demasiado débil para resistirme, de manera que tendría que recobrar las fuerzas.

Empecé a beber todo el té y todo el caldo que Dory me ofrecía y a zamparme el pan y los bollos que Diana preparaba. Notaba que la cama de hierro incomodaba a Diana, así que pedí que me dejaran estar con ella en la cocina, y después en el salón. En cuanto fui capaz de permanecer sentada en el sofá, empecé a recibir más visitas. Soheila vino a verme el primer día caluroso del año, que resultó ser el primer día de primavera. Me trajo las galletas de almendra y el agua de rosas típica del Año Nuevo persa. Lo cierto es que su visita me alegró, porque tenía que hacerle algunas preguntas.

—Liam me dijo que si yo llegaba a amarlo, se convertiría en humano —le expliqué cuando Dory nos dejó a solas—. ¿Es cierto?

Soheila suspiró profundamente; un suspiró parecido al canto de una lechuza, que me recordó que tiempo atrás había sido un espíritu del viento.

—Sí, es verdad. Así es cómo me convertí en lo que soy ahora, ni totalmente humana ni totalmente súcubo. Pero lo que no te dijo es que amarlo acabaría contigo del mismo modo que lo hizo con Angus. Yo no supe que lo estaba matando hasta que fue demasiado tarde, pero Liam... el íncubo sabe lo que le sucedió. Él estaba allí. Él lo remató. Así que si de verdad te amaba no te hubiera pedido que sacrificaras tu vida por la suya.

Pensé en ello mientras Soheila bebía un sorbo de té y probaba una galleta. Miré por la ventana, donde los carámbanos se estaban derritiendo en los aleros de la casa, en un goteo constante que producía un sonido similar al de la lluvia.

—Pero me arrebató la llave de la mano y la giró en la pulsera de hierro. Hacia la derecha. Si la hubiera girado a la izquierda se habría liberado. —«O yo habría caído en la oscuridad con él», pensé, aunque no lo dije en voz alta, pues me daba vergüenza admitir que yo misma había estado dispuesta a destruirme—. ¿Por qué lo hizo?

—No lo sé —contestó Soheila, juguetenado con unas migas de galleta. De pronto parecía incómoda—. Puede que se equivocara. Casi todos los de mi especie tenemos un mal sentido de la dirección. Mis primas no podrían ir a la peluquería ni a sus clases de tenis sin GPS.

Fruncí el ceño.

—Pero sois descendientes de los espíritus del viento...

—¿Y crees que el viento sabe en qué dirección está soplando? —repuso con un destello en los ojos—. ¿O que le importa el árbol que derriba? ¿O la destrucción que deja a su paso? ¿Acaso has olvidado que el íncubo levantó una tormenta que zarandeó el avión de Paul en pleno vuelo?

Aparté la mirada sintiendo cierta culpabilidad. Había olvidado eso.

—Créeme, Callie, tienes suerte de haber sobrevivido. Mira lo que les hizo a esos estudiantes. ¿Serías capaz de amar a una criatura que se alimenta de críos?

—¿Quién se está alimentando de críos? —preguntó una voz desde el recibidor. Frank Delmarco, seguido de una nerviosa Dory Browne, entró en el salón. Se quitó una gorra de los Yankees y se repantigó en el sofá—. Creía que eso estaba prohibido desde que Swift escribió aquel manifiesto.

—Frank. —Soheila sonrió nerviosa—. Pensaba que te habías ido a pasar las vacaciones a la ciudad.

—Sí, pero cuando me enteré del brote de canibalismo infantil volví corriendo. ¿Qué pasa, McFay? Parece como si alguien te hubiera pegado un puñetazo en el estómago.

—Pobre Callie —intervino Dory, como si yo no estuviera ahí—. Han deportado a Liam Doyle a Irlanda por evasión de impuestos.

—¿En serio? —preguntó Frank, ladeando la cabeza hacia mí—. Nunca hubiera vinculado a Liam al fraude fiscal, pero bien es cierto que muchos hombres se han arruinado por su afición a la ropa cursi.

—Frank, no seas grosero —lo reprendió Soheila—. Callie lo está pasando muy mal.

—Estoy aquí, vale —señalé, cansada de que hablaran de mí como si fuera invisible.

—Sí, claro que estás aquí —comentó Frank, sonriéndome—. Me alegro de que no te hayas fugado a Irlanda. Estarás mucho mejor sin él, McFay. Vales más que una docena de Liams.

—Sí, tiene razón —afirmó Soheila, mirándome con curiosidad. Entonces se levantó y dijo—: Te dejo en buenas manos, Callie. Tengo que hacer algunas visitas más. Es una tradición persa visitar a todos los buenos amigos en Año Nuevo. —Le dedicó una sonrisa demasiado forzada a Frank, como si posara para una foto, y luego le pidió a Dory que la acompañase a casa de Diana.

Frank la observó marcharse con expresión de asombro.

—Nunca le pillo el paso. Pasa del frío al caliente como si nada. ¿Qué clase de criatura es ella?

—¿No lo sabes? —pregunté, sorprendida de que la inteligencia de Frank no hubiera identificado la verdadera naturaleza de Soheila.

—No. Mis jefes creen que es algún tipo de divinidad antigua, pero su designación exacta está muy protegida. Es una de las razones por las que estoy investigando a Fairwick. Los seres sobrenaturales deberían estar claramente identificados para que uno pueda saber con quién está tratando. Mira lo que sucede cuando no se sabe. ¿Qué era Liam en realidad? ¿Un vampiro? ¿Un hombre lobo? Siempre me pareció un tanto greñudo.

—Un íncubo —respondí con cierto remilgo, con tal de distraerle del interrogatorio acerca de Soheila. Pobrecilla, estaba claro que Soheila pensaba que Frank estaba interesado en mí y se había hecho a un lado con elegancia porque ella no podía tenerlo. Tendría que decirle que no había nada entre nosotros. Pero de ninguna manera podía dejar que Frank supiera que Soheila era un súcubo.

—Caray, un íncubo. Eso son palabras mayores. No me extraña que siempre estuvieras tan cansada. Y sus alumnos... Debe de ser difícil de asimilar..., saber que el profesor iba tras ellos.

—Si has venido para regodearte...

—No, de hecho he venido porque he descubierto algo interesante sobre Hiram Scudder. En caso de que todavía quieras deshacer la maldición de Nicky.

—¡Pues claro que sí! —repuse, pese a que desde el día que fui a casa de Nicky Ballard casi no había pensado ella.

—Después del suicidio de su mujer, Hiram Scudder se fue al Oeste. Cambió de nombre varias veces y se movió de un lado a otro, por eso resulta tan difícil seguirle la pista. Pero creo que lo he ubicado en Colorado con el nombre de Stoddart, y ahora estoy intentando descubrir adónde fue cuando se marchó de allí.

—Bien hecho. Seguro que encontrarás algo. Si hay alguien que pueda hallar un modo de anular esa maldición, ese eres tú.

—¿Significa eso que tiras la toalla? —preguntó Frank, inclinándose para mirarme con los ojos entornados—. No es muy propio de ti.

Me encogí de hombros.

—Bueno, es que tal vez me vaya una temporada fuera. A algún lugar más cálido. Puede que no esté hecha para... este clima. —Me temblaba la voz y advertí, avergonzada, que estaba al borde de las lágrimas.

—Sí, la verdad es que pareces casi muerta de frío —comentó.

Bajé la vista y vi que inconscientemente había escondido las manos en las mangas de mi sudadera para ocultar los moretones.

—¿Preparo un poco de té caliente? —ofreció Frank, levantándose—. Así podremos charlar un poco más sobre tus planes.

Antes de que pudiera objetar, ya se había ido a la cocina. Oí el sonido del agua corriente y la puerta de la nevera y supuse que Frank me estaba dando tiempo para que me serenara; cosa que habría estado bien si la puerta principal no se hubiera abierto en ese preciso instante.

—¿Hola? ¿Profesora McFay? —preguntó la voz de Mara desde el porche.

—Estoy aquí, Mara —respondí, apresurándome hacia la puerta. Quería evitar que entrara y decirle que estaba demasiado enferma para recibir visitas.

Mara estaba en el porche, sosteniendo un ramo de claveles rosa de aspecto anémico. Me sentí culpable por querer desembarazarme de ella cuando la pobre muchacha se había tomado la molestia de comprarme flores. De todos modos, si la dejaba entrar, su visita podía alargarse una hora o más.

Salí para saludarla.

—Son preciosas, Mara —dije. Y tras respirar hondo añadí—: ¡Caray, parece que ha llegado la primavera! Sentémonos un rato en el balancín antes de que vuelva a la cama. Llevo días encerrada.

Señalé el balancín del porche y Mara se sentó justo en medio, depositando las flores a su lado y dejándome muy poco espacio. En lugar de embutirme al otro lado, preferí apoyarme en la barandilla.

—Te agradezco la visita, Mara, pero me habían dicho que seguías en la enfermería. ¿No deberías estar descansando? —Lo cierto es que hacía muy mala cara. Estaba pálida, excepto por dos manchas en las mejillas del mismo tono rosa que los claveles. Se sentó en el borde del balancín, con las piernas tiesas como si le diera miedo marearse por el balanceo del asiento.

—Estoy mucho mejor —dijo fríamente—. Me han dicho que no se encontraba bien... y que el señor Doyle había tenido que abandonar el país. Pensé que estaría triste.

La idea de que alguien me compadeciera, en especial Mara Marinka, me superaba. Sentí un dolor agudo detrás del ojo derecho y me masajeé la sien.

—Eres muy amable, Mara, pero la verdad es que me encuentro bastante bien...

La muchacha no me estaba escuchando y tenía los ojos clavados en mi muñeca, pues la manga había dejado al descubierto los moretones negros que Liam me había causado. Mara se acercó y me tocó la muñeca. Intenté apartarme, pero la barandilla me lo impidió.

—¿Él le hizo esto? —preguntó en voz baja, y su aliento me rozó el rostro.

—No es nada, Mara. Fue un accidente.

Sacudió la cabeza, sin apartar los ojos de mi muñeca, y empezó a apoyar los dedos, uno a uno, encima de las marcas. Sus yemas, húmedas y extrañamente esponjosas, se adhirieron a mi piel como ventosas.

—No —dijo, y la punta de su lengua asomó entre sus dientes amarillentos—. No fue un accidente. Intentó arrastrarte con él a las Tierras Fronterizas. Y tú... —levantó la vista; sus ojos se habían teñido de un amarillo sulfuroso. Había visto esos ojos antes, pensé extrañada— estabas dispuesta a irte con él. ¡Devoción total! Todavía puedo olerla. —Se sorbió la nariz y entonces, horrorizada y asqueada, vi que su lengua áspera y rosa salía súbitamente de su boca a una distancia imposible y me lamía la muñeca.

Chillé e intenté apartarla de un empujón, pero era como presionar una espuma. Mi mano izquierda se hundió en su carne esponjosa. Comenzó a acercarse mi mano a la boca, que se estaba abriendo cada vez más. Sus labios parecían de goma y dejaban al descubierto una fila de dientes afilados y amarillentos por detrás de la primera hilera. Unas plumas negras comenzaban a crecerle en el cuerpo y tenía la lengua cubierta de ventosas que se pegaban a mi piel y tiraban de ella.

—¿Qué eres? —pregunté, aunque de pronto la reconocí: era el cuervo negro que me había atacado. Esa era su verdadera identidad: una monstruo con plumas que absorbía la fuerza vital de sus víctimas, tal como había hecho con Nicky, Flonia y Liz Book.

Tenía que alejarme de ella antes de que me dejara seca; ya podía sentir que me estaba absorbiendo la vida. Pero como no podía empujarla, me encaramé a la barandilla y me impulsé hacia atrás. Caí unos dos metros de espalda y si la nieve no hubiera amortiguado el golpe me habría hecho polvo la columna. Mara se lanzó encima de mí abriendo los brazos, convertidos ahora en alas con plumas negras, y soltando un graznido furioso. Estaba dispuesta a acabar conmigo.

Rodé a un lado antes de que me alcanzara. Me puse de pie tan rápido como pude y al incorporarme agarré un puñado de nieve fangosa... y algo más: una piedra con un agujero en el centro. La piedra mágica que había introducido en el adorno de hielo en noviembre había caído al suelo y ahora estaba en mi mano. Mientras aquella criatura revoloteaba a mi alrededor para atacarme, pensé en cómo valerme de la piedra, pero no tenía tiempo y tampoco recordaba ningún hechizo, ni siquiera el que servía para defenderse de los ataques aéreos. La criatura batía las alas y se preparaba para abalanzarse sobre mí.

Me volví y eché a correr a ciegas, resbalando en la nieve. Oía aquel aleteo monstruosos a mi espalda. La criatura se había transformado en un pájaro mucho más grande que el que había visto en las anteriores ocasiones. Quizás el tamaño variaba en función del hambre que tenía, ¡en cuyo caso estaba muy hambrienta! Había sentido su ansia cuando me chupaba la muñeca y no creía que nada pudiera detenerla si caía en sus garras. Pero ¿cómo iba a escapar? Veía la casa de huéspedes al otro lado de la calle, pero si corría hacia allí, Mara me alcanzaría a medio camino. Me la imaginé picoteándome como un buitre que arranca a tiras la carne de un animal atropellado. A mi derecha tenía la hilera de pinos que rodeaban el bosque. Si llegaba hasta ahí me seguiría, pero no le resultaría fácil internarse por los estrechos huecos entre los árboles. Al menos lograría frenarla.

Tras tomar la decisión, me lancé hacia la derecha entre dos árboles y me rasguñé el hombro contra una áspera corteza. Oí el graznido furioso de la criatura y me volví justo a tiempo para ver cómo se estrellaba contra los árboles; cayeron plumas negras por todas partes. Se desplomó en la nieve y por un instante pensé que había perdido el sentido, pero al punto se recompuso y, plegando sus asquerosas alas, avanzó entre los árboles.

Corrí bosque adentro, alejándome del sendero para que no pudiera extender sus enormes alas, que se abrían unos dos metros. Aquel pájaro no era tan grande cuando me atacó el día de Navidad, y entonces ya era mayor que cuando me agredió en el solsticio, que a su vez era más grande que la criatura que se ha-

bía lanzado en picado en el camino del pabellón Bates la primera vez que la vi... Pero ¿de verdad había sido esa la primera vez
que la había visto? Esos ojos amarillos, ese graznido lastimero...
eran los mismos que los de aquel pajarillo que había visto atrapado en el matorral y que yo misma había liberado. ¡Había dejado a ese monstruo suelto en Fairwick! Tenía que acabar con él.

Eché un vistazo atrás, con la esperanza de que lo hubiera
perdido en el laberinto de árboles, pero estaba justo detrás de
mí, planeando por encima de los árboles. Se había hecho tan
grande que tapaba el sol por completo. Estaba buscando una
zona despejada para lanzarse en picado sobre mí. De manera que
tenía que guiarlo hasta el matorral, donde los arbustos eran frondosos y las parras tan densas que quedaría atrapado. Tenía que
llevarlo hasta las Tierras Fronterizas, de donde había venido.

Seguí dando tumbos por el bosque, ni quisiera segura de estar siguiendo la dirección correcta. La última vez que había mirado el cielo, el sol estaba a mi espalda. Si torcía a la izquierda
estaría yendo en dirección norte, la que había tomado la primera
vez que hallé el matorral. Esquivé un árbol y giré para corregir
la dirección.... y oí el aleteo prácticamente encima de mí. Algo
afilado me arañó la mejilla: el pajarraco había sacado las garras
para cogerme. En ese instante vi el matorral delante de mí, las ramas desnudas y retorcidas del arbusto de madreselva formando
un arco. Me zambullí debajo de una rama muy baja y oí que el bicho chocaba contra los arbustos y soltaba un chillido furioso. Había plumas negras por todas partes, como hollín de una explo-
sión infernal. Levanté la vista y vi que la criatura se incorporaba,
arrastrando un ala rota. Su asqueroso pico amarillo me seguía de
cerca. Agaché la cabeza y me arrastré hacia el interior del matorral, apartando algunas parras para bloquear el paso a mi espalda.

Había encontrado el matorral, pero mi plan no tenía mucho
futuro ya que mientras fuera más grande que aquel pájaro no
podría guiarle hasta un espacio lo suficientemente pequeño para
atraparlo. Por el contrario, yo misma quedaría atrapada entre
las parras como una mosca en una telaraña y la criatura podría
devorarme a su antojo. De todos modos, me arrastré entre el

sotobosque, hundiéndome más y más en lo que empezaba a sospechar que sería mi tumba. En ese lugar ya habían muerto otras criaturas, otros pájaros y ratones, pero a medida que avanzaba me topé con criaturas más grandes y extrañas: un animal con aspecto de conejo pero con colmillos largos, esqueletos de murciélago con diminutos cráneos humanos, y una cola de pez unida a un torso humano. ¿Una sirena? ¿Cómo habría ido a parar una sirena a ese sitio? Debía de haber agua al otro lado de la puerta, y eso significaba que ya estaba cerca del umbral que separaba los dos mundos. Quizá si pudiera conducir a Mara hasta la puerta podría hacer que la atravesara. Aquel día era el equinoccio. Si la puerta se abría durante el solsticio, puede que también lo hiciera en el equinoccio, ¿no? Y yo era una guardiana... con una piedra mágica en el bolsillo. Valía la pena intentarlo. De hecho, quizás era mi única posibilidad de evitar que Mara me matase. Pero primero tenía que encontrar la puerta.

Me detuve un instante a escuchar; hacía un rato que no oía al pájaro detrás de mí. ¿Lo había perdido? ¿O había dado la vuelta para salirme al paso por delante? En el matorral se oían sonidos sutiles: el crujido de ramitas, el goteo de la nieve derritiéndose y también un débil y distante rumor de oleaje: el sonido del mar en un bosque en tierra firme, como si los matorrales fueran las espirales de una concha marina. Me arrastré en dirección a aquel ruido, impulsada tanto por el extraño misterio como por la escasa posibilidad de escapar. A medida que avanzaba me percaté de que la nieve era cada vez más fina y el suelo más blando, y mis manos se hundieron de pronto en arena. Alrededor de mí, colgadas entre las parras, había conchas y espinas de peces que se balanceaban y tintineaban como carrillones. Había llegado a un claro circular.

Me levanté y miré en derredor. Era el claro al que me había llevado Liam la víspera de Año Nuevo. Delante de mí estaba la entrada en forma de arco, aunque en lugar de verse iluminada por la luna, en aquel momento estaba cubierta de una bruma verde azulada, el color del mar. Di un paso... y oí otro paso detrás de mí.

Me volví y me encontré frente a la criatura de mis peores pesadillas. El pájaro había empezado a transformarse de nuevo en humano, pero se había quedado a medias. Se sostenía en pie sobre dos piernas, pero terminadas en garras escamosas, y su cuerpo estaba salpicado de plumas negras. Tenía un brazo humano que le colgaba roto a un costado, y el otro, un ala que batía con furia. Su rostro era el de Mara, salvo por un pico amarillo espeluznante que abrió para chillarme, al tiempo que serpenteaba su larga lengua cubierta de ventosas como un gato furioso.

—Mara —dije, procurando que no me temblara la voz—. Este mundo no es el lugar adecuado para ti. ¿No preferirías volver?

Graznó y batió más fuerte el ala.

—¿Tú qué sabes? En ese mundo nos estamos muriendo de hambre. Allí no hay comida. En cambio aquí... —Su asquerosa lengua serpenteó y se retorció por encima del pico mientras daba un paso en mi dirección—. Aquí hay tanta abundancia que la desperdiciáis. Esos jóvenes toman drogas que merman su fuerza vital, conducen coches cegados por el alcohol, practican el sexo como entretenimiento y trasnochan fingiendo estudiar. ¿Por qué no debería beberme su fuerza vital cuando ellos mismos despilfarran sus vidas?

—No son todos así —repuse, dando un paso atrás en dirección a la puerta. Olía el aroma del aire salado mezclándose con la madreselva. ¿Es que siempre era verano en el Reino de las Hadas? Quería volverme y mirar, pero no podía bajar la guardia—. Y yo tampoco soy así. No me drogo, ni conduzco borracha...

—¡Ja! ¡Tú eres la peor de todas! Estabas deseando que ese íncubo te dejara seca...

—¿Sabías que Liam era un íncubo? —pregunté.

—¡Sí! Lo reconocí de inmediato, pero él no me reconoció a mí. Estaba tan concentrado en seducirte que apenas veía a nadie más. Y tú... tú estabas dispuesta a seguirle hasta la oscuridad. Lo huelo en ti. —Estiró la lengua y me rozó los moretones de la mano derecha—. Tienes esas marcas porque tu carne se estaba disolviendo con la suya, y eso solo pudo pasar porque tú deseabas irte con él. ¿Sabes lo que haré? —Estiró el pico en lo que supuse que era una sonrisa—. Después de acabar contigo dejaré tus restos en las Tierras Fronterizas. Así podrás pasar la eternidad en ese infierno con tu novio.

—¿De verdad es tan horrible? —pregunté, volviéndome ligeramente para echar un vistazo a través de la puerta. Entonces Mara se abalanzó sobre mí, como sabía que haría. Saqué la mano del bolsillo, deslizando la piedra mágica en uno de mis dedos y grité el hechizo de apertura—: *Ianuam sprengja!*

Un viento frío sopló a través de la entrada arqueada y unas sombras se extendieron hacia mí, olisqueándome, ávidas de mi calor, de mi carne... de mi vida. ¿Estaría él allí?, me pregunté inclinándome hacia la puerta, pero entonces oí el aleteo a mi espalda y me lancé hacia la derecha justo cuando el ala de Mara me rozaba la cara. Debería haberse escabullido a través de la puerta, pero en lugar de eso un destello de luz rajó el aire por encima de nosotras, seguido de un crujido y un grito parecido a «por Bucky Dent», y Mara se desplomó a mis pies.

Confundida, miré y vi a Frank, detrás del cuerpo arrugado de Mara empuñando un bate de béisbol.

—Madre mía, Frank, ¿qué haces aquí?

—Salvarte la vida, McFay. De nada. —Se acercó y me tendió la mano, pero el ala de Mara lo golpeó en el pecho y lo empujó contra un árbol. A Frank le crujieron los huesos.

Mara se abalanzó sobre mí. Esta vez no tuve tiempo de esquivarla y me cayó encima a escasos centímetros de la puerta abierta. Me sujetó por el cuello con la mano y batió el ala en el aire. Abrió su asquerosa su pico amarillo como si fuera de plastilina, e hizo rechinar sus afilados dientes. Me salpicó la cara con saliva putrefacta. Cerré los ojos y recé para que acabara rápido.

De pronto, la presión de su peso desapareció tan repentinamente que sentí una extraña ligereza en el pecho. ¿Así era la muerte? Abrí los ojos y vi a Mara suspendida en el aire, encima de mí, atrapada en una madeja de sombras... Empezó a girar en dirección a la puerta. Rodé hacia un lado justo a tiempo de ver cómo desaparecía en el otro mundo. No obstante, la sombra se quedó suspendida en el umbral, serpenteando.

—¡Rápido, ciérrala! —chilló Frank.

Eché un vistazo a la piedra mágica que tenía en el dedo... y me la quité.

Una ráfaga de viento sopló en el claro, succionando todo el aire a través de la puerta. Frank me cogió y se aferró al tronco de un árbol para evitar que saliéramos volando hacia el otro mundo. Había un remolino justo delante de la puerta; la espiral de sombra que había desterrado a Mara se retorció en el aire y rápidamente cobró forma. Por un momento distinguí el rostro de Liam flotando sobre mí. Sentí el roce de unos labios, percibí el aroma de la madreselva en el aire... Pero la espiral de sombra se disipó enseguida y, con un fuerte crujido y gran estruendo, la puerta se cerró.

40

Tardamos un buen rato en salir del bosque. Frank no podía apoyar la pierna derecha (más tarde sabríamos que se la había fracturado por dos sitios), pero tampoco quería dejar su bate de béisbol.

—¿Estás de broma? ¡Está firmado por el gran Bucky Dent!

—Está bien —dije, levantando el bate en una mano y sosteniendo a Frank con la otra—. ¿De dónde lo has sacado?

Me refería a cómo había podido coger el bate antes de correr hacia el bosque en nuestra búsqueda, pero él respondió explicándome una larga historia de cómo había conseguido que Bucky Dent le firmara el bate en el estadio Fenway Park después de que Bucky se anotara tres *home runs* para ganar a los Red Sox en un partido clasificatorio de la temporada de 1978.

—Ostras, Frank, siendo un brujo, ¿no podías haber traído algo más mágico para salvarme?

—¿Más mágico? ¿Es que no me has oído, mujer? Este bate está firmado por el mismísimo Bucky Dent. ¡Es más que mágico!

Frank siguió alabando las virtudes del bate, olvidándose del dolor (tal como yo esperaba). Y cuando alcanzamos la casa y vimos que Brock, Dory y Diana corrían a nuestro encuentro, añadió:

—Tenía el bate en el maletero. Siempre lo llevo ahí por si me topo con algún loco en la carretera. Así que cuando vi que aquel ave de rapiña te perseguía en dirección al bosque fui a cogerlo.

Hizo aquel comentario con la voz suficientemente alta para que los otros lo oyeran y todavía lo repitió una vez más cuando Diana nos llevó al hospital. De hecho, Frank lo repitió tantas veces que pensé que estaba en estado de *shock*, pero después comprendí que solo intentaba preservar su identidad en secreto, sin mencionar que había sido testigo de un episodio sobrenatural. Cuando se lo llevaron al quirófano, me guiñó un ojo y me hizo prometerle que cuidaría del bate de Bucky Dent.

Me quedé en el hospital hasta que vino Soheila.

—Dile a Frank que me he ido para asegurarme de que su bate está a salvo —dije, levantándome.

Soheila me miró sorprendida, pero tomó asiento dispuesta a esperar a que Frank recobrara la conciencia.

Los días siguientes todo el mundo me miraba de un modo extraño. Creo que temían que todo aquello me hubiera impactado mucho y que pronto caería en una depresión similar a la que había sufrido cuando desterré a Liam. Cuando les expliqué a Liz y a Diana lo que había sucedido, ambas me miraron con aire de culpabilidad.

—Así que no era Liam quien estaba consumiendo a los estudiantes —comentó Diana—. Ni a Liz.

—Debería haberme dado cuenta de que después de estar con Mara siempre me sentía más cansada —añadió Liz—. Tendría que haberme percatado de qué criatura era.

Cuando fui a visitar a Soheila después de las vacaciones, esta me dijo que se sentía mal por no haber reconocido la verdadera naturaleza de Mara.

—No te culpes —le dije—. Mara me explicó que ni siquiera Liam la reconoció. ¿Qué era ella exactamente?

—Un *liderc* —respondió, cogiendo la *Demonología* de Fraser de la estantería y abriéndola para mostrarme una ilustración de una gallina con cabeza de mujer—. Es una especie de súcubo húngaro, pariente lejano de nuestro *lilitu*. Adoptan forma de ave para cazar a su presa, por lo general de gallina, pero a veces también se transforman en cuervos, y se alimentan de la fuerza vital de sus víctimas a través del contacto cercano, nunca a través del sexo.

—Uf, eso es un alivio. —No me gustaba la idea de que Mara hubiera mantenido relaciones sexuales con todas sus víctimas—. Así que quizá fue ella quien me estaba debilitando, y no Liam, ¿verdad?

—Sí, podría ser, pero eso no quita que Liam fuera un íncubo y que tú te estabas acostando con él. Tarde o temprano te hubiera consumido.

«¿Cuánto podría haber tardado en suceder aquello?», me pregunté. Sabía que Soheila (al igual que Diana, Brock, Dory y Liz) temía que sufriera una crisis nerviosa si creía que había desterrado a Liam por nada. Pero yo no pensaba caer en ninguna crisis nerviosa, siempre y cuando me mantuviera ocupada, claro.

A medida que los días se hacían más largos y más calurosos sometí a la Casa Madreselva a una orgía de limpieza primaveral. Metí todos los libros y la ropa de Liam en cajas y las dejé en el desván. Quité el polvo, fregué y limpié todas las ventanas. Mientras ponía orden en mi escritorio, encontré una llave que encajaba en la cerradura del cajón, y dentro hallé otra llave de hierro, idéntica a la que Brock me había hecho para desterrar a Liam a las Tierras Fronterizas. De manera que alguien ya lo había enviado ahí antes y, de algún modo, liberado de nuevo. Me pregunté por qué y cuándo habría sucedido.

Cuando limpié la despensa, descubrí un bulto oscuro junto a la fregona y comprendí que se trataba del cangrejo de sombra. Le lancé un cubo de lejía encima y la sombra se arrugó hasta convertirse en una fina capa de polvo gris que enseguida limpié a conciencia. Entonces corrí escaleras arriba y me encontré a *Ralph* sentado en la cesta, acicalándose.

—¡Has vuelto!

Corrí a la cocina y cogí un Mini Babybel para darle algo de

comer. *Ralph* aprovechó mi ausencia para abrirse paso hasta mi portátil y tecleó: «¿Se ha ido el íncubo?»

De modo que él lo había sabido desde el principio... ¡Y encima sabía escribir! Ahora comprendía por qué siempre intentaba saltar al ordenador. Le conté toda la historia mientras se llenaba la barriga comiendo queso, y después escribió una palabra más: «¡Perdón!»

—No te preocupes, compañero, al menos te he recuperado —dije, frotándole la barriguita—. No creo que te hubiese gustado convivir con un íncubo. —Pero *Ralph* ya se había quedado dormido y roncaba a pata suelta, señal de que no había vuelto a caer en coma.

Después de fregar toda la casa y de haber hecho una lista de las reparaciones que tendría que acometer en verano, me centré en mis alumnos. Me ocupaba de nuevo de la clase de Escritura Creativa, de manera que tenía trabajo de sobra. Había temido que los chicos se pasaran el día lamentando la ausencia de Liam, pero la primera vez que Scott Wilder (que ya había regresado de su excedencia médica, más adormilado que nunca) mencionó el nombre de Liam, Nicky le lanzó una mirada glacial y nadie se atrevió a volver a sacar el tema. De todos modos, detecté la influencia de Liam en sus redacciones; parecían más abiertos y sensibles al uso de la lengua que cuando me había encargado de la clase en otoño. Liam les había dado la confianza necesaria para que experimentaran y encontrasen sus propias voces. Especialmente Nicky.

La muchacha había escrito una serie de poemas sobre una joven atrapada en un palacio de hielo custodiado por guardianes. Cada poesía relataba una historia diferente y en cada una de ellas reconocí la presencia de la historia familiar de Nicky, de las heroínas románticas sobre las que habíamos leído en clase y, sobre todo, de los miedos que la muchacha albergaba respecto a su futuro.

«Cuando veo el modo en que se han torcido sus sueños —escribió—, me pregunto cómo podré yo apaciguar mi destino.»

Faltaban pocos días para el 2 de mayo, el cumpleaños de

Nicky, y seguía sin saber cómo desactivar la maldición de los Ballard. Para no quitarle el ojo de encima, la contraté para que ocupara el puesto de Mara y me ayudase en mis investigaciones. Le mostré las tablas que Mara había elaborado para analizar los manuscritos de LaMotte y Nicky se rio cuando le expliqué el sistema de asteriscos que la joven había utilizado.

—Era un chica rara —comentó sacudiendo la cabeza—. Y un tanto mojigata. Se quedaba atónita cuando le decía que había dormido en casa de Ben, pero, por otro lado, siempre se sentaba muy cerca, ¿sabe a qué me refiero? Y me hacía preguntas muy embarazosas. Suponía que intentaba comprender nuestra cultura, pero a veces daba la sensación de que pretendía absorber todas mis experiencias. De todos modos, me da pena que le haya caducado el visado. ¿Cree que volverá algún día?

—No —respondí, esperando que así fuera—. Creo que ya hizo todo lo que tenía que hacer en Fairwick.

Nicky completó las tablas de Mara, pero también hizo su propio hallazgo a partir de los cuadernos.

—Creo que Dahlia LaMotte basó una de sus novelas en mi familia —me dijo la última semana de abril—. Es una que nunca llegó a publicar, *La maldición de los Bellefleur*.

Cuando la leí, creí comprender por qué no se había publicado nunca: la tensión romántica que caracterizaba la escritura de LaMotte apenas estaba presente en aquella novela y, además, no tenía un final feliz. Contaba la historia de dos hombres ambiciosos que unían fuerzas para ganar el control de los ferrocarriles en un pequeño pueblo al norte del estado de Nueva York. Andre Bellefleur, que se perfila como el más despiadado de los dos, se deshace de su socio, Arthur Rosedale. La mujer de este último se suicida, y antes de marcharse al Oeste, Rosedale lanza una maldición sobre las mujeres Bellefleur para que deseen acabar con sus vidas después de dar a luz a un sucesor.

—Es como lo que pasa en mi familia —afirmó Nicky—, salvo por los suicidios; las Ballard preferimos una decadencia lenta. Cuando era pequeña, mi abuela me habló un día de una maldición y me dijo que por ese motivo mi madre se comportaba como lo hacía. Nunca la creí, pero últimamente... Bueno, después de todas las cosas raras que han estado sucediendo en el pueblo, ya no me cuesta tanto creer que pueda existir una maldición. Pero ojalá supiera cómo hacerla desaparecer.

Nicky también se percató de unas notables semejanzas entre los Bellefleur y los Ballard: Andre Bellefleur tenía un bastón con cabeza de lobo que la muchacha aseguraba que era idéntico al que habían tenido en la familia antes de que su abuela lo empeñase; un antiguo secreter de color rosa con unos cupidos grabados que seguía en la habitación de su abuela, y la misma peca marrón en sus ojos azules. Yo también encontré una reliquia de mi propia familia en el manuscrito. Arthur Rosedale tenía un reloj de bolsillo de ónix negro con un árbol grabado que se parecía mucho al broche que mi abuela llevaba. Al pensar en Adelaide, detecté otras similitudes entre la historia de Hiram Scudder y la de mi familia. Scudder se había marchado a buscar fortuna al Oeste, al igual que el abuelo de mi abuela. Frank me había explicado que uno de los alias que Scudder había utilizado era Stoddart. Busqué en las ediciones antiguas de las novelas de Dahlia LaMotte que tenía y encontré el nombre «Emmeline Stoddart» escrito en las guardas.

No hacía falta ser un genio para deducir lo siguiente: mi abuela era una descendiente de la bruja que había maldecido a los Ballard, y eso significaba que ella podía anular la maldición. Después de haberla regañado la última vez que la vi, no estaba segura de que pudiera convencerla. Además, Adelaide era la última persona con que me apetecía hablar en ese momento. Si sus informadores le habían explicado que un íncubo había invadido el campus, no dudaría en interrogarme al respecto o en regodearse con uno de sus «te lo dije». Pero ¿qué otra opción tenía? El destino me estaba brindando la oportunidad de acabar con la maldición de los Ballard, algo que las brujas de Fairwick llevaban décadas intentando. Solo tenía que tragarme el orgullo.

Recordé que mi abuela solía venir a Nueva York alrededor del primero de mayo para asistir a una reunión de la junta de La Arboleda. Le envié un e-mail para proponerle que nos reuniéramos cuando estuviera en la ciudad. Tardó tanto en contestar que pensé que no iba a hacerlo, pero entonces, unos días antes de final de mes, recibí una invitación formal por correo en la que me invitaban a asistir a un cóctel que se celebraría en La Arboleda la tarde del 30 de abril. Me invitaban a alojarme y comer en el club bajo solicitud expresa de Adelaide Danbury. Mi abuela había escrito una frase al final de la nota: «Tendré tiempo para reunirme contigo media hora antes del cóctel en la biblioteca.» Pasar una noche en La Arboleda era lo último que deseaba, pero comprendí que rechazar la invitación no era una opción si realmente pretendía que mi abuela levantara la maldición de los Ballard.

De camino a la ciudad me pregunté qué más me pediría Adelaide a cambio y cuánto estaría yo dispuesta a ceder. Lo más probable era que mi abuela me pidiera que me marchara de Fairwick.

«Perfecto —pensé, mientras dejaba atrás el gran letrero del maleficio que había a las afueras de Bovine Corners—, podría vivir sin eso.» De hecho, quizá fuese lo mejor. A pesar de que ya no lloriqueaba cada vez que algo me recordaba a Liam (su taza preferida, la última gota de whisky irlandés, el olor de la madreselva), todavía dormía en la habitación de Phoenix y seguía despertándome en plena noche, buscándolo. Y aún no me había armado del valor suficiente para entrar en su estudio y limpiarlo. El solo hecho de pasar frente al supermercado donde comprábamos los quesos, o del anticuario de Glenburnie donde me había comprado el anillo, ya casi hizo que me saliera de la carretera. ¿No sería mejor que me alejara de todo lo que me recordaba a él? ¿Alejarme de la tentación de salir corriendo al bosque, al umbral que separaba los dos mundos, para liberarlo? ¿Y no sería mejor trabajar en una universidad que no atrajera a criaturas succionadoras de vida? Aunque le había dicho a Liz Book que no se culpara por no haber detectado que Mara Marinka era un *liderc* o que Liam era un íncubo, ¿no debería la universidad controlar más al profesorado y sus alumnos? Adelaide tenía razón; era irresponsable que la gente no supiera con quién estaba tratando. De manera, que cuando llegué a la Interestatal 17 ya había decidido que si mi abuela me pedía que me marchara de Fairwick como condición para desactivar la maldición de Nicky, lo aceptaría. A pesar de lo mucho que lo echaría de menos.

Una vez tomada la decisión, puse un audiolibro de la nueva novela de Charlaine Harris y solo pensé en los problemas de Sookie Stackhouse hasta que llegué a Manhattan. (¡Al menos yo no me había enamorado de un vampiro!, me felicité, recordando que habían pasado cuatro meses desde que había hecho el trato con Anton Volkov y que este todavía no me había molestado ni una vez). El tráfico de la hora punta acaparó toda mi atención hasta que aparqué en un párking de la calle Cuarenta y tres.

Arrastré la maleta hasta la recepción, me registré y un botones de avanzada edad me escoltó escaleras arriba hasta una habitación pequeña pero elegante, empapelada con un estampado de flores azules y con muebles tapizados en un muaré azulado. Los espejos eran antiguos y de plata deslustrada, y en ellos mi reflejo me pareció el de una desconocida, una persona que apenas recordaba. ¿De verdad era yo esa mujer pálida con el cabello cobrizo suelto y con aspecto de náufraga? Parecía una fotografía antigua de mí misma descolorida por el sol. ¿Cuándo me había sucedido aquello? ¿Y cuándo me había mirado al espejo por última vez? Llevaba tanto tiempo evitando cruzarme con mi propia mirada que pensé que mi reflejo se había descolorido por falta de uso.

Miré el reloj y comprobé que todavía faltaban unas horas para mi cita con Adelaide. De manera que llamé a mi antigua peluquera, Elan, y le pregunté si tenía un hueco en la agenda, aunque sabía que siempre tenía todo reservado con meses de antelación.

—Pues justo me acaban de llamar para reservarte una hora. Una tal señora Danbury —respondió—. Le dije que no teníamos ningún hueco libre, pero me pidió que te llamáramos si había alguna cancelación, y acabamos de recibir una... Estaba a punto de llamarte.

Detecté la confusión en la voz de Elan; un efecto secundario bastante común después de hablar con Adelaide. Me molestó que mi abuela intentara organizarme la vida (¿cómo sabía que necesitaba un corte de pelo?), pero ¿qué sentido tenía mostrarme orgullosa y tener un aspecto horrible?

—¿A qué hora tienes libre? —pregunté.

—Dentro de media hora.

—Perfecto, ahí estaré.

Dos horas y media después estaba en La Arboleda con un corte de pelo que lo había revivido y un par de bolsas de Bergdorf. Tenía el tiempo justo para ponerme el vestido lila de Jil Sander y los zapatos de salón Christian Louboutin que me acababa de comprar y de repasarme el maquillaje antes de reunirme en la biblioteca con Adelaide, o más bien el tiempo justo para llegar cinco minutos tarde y no sentir que estaba dispuesta a acatar todas las órdenes de mi abuela.

Adelaide frustró mi pequeño gesto de rebelión llegando exactamente seis minutos tarde y me encontró mirando embobada las enormes estanterías que cubrían las paredes de la biblioteca. La única biblioteca que había visto la mitad de impresionante que aquella era la de J. P. Morgan.

—El comité de iniciación me ha hecho demorar —me dijo, acercando la mejilla para que le diera un beso—. La nueva generación no puede tomar ninguna decisión por sí misma.

Por costumbre, apoyé los labios en su fría mejilla antes de recordar que me había propuesto no hacerlo. Adelaide sonrió y tomó asiento en uno de los sillones tapizados en seda que había junto a la chimenea. El traje de lana de color crema que llevaba, con el broche de ónix sujeto en la solapa, encajaba totalmente en aquel entorno; mientras que mi vestido lila, que me había parecido maravilloso en los almacenes Bergdorf, de pronto parecía demasiado llamativo.

—¿Has estado enferma? —preguntó, sirviéndome un poco de té de una tetera de porcelana—. Parece que has adelgazado.

—Sí, tuve un... virus —contesté, bebiendo un sorbo del humeante té—. Pero ya estoy recuperada. Bien, hay algo que me gustaría hablar contigo...

—Espero que te estés cuidando —continuó, como si no hubiera oído mi respuesta—. Las universidades pueden ser un criadero de gérmenes, especialmente con todos los extranjeros que Liz Book deja entrar. Me he enterado de que tuviste un pequeño roce con uno de ellos.

Me pregunté si se refería a Liam o a Mara, y quién sería su informador, pero no pensaba morder el anzuelo.

—Deberías sentir más compasión por las personas que se ven obligadas a abandonar sus hogares; tu abuelo, Hiram Scudder, tuvo que marcharse de Fairwick.

Adelaide sonrió.

—Buena chica. Me preguntaba cuánto tardarías en descubrirlo. Pero, por favor, no confundas a tu tatarabuelo Hiram con los desechos que actualmente llegan a nuestras costas en busca de caridad gratuita. Hiram rehízo la fortuna familiar en una sola generación. Pero ¡mira a los patéticos Ballard! Siguen desmoronándose en su vieja mansión.

—Porque Hiram los maldijo y tú has permitido que la maldición continúe. La pobre Nicky no tuvo nada que ver con lo que su tatarabuelo le hizo a Hiram Scudder.

—¿Y también has descubierto lo que le sucedió a Adele, la mujer de Hiram? Tu tatarabuela.

—Sí —dije, escarmentada—. Se suicidó. Y estoy segura de que fue terrible...

—Su hija, mi madre, se la encontró colgada de una lámpara en el salón. Después de aquello nunca fue... feliz. Y todo fue por culpa de Bertram Ballard.

—Pero Nicky no tiene ninguna culpa. Es una chica inocente y su madre también lo fue.

Vislumbré un destello de emoción en su rostro. Las finas líneas que tenía alrededor de los ojos se arrugaron y le tembló el labio inferior. ¿Estaba a punto de llorar? Nunca había visto a mi abuela derramar una sola lágrima. Pero si estuvo al borde las lágrimas, enseguida recuperó la compostura.

—No está en mis manos levantar la maldición. Solo la más joven de la familia puede hacerlo.

—¿Quieres decir que yo sí que puedo? Pensaba que mi poder había quedado neutralizado por la contaminación de la sangre de hada —señalé en tono burlón.

Ella frunció los labios.

—Puede que me equivocara en eso, o tal vez tu madre te desencaminó a propósito, pero siento que tienes el potencial para muchísimo más poder del que nunca imaginé... —Se inclinó hacia mí y entornó los ojos—. Y puede que hasta de otras cualidades de las que jamás sospecharás. Pero, obviamente, tu potencial debe cultivarse del modo adecuado. Si aceptaras tu lugar legítimo aquí en La Arboleda...

—¿Pretendes que me una a vuestro club?

Adelaide rio, como para disimular el sentimiento que había estado a punto de mostrar un momento antes.

—¡No lo digas como si te estuviera pidiendo que te unieras a la mafia! La Arboleda es una institución muy honorable y venerable. Mira a tu alrededor... —Movió la mano, enjoyada con relucientes diamantes, en dirección a las estanterías repletas de libros encuadernados en cuero; la estructura de la estantería brillaba al resplandor del fuego—. La membresía ofrece muchas comodidades: un lugar precioso donde alojarse cuando estás en la ciudad, relación con algunas mujeres muy bien situadas en el mundo académico y el de los negocios, y también con algunos hombres; nos acabamos de asociar con un club de élite masculino que hay en Londres y que cuenta con unos miembros impresionantes y unas instalaciones fantásticas. Y, lo mejor de todo, los miembros de La Arboleda tienen acceso a esta biblioteca. Te sorprendería todo el conocimiento que se almacena en estos libros.

Alcé la vista a los tomos encuadernados en cuero. Los lomos dorados parecían guiñarme el ojo con promesas de secretos apasionantes.

—¿Y no tendría que hacer nada malo para unirme al club? ¿Sacrificar a alguien o algo así?

Mi abuela rio.

—Desde el siglo XVIII no sacrificamos ni a animales.

—Está bien saberlo —repuse—. Pero ¿cuáles son exactamente las obligaciones que conlleva ser miembro del club?

—Una cuota de mil dólares al año —respondió en tono burocrático—. Y es obligatorio asistir a las reuniones trimestrales del Consejo en el Samhaim, el solsticio de invierno, y Beltane, el de verano, que este año se celebrará en Fairwick, de manera que será cómodo para ti. Ah... y tienes que llevar a cabo algún servicio comunitario.

—¿Qué tipo de servicio comunitario? —pregunté con recelo. Algo me decía que no consistía en visitar residencias de ancianos ni en leer libros a invidentes.

—Eso varía según el miembro. Como yo soy quien propone tu entrada al club, yo sería la persona que tendría que decidir qué servicio es el más apropiado. Y se me ha ocurrido el trabajo perfecto para ti.

Me estremecí al pensar en lo que podría ser, pero hice de tripas corazón y se lo pregunté.

—Me gustaría que fueras nuestra proveedora de información confidencial en la Universidad de Fairwick —contestó.

—Una espía.

—Llámalo como quieras. Ya has visto lo mal dirigido que está el campus y los peligros que conlleva que la universidad esté tan cerca de la puerta del Reino de las Hadas. Ya hace tiempo que en La Arboleda pensamos que debemos tomar las riendas respecto a controlar el tráfico entre los dos mundos. Alguien tiene que hacerlo. Y esa es la razón por la que la reunión del Consejo se celebrará allá este año.

—Pero ya tenéis algún espía ahí, ¿verdad?

—Sí, pero no sabemos por cuánto tiempo más podremos confiar en él. En Fairwick, los agentes tienden a volverse... nativos. Por supuesto, es probable que tú ya lo hayas hecho también, pero le expliqué a la Junta que ya habías tenido experiencia de primera mano con «extranjeros hostiles», de manera que creía que nos podrías ofrecer un informe honesto de lo que sucede en Fairwick.

—¿Y la Junta aceptó tu propuesta?

—La Junta nunca ha rechazado ninguna de mis propuestas.

—¿Y cómo se utilizaría la información que proporcionase? —quise saber—. Nunca permitiría que nadie saliera perjudicado por alguno de mis informes.

—Nadie perjudicará a nadie que no haya dañado a un humano. Ya verás que en La Arboleda somos bastante justas. Así pues, ¿qué me dices?

Vacilé. Detestaba la idea de espiar a mis amigos y compañeros de trabajo, pero todavía más la posibilidad de que Nicky Ballard cayera víctima de una vieja maldición. Además, mi abuela tenía razón: las cosas estaban fuera de control en Fairwick y puede que la universidad necesitara una mano que la guiase. Si mi decisión no estaba influenciada por el hecho de que podría quedarme en Fairwick, cerca de Liam, no podía negarme, ¿verdad?

—Vale —dije—. Lo haré. Con la condición de que me enseñes a levantar la maldición.

—Desde luego. Solo necesito que pongas la mano encima de este libro y repitas después de mí. —Señaló un volumen delgado que había encima de la mesa. Apoyé la mano encima y noté que el cuero desgastado estaba caliente—. Por la presente declaro que yo, Cailleach McFay, acataré las normas de La Arboleda. A cambio, conoceré el secreto de la maldición de los Ballard.

Repetí las palabras. El cuero se calentó más a medida que hablaba y el dorado de la cubierta empezó a brillar. Las ramas del árbol dorado parecían bambolearse y las hojas se arrugaron y salieron volando como una lluvia de chispas hacia el fuego. Una de esas chispas me cayó en la muñeca. Aparté la mano y sacudí la ceniza ardiente, pero ya me había dejado una marca con forma de árbol.

—Oye, ¡no me dijiste que me dejaría una marca!

—Desaparecerá —respondió Adelaide en tono displicente—. Pero su poder no. Y ahora ven conmigo. La Junta nos está esperando. Todo el mundo tiene muchas ganas de conocerte.

Tal como me había dicho mi abuela, la marca de mi muñeca desapareció y la iniciación no implicaba ningún sacrificio animal ni rito satánico, sino que solo era una breve ceremonia de toma de juramento durante la cual me dieron un grimorio de hechizos para principiantes, entre los que se incluía la revocación de una maldición familiar. Después sirvieron abundante champán y estuve charlando con un grupo de mujeres encantadoras y sofisticadas (algunas de las cuales reconocí como figuras destacadas de la televisión, el periodismo y el mundo editorial), así como con algunos hombres altos, apuestos y rubios, que habían venido del club desde Londres para asociarse con La Arboleda. Una de las mujeres era Jen Davies, que aparentaba ser la mujer que vi en el bar la última vez que estuve en el club. Hacia el final del cóctel se las ingenió para hablar conmigo a solas.

—Quería que supieras que lamento haber delatado a tu amiga en la prensa. Era mi servicio comunitario de iniciación y pensé que no estaría mal delatar a una idiota embustera de la clase alta. Pero a medida que he podido conocerla mejor...

—¿Conocerla mejor? —pregunté.

—Sí, la he estado visitando en McLean. Por cierto, se está recuperando muy bien y participa en un taller de escritura que organizan allí. Ahora está trabajando en una novela; una novela acerca de brujas y hadas. Acaba de conseguir un contrato fantástico. Y aunque pueda resultar irónico, se venderá como ficción.

Sabía que yo también tenía que visitar a Phoenix. Se merecía una explicación; no había sido mi íncubo quien la había llevado a esa situación, sino Mara, que la había estado consumiendo hasta dejarla débil. Y el demonio que Phoenix había visto fuera de casa el día que se la llevaron a McLean, también debió de ser Mara.

—De todos modos —continuó Jen—, no me gustó que me utilizaran como instrumento de tortura. Muchos miembros jóvenes del club tampoco están de acuerdo con la manera en que se hacen las cosas aquí: el prejuicio contra las hadas y los demonios, toda esa postura antiinmigración, etcétera. De manera que hemos formado un pequeño grupo *ad hoc* para promover cambios. Si te interesa unirte...

Al final de la velada ya había accedido a asistir a una reunión informal (y secreta) del grupo que Jen llamaba Plantón. Cuando subía la escalera hacia mi habitación, la cabeza me daba vueltas por el champán y por las diversas alianzas opuestas con que tendría que lidiar los siguientes meses. Mi vida iba a ser muy complicada. Cuando abrí la puerta de mi habitación comprendí cuán complicada sería en realidad. En uno de los sillones tapizados de moaré azul que había junto a la ventana estaba Anton Volkov tomándose una copa de champán.

Abrí la boca para chillar, pero al punto la cerré. ¿Quién acudiría en mi ayuda? Me percaté de que Volkov llevaba un alfiler de corbata con la insignia de La Arboleda.

—¿Eres miembro? —pregunté, entrando en la habitación—. Pensaba que en el club no admitían a criaturas sobrenaturales...

—No se admiten hadas ni demonios, pero los nocturnos nos mantuvimos neutrales durante la Gran División. Y como resultado hemos sido capaces de ofrecer muchos servicios útiles a ambos grupos. Aunque yo no soy un miembro, solo soy un asociado.

—¡Eres el informador! —caí en la cuenta de repente.

—Prefiero considerarme un enlace entre La Arboleda y Fairwick.

—¿Y qué estás haciendo aquí? ¿Has venido a buscar tu parte del trato? —pregunté, intentando que no me temblara la voz. Anton estaba lo suficientemente cerca para que yo notara el magnetismo de su presencia. Y también para que en cuestión de segundos pudiera atacarme y dejarme seca. Y eso no era lo que yo quería que hiciera; quería vivir—. Mira —dije—, me aseguraste que no harías nada con lo que no estuviera de acuerdo y yo no quiero... que me muerdas ni convertirme en vampiro.

Sonrió y se inclinó hacia delante en su sillón. Me rozó el cuello con un dedo, justo debajo de la oreja, y dibujó una línea hasta mi clavícula. Me estremecí.

—Es una pena... pero eso no es lo que te iba a pedir. Lo que quiero... Lo que nosotros, los nocturnos de Fairwick, queremos es tener un portavoz en La Arboleda. Un aliado que de fe de nuestra «buena conducta». Serás la encargada de informar al club de lo que sucede en Fairwick y queremos asegurarnos de que les dices que nos comportamos según las directrices de La Arboleda; que solo bebemos sangre de voluntarios adultos y no estamos convirtiendo a nadie en vampiro.

—Pero si estáis respetando todas esas normas, ¿por qué necesitáis hacer un trato especial conmigo para que informe de la verdad?

Anton se encogió de hombros y depositó la copa vacía en una mesilla. Observé que tenía marcas de labio rojas en el borde, pero no creí que fueran de pintalabios.

—Digamos que otra opinión en nuestro favor procedente de una guardiana podría resultarnos útil en el futuro. Sospechamos que las relaciones entre La Arboleda y Fairwick entrarán en crisis. Y me temo que el poder de La Arboleda está creciendo, mientras que el de Fairwick está menguando. No queremos vernos atrapados por el fuego cruzado. —Se levantó y me tendió la mano—. ¿Qué me dices? ¿Trato hecho?

Le estreché la mano, que estaba helada, al tiempo que me preguntaba si aquello era algo que yo deseaba, y enseguida pensé en lo mucho que cabrearía a mi abuela.

—Sí —asentí—. Trato hecho.

Al día siguiente, mientras conducía de nuevo hacia Fairwick bajo una intensa lluvia, pensé en todos los secretos que tendría que guardar a lo largo de los siguientes meses: la identidad de Frank, la naturaleza de súcubo de Soheila, mi membresía en La Arboleda, el trato hecho con los vampiros... Para una chica que siempre había valorado la verdad eso suponía muchas mentiras. Pero, tal como mi abuela había dicho, tenía cualidades que jamás habría imaginado.

Al menos había una verdad que sí que podía decir. Me había pasado media noche leyendo mi grimorio nuevo, prestando especial atención a la parte que explicaba cómo revocar una maldición familiar. Me había sorprendido y aliviado descubrir que no implicaba ningún sacrificio sangriento ni ofrendas extrañas. Solo tenía que decirle una frase a Nicky y sentirla de verdad:

«Te perdono por el dolor que tu familia le causó a la mía y te libero del dolor que os hemos causado.»

Bastante sencillo, aunque lo más seguro es que, cuando lo dijera, Nicky pensara que había perdido la cordura.

Aparqué delante de la Casa Madreselva pensando en el poder del perdón y en el dolor que sin saberlo causamos a los otros. En mi cabeza oí la pregunta que Liam me había hecho: «¿Tan malas son las mentiras cuando se dicen por amor?»

Observé mi casa unos instantes antes de apearme. Tampoco estaba tan mal después de un invierno tan largo: le faltaban algunas tejas del techo y a los aleros les vendría bien una mano de pintura. Y también tendría que cambiar los postigos. No obstante, unos narcisos crecían frente a la fachada y los arbustos de madreselva se estaban llenando de capullos verdes. Ese era mi hogar, para bien o para mal. Mi tatarabuelo se había marchado del pueblo como un hombre amargado y arruinado, pero de algún modo yo había regresado y, contra todo pronóstico, todo me había salido bien.

Bajé del coche, pero en lugar de entrar en casa crucé el jardín y caminé a través de un hueco que había entre los árboles hasta el sendero. El suelo estaba húmedo por la lluvia, pero al menos ya no había nieve. Seguí el camino hasta el claro que había en medio del matorral de madreselva. Las ramas arqueadas estaban oscurecidas por la lluvia y junto al verde primaveral parecían vidrieras.

«Como una catedral», había escrito Dahlia LaMotte al final de *El visitante oscuro* cuando Violet Grey y William Dougall se encuentran en un claro apartado del bosque. En el libro publicado la escena acaba con Violet aceptando la propuesta de matrimonio de Dougall, pero en el manuscrito había un fragmento más:

Aparté la vista de mi amante terrenal y observé a mi amante demonio que se alzaba entre la bruma, más allá de los árboles. Vislumbré el deseo en su rostro, un anhelo correspondido en mis propias venas y tendones. Estaba hecho de una oscuridad que se comunicaba con la oscuridad que había en mi interior. Si me llamaba, lo seguiría. Pero no lo hizo, sino que levantó la mano para despedirse o bendecirme, nunca lo sabré, y se desvaneció entre las sombras de las que había venido.

En ese momento una tenue neblina se elevó del suelo y cubrió la entrada en forma de arco. Me acerqué y la neblina se esparció, me rodeó y me acarició el rostro. Sentí que se regodeaba en la llave de hierro que todavía llevaba colgada del cuello y en las marcas de la muñeca que Liam me había dejado cuando había estado dispuesta a seguirle hacia la oscuridad.

«Estaba hecho de una oscuridad que se comunicaba con la oscuridad que había en mi interior.»

Sí, Dahlia tenía razón. La verdad era que reconocía una parte de mí misma en el íncubo. En lo más profundo de mi ser había un lugar oscuro que había permanecido cerrado y oculto desde que era una niña, y solo ahora empezaba a despertar. El íncubo lo había despertado. Y aunque no me había enamorado del hombre civilizado en que se convirtió, creía que podía haber amado a esa criatura salvaje de las sombras y la luz de luna.

Cerré los ojos e inhalé el aroma del aire salado y la madreselva.

—No —dije, respondiendo a la última pregunta que Liam me había hecho—. No es tan malo mentir por amor.

Entonces, con la cara húmeda por la niebla, me volví y me fui a casa.